LE DERNIER PARADIS

Antonio Garrido est né en Espagne en 1963 et enseigne à l'université polytechnique de Valence. Passionné de romans d'aventure, son premier roman, *La Scribe* (Presses de la Cité, Prix des lecteurs Livre de Poche sélection 2010), a été un best-seller en Espagne et à l'étranger. *Le Lecteur de cadavres* (Grasset, 2014) a obtenu en 2012 le Prix international du roman historique et, en France, le prix Griffe noire 2014. Traduit dans une douzaine de langues, Antonio Garrido s'est imposé comme un des plus grands auteurs contemporains de la littérature espagnole.

ANTONIO GARRIDO

Le Dernier Paradis

ROMAN TRADUIT DE L'ESPAGNOL PAR
NELLY ET ALEX LHERMILLIER

GRASSET

Titre original :
EL ÚLTIMO PARAÍSO
Publié par Editorial Planeta, S.A., Barcelone, en juin 2015.

À mes parents, Antonio et Manuela, avec tout mon amour.
Ce sont peu de mots, mais il me faudrait un livre sans fin
pour leur dire combien je les aime.

1

Hiver 1932, Brooklyn, New York

Désespéré, tel un chacal aux abois, Jack Beilis s'engagea dans les ruelles de Danielsburg. Ici et là, l'éclairage blafard d'un réverbère laissait voir son visage sec, creusé par la faim, dans lequel se détachaient des yeux bleus où ne brillait aucun éclat. Il fouilla dans ses poches en avançant, dans l'espoir d'y trouver les miettes d'un croûton, geste trop souvent répété, parfaitement vain. Son estomac protesta. Depuis un an qu'il vivait à Brooklyn, ses économies lui avaient permis d'éviter les files d'attente aux œuvres de bienfaisance, mais la crise les avait peu à peu englouties, tout comme son corps avait consumé sa dernière once de graisse. Il maudit la Ford Motor & Co. et Bruce Tallman. Surtout Bruce.

Harcelé par la pluie persistante, il se réfugia sous un porche et monta l'escalier délabré qui menait à l'appartement de son père, Solomon. Il s'arrêta sur le palier du cinquième étage. Tandis qu'il cherchait la clé dans son pantalon, un sentiment d'impuissance l'envahit.

Dès qu'il eut ouvert, il appuya, méfiant, sur l'interrupteur, car plusieurs factures restaient impayées. Par chance, la pièce s'éclaira. Il enleva son imperméable et s'enveloppa dans une couverture qu'il prit sur le canapé. Puis il entra dans ce qui avait été la salle à manger avant que son père ne la transforme en un capharnaüm encombré de vieilles chaussures, de morceaux de cuir et d'aiguilles éparpillées... Dans le couloir, il entendit les ronflements de Solomon, qu'il trouva endormi sur son lit comme s'il s'était écroulé dessus. Il était tout habillé et exhalait une pénétrante odeur d'alcool. Près de lui reposait une bouteille de bourbon à moitié vide. Il couvrit l'homme avec le plaid et s'empara de la bouteille. De retour dans la salle à manger, il alluma la *menorah*, le chandelier à sept branches des Hébreux qui trônait sur la table. Quand son père se réveillerait, il serait heureux de la voir allumée.

Ce soir-là, il tarda à trouver le sommeil. Il avait tant marché que ses pieds étaient gonflés et il se sentait transi jusqu'aux os. Étendu sur le canapé défoncé, il regretta le temps où, lorsqu'il rentrait du lycée, sa mère l'accueillait avec des petits pains au lait tout juste sortis du four, parfumés au beurre chaud, qui fondaient dans la bouche... Des jours à jamais envolés. Il ouvrit le tiroir d'une petite table proche et en sortit un portrait décoloré par le temps. C'était une photographie de sa mère, Irina. Il la contempla avec nostalgie. Il pouvait encore caresser ce doux et délicat visage, avec ses profonds yeux noirs qui semblaient le protéger et le conseiller : « Patience, mon fils, tu dois prendre soin de toi... et de ton père. » Et c'était ce qu'il essayait de faire depuis qu'il était revenu de Détroit.

Mais Solomon ne se laissait pas faire. La seule préoccupation de son père consistait à se procurer sa ration quotidienne d'alcool, comme il le faisait depuis le jour où Irina était tombée malade.

Il saisit la bouteille et en avala un long trait. L'alcool lui embrasa la gorge mais le réconforta. Pour la première fois depuis longtemps, une sensation de chaleur envahit son estomac, et il ferma les yeux pour savourer ce plaisir. Les dernières gorgées lui rendirent assez d'énergie pour faire naître une lueur d'espoir. À la différence de son père, il était jeune et fort, il avait deux mains habiles et l'obsession maladive de trouver un travail qui les sortirait du marasme. L'espace d'un instant, il considéra sa chance en comparaison de celle des milliers de sans-abri qui emplissaient les camps de baraques dispersés dans les faubourgs de New York. Au moins son père et lui avaient-ils encore un toit sous lequel s'abriter. Tant que Kowalski le leur permettrait.

De nouveau il regarda le portrait de sa mère. Cinq ans plus tôt, alors que les temps étaient encore propices, Solomon avait transféré son commerce de cordonnier dans un local plus central à Broadway. Par malheur, peu après l'inauguration du *Solomon's Shoes Workshop*, apparurent chez Irina les terribles symptômes d'une maladie inexorable. Non seulement le cancer l'emporta, mais il épuisa également les économies de Solomon, ne lui laissant que des dettes. À cette époque, Jack travaillait à Détroit. Le jour où il fut averti, il était déjà trop tard. Lorsque, pendant l'enterrement, il demanda des explications à son père, Solomon réussit à peine à murmurer qu'il n'avait fait que suivre la volonté de sa femme. Irina n'avait jamais voulu que son fils apprenne sa maladie et qu'il souffre à cause d'elle.

Le bourbon allégea sa peine, mais il attribua ce soulagement à la médaille accrochée à son cou : un ancien sceau portant des caractères hébraïques que sa mère lui avait offert pour son dixième anniversaire. Depuis qu'elle était morte, il ne l'avait jamais enlevée. En fait, c'était la seule chose qui lui rappelait les jours heureux. Il la serra entre ses doigts, avant d'être vaincu par le sommeil.

La fraîcheur de l'aube réveilla Jack comme s'il avait dormi à la belle étoile. Il regarda vers la fenêtre. Le vent avait arraché les journaux qui couvraient les vitres brisées, faisant de la pièce une véritable glacière. Il s'étira, alla au lavabo et resta debout devant le miroir, contemplant sa figure émaciée. Il inspira profondément avant de plonger son visage dans la bassine d'eau glacée, s'essuya avec une serviette usée et étancha avec des petits bouts de savon les minces coupures qu'il s'était faites en se rasant. De nouveau il se regarda et tenta d'esquisser un sourire que le miroir ne lui renvoya pas. Il lui était chaque jour plus difficile d'accepter que les cernes profonds qui creusaient ces yeux bleus appartenaient au même jeune homme qui, un an plus tôt, faisait soupirer d'admiration les jeunes filles de la Société de danse de Dearborn. Mais en réalité, il y avait longtemps qu'il n'était plus le séduisant superviseur de la Ford Motor & Co., qui portait des vestes françaises et fréquentait les meilleurs clubs de Détroit. Et cela le rongeait.

Il préféra ne plus y penser. Dernièrement, cette seule idée lui donnait des crampes d'estomac. Il avait hâte de trouver du travail, sinon, tôt ou tard son père et lui se verraient obligés d'errer dans les rues et de dormir sous des cartons à Central Park, au milieu des mendiants et des criminels.

Il ouvrit l'armoire et en sortit son unique chemise, un modèle en coton blanc de coupe classique. Elle portait encore l'étiquette des magasins Abraham & Strauss où elle avait été confectionnée. Délicatement, du bout des doigts, il effleura les boutons avant de l'ajuster à son corps sec. Il enfila un gilet de laine puis, par-dessus, la gabardine défraîchie que lui avait prêtée son père… La semaine précédente il avait échangé la sienne contre un peu de beurre et une livre de pommes de terre. Il ne la boutonna pas parce qu'elle était trop petite pour lui. Il prit sa montre Bulova, qu'il avait tant de fois tenté de vendre et pour laquelle on lui avait proposé l'équivalent d'un demi-bol de soupe. Avant de l'attacher à son poignet, il regarda la phrase gravée au dos : « Au meilleur ouvrier de l'année, de la Ford Motor Company. » Il eut un sourire amer. Enfin il enfonça son chapeau sur sa tête et, de nouveau, se regarda dans la glace. L'ombre du rebord cachait son visage amaigri ; si quelqu'un le croisait dans la rue il penserait que les choses n'allaient pas si mal pour lui, ou du moins pas aussi mal que pour les milliers d'Américains qui, à cette époque, mouraient par dizaines, comme des poux sur le givre. Engourdi par le froid, il se frotta les mains, éteignit la lumière et sortit de la pièce.

Il se préparait à quitter l'appartement quand une voix pâteuse l'arrêta.

— Où tu vas ?

Il se retourna et se retrouva face à la silhouette évoquant ce qu'il restait de son père. Le vieil homme avait les cheveux en bataille, comme une vieille serpillière, sa barbe grisonnante portait encore des miettes de nourriture et ses yeux restaient mi-clos, comme s'ils refusaient de regarder le corps abîmé qui se cachait sous le T-shirt plein de taches.

— Travailler, mentit Jack.

Il n'aimait pas mentir, mais il ne voulait pas angoisser davantage son père.

— Déguisé en dandy ?…, interrogea l'homme d'une voix enrouée tandis qu'il essayait de tirer une dernière goutte de la bouteille de bourbon vide. Maudit mal de crâne… Quelle heure est-il ?

Il toussa.

— Il est tôt… Vous avez pris votre sirop ?

Solomon Beilis ne répondit pas. Il se gratta les aisselles, les yeux vitreux, comme s'il cherchait dans son cerveau la réponse adéquate. Ne la trouvant pas, il s'assit sur le sofa et regarda son fils.

— Hier, Kowalski est passé.

— Encore ? Et qu'est-ce qu'il voulait ? demanda-t-il, histoire de dire quelque chose.

Kowalski voulait toujours la même chose.

— Ce teigneux de Polonais ne veut rien entendre. Il dit qu'il en a assez de nous faire crédit pour l'électricité et qu'il a une liste d'attente de locataires prêts à occuper notre appartement.

— Il a dû se lever du pied gauche. Je vais lui parler. Il reste encore un peu de purée de pommes de terre dans la casserole. Ensuite, je verrai si on nous fait crédit à la boulangerie. Et couvrez-vous, ou vous ne soignerez jamais cette toux.

— Et à boire ?…, répliqua le vieillard. C'est un jour de fête aujourd'hui. Je vais devoir aller boire un coup.

Jack secoua la tête. Il n'arrivait toujours pas à comprendre comment son père se débrouillait pour se procurer de l'alcool, sans argent et malgré la Prohibition qui en interdisait le commerce. Il regarda son père se lever en titubant et se diriger vers la *menorah* dans l'intention d'allumer l'une des bougies qui s'était éteinte. Après deux ou trois tentatives, le vieillard parvint à gratter une allumette, mais elle lui glissa des doigts.

— Vous finirez par vous brûler, père ! Allons, je vous emmène dans votre chambre.

— Lâche-moi. Par tous les diables ! Les chrétiens ont leur maudit Noël et nous, nous avons notre Januka, donc je vais allumer le candélabre sacré. Et toi avec lui, s'il le faut !

En voulant se libérer, le vieux éclaboussa de cire le gilet de Jack. Voyant cela, l'homme balbutia quelque chose qui ressemblait à une excuse, mais Jack n'y accorda pas d'importance. Il se nettoya comme il put et quitta l'appartement.

À l'extérieur, le vent hurlait entre les immeubles, soulevant des tourbillons de poussière et de feuilles mortes. Jack se serra dans sa gabardine. Cela faisait des jours que le soleil restait caché, comme s'il avait honte d'éclairer ce tableau de tristesse et de désolation.

Il leva les yeux pour regarder autour de lui. L'appartement de son père était situé dans la 2nd South

Street, à trois pâtés de maisons au nord du pont de Danielsburg, dans un ancien ensemble de maisons occupées en majorité par des immigrants juifs, ceux qui étaient arrivés d'Europe au début du siècle et s'étaient établis dans le secteur pour se protéger les uns les autres. Beaucoup avaient américanisé leur nom pour faciliter leur intégration, mais Solomon Beilis se montrait fier de ses origines russes. Voilà pourquoi il avait tenu à ce que son fils américain apprenne la langue de ses ancêtres. C'était une autre époque. Aujourd'hui, le tapage et les rires des enfants qui peuplaient autrefois les trottoirs de Danielsburg s'étaient évanouis, transformant le quartier en une friche de ruelles abandonnées et de parcs déserts.

Malgré le froid, il distingua quelques personnes qui déambulaient dans les rues et il écarta ses souvenirs. Il devait se presser, sinon, lorsqu'il arriverait aux entrepôts des halles, les plus matinaux auraient déjà pris les offres de travail que l'on placardait parfois sur les panneaux d'affichage.

Il n'eut de chance ni aux halles, ni aux travaux de la nouvelle ligne de métro de l'Independent Subway System, ni sur les quais de Brooklyn où des firmes comme la pétrolière Exxon, la Pfizer Pharmaceuticals ou la D. Appleton & Co. embauchaient des livreurs de temps en temps. Pendant des heures il se rendit de fabrique en fabrique, recevant les mêmes réponses négatives que le groupe de chômeurs qui l'accompagnait. Même les gigantesques chantiers navals de Red Hook avaient limité les embauches, destinant les postes vacants aux immigrés italiens qui payaient leur écot aux mafias.

En milieu d'après-midi, les entreprises fermèrent leurs grilles et les chômeurs s'en allèrent, éreintés, les poches vides et le moral à zéro. C'était le pire moment de la journée, celui où la faim aiguisait encore plus ses griffes.

En route vers Danielsburg, Jack s'arrêta près de la maison de charité du pont de Brooklyn pour contempler ce que les New-Yorkais avaient baptisé *bread line*, « la file du pain ». C'est ainsi qu'ils désignaient les établissements de bienfaisance où des milliers d'affamés se pressaient chaque jour dans l'espoir d'avaler un bol de soupe. Ce jour-là, la queue faisait le tour du pâté de maisons et se perdait au-delà de ce qu'il pouvait voir. Parmi ceux qui attendaient il reconnut Isaac Sabrun, le vendeur de meubles dont le commerce avait fait faillite peu après le début de la crise. Il traînait les pieds, voûté, le regard absent. Quelques pas derrière lui il aperçut Franck Schneider, l'avocat de River Street dont les gros investissements étaient devenus poussière du jour au lendemain. Le malheureux racontait qu'il faisait la queue pour la soupe populaire parce qu'il était veuf, mais tout le monde savait qu'après sa ruine sa femme l'avait quitté pour un riche éleveur du Nebraska. Derrière Schneider, il découvrit le célèbre journaliste David Leinmeyer, dont on disait qu'il vivait sous le pont, qu'il s'était laissé pousser la barbe et la moustache pour éviter qu'on le reconnaisse.

Jack eut pitié d'eux tandis que son estomac rugissait, lui réclamant de les rejoindre. Il se demanda s'il devait transiger. Cela faisait des semaines qu'il n'avait pas mangé un plat chaud, mais quelque chose au fond de lui l'empêchait d'avoir recours à la charité. À ses yeux, cela impliquait qu'en plus d'avoir tout perdu il avait aussi perdu l'espoir.

Il s'éloigna tête basse. Il ne voulait pas que quelqu'un le voie ronger ce croûton de pain qu'il avait ramassé sur la table d'une cafétéria avant qu'elle soit débarrassée.

Tandis qu'il dévorait son repas du jour, il pensait au propriétaire et aux factures en attente. Jusqu'à maintenant il avait réussi à le faire patienter en lui promettant de rembourser ce qu'il devait avec des intérêts, mais si, comme le lui avait assuré son père, il disposait de locataires prêts à payer d'avance, Kowalski ne tarderait pas à montrer les dents.

Il se désola. Décharger de loin en loin des marchandises n'allait pas améliorer sa situation. Il avait besoin d'argent, et tout de suite. Il réfléchit un bon moment à la manière de s'y prendre. Finalement, il fouilla dans son portefeuille et y dénicha son dernier billet de cinq dollars, qu'il contempla comme s'il s'agissait d'un trésor. C'était tout ce qu'il avait, assez pour se nourrir pendant trois semaines, mais cette miette ne pourrait les sauver de la rue. Tout à coup, il le serra rageusement dans son poing. Il entra dans le bistrot le plus proche et demanda s'il y avait un téléphone. Le patron s'essuya les mains sur son tablier, évalua l'aspect de Jack et refusa d'un hochement de tête, jusqu'à ce qu'il remarque le billet que le jeune homme tenait entre ses doigts. Sans dire un mot il le saisit, ouvrit la caisse enregistreuse et lui rendit la monnaie. Puis il lui montra l'appareil posé sur un coin du comptoir. Jack le fixa. Il hésita sur ce qu'il devait faire. Finalement il prit l'écouteur et composa un numéro qu'il connaissait par cœur. Quand la conversation prit fin, il pria pour que cet appel donnât des fruits.

Comme il avait le temps, il se rendit à l'entrée de l'American Sugar Refining Co. une demi-heure avant l'heure convenue.

Construite sur les docks de l'East River, l'American Sugar continuait à traiter plus de la moitié de tout le sucre consommé dans le pays, grâce à quoi elle occupait des centaines d'ouvriers à des travaux d'arrimage, de manipulation et de transport. Il savait qu'y obtenir un travail n'était pas chose aisée, mais si quelqu'un pouvait l'aider, c'était sans doute son ami Andrew. Tandis qu'il attendait, il s'aperçut que l'humidité ambiante avait abîmé les briques rouges qui composaient la façade, au point de la changer en une peau noirâtre qui contrastait avec les encadrements bleus des fenêtres. Mais cela n'entamait en rien l'aspect majestueux de l'édifice, dont l'énorme cheminée paraissait à elle seule défier la crise.

Il commençait à pleuvoir et le vigile de l'American Sugar était sorti plusieurs fois pour lui ordonner de s'éloigner du portail, parce qu'il faisait mauvaise impression sur les clients. Jack murmura quelque chose et obéit à contrecœur. Sous la pluie, impatient, il attendit qu'apparût celui avec qui il avait rendez-vous.

Andrew Scott avait été son meilleur ami ; il ne l'avait pourtant pas vu depuis longtemps. Pendant des années ils avaient partagé le même pupitre et les récréations à la Brooklyn Technical High School, et ils étaient devenus inséparables. Les souvenirs de cette époque lui revinrent en mémoire. Malgré sa nature chétive, maladive, Andrew semblait toujours de bonne humeur. Il aimait chasser les lézards et entraînait Jack dans ses fous rires et ses blagues. Son talent de farceur allait de pair avec sa facilité à s'attirer les ennuis, ce qui obligeait Jack à affronter tous ceux qui choisissaient Andrew comme cible de leurs moqueries. À cette époque, Jack commençait à se distinguer de ses camarades qu'il dépassait de près d'une tête. Ses bras étaient robustes et ses mains habiles, ce qui lui valait le respect des garçons et l'admiration des filles. Parfois Andrew l'enviait, mais Jack s'arrangeait pour lui montrer que, malgré sa force, il avait les plus mauvaises notes dans les matières littéraires où Andrew évoluait comme un poisson dans l'eau. Par chance, Jack trouva une solution à ses limites lorsqu'il entreprit des études de mécanique. Il interprétait les plans, analysait les mécanismes et résolvait leurs failles comme s'il s'agissait de puzzles. Au fur et à mesure qu'il apprenait, sa fascination augmentait pour n'importe quel objet qu'il pouvait démonter, comprendre et réparer : bicyclettes, machines enregistreuses, serrures ou phonographes, quelle que soit leur nature ou leur origine. Plus ils étaient compliqués, plus cela aiguisait son ingéniosité, et plus les voir revenir à la vie lui causait de satisfaction. Andrew, lui, s'intéressait à la politique. Il avait dix-sept ans et passait ses moments perdus à lire des livres étranges sur les événements violents qui étaient en train de transformer l'Europe. Parfois il demandait à Jack l'opinion de ses parents sur les révolutionnaires russes, mais Solomon n'évoquait jamais ces sujets à la maison.

Malgré leurs goûts opposés, leur amitié grandit pour devenir aussi solide qu'un séquoia. Ensemble ils savourèrent leurs premières cigarettes, ils assistèrent aux premiers bals de fin d'année, tombèrent amoureux des mêmes filles, et celles-ci le leur rendirent par des désillusions qui durèrent ce que dure un vieux parapluie un jour de grand vent. Ainsi passèrent six longues années pendant lesquelles ils construisirent un lien dont ils jurèrent qu'il ne se romprait jamais. Pourtant, le jour de la cérémonie de remise des diplômes, un drame ternit à jamais cette amitié. Jack venait d'avoir dix-huit ans et toute sa famille s'était rassemblée au dernier étage de l'hôtel Bossert pour fêter l'événement. Parmi les participants se trouvaient son oncle Gabriel et son cousin Aaron, qu'il voyait rarement parce qu'ils vivaient dans un quartier de riches sur l'île de Manhattan, et parce que Solomon désapprouvait la manière dont son frère Gabriel gagnait sa vie.

Depuis leur arrivée en Amérique, les chemins des deux frères s'étaient séparés. Alors que Solomon avait persévéré dans son métier de cordonnier, Gabriel avait rentabilisé son absence de scrupules en s'employant chez un prêteur sur gages à l'honorabilité douteuse, pour ensuite prospérer grâce à son propre bureau de prêts. Cependant, au motif de cet événement, Irina avait convaincu Solomon d'inviter Gabriel, dans une tentative de rapprochement familial pour le bien de leur fils. De son côté, Jack avait obtenu de son père qu'il invite Andrew, parce que la famille de son ami n'avait pas les moyens de supporter le coût de la cérémonie.

C'est peut-être pour cette raison qu'Andrew mangea comme un possédé et but du punch comme s'il venait de traverser le désert. Il n'avait pas l'habitude. Quand l'alcool commença à faire son effet, il prit de l'assurance, et lorsqu'il apprit que le cousin de Jack conduisait sa propre voiture et avait un domestique en livrée à son service, il le prit à partie, le traitant de misérable capitaliste.

Ce fut sa première erreur. La seconde, Jack la commit lorsque, en tentant de les séparer, il ne réussit pas à empêcher Andrew de pousser Aaron dans l'escalier. Quand son oncle Gabriel comprit que son fils ne bougeait plus, il maudit Jack comme s'il était responsable de ce malheur. Aaron ne marcha plus jamais. À partir de ce jour, Gabriel Beilis rompit les fragiles relations qui l'unissaient encore à son frère Solomon, et celui-ci, comme punition, interdit à Jack tout contact avec son ami Andrew.

Après l'accident, la relation entre Jack et son père se compliqua. Pendant des années, Solomon avait imaginé que son fils hériterait un jour de son petit atelier et perpétuerait ainsi le métier de ses ancêtres, mais même si Jack travaillait avec acharnement du matin au soir, son intérêt pour la chaussure prenait fin à l'instant où Solomon baissait le rideau de son commerce. C'est pourquoi lorsque Theodorus Rupert, le directeur de la Brooklyn Technical High School, offrit à Jack la possibilité d'obtenir un poste dans l'énorme usine que la Ford Motor & Co. avait construite à Dearborn, le jeune homme n'hésita pas. Apparemment, le responsable des embauches de l'usine avait sollicité les différentes écoles de la nation pour dénicher des candidats prêts à se déplacer jusqu'à Détroit, et l'habile Jack Beilis dont Theodorus lui avait parlé paraissait l'aspirant idéal.

L'idée de perdre son seul apprenti irrita Solomon comme si on lui avait volé ses économies, mais Jack ne recula pas. À Dearborn, non seulement il percevrait un salaire quatre fois supérieur à celui de cordonnier que lui attribuait son père, mais en plus il pourrait grimper les échelons jusqu'à obtenir un poste en accord avec ses capacités. Jack argua en outre qu'il leur enverrait chaque mois la moitié de ce qu'il gagnerait, mais Solomon persista dans son opposition. Quand Irina eut vent de la conversation, elle fut catégorique et résolut que ni Solomon ni la cordonnerie ne feraient passer leurs intérêts avant ceux de son fils. Dans leur jeunesse, n'avaient-ils pas eux-mêmes abandonné leurs parents en Russie pour émigrer en Amérique en quête d'un avenir meilleur ?

Quelques jours plus tard, grâce à l'appui de sa mère et à la résignation de Solomon, Jack prépara ses valises, acheta un billet d'autobus et partit pour l'État du Michigan afin de profiter de ce que le destin semblait lui avoir réservé.

Pendant quelque temps, il eut des nouvelles d'Andrew Scott par d'anciens camarades de classe avec lesquels il entretenait une correspondance irrégulière. Ils lui apprirent qu'Andrew avait emménagé à Long Island où, semblait-il, il exerçait comme syndicaliste pour la défense des ouvriers les plus défavorisés. Ensuite, les années passant, il avait perdu tout contact, de même que sa piste. Il le regretta, car il avait la nostalgie de leur amitié. Lors de ses rares visites à New York il fut tenté de le rechercher, mais l'interdiction de son père l'en dissuada toujours.

Une dizaine d'années étaient passées depuis ce funeste dîner de la remise des diplômes au cours duquel Aaron était devenu invalide.

Aujourd'hui, à vingt-huit ans, pressé par la nécessité, il désobéissait à Solomon pour la première fois.

Lorsque enfin Andrew apparut, c'est à peine si Jack le reconnut.

Son vieil ami avait toujours le même aspect d'intellectuel négligé, avec les mêmes lunettes d'écaille et la même écharpe rouge nouée autour du cou. Mais il n'avait que la peau sur les os, et ses vêtements autrefois lustrés s'apparentaient maintenant à un sac de guenilles. Sa surprise fut telle que Jack ne sut quoi dire. Andrew aussi resta muet. Finalement, ils se jetèrent dans les bras l'un de l'autre pour une longue étreinte.

— Quelle joie de te revoir, Andrew ! Tu es... tu es superbe..., parvint-il à mentir.

— Allons, Jack, pas de flatteries entre nous ! dit le jeune homme avec un sourire. Les choses ont un peu changé depuis que nous fréquentions l'institut, pas vrai ?... Mais bon, je ne me plains pas. Et toi ? Raconte-moi ! Hier, au téléphone, nous avons à peine eu le temps de bavarder. Mais regarde-toi ! Tu as l'air d'un jeune premier. Tu as toujours autant de succès auprès des filles ?

— Je t'assure que les femmes sont à présent la dernière de mes préoccupations.

— Il faut toujours trouver du temps pour les filles... Toujours, Jack ! – et il siffla une femme d'âge mûr qui passait devant eux sous un parapluie.

Jack constata que contrairement à ce qui était arrivé à ses cheveux, Andrew n'avait rien perdu de son optimisme. Son sourire lui remonta le moral. Pourtant, son aspect ne correspondait pas exactement à celui de quelqu'un pouvant lui fournir un emploi. Il ne voulait pas paraître intéressé, mais il pleuvait à verse et ils étaient en train de se tremper, aussi osa-t-il poser la question :

— Qu'est-ce qu'on fait alors ? On entre ? dit-il en montrant la porte de la raffinerie.

— Ici ? Pour quoi faire ?

— Je ne sais pas. Quand tu as proposé cet endroit j'ai pensé que…

— Que le travail était ici ? Ha, ha !… Non, mon Dieu ! À la Sugar, les syndicalistes, on les pend à la cheminée ! Non. Je t'ai donné rendez-vous ici parce que c'est à côté d'une cafétéria où il fait chaud et où il y a un bon gramophone qui joue le dernier succès de Bing Crosby. Viens ! Dépêchons-nous avant de mourir de froid !

Sur le chemin de la cafétéria, Jack se demanda comment il ferait pour régler la consommation, parce qu'il avait besoin jusqu'au dernier centime de ce qui lui restait. Andrew parut deviner son inquiétude.

— C'est moi qui invite. Ici, on me fait encore crédit, rit-il, confiant, et il passa son bras sur l'épaule de Jack.

À peine entré dans l'établissement, Andrew sourit à la ronde et salua fébrilement tous les clients qu'il rencontra sur son chemin. Jack fut heureux de constater que son ami était toujours le même type affable et drôle qu'autrefois, le genre de personnes capables, par leur seule présence, d'égayer une veillée funèbre.

Ils s'installèrent à une table devant une fenêtre et commandèrent deux cafés serrés. Jack en demanda un double. La fumée des cigarettes rendait l'air irrespirable, mais la température était agréable et la musique qu'émettait la radio incitait à croire que quelque part, dans un coin caché du monde, le bonheur existait encore. Nerveux, il but son café, il était brûlant, et bien qu'on y décelât un goût suspect de chicorée, il lui parut délicieux. Ses doigts tambourinèrent sur la table et il avala une autre gorgée.

— Bon, Andrew. Merci d'être venu. J'imagine que tu as été surpris par mon appel, non ? Je parie que tu te poses des questions sur cette apparition soudaine, au bout de tant de temps et... Enfin... Tu vas peut-être prendre ça pour une excuse, mais je t'aurais localisé avant si mon père me l'avait permis. Ce qui est sûr, c'est que moi, je ne t'ai jamais rendu coupable de ce qui est arrivé à Aaron. Mais pour ma famille, ç'a été un véritable coup de massue. Tu sais comment sont ces choses... Puis les années ont passé et... Bon. Qu'est-ce que je peux dire de plus ? Tu m'as manqué.

— Allons, allons ! Tu n'as pas à t'excuser, et encore moins pour quelque chose que j'aurais dû éviter. (Andrew termina son café et fixa la table du regard, comme si le passé y était reflété.) Je t'assure que j'ai eu beau y penser, je ne comprends toujours pas pourquoi j'ai agi de la sorte. J'étais indigné, je ne sais pas... Ton cousin, si jeune et si prétentieux, avait tout, et moi je ne pouvais même pas me payer ce dîner. L'alcool m'a troublé, et quand il s'est moqué de mes vêtements j'ai perdu la tête et… (Il baissa le front et se tut.) J'ai demandé plusieurs fois de tes nouvelles et de celles d'Aaron. On m'a dit qu'il n'avait pas recouvré la santé.

— C'est comme ça. Enfin, oublions cette histoire et trinquons à nos retrouvailles.

— Maudite Prohibition ! Trinquer avec du café… Voilà où nous en sommes, Jack ! (Ils entrechoquèrent leurs tasses vides avec un sourire.) Au fait, comment as-tu trouvé le numéro de ma patronne ?

— Des syndicalistes du port me l'ont donné. Tu vis toujours à Long Island ?

— Disons que je survis. Mais parle-moi de toi. J'ai entendu dire que ça a bien marché pour toi à Détroit. Quelqu'un m'a même dit que tu t'étais acheté une maison. Tes parents doivent être fiers de toi.

Aussitôt le visage de Jack s'assombrit et, le voyant, Andrew se souvint que Jack était très proche de sa mère.

— Désolé. J'avais oublié pour ta mère. Mes parents aussi sont morts. Mais c'est la loi de la vie, Jack. Nous devons surmonter tout ça.

— Ç'a été comme un prélude à cette maudite crise. D'abord j'ai perdu ma mère, et ensuite… ensuite tout le reste, soupira-t-il.

Jack ne put empêcher sa mémoire de remonter jusqu'à cet après-midi fatidique du 23 mars 1931, quand Bruce Tallman l'avait appelé dans son bureau de l'usine Ford de Dearborn. À l'époque, Tallman travaillait comme contremaître à la section des matrices, l'endroit où l'on étampait les brillantes bobines métalliques d'où sortaient les portes et les garde-boue du « modèle A ».

Jack imagina qu'il l'appelait pour lui communiquer une promotion. Malgré la crise, les lignes de montage fonctionnaient à plein régime, et parmi les employés circulait la rumeur de l'imminente mise en production d'un nouveau véhicule grâce auquel Henry Ford allait inonder le marché.

À peine était-il entré dans le bureau, que Tallman invita Jack à s'asseoir et lui offrit une cigarette. Jack se méfia, Bruce n'était jamais aussi aimable. En fait, deux mois plus tôt il lui avait remis le diplôme du meilleur ouvrier du mois de la section et il ne lui avait même pas serré la main. Il accepta tout de même la cigarette. Mais avant que la première bouffée n'atteigne ses poumons, le contremaître sortit un papier de son tiroir et le lui tendit sans un mot. Jack se racla la gorge en identifiant le document. Pendant une seconde il voulut croire qu'il s'agissait d'une erreur, mais Tallman tint la lettre de licenciement à la main jusqu'à ce que Jack la prenne. Après l'avoir lue, il garda le silence. En effet, le document stipulait la résiliation de son contrat sans préciser le motif du renvoi. Levant les yeux, il perçut chez le contremaître l'ébauche d'un sourire, qu'il eut envie d'effacer d'un coup de poing. Mais l'agresser ne servirait qu'à l'expédier en prison, et il n'allait pas lui faire ce plaisir. Après avoir quitté le bureau en claquant la porte, il se dirigea vers le siège du syndicat, où on l'assura qu'on ne pouvait pas l'aider. Henry Ford, le propriétaire de l'usine, avait personnellement donné l'ordre de congédier tous les Juifs.

— Ils ont mis nos noms sur une liste noire qu'ils ont fait circuler dans tout Détroit, et il n'y a pas eu moyen de trouver du travail. Quand mes économies ont été épuisées, la banque m'a pris la maison, alors je suis revenu chez mon père, dont la situation n'était pas meilleure. Il ne me l'avait pas dit, mais les dettes de la cordonnerie et les frais occasionnés par la maladie de ma mère l'avaient ruiné. Pendant quelque temps j'ai travaillé dans un garage, à réparer les crevaisons et laver les voitures pour un salaire de misère, et puis le propriétaire a vendu le garage à un imprésario. Ensuite, j'ai fait un peu de tout : mécanicien, tourneur, électricien, arrimeur, livreur…, mais le chômage s'est acharné sur New York et à la fin de l'été je me suis retrouvé à la rue, sans un centime. Qu'est-ce que je peux te raconter que tu ne saches déjà ! Et l'ironie de toute cette histoire, c'est que mon père croit encore que je travaille. Il est malade et je ne veux pas le contrarier. C'est pour ça que j'ai pris le risque de t'appeler. J'ai pensé qu'en tant que syndicaliste tu pourrais m'aider et j'espère ne pas m'être trompé.

Dès que Jack eut terminé son histoire, Andrew écarta la table et se leva, comme poussé par une fureur assassine.

— Bande de dégueulasses ! Je t'assure que j'aurais pu l'imaginer pour n'importe qui d'autre, mais que ça t'arrive à toi… Et chez Ford ! Salauds de chefs d'entreprise. Les choses vont mal… très mal…, je suis sérieux. Tu aurais dû te syndiquer, gesticula-t-il. Les ouvriers ont besoin de se défendre contre les rapaces et les camarades engagés qui les protègent. Vous avez entendu ? (Il haussa le ton afin que les clients l'entendent.) Voilà comment les capitalistes nous écrasent !…

Jack prit peur. Il avait oublié combien Andrew pouvait être véhément et il essaya de le calmer, il ne voulait pas qu'on les fiche dehors, et encore moins que l'on dise qu'il était l'un de ces exaltés qui excitaient les chômeurs contre les patrons. Par chance, les rares clients qui se trouvaient là continuèrent à siroter leur café sans prêter attention à Andrew. Jack eut l'impression que ce n'était pas la première fois qu'ils entendaient ses harangues.

— Tu vois, dit son ami en se laissant tomber, abattu, sur sa chaise. Ils n'ont pas de sang dans les veines ! Ceux qui n'ont pas de travail attendent que quelqu'un descende du ciel et leur vienne en aide, et ceux qui en ont encore se signent et courbent la tête en espérant que le ciel va s'éclaircir. Putain de pays !

Jack se sentit irrité. Andrew avait certes été son meilleur ami, en d'autres temps, mais cela ne signifiait pas qu'il devait partager ses idées extravagantes. Et en ce qui concernait les États-Unis, Jack était persuadé que ce pays offrait encore de grandes possibilités et que, s'il faisait suffisamment d'efforts, tôt ou tard il échapperait à la misère. Son seul doute se limitait à savoir s'il y parviendrait avant de mourir de faim.

Il retint ses pensées et revint à Andrew.

— Et ton seul métier est d'être syndicaliste ?

— Disons que j'étais… l'imprimerie dans laquelle je travaillais a fait faillite et le salaud de patron nous a tous virés. La paye du syndicat permettait à peine de survivre, et maintenant je n'ai même pas ça. Mais je t'assure que cette sangsue a eu ce qu'elle méritait !
– Et il frappa du poing la paume de sa main.

— Mais alors, toi aussi tu es sans travail ?

— Ah ! Et qui ne l'est pas ? Réveille-toi, Jack ! Tu crois peut-être que je porte un costume rapiécé parce que c'est carnaval ?

Jack se tortilla sur son siège. Depuis l'éclatement de la crise, même le marmot le plus naïf savait qu'en Amérique les gens allaient se coucher sans savoir s'ils auraient encore leur emploi le lendemain. En fait, il suffisait de voir l'aspect loqueteux d'Andrew ; il ressemblait à l'un de ces mendiants qui faisaient la queue à la soupe populaire, et il avait plus une tête à lui voler ses chaussures qu'à pouvoir l'aider en quoi que ce soit. Il se sentit désolé pour lui. Toutefois, son ami se montrait souriant et aussi confiant que s'il avait caché un lapin dans son chapeau.

Jack respira profondément. Le plus raisonnable aurait sans doute été de continuer à évoquer le passé, mais le moment était venu de parler franchement. Lorsqu'il l'interrogea sur le genre de travail qu'il avait à lui proposer, Andrew lui rendit un sourire malicieux, ajusta ses lunettes, sortit une coupure de journal de son imperméable et la déplia sur la table.

— Du calme, Jack. Je contrôle tout, dit-il fièrement, et il lui tendit le bout de papier froissé.

Jack saisit la feuille, la lissa soigneusement et y jeta un coup d'œil. Tandis qu'il avançait dans sa lecture son visage passa du désarroi à la stupeur.

— Andrew, si c'est une blague je ne suis pas d'humeur à…

— Une blague ? Mais qu'est-ce que tu racontes ? C'est la solution à tous nos problèmes ! Les miens et les tiens !

Et de nouveau il lui montra le morceau de journal.

Jack dut lire deux fois l'annonce du *New York Times* pour se convaincre qu'Andrew parlait sérieusement.

L'agence commerciale AMTORG offre aux chômeurs américains des milliers de postes de travail dans les usines de l'Union soviétique.

— Tu as dû perdre la raison. (Il se leva, visiblement déçu.) Tu crois vraiment que je vais quitter le pays où je suis né pour retourner dans l'enfer que mes parents ont fui ?

— Écoute-moi, Jack ! Les choses ne sont plus comme avant. Maintenant les Soviets proposent…

— Mais tu insistes avec cette histoire ? Bon sang, Andrew ! Nous sommes américains ! Tu as oublié que ces bolcheviks sont de la même espèce que les sanguinaires qui ont liquidé le tsar et tous les Russes blancs qui ont croisé leur chemin. Notre pays lui-même a contesté la légitimité de leurs dirigeants !

— Je t'en prie, calme-toi et écoute-moi. Hier j'étais à Amtorg et tout ce qu'ils annoncent est vrai. Tu aurais dû voir les queues de demandeurs d'emploi venus de toute la nation : des Texans, des Sudistes, des Californiens… Des familles entières affamées en quête d'une vie meilleure.

— Peut-être, mais ne compte pas sur moi pour cette folie, désolé.

— Viens, Jack ! Tu parles le russe à la perfection et là-bas il y a du travail pour tous. Tu sais combien ils paient dans leurs usines ? Cent quatre-vingts dollars par mois ! Tu m'entends ? Combien tu toucherais ici aujourd'hui, si jamais tu trouvais du travail ?

Quatre dollars ?… Cinq, peut-être ? Et pas seulement ça. En Russie on te fournit un logement gratuit ! Et des médicaments ! Et les congés payés dans des stations balnéaires ! Regarde : rien que l'an dernier ils ont reçu plus de cent mille demandes d'Américains comme toi et moi. Cent mille, Jack ! Avec ton habileté et mes contacts, si nous partions en Russie nous deviendrions les maîtres du monde.

Jack hocha la tête en signe de désapprobation.

— En Russie… évidemment. Je ne sais pas qui t'a rempli la cervelle de ces sornettes.

— Des sornettes, moi ? Mais tu t'es bien regardé ? (Andrew resta silencieux une seconde.) Tu crois vraiment que tu vas tromper quelqu'un avec ton attitude orgueilleuse et un imperméable que tu ne peux même pas boutonner ? Dis-moi un peu. Quand est-ce que tu as mangé un plat de spaghettis chauds pour la dernière fois ? Ou un hamburger, ou de bonnes côtelettes de porc ? Combien de temps tu vas tenir comme ça ? Qu'est-ce que ce pays a fait pour toi pour que tu le défendes avec tant d'ardeur ?

Jack ne sut que répondre, mais ce qu'il savait avec certitude, c'était qu'à Détroit il avait eu une belle vie, et que même si aujourd'hui il avait perdu tout ce qu'il avait gagné, quelque chose lui disait qu'il pouvait le gagner à nouveau.

— Je regrette. Je ne peux pas accepter, Andrew. Je savais qu'à l'institut tu aimais ces folies, mais jamais je n'aurais imaginé que tu irais aussi loin. Je ne sais pas. C'est sans doute ma faute : j'ai cru que tu parlais d'un emploi normal. En tout cas, merci pour ta proposition. Si tu finis par partir là-bas, je te souhaite bonne chance.

Il fouilla dans ses poches pour payer les cafés.

— Attends, Jack. Non mais, tu te rends compte ? Nous avons toujours été inséparables et maintenant tu apparais comme par miracle… Je ne parle pas un mot de russe et là-bas je me sentirais orphelin. Si le problème ce sont les bolcheviks, je t'assure que…

— Ce n'est pas seulement à cause d'eux. Je t'ai dit que mon père est malade. Je ne peux pas le laisser seul.

— Et qu'est-ce que tu feras ici pour lui ? Tu vas te mettre à mendier pour lui payer à boire ?

— Attention, Andrew ! Je ne te permets pas de manquer de respect à ma famille !

Le ton de Jack se fit menaçant. Il laissa deux *cents* sur la table et se retourna pour s'en aller, mais Andrew le retint par la manche.

— Tout le monde le sait. Cet ivrogne est en train de te saigner et toi tu acceptes encore…

Le coup de poing qui l'expédia au milieu d'un chaos de chaises renversées l'empêcha de terminer sa phrase. Jack resta paralysé, jusqu'à ce qu'il se rende compte de la démesure de sa réaction. Il voulut aider Andrew à se relever, mais son vieil ami le repoussa.

— Ça va, ça va, grommela-t-il tout en tentant de réparer les lunettes que Jack venait de lui casser. C'est incroyable, Jack !… À l'école tu me défendais des costauds et maintenant tu en fais partie.

Malgré le malaise qui l'accablait, Jack ne trouva pas la force de s'excuser. Il enfonça son chapeau sur sa tête et sortit de l'établissement. Dès qu'il fit un pas dans la rue, la pluie lui fouetta le visage. Il regrettait de l'avoir frappé, mais Andrew l'avait bien cherché. Les problèmes avec son père ne regardaient que lui, et personne, pas même Andrew, n'avait le droit de les lui jeter au visage.

2

De retour à Danielsburg, Jack remarqua la présence de deux silhouettes trapues assises sur le perron de son entrée. La fumée de leurs cigarettes les dissimulait, mais en s'approchant il reconnut le propriétaire Lukas Kowalski, accompagné de l'un de ses hommes de main. Lorsque le propriétaire aperçut Jack, il se redressa dans un râle.

— Salut mec. Enfin te voilà ! Dernièrement, les Juifs, vous vous faites prier, dit-il.

— Bonsoir, monsieur Kowalski. Désolé, mais je ne vois pas de quoi vous voulez parler.

— Non ? Alors je vais te l'expliquer pour éclairer ta lanterne.

Kowalski fit un geste et avant que Jack puisse l'éviter, le matamore lui saisit le bras et le lui tordit. Jack laissa échapper une plainte en se débattant pour se libérer, mais le type savait gagner sa croûte.

— Du calme, mec, susurra Kowalski à son oreille. Je ne suis pas idiot au point de te laisser manchot, pas encore. Je voulais seulement que tu saches que je suis fatigué d'attendre ; tu vas dire à ton père qu'il arrête de se cacher comme un cafard et qu'il paye ce qu'il me doit, ou alors je défoncerai la porte et je le ferai sortir de sa tanière.

Jack ne comprenait pas la colère de Kowalski pour deux ou trois factures d'électricité. Lorsqu'il le lui dit, le visage du propriétaire vira au rouge.

— Au diable l'électricité ! Je veux l'argent du loyer et du whisky que j'ai avancé à ton père ! Et c'est pas qu'un souhait ! vociféra-t-il. Dis-le-lui et qu'il se le fourre dans le crâne. Dis-lui que je me fiche qu'il n'ouvre pas la porte. Si demain à la fermeture j'ai pas les cent dollars à mon bureau, je viendrai ici et je vous briserai les os.

Kowalski répéta le signal et le gros bras poussa Jack vers la porte. Puis tous deux firent demi-tour et disparurent sous la pluie.

Jack arrangea comme il put sa gabardine déchirée. Il aurait volontiers balancé au propriétaire ce qu'il pensait de lui et des siens, mais tout le monde dans le quartier savait que les hommes de Kowalski étaient toujours armés. Il secoua la poussière de son chapeau et monta à l'appartement. Les marches grinçaient. À peine entré, il se dirigea vers son père dans l'intention de vérifier ce qu'il s'était passé. En le voyant, Solomon grogna.

— Tu as une sale tête. On ne t'a pas payé encore aujourd'hui ? dit-il à son fils.

Solomon lui posait toujours la même question. Jack ne l'écouta même pas.

— En bas, j'ai rencontré le propriétaire…

— Oui ?… bon. Le salaud a voulu entrer ici, mais je ne lui ai pas ouvert la porte. Il devait être bien embêté.

— Pourquoi assure-t-il que nous lui devons cent dollars ?

— Quoi ? Et comment veux-tu que je le sache ? Tu connais cette grande gueule, toujours en train de dire des idioties.

Il détourna le regard, se dirigea vers la cuisine et s'empara d'une bouteille de bourbon.

— Père ! insista Jack.

— « Il assure… il assure »… Je le paierai, c'est pas ce que j'ai fait toute ma putain de vie ?

— Comment ça je vais le payer ? Mais alors, les sommes que je vous ai données pour solder le loyer… ?

Solomon, accroché à la bouteille de bourbon, resta muet. Lentement il la posa sur la table et baissa les yeux. Jack ne pouvait croire à ce que son père avouait par son silence.

— Ce n'est pas possible. Dites-moi que ce n'est pas vrai, bégaya-t-il.

— Diable ! Tu n'as pas entendu ? Je t'ai dit que je le paierai.

Soudain, Jack sentit un élancement de terreur le traverser. Il fit demi-tour, courut vers le buffet de la cuisine, ouvrit l'une des portes et en sortit une petite boîte à cigares en priant Dieu de s'être trompé. Mais lorsqu'il souleva le couvercle, ses soupçons se confirmèrent. Il saisit la boîte vide et la brandit à la face de son père.

— Où est le bracelet de maman ? Qu'est-ce que vous en avez fait ?

— Tu n'as pas les yeux en face des trous ? Il n'y est pas, marmotta-t-il nerveusement.

Puis, vaincu par l'évidence, il s'affala sur une chaise.

Jack jeta la boîte à terre avec l'envie irrépressible de frapper celui qui venait d'éteindre son dernier espoir. Pendant un instant il éprouva de la pitié pour son père, mais la perspective de se retrouver à la rue durcit son cœur. Désespéré, il regarda autour de lui.

— 'D'accord ! Nous allons vendre la *menorah* ! Elle est en bronze massif, l'usurier qui nous a acheté les autres objets nous donnera peut-être assez pour convaincre Kowalski de nous accorder un délai...

— Jamais ! Je vendrais plutôt mon âme au diable ! brailla Solomon en se plaçant entre Jack et le candélabre.

Il le dit d'un ton si exalté que Jack fut convaincu que son père exécuterait sa menace... Il tenta tout de même de le raisonner.

— Ces hommes ne plaisantent pas, père. Si on ne les paie pas, ils nous jetteront à la rue après nous avoir brisé les jambes en plus de morceaux que nous ne pourrons en compter.

— J'ai dit non ! Tu m'entends ? Vends ce que tu veux. Les tables..., les chaises..., les chaussures... Mais ne t'avise pas de toucher à ma *menorah* sacrée. Sinon, je jure sur la mémoire de ta mère que je te le ferai regretter.

Jack serra les dents. Pour toutes les ordures que suggérait son père il n'obtiendrait même pas trois dollars. Il tenta de l'apaiser, l'assurant que l'engagement de la *menorah* serait provisoire et qu'il la récupérerait dès qu'il trouverait un emploi digne.

— Et ce sera quand ? répondit Solomon, hors de lui. Depuis que tu es revenu de Détroit la queue entre les jambes tu passes ton temps à crier sur les toits que tu cherches du travail, mais tout ce que tu as trouvé à faire, c'est réparer quelques chambres à air dans un atelier minable.

Jack n'en crut pas ses oreilles. Il avait perdu sa santé et ses économies pour protéger son père et c'était comme ça qu'il le remerciait. Malgré tout, il essaya de se calmer.

— Mieux vaut que nous remettions cette conversation à plus tard. Nous parlerons quand vous serez plus sobre.

— Non ! Nous allons parler maintenant ! Je n'ai pas besoin de lucidité pour savoir à qui revient la faute de tout cela, poursuivit Solomon. Toi et tes idées de grandeur ! Si tu étais resté à la cordonnerie, rien de cela ne serait arrivé.

— Laissons cela. Ce n'est pas le moment de…

— Et quand est-ce que ce sera le moment ? Quand tu le décideras ? Ah, bien sûr, j'oubliais ! C'est à monsieur Jack de décider du moment où il faut parler ou ne pas parler. Monsieur Jack ne peut pas s'abaisser à faire le travail d'un misérable cordonnier comme son père. En fait (il se leva en soufflant), monsieur Jack était assez important pour laisser sa famille en plan et ficher le camp pour aller vivre à l'autre bout du pays pendant que sa mère mourait et que je me tuais à réparer des chaussures.

Jack sentit un coup de poignard lui transpercer le cœur. Il n'avait abandonné personne. Pour être sincère, ce qu'il n'avait jamais pardonné à Solomon, c'était de ne pas l'avoir prévenu quand sa mère était tombée malade. En plus, pendant son séjour à Dearborn, chaque mois il avait envoyé à ses parents la moitié de son salaire. La rage le consuma.

— Chacun a le droit de choisir ce qu'il veut faire de sa vie ! Moi au moins j'ai bien vécu, et pas comme un miséreux, comme vous le vouliez !

— Comment oses-tu ? Dehors ! cria Solomon en tournant le dos. (Il voulut finir la bouteille de bourbon vide, mais en constatant qu'il ne restait plus une goutte, il la brisa à terre.) Toi et ta mère, je vous ai fait vivre dignement. Si maintenant nous n'avons pas assez, c'est parce que…

— Parce que vous dépensez l'argent en alcool que vous achetez à prix d'or ! lui décocha Jack.

— Va-t-en ! Sors de cette maison. Ici, personne n'a besoin de toi.

Jack serra les poings. Puis il se dirigea vers sa chambre, jeta les vêtements qui lui restaient dans sa valise et la ferma, laissant à l'extérieur le poignet d'un gilet. Il attrapa le portrait de sa mère et le regarda. Il réfléchit à ce qu'il allait faire. Il laissa finalement la valise sur le lit, quitta la chambre et traversa le salon.

— Où tu vas ?

Il ne répondit pas. Il sortit de la maison et fit trembler tout l'escalier en claquant la porte.

Tandis qu'il se disposait à passer la nuit pelotonné dans le vestibule, il entendit la voix éteinte de son père sanglotant derrière la porte : « Je t'en prie, mon fils… Ne m'abandonne pas maintenant. »

Au fur et à mesure que Jack avançait vers le nord de Manhattan, les vieux immeubles de briques faisaient place à des constructions de plus en plus hautes et modernes, pour finir par céder le pas à une armée de géants de pierre flambant neufs entre lesquels grouillait une cohue de piétons et de véhicules qui, malgré le démon de la crise, paraissaient affirmer que New York était toujours le centre du monde.

Les aiguilles de sa montre n'indiquaient pas encore midi lorsqu'il s'arrêta pour observer l'impressionnant ensemble de bâtiments qui constituaient le complexe du Rockefeller Center. Certains immeubles étaient encore en construction, mais la tour principale, véritable colosse de béton et d'acier, s'élevait, pleine de défi, aussi loin que portait le regard. Jack la contempla avec admiration. Elle n'était peut-être pas aussi haute que l'Empire State, ni aussi élégante que le Chrysler Building, mais même avant son inauguration officielle le Rockefeller pouvait se vanter d'une chose que n'avaient pas les autres édifices : à l'intérieur, les hommes les plus riches d'Amérique décidaient des destinées du monde. Il pensa que son oncle Gabriel Beilis devait être l'un d'eux.

Il prit son temps pour trouver la façon d'accéder à l'immeuble. Après avoir rôdé autour, il découvrit l'une des entrées par lesquelles une file interminable d'employés entraient et sortaient sans interruption. Pendant un instant il les envia. Leurs costumes impeccables et leurs cravates étroites lui rappelèrent son époque heureuse à Dearborn, mais il éloigna ces pensées et serra les poings. Il savait que s'il tentait de se mêler à eux on le découvrirait et l'arrêterait. Par chance, il remarqua la présence d'un groupe d'ouvriers qui se dirigeait vers l'entrée ; sans réfléchir, il ôta son chapeau et, en se dissimulant, aida le dernier de la file à porter la poutrelle qu'il avait sur l'épaule.

Une fois à l'intérieur, il s'éloigna, se cachant derrière une colonne d'où il put admirer le majestueux hall d'accueil. Il n'avait encore jamais rien vu de semblable. Le hall brillait de dizaines de fresques dorées qui contrastaient avec le marbre noir du sol et des panneaux en ronce de noyer dans une harmonie à faire pâlir le Madison Square Garden. Lorsqu'il retrouva ses esprits, il chercha les ascenseurs, qu'il découvrit tout au long d'un couloir sans fin. Il compta quinze élévateurs. Il ignorait l'endroit exact où il devait se rendre, mais quand deux employés s'avancèrent dans le secteur il en profita pour les suivre. Cependant, alors qu'il s'apprêtait à pénétrer dans l'ascenseur, un vigile en uniforme le saisit par l'épaule.

— Pardon, fiston, mais je ne crois pas t'avoir déjà vu par ici. Est-ce que tu aurais un rendez-vous ?

— Bien sûr, mentit Jack.

— Ah ! Eh bien dans ce cas, fais-moi le plaisir de t'adresser au comptoir. Et ne va pas faire de bêtises, dit-il, méfiant.

Jack se libéra du vigile, secoua sa veste en essayant de retrouver un peu de sa dignité bafouée, selon lui, et se dirigea vers l'interminable comptoir en bois surmonté d'une table en marbre poli impressionnante. Derrière, une réceptionniste d'âge moyen, scrupuleusement maquillée, s'empressa de s'occuper de lui.

— En quoi puis-je vous être utile, monsieur ?

La femme sourit en levant à peine les yeux.

Jack se sentit réconforté. Il lui plaisait qu'on l'appelle « monsieur », bien qu'il n'ait que vingt-huit ans et que son nouveau statut ne soit que le fruit du mensonge.

— Je voudrais voir monsieur Gabriel Beilis. Il travaille pour Schwalbert et associés.

— Dans quelle tour ?

Voulant regarder son interlocuteur, la réceptionniste fit glisser ses lunettes de bakélite au bout de son nez. En apercevant l'aspect négligé de Jack, son amabilité se changea en un rictus de désapprobation.

— Eh bien je l'ignore. Je sais seulement qu'il travaille ici, au Rockefeller.

— Monsieur, le complexe compte dix-huit édifices : le Time-Life, le Holland House, le RCA, l'Associated Press, le Center Theater… Bon, laissons cela. Je vérifie… (Elle ouvrit un dossier et chercha le nom.) Beilis… Beilis… Oui. Le voilà : Beilis, Gabriel, de Schwalbert et associés. Édifice Time-Life, quarante-sixième étage. Vous avez un rendez-vous ?

— Non. C'est une visite de courtoisie, mentit-il à nouveau.

La femme haussa un sourcil, mais elle décrocha le téléphone.

— Pour quelle compagnie travaillez-vous ?

— Pardon ?

— Eh bien quelle compagnie représentez-vous ? J'ai besoin de le savoir pour vous annoncer.

— Ah ! Les chaussures Solomon. Mon nom est Jack, fut la première chose qui lui vint à l'esprit.

La réceptionniste composa un numéro et effectua la vérification. Au bout de quelques secondes elle raccrocha le combiné.

— Je regrette, mais nous avons des problèmes avec les lignes intérieures. Je vous prie d'avoir l'amabilité de vous retirer, afin que je puisse recevoir le visiteur suivant.

— C'est urgent ! Essayez encore, la supplia-t-il.

— Monsieur, je regrette, mais tant que la ligne est en dérangement je ne peux pas vous aider.

— Bon, et quand sera-t-elle réparée ?

— Je n'en sais rien. Écartez-vous, je vous prie. Dès que la ligne sera rétablie je vous préviendrai.

Jack se préparait à insister lorsque le garde qui l'avait arrêté s'approcha du comptoir.

— Un problème, Beth ?

— Je pense que non, Tom. Ce jeune homme s'en allait…

La femme défia Jack du regard.

— Écoutez, mademoiselle. Je suis venu à pied depuis Danielsburg et je ne bougerai pas tant que…

— Bon, ça suffit mon garçon !

Le garde saisit Jack par l'épaule.

— Lâchez-moi !

Le vigile ne se troubla pas. Il ceintura Jack avec la fermeté de tenailles et l'écarta de la file qui s'était formée derrière lui pour le conduire de force vers la sortie. Il allait l'expulser lorsqu'un inconnu s'interposa entre eux.

— Attendez un instant, Tom. Jack ? C'est toi ?

Le garde reconnut l'homme en costume qui venait de l'interpeller et lâcha aussitôt le garçon.

— Je suis désolé, monsieur Deniksen. Vous le connaissez ?

— Ben ? Benjamin Deniksen ?

Jack le regarda, incrédule.

Le jeune homme étreignit chaleureusement l'homme qui venait de le sauver. Lorsqu'ils se détachèrent il l'observa, surpris. C'était vraiment Benjamin Deniksen, le vieux Ben, l'ami intime de la famille qu'il n'avait pas revu depuis dix ans. Ses cheveux avaient blanchi, mais il portait les mêmes favoris et la même épaisse moustache. Il constata que l'impeccable costume rayé qu'il portait dissimulait sa silhouette dégingandée.

— Jack, le petit Jack… (Sur son visage se dessina un sourire.) Mon Dieu ! J'ai failli ne pas te reconnaître ! Tu me dépasses d'une tête, et la dernière fois que je t'ai vu tu portais encore des culottes courtes, exagéra-t-il. Mais bon, raconte-moi, que fais-tu à New York ? Je croyais que tu étais dans le Michigan… Ça fait un bout de temps que je n'ai pas vu ton père. Tu sais bien… Avec lui, les choses ne sont plus comme autrefois. (Il fit une grimace.) Enfin, qu'est-ce qui t'amène au Rockefeller ?

— Eh bien, je suis venu pour… (Il s'interrompit un instant.) Je voulais parler à mon oncle Gabriel.

Une expression de stupeur apparut sur le visage de Benjamin.

— Eh bien, Jack ! (Il secoua la tête.) Je ne crois pas que ce soit une bonne idée.

— Je me moque que ce soit une bonne ou une mauvaise idée. Il faut que je lui parle.

Benjamin remarqua la consternation sur son visage.

— Bien. Accompagne-moi. Je vais voir ce que je peux faire.

Jack suivit Benjamin à travers le long couloir. Ils arrivèrent enfin dans un autre hall où se trouvaient quatre ascenseurs. Ils prirent le premier. Jack n'était jamais monté dans un ascenseur aussi moderne. La machine se déplaça à une rapidité vertigineuse pour s'arrêter au 46ᵉ étage. Benjamin lui fit signe de l'attendre près de la secrétaire qui montait la garde et disparut derrière une porte portant une plaque de bronze sur laquelle on pouvait lire :

SCHWALBERT ET ASSOCIÉS
GABRIEL BEILIS. DIRECTEUR GÉNÉRAL

Pendant qu'il attendait, Jack se demanda si venir au Rockefeller Center avait été une bonne idée, mais pour protéger son père il n'avait pas d'autre solution. Soudain la porte du bureau s'ouvrit en grand et Benjamin, la mine circonspecte, l'invita à entrer. Jack mit de l'ordre dans sa gabardine et de sa main peigna ses cheveux en arrière. Malgré sa grande taille, ses profonds yeux bleus, en peu de temps il avait appris que sans argent le charme s'évapore aussi vite qu'une bouffée de fumée par un jour de grand vent.

À l'intérieur du bureau, assis dans un fauteuil capitonné de rouge, un homme aux tempes blanches et aux rides marquées regardait le rapport qui se trouvait sur sa table. Jack attendit en silence près de Benjamin jusqu'à ce que le comptable toussote : Gabriel Beilis leva les yeux du rapport qu'il lisait et les posa sur le nouveau venu. Sans un mot, l'homme observa Jack.

— C'est bien, Ben, laisse-nous.

Benjamin obéit.

Seul face à son oncle, Jack inspira fortement. Gabriel Beilis se leva, laissant voir un costume foncé immaculé qui semblait avoir été acheté la veille. Il avait vieilli, mais son regard était toujours celui d'un loup. Tous deux gardèrent le silence un temps suffisamment long pour que Jack y perçoive une menace. Finalement, ce fut le jeune homme qui le rompit.

— Tant de temps…, commença-t-il en lui tendant la main, mais Gabriel la refusa et se dirigea vers la baie vitrée qui s'ouvrait sur le ciel, comme le défiant.

— Viens. Approche, dit-il d'un ton qui faisait de chaque syllabe un ordre. Tu vois ça d'ici ? Central Park, l'orgueil vert de New York, changé en une porcherie infestée de mendiants. Il y a vingt ans, le dimanche, on pouvait se promener tranquillement avec ses enfants. Maintenant, ces crève-la-faim qui l'envahissent ne laisseraient même pas tes ossements. (Il hocha la tête avec une moue de désapprobation.) Bien. (Il se retourna enfin vers le jeune homme.) Dis-moi : à quoi dois-je l'honneur de ta visite ?

Jack avala sa salive. Il ne savait trop par où commencer, ni comment exprimer l'immensité de son désespoir. Finalement, il le lâcha tout net.

— On va nous expulser.

L'homme resta à le regarder sans répondre. Il sortit une boîte de havanes, en alluma un et aspira une profonde bouffée, savourant le goût.

— Tiens donc. Et c'est tout ? (Il fit quelques pas à travers le bureau.) Au bout de dix ans tu te présentes ici avec un culot monstre et tu lâches : « Oncle Gabriel : on va nous jeter à la rue… » Pas un mot de regret, pas une excuse… Rien. (Il tira une nouvelle bouffée de son havane.) Dis-moi une chose, Jacob… Ou Jack, comme il semble que tu te fasses appeler maintenant. Que devrais-je répondre ? Faire comme s'il ne s'était rien passé ? Ravaler ma fierté et aider le chien qui m'a mordu la main ? Je ne comprends même pas comment ton père t'a envoyé me trouver, ajouta-t-il.

Jack ne sut quoi dire. Il ne comprenait toujours pas pour quelle raison son oncle le rendait responsable de l'accident qu'avait provoqué Andrew.

— Mon père ne sait pas que je suis venu. S'il l'avait su il m'en aurait empêché.

— Et alors, pourquoi ne respectes-tu pas ses désirs ?

— Je vous l'ai dit. Nous n'avons nulle part où aller.

— Bon. Les expulsions sont choses courantes ces temps-ci. La vie est dure. Pour toi, pour Solomon, pour tous.

Jack contempla le luxe qui l'entourait.

— Elle n'est pas dure de la même façon pour tout le monde.

Jusqu'à ce jour, il avait sous-estimé la réussite de son oncle. S'en apercevant, Gabriel ne dissimula pas une moue de satisfaction.

— En effet. Toi, tu peux encore marcher, ce qui n'est pas le cas de mon pauvre fils.

Jack se leva pour s'approcher de l'homme qui semblait prendre plaisir à son malheur.

— Oubliez-moi et pensez à Solomon. Votre frère a besoin de vous.

— Cet homme n'est plus mon frère ! cria-t-il. Par tous les diables, je ne sais même pas pourquoi je t'adresse la parole.

— C'est une faveur que je vous demande, mon oncle. Vous avez le même sang, et notre religion nous oblige à…

— Quoi ? Tu oses me parler de religion ? (Il se retourna, le regard fixé sur Jack.) C'est toi qui me dis ça, Jacob ? Toi qui te fais appeler Jack parce que tu as honte de tes origines hébraïques ? Toi qui mangeais ce qui te faisait envie et qui n'as jamais respecté le shabbat ? Non. *Jacob.* Si tu t'étais vraiment soucié de ta religion, tu aurais appris qu'un Juif n'attaque jamais un autre Juif.

Jack se défendit.

— Moi, j'ai seulement essayé de les séparer. Ce n'est pas moi qui l'ai poussé. En plus, c'est vous qui malgré la Prohibition vous êtes présenté à la fête avec des tonneaux de punch.

Gabriel souffla.

— J'espère que ton père va s'en tirer. (Il ajusta sa veste et aspira une longue bouffée du havane. Puis il s'approcha de son bureau, ouvrit un tiroir d'où il sortit deux tickets qu'il tendit à Jack.) Tiens. C'est pour le nouveau spectacle du Radio City Music Hall. Amusez-vous. C'est tout ce que je peux faire pour vous.

Si à cet instant Jack ne lui jeta pas les tickets au visage, c'est que sa rage fut moins forte que son impuissance. Il saisit les tickets, le salua et quitta le bureau, plongé dans le plus grand désespoir. Il allait prendre l'ascenseur quand le comptable de son oncle l'appela.

— Jack, je suis désolé. Je n'ai pu éviter de vous entendre.

Il baissa les yeux, incapable de soutenir son regard.

— Ne t'inquiète pas, Benjamin. En réalité, c'est ma faute. C'était une folie d'imaginer que mon oncle…

— C'est un homme très strict. Il travaille nuit et jour, et il a beaucoup souffert à cause de ce qui est arrivé à son fils, tenta-t-il de l'excuser. Je ne sais pas quoi te dire.

— Merci quand même. Ça m'a fait plaisir de te revoir. Vous allez tous bien ?

— Oui, tous…

— J'en suis vraiment heureux. Salue ta femme et les enfants.

— Jack, tu sais combien nous estimions ton père.

— Oui, autrefois tout le monde l'estimait. Enfin… Adieu, Ben, prends soin de toi.

Il le serra dans ses bras.

— Toi aussi, mon fils.

De nouveau dans la rue, Jack s'assit sur le perron d'accès au complexe. Il ne pouvait rentrer les mains vides. Tout en essayant d'imaginer une solution, il joua avec les billets que venait de lui offrir son oncle pour le Radio City Music Hall, le magnifique théâtre dont tout le monde parlait et que personne ne connaissait. Il les trouva jolis. Ils annonçaient la première d'un spectacle de starlettes appelé les Rockettes, avec la diva Caroline Andrews et les Wallendas, une troupe de funambules. Lorsqu'il lut, au dos des billets, que le local se trouvait derrière le Rockefeller, il se dirigea vers ses guichets pour s'informer du prix des entrées, et demander s'il était possible de les revendre.

Lorsqu'il arriva, il dut se pincer en apprenant que la valeur de chaque entrée s'élevait à neuf dollars, un prix scandaleux si on le comparait aux vingt-cinq *cents* que coûtait une place de cinéma ou au dollar vingt-cinq d'un match de base-ball. Les dix-huit dollars de ses deux entrées auraient pu régler un mois de loyer et il lui serait encore resté de l'argent, mais le problème était qu'on n'acceptait pas les remboursements.

Il décida de ne pas s'avouer vaincu. Il se souvint que, pendant son séjour à Détroit, il avait une fois acheté au double de leur prix normal des entrées revendues pour les matchs des Tigers à Navin Field. S'il trouvait l'acheteur adéquat, peut-être pourrait-il en tirer un bon parti.

L'occasion se présenta lorsque, au bout de plusieurs heures d'attente, une Duesenberg deux fois plus longue qu'une voiture ordinaire vint se garer sous les impressionnants luminaires du Radio City Music Hall et qu'en descendit un couple qui semblait sortir d'un casino. Lui devait avoir une quarantaine d'années, les cheveux gominés, la moustache fine, rasée à la mode. Il était accompagné d'une jeune femme soigneusement maquillée, qu'il voulait sans doute impressionner. Dès qu'il eut mis pied à terre, l'homme se dirigea vers le guichet, passa la tête par la petite fenêtre et s'entretint quelques instants avec la caissière, puis se retourna pour murmurer quelque chose à sa compagne. La jeune femme fit la moue en apprenant que les meilleures places étaient vendues. La caissière lui en avait proposé au troisième balcon, beaucoup moins chères, que l'homme avait refusées comme si on venait de les sortir d'un égout.

Jack vérifia une nouvelle fois que les siennes correspondaient à des fauteuils d'orchestre, au centre et devant, et il attendit que le couple recule. Alors qu'ils se préparaient à monter dans l'automobile, Jack s'empressa de les leur proposer. Le rupin commença par lui jeter un regard de dédain, mais ensuite il parut apprécier la proposition à sa juste valeur. Il saisit les billets et les examina.

— Ils sont peut-être faux…

Pour toute réponse, Jack les montra à la caissière, qui confirma leur authenticité.

— Monsieur, je vous assure que si mon épouse n'était pas tombée malade, rien ne m'empêcherait d'assister à un spectacle comme celui-ci, le jour de la première, inventa-t-il.

— Et vous dites que vous les vendez pour trente dollars ? essaya-t-il de marchander.

— À cette soirée sera présente la fine fleur de New York. La demoiselle et vous serez au coude à coude avec Jean Harlow, Douglas Fairbanks ou Kid Chocolate. Comme vous l'avez constaté, il ne reste plus de places. Mais bon… si vous ne pouvez pas payer quarante dollars, je comprendrai…

— Douglas Fairbanks ? l'interrompit la jeune femme, dont les yeux venaient de s'écarquiller comme des soucoupes. Oh ! S'il te plaît, chéri, achète-les ! S'il te plaît ! Dis oui !

Stoïque, l'homme supporta l'agitation de la jeune femme, mais finalement il secoua la tête, résigné. Il compta les billets et les remit à Jack.

— Vous êtes sûr que Douglas sera présent ? grogna-t-il.

— Absolument, mentit Jack, prenant congé avec son plus beau sourire et s'éloignant en hâte.

En chemin vers Brooklyn, il regretta de s'être disputé avec son père. Ce n'était pas la première fois que Solomon, dans un accès de colère, lui ordonnait de quitter l'appartement, mais cela durait le temps d'un soupir. Du moins son père aurait-il à présent des raisons de se réjouir. Malgré ses problèmes avec l'alcool, Jack était convaincu que tôt ou tard les choses reprendraient leur cours normal. Le mieux, pour commencer, était de payer quelques-unes des mensualités qu'ils devaient à Kowalski. Ensuite, il trouverait un emploi, quel qu'il soit, et chercherait un moyen pour que Solomon arrête de boire. Il n'avait aucun doute là-dessus. Ils s'en sortiraient ensemble, son père et lui.

Après deux heures de marche, le quartier de Danielsburg émergea à l'horizon.

Lorsqu'il atteignit la 2nd South Street, la nuit était presque tombée. À cette heure, les gens qui avaient encore une maison s'y étaient enfermés pour fêter Noël. Aussi fut-il étonné de voir un attroupement devant le porche de son immeuble. Imaginant un contretemps, il pressa le pas. À mesure qu'il avançait, il aperçut des femmes qui couraient de côté et d'autre en pleurant et gémissant. L'une d'elles lui adressa un regard de pitié. Son pouls s'accéléra.

Il se fraya tant bien que mal un passage au milieu du tumulte jusqu'à un groupe d'hommes accroupis qui s'efforçaient de ranimer un corps ensanglanté. Jack supposa qu'il s'agissait d'un accident, mais plusieurs types pointaient le doigt en direction d'une fenêtre ouverte dans son propre immeuble. Le cœur de

Jack s'arrêta. Il tenta de se ménager un passage, sans succès, jusqu'à ce que l'un de ceux qui s'occupaient du malheureux se lève, demandant de l'aide à grands cris, rendant ainsi visible un tableau désolant.

Écrasé sur l'asphalte, le corps sans vie de Solomon Beilis, accroché à sa *menorah* adorée, gisait dans une énorme flaque de sang.

3

Le cimetière de Bay Parkway était la dernière station où déambulaient les déshérités de Brooklyn : un
terrain rocailleux de tombes noircies, chargées de
misère, de larmes et de désolation. Jack, paré d'une
cravate noire qu'on lui avait prêtée, avançait en trébuchant sous la pluie et le poids d'un cercueil en pin bon
marché dont les arêtes s'enfonçaient dans son épaule.

Tandis qu'il avançait, imaginant le regard rivé sur
son dos des rares âmes pieuses venues à l'enterrement, convaincu que toutes le jugeaient responsable
du suicide de son père, il supporta leur irritant silence.
Lorsqu'ils s'arrêtèrent devant la fosse, Jack regretta
de s'être disputé avec son père, mais il avait la certitude que ses paroles n'étaient pas à l'origine de la
tragédie. En fait, il savait très bien à qui incombait
la faute. Pendant la veillée funèbre, une voisine de
palier lui avait affirmé que quelques instants avant le
suicide elle avait entendu le propriétaire Kowalski et
ses hommes de main frapper à la porte de Solomon,
lui ordonnant de sortir. Ils avaient cogné à plusieurs
reprises avec fureur, mais Solomon ne leur avait
pas ouvert ; il avait préféré se jeter par la fenêtre, et
cela n'avait pas étonné cette femme. Il n'était pas le

premier, et ne serait pas le dernier, à mettre fin à ses jours.

Jack resta imperturbable tandis que la fosse engloutissait le corps de son père. Il n'y avait pas d'oraison, la Loi de Moïse l'interdisait pour les suicidés *anusim,* mais il dit une prière, étranger aux lamentations des vieilles femmes et aux murmures de leurs maris. Il jeta ensuite la première pelletée de terre. Quand les fossoyeurs posèrent la pierre tombale qui identifiait les restes de Solomon Beilis, Juif russe, ses yeux laissèrent échapper quelques larmes.

À la sortie du cimetière, Jack reçut les condoléances de Benjamin, le comptable de son oncle, qu'il avait rencontré la veille au Rockefeller Center. L'homme baissa les yeux lorsqu'il tenta de justifier l'absence de son patron, qu'il imputa à des rendez-vous urgents. Jack n'en crut rien. Il savait que son oncle était le genre de personne qui pouvait annuler une réunion avec le président de sa compagnie, cracher au visage de ses associés et, malgré cela, gagner encore plus d'argent qu'avant. Les yeux humides, le comptable regretta de n'avoir pu aider son père.

— Il refusait… Tu le connaissais.

Jack acquiesça. Solomon avait toujours refusé qu'on l'aide.

Peu à peu les personnes présentes se retirèrent, laissant Jack seul. Il resta quelques minutes ainsi, muet, trempé par la pluie, jusqu'à ce que quelqu'un s'approche de lui. Jack le considéra en silence. C'était Andrew, ses lunettes réparées avec du sparadrap. Il eut honte. Mais son vieil ami le traita comme s'il ne s'était rien passé et posa un bras sur son épaule.

— Allons, Jack. Rentrons à la maison.

Jack se demanda de quelle maison il voulait parler.

La dernière personne qu'il aurait imaginé trouver postée à l'entrée de son immeuble était le propriétaire Lukas Kowalski. L'homme attendait, assis sur les marches qui donnaient accès au vestibule, flanqué de deux de ses nervis. Dès qu'il le reconnut, une vague de colère frappa Jack en pleine poitrine.

— Espèce de salopard ! Qu'est-ce que vous faites ici ?

Il cracha sur le trottoir.

— Salut, petit. (La voix de Kowalski résonna, malicieusement modulée. Il ne jeta même pas un regard au jeune homme tandis qu'il tirait une bouffée de son cigare.) Je voulais entrer chez moi... mais c'est toi qui as la clé.

Andrew parvint à retenir Jack lorsque celui-ci voulut se jeter sur Kowalski. Les acolytes du propriétaire s'interposèrent aussi, mais le Polonais continua à fumer sans se troubler. Il n'adressa au jeune homme qu'un sourire condescendant, comme s'il se trouvait devant un pantin...

— Écoute, petit. Il fait froid et cet endroit m'est désagréable, aussi je te conseille de...

Jack ne le laissa pas terminer. Il se libéra d'Andrew, sortit l'argent que lui avait rapporté la vente des billets et le jeta à la face de Kowalski.

Le propriétaire haussa les sourcils en fixant les billets tombés à ses pieds. Sans daigner les ramasser, il tourna les yeux vers Jack.

— Voyez-moi ça ! Trente dollars ! Qu'est-ce que tu veux que je fasse avec ça ? M'acheter un chapeau en solde ?

— La semaine prochaine vous aurez le reste, répondit Jack. Et maintenant fichez le camp d'ici si vous ne voulez pas que je vous tue.

Kowalski resta assis, en silence, comme s'il réfléchissait à cette offre. Finalement, il se leva avec difficulté.

— La semaine prochaine… la semaine prochaine… Combien de fois aurai-je entendu cette ritournelle ! Et après vous reportez à la suivante, et ensuite à l'autre, et là : vlan ! Vous disparaissez du jour au lendemain et moi je me retrouve comme un imbécile ! (Pas à pas il descendit les marches et approcha son visage jusqu'à frôler celui de Jack.) Dis-moi, mon gars : tu me prends pour un imbécile ?

Jack recula pour s'éloigner de la puanteur de sueur rance qu'exhalait le propriétaire.

— Écoutez, Kowalski, je ne veux pas d'histoires. Prenez l'argent et revenez demain. Si je n'ai pas trouvé ce que je vous dois, je prendrai mes affaires et…

— J'ai l'impression que tu ne m'as pas bien compris, petit. Je ne suis pas venu ramasser une aumône. Je viens prendre ce qui m'appartient…, y compris toutes tes affaires.

— Merde ! Je vous ai dit que demain…

Kowalski porta les mains à sa tête.

— Mais comment se fait-il que les Juifs aient tant de mal à comprendre ce qu'on leur dit ? (Il haussa le ton.) Va savoir ce qui se passera demain ! (Il aspira

une profonde bouffée de son cigare pour la savourer.)
Et si tu ne le sais pas, demande-le à ton père.

— Fils de chienne !

Jack se jeta de nouveau sur Kowalski, mais avant
qu'il puisse l'atteindre, le sbire le plus proche s'interposa et le renversa d'un coup de poing. Andrew se
précipita pour l'aider, mais le deuxième sbire l'arrêta
net d'un coup de genou dans l'estomac.

Les deux jeunes gens se tordirent par terre, tandis
que le propriétaire jouissait du spectacle.

— La clé ! exigea-t-il.

Jack essayait de se redresser lorsqu'il reçut un coup
de pied dans les côtes qui le propulsa contre la rampe
de l'escalier. Andrew, engourdi par la douleur, impuis-
sant, les vit s'acharner sur son ami.

— Fichez-lui la paix, salauds ! brailla-t-il.

Les deux hommes se tournèrent vers Andrew et,
impitoyables, le rouèrent de coups de pied. Jack, plié
en deux près de la rampe, profita de ce répit pour
s'emparer d'un barreau détaché et l'assener sur le
tibia de l'agresseur le plus proche. L'homme poussa
un hurlement en s'écroulant sur les marches, la jambe
broyée. Voyant cela, la bête qui continuait à frapper
Andrew abandonna sa proie et bondit sur Jack, mais
celui-ci s'écarta suffisamment pour lui plonger la barre
de fer dans l'estomac. Puis il courut vers Andrew afin
de le secourir.

— Attention, l'avertit celui-ci.

Jack, horrifié, s'aperçut que, derrière lui, l'homme de
main qu'il venait de frapper dégainait son revolver…
Il ne réfléchit pas. Il se jeta sur lui et lui saisit le bras
avant qu'il ait le temps de viser. Tous deux luttèrent

tandis que le revolver exécutait en l'air une danse convulsive ; soudain, un coup de feu éclata dans la nuit.

L'espace d'un instant, le temps s'arrêta ; paralysés, Jack et son adversaire se regardèrent. Puis ils lâchèrent prise et, très lentement, se séparèrent, tandis qu'à quelques pas de là le corps de Lukas Kowalski s'affaissait sur les escaliers, inerte.

— Chef !…, balbutia le sbire avant de lâcher l'arme dans les mains de Jack.

Andrew s'approchait de lui par-derrière et lui saisit le bras.

— Filons d'ici ! le pressa-t-il.

Jack demeurait immobile, contemplant la poitrine ensanglantée de Kowalski.

— Mais… je… je…, balbutia-t-il, et il laissa tomber le revolver.

— Bon Dieu, Jack ! Cours !

Jack et Andrew s'enfuirent par une ruelle déserte, trébuchant et titubant dans une course effrénée à travers les avenues qui quadrillaient Danielsburg, tentant de laisser Brooklyn derrière eux au plus vite. Jack suivait Andrew aveuglément, convaincu qu'à tout moment les nervis de Kowalski apparaîtraient pour les cribler de balles. À chaque instant ils entendaient des voix lointaines, des sirènes ou des coups de frein d'automobiles qui les poussaient à chercher refuge sous un porche ou à s'accroupir derrière une poubelle. Quand ils s'arrêtaient pour reprendre leur souffle, Jack essayait de se rappeler à quel moment s'était produit le coup de feu, mais Andrew ne lui accordait pas de répit, le pressant de courir. À mesure qu'ils s'éloignaient, les lumières des réverbères s'espaçaient, les avenues se transformaient en un labyrinthe de passages et de ruelles dans lesquels Andrew se glissait comme s'il y était né. Jack pensa qu'ils devaient se trouver près de Long Island, le quartier où vivait son compagnon de fuite, mais il n'en était pas sûr. Finalement, ils s'arrêtèrent devant un grand portail qui, à en juger par la rouille qui le recouvrait, semblait fermé depuis des années. Andrew sortit une clé de sa poche, ouvrit le cadenas qui retenait le rideau de fer et tenta de le remonter.

— Allez ! Ne reste pas planté là ! Aide-moi avant que ces rats nous retrouvent !

Jack reprit son souffle, foudroyé par une douleur aiguë au côté. Cependant, il tira de toutes ses forces sur le crochet et le rideau s'éleva dans une plainte métallique qu'Andrew ignora. Il pénétra à l'intérieur dès que le rideau fut à moitié levé et, se tournant vers Jack, lui enjoignit d'entrer. Lorsque celui-ci eut obéi, il baissa le rideau et une épaisse obscurité envahit l'enceinte. Jack resta sur ses gardes. Il distinguait à peine la silhouette de son ami, mais il entendait sa respiration haletante semblable à celle d'un fauve en cage. Quelques secondes s'écoulèrent, puis un craquement se fit entendre. Une flamme surgit dans la main d'Andrew. Jack regarda autour de lui. L'intense odeur d'encre et d'humidité provenant du cadavre d'une vieille linotype lui indiqua qu'il se trouvait dans une imprimerie abandonnée. À ses pieds, des dizaines de piles de vieux journaux portant des gros titres déjà obsolètes protégeaient les murs tapissés de tracts moisis qui semblaient vouloir prendre vie à la lueur tremblotante de la flamme du briquet.

— C'est l'imprimerie où je travaillais avant qu'on me mette à la porte, l'informa-t-il. Quand ils l'ont fermée j'ai gardé un jeu de clés, et depuis je l'utilise comme local syndical.

— Mais l'endroit est sûr ?

— Plus que ta maison.

Jack se tut. Il ne cessait de penser à Kowalski.

— Tu crois qu'il est mort ? lui demanda-t-il, espérant qu'Andrew répondrait que non.

— Je ne sais pas, mais il saignait comme un porc.

— Merde ! On devrait aller à la police…

Soudain, on entendit un bruit et Andrew éteignit le briquet. Jack sentit son cœur s'accélérer. Un instant après, Andrew ralluma, et ses lunettes brillèrent à quelques centimètres de son nez.

— Shhh… Les rats ! murmura Andrew.

— Ils nous ont retrouvés ?

— Non. Des vrais rats.

Et il donna un coup de pied dans une bestiole qui s'envola avec un cri aigu.

Jack poussa un soupir de soulagement.

— Je te disais qu'on devrait aller à la police. On ne peut pas rester éternellement cachés. Tôt ou tard, les hommes de main de Kowalski nous retrouveront.

— Mais qu'est-ce que tu racontes ? S'il est mort, tu iras directement sur la chaise électrique.

— Ce type allait tirer sur nous. Tu l'as vu, Andrew.

— Bien sûr que je l'ai vu ! Mais qu'est-ce que tu crois que diront ses sbires quand le juge leur posera la question ? Que c'est eux qui ont tiré ? En plus…

ces gens ont des contacts, Jack. Sinon, comment crois-tu qu'ils se seraient enrichis dans cette époque de misère ? Des capitalistes corrompus…, murmura-t-il.

— Mince, je ne l'ai pas tué, insista Jack.

Andrew regarda le visage affligé de son compagnon. La sueur perlait sur son front.

— N'anticipons pas. Personne ne dit qu'il est mort.

— D'accord… Et qu'allons-nous faire ? Putain ! J'ai du mal à respirer. Ces bâtards m'ont sûrement cassé une côte.

— Je ne sais pas. Laisse-moi réfléchir… (Il s'éloigna de Jack, farfouilla sur une table de travail et revint, une bougie à la main.) Pour l'instant, nous devrions rester ici jusqu'à ce que les choses se tassent. Derrière il y a un lavabo avec de l'eau courante et des w.-c. On pourrait…

— Attends. Et mes affaires ? Elles sont toutes chez moi.

— Mon Dieu, Jack. Tu veux quand même pas qu'on y retourne ! Ils ont sans doute déjà averti la police. Ils doivent te chercher, ou t'attendre.

— Ça m'est égal ! Là-bas, il y a tout ce que je possède.

— Écoute ! Maintenant, tout ce qui te reste, c'est ta liberté.

Jack se tut. Il savait qu'Andrew avait raison, mais aussi bête que cela puisse paraître, il ne se résignait pas à perdre les derniers vestiges de sa vie.

— Là-bas il y a mes photos, répondit-il.

— Des photos ?

Une grimace d'incrédulité se dessina sur le visage d'Andrew.

— De mes parents.

— Ne dis pas de bêtises ! Ce que nous devons faire, c'est fuir, et pour cela il nous faut nos permis de conduire.

— Comment ça ?

— Nous en aurons besoin pour le passeport. Tu as le tien sur toi, non ?

— Moi, j'ai déjà un passeport. Mais pourquoi en aurais-je besoin ?

— Évidemment, je ne prétends pas t'obliger à quitter le pays, mais si Kowalski est mort…

— Merde, Andrew ! Tu as dit toi-même qu'on n'en sait rien !

— Bon. Du calme. (Il alluma une cigarette fripée et en aspira une bouffée. Il en offrit une à Jack, qui accepta pour remplir ses poumons de fumée. Un goût d'encre lui envahit la bouche.) D'accord ! Donne-moi les clés !

— Quoi ?

— Donne-les-moi ces foutues clés ! J'irai chez toi et je rapporterai tes affaires.

— Tu es fou ? Je ne permettrai pas que tu prennes des risques. Je vais y aller.

Andrew plongea les mains dans les poches de Jack et lui prit les clés.

— Tu ne peux même pas bouger. Et tu me prends pour un imbécile ? Je n'entrerai que s'il n'y a aucun danger. (Il nettoya ses lunettes et enfonça son chapeau jusqu'aux oreilles.) Dans ce quartier, personne ne me connaît. Si j'en ai l'occasion, je demanderai des nouvelles de Kowalski. Ces salauds ont plus de vies qu'un chat. La balle l'a peut-être seulement éraflé.

— D'accord. Mais sois prudent. Je ne supporterais pas de perdre mon seul ami.

— Ne t'inquiète pas. Nous sortirons de là. Nous nous en sortirons, c'est sûr.

4

Jack regarda les rais de lumière qui filtraient à travers les fentes que la rouille avait creusées dans le rideau métallique donnant sur la rue. Il serra les dents. Il avait mal à la tête comme si on la lui avait piétinée, mais les responsables n'étaient ni l'odeur nauséabonde de l'encre ni les coups qu'il avait reçus. Il recula jusqu'à la chaise sur laquelle il avait souffert toute la nuit avec le souvenir de la tragique disparition de Solomon Beilis. Peut-être n'avait-il pas été le plus affectueux des pères, mais c'était le sien. Il expédia un coup de pied dans une pile de journaux, qui tourbillonnèrent telles des feuilles emportées par le vent.

De nouveau il regarda les rais de lumière. Andrew l'avait assuré qu'il serait de retour avant le lever du jour, mais le jour était levé depuis au moins deux heures. Il commença à se dire qu'il avait sans doute été arrêté.

Il décida d'allumer le bout de chandelle qui restait pour inspecter le local. Il avait évité de le faire pendant la nuit de peur que quelqu'un ne remarque la lueur et découvre sa présence. Lorsque la flamme alluma la mèche, une faible lumière éclaira la pièce, laissant entrevoir un enchevêtrement de machines apparemment hors d'usage, ainsi que des tracts abandonnés sur les tables de travail, des rouleaux encreurs secs et des massicots oxydés. Il examina quelques tracts et, après avoir constaté qu'ils ne contenaient que des slogans anticapitalistes, il les abandonna tels qu'ils étaient, dans le plus grand désordre. Puis il se dirigea vers la petite pièce où Andrew lui avait indiqué qu'étaient les cabinets, et il se retrouva devant une bouche d'égout ouverte dans le sol, également remplie de pamphlets. Il haussa les sourcils, se félicitant de ce que quelqu'un ait trouvé une quelconque utilité à ces tracts communistes. Il inspecta autour de lui. À côté des w.-c., il découvrit une petite ouverture fermée par un volet. Après quelques coups, le verrou sauta et le volet se détacha de l'un de ses gonds. Il regarda à travers ce trou et constata que le fenestron donnait sur une courette à ciel ouvert. Il respira avec satisfaction en constatant qu'en cas de besoin il pourrait sauter à l'extérieur. Il éteignit la bougie. La lumière du matin entrait par la petite fenêtre et éclairait la salle. Son estomac gargouilla et il eut l'impression qu'un corbeau lui picorait les entrailles.

Il laissa passer les heures. Six de plus que celles convenues avec Andrew. Sa montre indiquait midi. Il marcha d'un coin à l'autre. Il se sentait de plus en plus comme un rat en cage attendant d'être dévoré par un chat. Il commençait à envisager la fuite lorsque tout à coup, à l'extérieur, il entendit des pas rapides qui s'arrêtèrent devant l'entrée. Jack tendit l'oreille et resta silencieux. Puis il sursauta lorsqu'il comprit que quelqu'un manipulait le cadenas. Il pria pour que ce fût Andrew, mais recula jusqu'au fenestron, craignant qu'il ne s'agisse de la police. Lentement, le rideau métallique s'éleva. Le regard fixé dessus, il sentit son pouls s'emballer. À mi-hauteur il oublia toute précaution et appela Andrew, mais personne ne répondit. Il décida qu'il devait fuir.

Il s'apprêtait à sauter par la fenêtre quand, brusquement, une voix étrangement douce lui dit de s'arrêter. Sans trop savoir pourquoi, Jack se retourna lentement vers le rideau. Lorsqu'il se fut habitué au contre-jour, il n'en crut pas ses yeux : debout dans l'encadrement de l'entrée, la silhouette d'une jeune fille svelte se découpait nettement sur la clarté du matin.

Une fois à l'intérieur, elle dit s'appeler Sue et être la fiancée d'Andrew. Avant que Jack prononce un mot, la jeune fille baissa un peu le rideau et ajouta qu'Andrew l'avait envoyée pour l'aider. Aussitôt elle sortit une miche de pain de son sac usé et la lui tendit.

Jack ne dit rien. Tout en mordant le pain à belles dents, il examina la jeune fille du coin de l'œil. Ce n'était peut-être pas une beauté de magazine, mais sans doute le genre de fille enjouée qui attirait le regard des garçons. Il estima qu'elle devait avoir à peu près son âge, mais, très mince, rousse, elle paraissait plus jeune. Il s'aperçut tout à coup qu'il oubliait le plus important.

— Mais où est Andrew ? réussit-il enfin à demander.

— Oh ! La vérité c'est que je n'en sais rien. Il m'a juste dit qu'il avait une affaire à régler, rien de plus.

Elle sourit.

Jack engloutit la dernière bouchée et lécha les miettes. Il lui demanda une cigarette, mais Sue s'excusa : elle les avait oubliées.

— Et il t'a dit quand il reviendrait ?

Il ne voulait pas être plus explicite parce qu'il ignorait jusqu'à quel point la fille était au courant de la bagarre avec Kowalski.

— Non, mais je crois qu'il ne va pas tarder. À vrai dire, je l'ai trouvé assez mystérieux, et ce n'est pas le genre de mon Andrew. Il s'est passé quelque chose ?

Après l'avoir assurée que non, Jack essaya de changer de conversation. Les jeunes New-Yorkaises adoraient parler de leurs fiancés, aussi dévia-t-il la conversation dans cette direction. Confirmant la règle, Sue devint aussi bavarde qu'une pie. Elle lui raconta qu'elle avait connu Andrew quatre ans plus tôt, dans le restaurant où elle était serveuse, et qu'ils ne s'étaient plus quittés depuis.

— Le Moody's se trouvait juste en face de l'imprimerie. Andrew y prenait son petit déjeuner tous les matins et parfois, quand je le servais, il me racontait ses idées merveilleuses sur l'égalité des races et des peuples. Il était tellement intéressant… et tellement différent des autres garçons vulgaires. (Son visage parsemé de taches de rousseur s'illumina.) Mais ça, c'était avant qu'ils ferment le restaurant… Le Moody's, mais aussi tous ceux du quartier, regretta-t-elle. Maintenant, je nettoie des escaliers pour une misère.

Jack la crut. En témoignaient ses bas filés, qu'elle avait essayé de réparer sans grand succès. La jeune fille garda un moment le silence.

— Andrew t'a parlé de nos projets ? (Ses yeux nacrés brillèrent de joie.) Je suis sûre que oui. Andrew le raconte à tout le monde ! Tu sais ? Bientôt nous allons quitter ce foutu pays et nous irons dans un endroit où le travail et le bonheur ne sont pas que pour les riches. Oui. Nous irons en Russie… Le dernier paradis…

Jack se leva avec difficulté, et boita jusqu'au rideau, coupant court à son bavardage. Il regarda à travers une fente et baissa la tête.

— J'espère que vous y serez heureux, fut son seul commentaire avant de le fermer de l'intérieur avec le cadenas et de retourner sur son siège.

— Eh bien ! Tu n'es pas bavard ! Mon Andrew, par contre…

— Tu es sûre de ne pas savoir où il est en ce moment ? l'interrompit-il.

Le sourire se figea sur le visage de Sue.

— Je te l'ai dit. Il avait des choses à régler, répondit-elle, agacée. Il a dit de ne pas s'inquiéter et d'attendre son retour.

— Très bien. Dans ce cas, attendons.

Jack saisit quelques-uns des pamphlets et se prépara à les lire pour passer le temps.

Deux heures s'écoulèrent avant qu'un grincement de freins le tire de ses pensées. Aussitôt il courut vers la petite fenêtre, mais Sue, qui s'était approchée du rideau de fer pour regarder à travers les fentes, le rassura.

— C'est Andrew.

— Andrew a une voiture ?

Il s'arrêta, surpris.

— Allez ! Aide-moi à monter le volet !

Jack courut l'aider. Dès qu'il l'eut levé, le visage soucieux d'Andrew apparut sous ses grosses lunettes d'écaille.

— Faites de la place ! Il faut cacher ce machin ! les pressa-t-il.

Jack se demanda où Andrew avait bien pu dénicher un véhicule, mais il supposa qu'il devait faire partie de son plan de fuite. Sue et lui écartèrent les vieilleries qui gênaient le passage et Andrew donna un coup d'accélérateur qui alla presque encastrer la vieille Studebaker dans la linotype. Ensuite, il sortit de la voiture comme poussé par le diable, et avec Jack baissa le rideau de fer.

— Que s'est-il passé ? balbutia Jack.

Le visage d'Andrew semblait congestionné lorsqu'il le prit par le bras et l'éloigna de Sue.

— Mauvaises nouvelles, murmura-t-il en regardant derrière lui pour s'assurer que la jeune fille ne les écoutait pas. Kowalski...

Il secoua la tête et serra les dents.

— Quoi ?

Jack sentit son estomac se nouer.

— Il est mort ce matin.

— Mon Dieu !

— La nouvelle s'est répandue comme une traînée de poudre. Nous devons disparaître, Jack. Prendre un bateau pour la Russie, maintenant. C'est ça ou la chambre à gaz.

— Mais comment dois-je te dire que je ne veux pas aller en Russie ? grogna-t-il.

Sue sursauta, mais fit comme si elle n'avait rien entendu.

— Eh bien tu devrais revoir ta position. En plus, tu n'es pas le seul à être poursuivi. Moi aussi ils me recherchent…, répliqua Andrew. Enfin, Jack ! J'ai risqué ma peau pour t'aider, mais si tu préfères foutre ta vie en l'air, ce n'est pas moi qui t'en empêcherai. Tes affaires sont sur le siège de la voiture.

Jack ne répondit pas. Il se dirigea simplement vers la voiture et ouvrit la portière. Sur le siège il n'y avait rien qui en vaille la peine. Quelques vêtements, un pardessus élimé, une chemise avec divers documents, un vieux phonographe cassé et le cadre fendu contenant la photo de sa mère, qu'il regarda avec toute l'intensité que permettait la pénombre.

— Et mon passeport ?

— Il n'y avait pas grand-chose d'autre, s'excusa Andrew. Quand je suis arrivé la porte était défoncée et l'appartement sens dessus dessous. C'est tout ce qu'ils avaient laissé. Dans le coffre j'ai casé une malle avec quelques ustensiles. Tiens. Ton permis de conduire. Maintenant tu peux partir et finir de gâcher ta vie.

Jack parut ne pas l'entendre. Ses mains tremblaient en serrant le portrait d'Irina. Il se maudit. La seule solution qu'il avait envisagée était de fuir au Canada en passant par Buffalo, mais pour cela il avait besoin d'un passeport. On aurait dit qu'Andrew lisait dans ses pensées.

— Je pourrais t'en avoir un, l'entendit-il affirmer.

Jack le regarda sans un mot et comprit qu'il était à sa merci.

— Les bureaux d'Amtorg ferment à cinq heures. Allez, poupée, finis de te maquiller, il y a un bout de chemin de Long Island à la Cinquième, la pressa Andrew.

Jack était convaincu que se rendre à l'agence de commerce soviétique équivalait à se jeter dans la gueule du loup, mais il s'était résigné à accepter la proposition d'Andrew. Avant de monter dans la voiture, il vérifia la validité du document dont il allait sans doute avoir besoin.

À bord de la Studebaker, tous trois révisèrent le plan à voix haute. Andrew, qui savait les Soviétiques désireux de diffuser les bienfaits de leur révolution auprès des pays capitalistes, demanderait à faire partie de l'une des unités de propagande vers l'étranger que les Soviétiques entretenaient à Moscou. Pour cela, il alléguerait son militantisme au Parti communiste des États-Unis, outre son expérience d'imprimeur. Il présenterait Sue comme une bibliothécaire sympathisante de la cause.

— Et toi, Jack, tu seras mon assistant. Comme tu parles parfaitement le russe, je préciserai que j'ai besoin de toi comme interprète.

Jack enfonça son chapeau autant qu'il le put et serra le presse-papier en métal que, par mesure de précaution, il avait caché dans sa poche en guise d'arme. Il suivait sans conviction, mais il était résolu à faire confiance à son ami.

— C'est bon. Démarre !

La Studebaker frémit lorsque Andrew écrasa impitoyablement l'accélérateur. Alors qu'ils traversaient le pont de Queensboro en direction de Manhattan, Jack se retourna pour voir l'épine dorsale de Brooklyn s'estomper à l'horizon. Puis il regarda devant lui, essayant de se convaincre que la fumée grisâtre que crachait le pot d'échappement de la Studebaker était la seule chose qu'il laissait derrière lui.

Il était cinq heures moins dix lorsqu'ils durent ralentir jusqu'à presque s'arrêter. À cette heure, la circulation qui congestionnait Manhattan évoquait un essaim de termites s'efforçant de dévorer les restes d'un gigantesque corps de béton. Mais pour Andrew, ce n'était qu'une bande d'inutiles qui tentaient de rentrer chez eux au rythme d'une armée d'escargots. Il zigzagua parmi le dédale des conducteurs, blasphémant et klaxonnant comme un désespéré, lorsqu'un camion de livraison freina brusquement et l'obligea à donner un coup de volant. Enfin, à mi-chemin entre le Flatiron et l'Empire State, il gara la voiture. Sue attendit à l'intérieur pour éviter une amende tandis que Jack et Andrew mettaient pied à terre et pénétraient en toute hâte au 261 de la Cinquième Avenue. Jack ne prêta même pas attention à l'étage où ils montaient. Son ami le traînait, sans lui permettre de réfléchir. Tous deux inspirèrent fortement, attendant que l'ascenseur s'arrête et que le groom ouvre la porte. Lorsque le garçon ouvrit la grille, ils se retrouvèrent devant une file interminable de loqueteux qui faisaient la queue devant une porte sur laquelle une plaque indiquait :

AMTORG TRADING CORPORATION
AMERIKANSKOE TORKOVLYE

Dès qu'il la vit, Jack sentit son estomac se serrer. Cette semaine, c'était la deuxième fois qu'il lisait un texte en russe. La première était l'épitaphe qu'il avait fait graver sur la pierre tombale de son père.

Andrew ne se découragea pas. Il remit un feuillet d'Amtorg à Jack pour l'occuper et se glissa dans la file, indifférent aux insultes et aux récriminations qu'on lui adressait.

Pendant qu'il attendait, Jack remarqua que l'aspect des solliciteurs qui le précédaient différait à peine de celui des pauvres qui, chaque matin, faisaient la queue à la soupe populaire. En fait, la différence essentielle était qu'il n'y avait pratiquement aucune femme dans les cantines caritatives, alors que dans la file d'Amtorg attendaient des familles entières dont les yeux brillaient d'une inhabituelle lueur d'espoir. Il constata que ces mêmes familles parlaient avec entrain des belles villes qu'elles visiteraient, des salaires qu'elles percevraient, des maisons qu'on leur attribuerait, ou des fiancées et fiancés qu'ils rencontreraient. Quelques ouvriers serraient dans leurs poings des documents qui attestaient leur qualification de mineurs, d'électriciens ou de maçons en spéculant sur les industries gigantesques qui se construisaient à l'autre bout du monde, et grâce auxquelles la Russie ferait envie à l'Amérique. Deux d'entre eux portaient même leur caisse à outils.

Jack fut étonné d'entendre la famille de quakers devant lui raconter qu'elle avait liquidé ses terres incultes dans l'Illinois pour acheter les billets de bateau, après avoir vérifié que leurs voisins avaient fait de même et jouissaient déjà d'une nouvelle vie à Leningrad ; ou d'apprendre qu'on avait assuré à la femme aux cheveux clairsemés, qui tenait son fils malade dans ses bras, que les Soviétiques lui fourniraient des médicaments qu'on ne trouvait pas en Amérique. Il en fut impressionné. Des hommes et des femmes qui, après avoir perdu jusqu'à la dignité de se considérer comme des êtres humains, souriaient, pleins d'illusions, et relevaient la tête.

Pour écourter l'attente, il ouvrit le prospectus qu'Andrew lui avait remis et le lut attentivement. Il était rempli de photos et présentait les progrès soviétiques comme la solution aux problèmes de l'humanité.

La subite apparition de Sue interrompit sa lecture. Il se réjouit de la voir. La jeune femme l'avait rejoint par l'escalier et sa respiration haletante empourprait son visage, ce qui la rendait resplendissante de vie. Sue demanda où se trouvait Andrew en lui prenant le bras comme s'ils étaient fiancés. Jack se sentit un peu embarrassé, mais il la laissa s'accrocher à lui tandis qu'elle s'étonnait du nombre de personnes faisant la queue. Il lui expliqua qu'Andrew avait salué la réceptionniste et s'était glissé dans un bureau.

— Et toi, pourquoi tu es montée ?

— Je m'ennuyais, se justifia-t-elle sans autre explication. (Elle l'assura qu'elle avait convaincu le gardien du secteur de ne pas leur mettre une amende.) Regarde, Jack, il y a même des Noirs qui attendent, indiqua-t-elle, admirative.

Jack les avait vus et lui aussi s'en était étonné. Mais les deux hommes de couleur restaient indifférents aux regards des autres et bavardaient, confiants.

À cet instant apparut un représentant d'Amtorg, engoncé dans un costume de deux tailles au-dessous de celle dont sa grosse carcasse aurait eu besoin, et il annonça en criant que le bureau allait fermer.

— Demain nous vous recevrons avec le numéro qui vous a été attribué, ajouta-t-il avec un fort accent russe.

Jack fit la sourde oreille, mais le même homme insista pour qu'ils quittent le bureau.

— Nous attendons un ami qui est à l'intérieur.

— À Amtorg nous n'avons pas d'amis, rétorqua l'employé soviétique.

À cet instant, Andrew apparut derrière une porte et leur fit signe d'entrer dans la pièce.

— Eh bien c'est dommage, dit Sue à l'employé avec un sourire, et elle tira Jack vers l'intérieur du bureau.

Une fois dedans, Andrew les présenta à un homme d'une cinquantaine d'années, d'aspect robuste et à la figure sérieuse, dont le regard fuyant trouvait refuge sous la brosse épaisse de ses sourcils.

— Voici Saul Bron, le chef de l'agence soviétique Amtorg aux États-Unis. En quelque sorte, c'est comme s'il était ambassadeur, ajouta-t-il fièrement.

Jack constata qu'Andrew arborait un air de satisfaction qu'il ne l'avait jamais vu adresser à qui que ce soit, et il regarda avec méfiance l'homme qui les priait de s'asseoir. Cependant, Sue s'écarta de Jack et tendit la main à l'important homme d'affaires.

— Enchantée, dit-elle, et elle improvisa une révérence ridicule.

— Bien, dit Saul Bron en s'asseyant derrière l'imposante table d'acajou qui se dressait au centre de la pièce. Tu dois être Sue, et je suppose que toi, tu es Jack. Mettez-vous à l'aise, je vous en prie. Andrew m'a expliqué que vous désirez vous joindre à l'honorable cause de notre chère Union soviétique…, dit-il en montrant le portrait accroché au mur derrière lui.

Sue acquiesça avec un sourire d'affiche publicitaire, tandis que Saul Bron attendait la confirmation de Jack, qui à cet instant n'avait d'yeux que pour l'homme à la mine sévère et à la grosse moustache qui apparaissait sur le portrait. Il reconnut Joseph Staline, parce que c'était la même photographie qu'il avait vue sur les fascicules de l'imprimerie.

— Et toi ? insista le chef d'Amtorg.

— Moi aussi, se contenta de répondre Jack, affichant l'émotion d'une figure de cire.

Saul Bron se racla la gorge, ouvrit le dossier posé sur son bureau et y jeta un coup d'œil.

— Andrew m'a déjà parlé de Sue. Sur toi, il m'a dit que tes parents étaient russes…

— C'est exact. De Saint-Pétersbourg.

— Tu veux dire de Leningrad sans doute…

— Pardon. Oui, de Leningrad, corrigea Jack en se souvenant qu'après la révolution les Soviétiques avaient rebaptisé la ville du nom du leader bolchevique.

— As-tu toujours de la famille en Russie ?

— Non. Mes grands-parents étaient ukrainiens, d'Odessa, mais je ne les ai pas connus. Ils sont morts peu après ma naissance.

— Et en Amérique ? Tu as des parents ?

— Non plus.

Andrew lui avait signalé l'inconvénient que supposerait la mention de son oncle, le capitaliste, mais à ses
yeux Gabriel Beilis n'était plus son oncle.

— Et dis-moi, Jack, pour quelle raison tes parents
ont-ils émigré aux États-Unis ?

— À cause de la famine, je suppose.

Son visage se durcit.

— Sais-tu si ton nom de famille, Beilis, est appa-
renté aux Beilis de Kiev ?

— Pas que je sache. Pourquoi cette question ?

— Simple curiosité. En Russie, un certain Menahem
Beilis a été accusé d'avoir assassiné un enfant. Une
affaire qui a fait du bruit. Il a été jugé et déclaré innocent. Maintenant, il vit ici, aux États-Unis, et a écrit
un livre sur les mauvais traitements que les Russes ont
infligés aux Juifs. D'où ma question. Nous ne voulons
pas de malentendus.

— Je vous répète que j'ignore tout de cette histoire.

— Bien. Une dernière question : ta famille a-t-elle
été liée d'une façon ou d'une autre aux forces tsaristes,
à la noblesse, aux bourgeois, à l'armée blanche ou au
monachisme orthodoxe ?

— Non. En aucune façon. Mon père était un honorable cordonnier juif, ma mère… enfin… elle jouait du
piano. Ils sont venus dans ce pays, comme des milliers
d'autres qui ont émigré, en quête d'un avenir qu'on
leur refusait en Russie. (Il se fit un silence.) Mais
apparemment, maintenant les choses ont changé…

Il regarda Andrew, cherchant son approbation.

— En effet. Elles ont changé, et beaucoup. Bon.
Eh bien alors je vais vous résumer la situation. (Il se
leva pour s'adresser aux trois solliciteurs.) L'Union

soviétique est une nation généreuse qui ouvre ses bras à tous les opprimés, sans distinction de race, de religion ou de nationalité. Notre lutte est celle des faibles, celle des pauvres, celle des esclaves du capital, celle des parias de la terre. Andrew, que je connais depuis qu'il est syndicaliste, m'a exposé vos projets, et je vous assure que rien nc me plairait davantage que de pouvoir vous aider. Toutefois…

— Toutefois ? intervint Andrew en ôtant ses lunettes en écaille.

— Toutefois, les choses ne sont plus aussi simples maintenant, poursuivit-il. Chaque jour, des centaines de chômeurs arrivent dans ce bureau : des cuisiniers, des bureaucrates, des électriciens, des aviateurs, des vendeurs, des chimistes, des commerçants, des bibliothécaires, des dentistes, et même des directeurs de pompes funèbres à la recherche d'un travail. Nos employés y suffisent à peine. Nous avons transmis plus de cent mille demandes, et le contingent de postes vacants commence à se réduire.

— Mais, un moment, l'interrompit Andrew. La dernière fois que nous avons parlé…

— La dernière fois que nous avons parlé je t'ai expliqué que nous avions été débordés par les demandes. (Il sortit une pile de journaux et les étala sur la table.) Regardez : Roy Howard, du *Scripps-Howard*, Karl Bickel de l'*United Press*, et encore les correspondants Eugène Lyons, William Chamberlin, Walter Duranty ou Louis Fischer. Tous ! Tous parlent de la Russie comme de l'Éden retrouvé. La Chambre de commerce américaine elle-même a édité un bulletin dans lequel elle encourage ses citoyens à entreprendre le voyage !

— Cependant, vous m'avez assuré que vous vous occuperiez de notre demande.

— Je le ferai, Andrew, je le ferai assurément, mais pas aussi vite que tu l'exiges. Pour le moment, il n'y a pas de place pour tous.

— Et tous ces gens qui font la queue ?

— Nous n'accepterons que des ouvriers spécialisés. Les autres devront attendre leur tour, tout comme vous.

— De combien de temps parlons-nous ? demanda Jack.

— Je ne sais pas. Laissez-moi voir… (Le responsable d'Amtorg posa ses lunettes sur la noix qu'il avait en guise de nez, jeta un coup d'œil sur ses documents, puis les ôta.) Cinq mois. Peut-être six. Avant, impossible. Les bateaux sont complets, et à la vérité, avec une telle abondance de publicité, ce dont nous avons le moins besoin, c'est de travailleurs qui s'occupent de la propagande, comme ce serait ton cas. Cependant, dès qu'apparaîtra une offre qui correspond à votre profil, je penserai à vous.

Il se dirigea vers la porte pour les inviter à sortir.

Andrew et Sue se levèrent, mais Jack resta assis.

— Et à l'Autozavod ? demanda Jack.

— Comment dis-tu ?

Saul Bron planta ses petits yeux dans ceux de Beilis.

— Oui. À la Ford russe. Ce tract affirme que vous avez un besoin urgent de personnel pour l'usine d'automobiles que Henry Ford fait construire dans la ville de Gorki. Et il est daté de cette semaine.

Saul Bron bougonna comme un ours tandis qu'il s'emparait du document que Jack lui tendait et vérifiait l'information.

— C'est exact. Mais je ne vois pas ce que cela a à voir avec votre demande. Cette proposition fait référence à des ouvriers hautement qualifiés dans la construction automobile…

— Oui, je l'ai lue… Mais est-il vrai que vous en avez un besoin urgent ? l'interrompit Jack.

— Aussi vrai que, si nous les trouvions, sans doute lèveraient-ils l'ancre dès demain.

— Alors, vous avez vos hommes, affirma Jack avec son plus beau sourire.

De retour à l'imprimerie, Andrew serra Jack dans ses bras au point de faire craquer ses côtes, et il accepta sans protester que Sue plante un baiser plein de tendresse sur la joue de son ami. L'un et l'autre avaient du mal à croire à ce qu'il s'était passé. Jack avait persuadé Saul Bron de demander à l'agence de tourisme soviétique Intourist de leur réserver d'urgence trois billets, et il lui avait fait promettre qu'un poste de travail les attendrait à leur arrivée en Union soviétique.

— Je ne sais pas comment tu t'y es pris, mais assurer que j'étais le meilleur étudiant de l'Institut de Technologie a dû lui paraître convaincant, dit Andrew. Je t'en remercie, Jack. Tu m'as sauvé la vie.

L'autre fit non de la tête.

— Si tu avais compris le russe, tu aurais toi-même persuadé le technicien soviétique qui m'a interrogé. En plus, je n'ai pas menti. J'ai seulement oublié de mentionner qu'au cours des deux dernières années tu avais troqué les cours de mécanique contre ceux de « politique de bistrot ».

— Jack, je ne sais pas trop ce qu'ils attendent de toi dans cette usine russe, intervint Sue la bouche en cœur, mais en tout cas, pour lâcher ce fric comme ça, ils doivent beaucoup apprécier ton travail. Des traversées gratuites !

— Bon, gratuites, gratuites… (Andrew ôta ses lunettes et frotta les verres avec le pan de sa chemise.) Quand j'ai parlé avec les gestionnaires, ils m'ont expliqué qu'une fois en Union soviétique, ils retiendraient le montant du voyage sur nos salaires. Même ainsi, vous ne nierez pas que c'est un véritable cadeau.

Il remit ses lunettes, toujours aussi crasseuses, et sourit fièrement.

— Oh ! Oui, bien sûr, bien sûr, balbutia Sue.

— Et il ne serait pas non plus recevable que nous-mêmes, en tant qu'émigrants engagés, acceptions un traitement de faveur…, tu ne crois pas, Jack ?

— Je suppose que non…, répondit-il, perplexe.

Pendant un instant, il avait imaginé que l'Union soviétique était peut-être vraiment le paradis dont Sue et Andrew s'étaient entichés.

Andrew tapota l'épaule de Jack avec satisfaction.

— Et moi, comment devrais-je remercier mon nouvel époux ? dit Sue avec un sourire malicieux, tandis qu'elle s'approchait de Jack en tortillant des hanches.

— Hé ! Hé ! Pas de blagues ! dit Andrew en riant, et il écarta Sue d'un baiser qui n'empêcha pas celle-ci de continuer à sourire à Jack. Sachez que cette ruse ne m'a pas du tout semblé drôle. Mais comment as-tu pu avoir l'idée de dire que Sue était ta femme ?

— Encore ? Je te l'ai déjà raconté trois fois…

— Désolé, mais s'agissant de ma fiancée, tu vas devoir me le répéter !

Jack regarda les deux visages ravis de ses amis suspendus à ses lèvres comme des enfants en attente de bonbons.

— D'accord… d'accord… Ce technicien soviétique devant lequel j'ai dû démontrer mon expérience était aussi méfiant qu'un chat devant une baignoire. Quand je lui ai décrit en détail mon ancien poste chez Ford il a été convaincu, mais pour Andrew, ça a été plus compliqué. Il a fini par accepter sa demande en rechignant, mais il a catégoriquement refusé que Sue nous accompagne. Je ne savais pas quoi faire, aussi, quand elle m'a soufflé à l'oreille de lui dire qu'elle était ma femme, je le lui ai lâché sans réfléchir davantage.

— Mince, Sue ! Et pourquoi tu ne lui as pas soufflé à l'oreille que c'était toi et moi qui étions mariés ? lui reprocha Andrew.

— Je ne sais pas. À ce moment, sur les nerfs, c'est la première chose qui m'est venue à l'esprit. J'ai pensé que si j'étais la femme de l'ouvrier indispensable, il ne verrait pas d'inconvénients. Toi non plus tu n'as rien dit. Et puis qu'est-ce que ça peut faire ? Les Soviétiques ne prêchent-ils pas l'amour libre ? dit-elle avec un clin d'œil.

— Hein ? Eh bien vous divorcez tout de suite, car nous sommes encore en Amérique ! s'exclama Andrew, et tous trois éclatèrent de rire.

Pour fêter l'événement, ils débouchèrent une bouteille de soda qu'ils venaient d'acheter et réchauffèrent une boîte de saucisses sur un feu improvisé avec des restes d'affiches et de tracts. Hypnotisé, Jack contempla la scène. Riant et sautant de joie, Andrew et Sue étaient l'image du bonheur. Il ne pouvait se regarder, mais il savait que si la déception avait un visage, il ressemblerait au sien.

— Nous n'en aurons plus besoin. (Et il jeta un autre tract dans le feu.) Au dernier paradis ! trinqua Andrew en levant la bouteille.

— Au dernier paradis ! trinqua Sue en brandissant sa saucisse.

Après avoir terminé le rafraîchissement, Jack proposa de dresser un inventaire des affaires qui étaient toujours dans le coffre de la Studebaker et de le comparer à la liste des douanes que leur avaient procurée les employés d'Amtorg. Elle recensait les articles que l'agence recommandait d'emporter, ainsi que ceux qui leur seraient confisqués par la douane soviétique. Parmi les objets interdits figuraient des articles aussi dissemblables qu'appareils photos, armes, instruments de musique, bijoux ostentatoires, jouets quels qu'ils soient, livres écrits dans d'autres langues que le russe ou médicaments non prescrits par des médecins soviétiques. Andrew commenta d'un ton goguenard que ce qui concernait les bijoux était inutile, car aucun rupin ne se rendrait jamais en Union soviétique, mais Jack s'inquiéta en imaginant ce qui arriverait si un malade ne connaissant pas le russe avait besoin d'un traitement urgent et ne disposait pas de ses médicaments.

Quant aux recommandations, la liste conseillait d'emporter dans ses bagages, outre le visa indispensable, des boîtes de conserve, des galettes, des biscuits secs, des fruits déshydratés, beaucoup de vêtements chauds, des chaussures d'hiver, des bonnets en peau et toutes sortes de cigarettes. L'employé d'Amtorg qui leur avait remis la liste les avait également informés que leurs dollars américains leur seraient échangés contre des roubles soviétiques à la frontière, chose qui n'inquiéta pas Jack outre mesure, étant donné que la totalité de son argent s'élevait à un peu moins que rien.

— Je ne sais pas comment nous allons faire. Où allons-nous trouver l'argent pour les dépenses du voyage ?

Sue se laissa tomber à terre, se dégonflant comme la chambre à air crevée d'une bicyclette. Sa moue rappela à Jack celle d'une petite fille à qui on aurait volé sa poupée.

— Hé, Sue ! Ici il y a plusieurs choses que nous pouvons vendre, lui rappela Andrew en fouillant parmi ses affaires. Voyons : un étui à cigarettes en argentan, une montre-bracelet… Regarde ! Ma radio Emerson !… Nous avons aussi une vieille machine à écrire Kenwood et je crois qu'elle marche, le stylo à plume que tu m'as offert pour nos fiançailles et mon vieux vélo… En plus, il reste quelques meubles en bon état à la maison, et tu as l'aspirateur que tu as acheté à crédit quand tu travaillais à la cafétéria. Et toi, Jack ?

— La même chose que vous… des saletés, bredouilla-t-il.

— Mais, qu'est-ce que tu racontes ? (Andrew se retourna comme si on l'avait poussé.) Rien que le poste de radio a coûté soixante-quinze dollars ! D'accord, il ne marche pas, mais si on change les ampoules on pourrait sûrement le réparer. Et mon putain de vélo a coûté sept dollars. (Il lui flanqua un coup de pied.) Sue a payé vingt dollars pour l'aspirateur. Si on additionne le tout…

— Ne te fatigue pas, Andrew. J'ai déjà essayé de vendre des vieux appareils et je sais de quoi je parle. Regarde mon phonographe. Quand j'ai voulu le vendre on m'a ri au nez. Pour toute cette ferraille, on n'obtiendrait même pas dix dollars. La seule chose qui ait un peu de valeur, c'est la Studebaker, et elle ne nous appartient pas. Enfin. Nous nous contenterons de ce que nous avons.

— Eh bien vendons-la ! dit Sue tout à coup.

— Comment ?

Andrew parut ne pas en croire ses oreilles.

— Tu as toujours dit que ton voisin était un exploiteur de capitaliste, non ? Eh bien, vendons sa voiture. Il en achètera sûrement une autre, en pressurant ses ouvriers.

— Mais bon sang ! On ne colle pas une annonce sur une voiture volée pour la vendre au premier gogo qui passe par là, marmotta Andrew. Mais ce n'est pas une mauvaise idée, pas du tout, même… Laisse-moi réfléchir… Un moment ! Jack, tu as travaillé dans un garage, non ?

— C'est exact, mais je ne vois pas ce que…

— Alors tu connais sans doute les bonnes personnes : des mécaniciens, des chauffeurs de taxi, des commis voyageurs… L'un d'eux serait peut-être intéressé et prêt à l'acheter.

— Pour que la police nous tombe dessus ? Vous, les communistes, vous êtes complètement cinglés !

En l'absence d'alternative, Jack proposa de mettre de côté les questions économiques pour se concentrer sur l'organisation du voyage et tous furent d'accord.

Dès qu'ils étaient sortis d'Amtorg, Andrew avait téléphoné à un ancien contact pour s'assurer que cette nuit même il confectionnerait un faux passeport pour Jack avec la photo de son permis de conduire. Pour éviter les risques inutiles, ils décidèrent que Jack resterait caché dans l'imprimerie pendant que lui irait récupérer son passeport et rendrait la Studebaker. Ensuite, il passerait à sa pension pour prendre des vêtements chauds, il y resterait la nuit, et au petit matin retournerait à Amtorg pour faire tamponner les visas. Sue, qui avait déjà rendu la clé à sa propriétaire, resterait à l'imprimerie avec Jack pour l'aider à préparer les bagages. Au matin, tous deux iraient sur les quais de la rive ouest de la North River, où ils achèteraient tous les aliments qu'ils pourraient. Enfin, Andrew les rejoindrait sur le port pour échanger les bons d'Intourist contre leurs billets.

Une fois les tâches réparties, Andrew localisa les linotypes avec lesquelles réaliser un faux certificat de mariage, auquel Jack avait pensé donner une apparence de légalité en y imprimant les caractères hébraïques de la médaille qui pendait à son cou.

— Elle était à ma mère, murmura-t-il en la serrant entre ses doigts. J'ignore sa signification, mais nous dirons aux Russes que c'est le sceau d'un rabbin…

Peu après le coucher du soleil, Andrew faisait démarrer la Studebaker et baissait sa vitre.

— Tiens-toi bien, lança-t-il à Sue avant de passer la marche arrière. Et toi, prends soin d'elle. Nous nous voyons demain sur les quais.

Jack poussa un soupir de soulagement tandis que la voiture à moitié déglinguée s'éloignait en pétaradant. Son ami avait fait du bon travail : le certificat de mariage qui voyageait avec lui dans la boîte à gants paraissait aussi authentique que les anciennes feuilles de paie qu'il avait remises à Andrew pour confirmer officiellement son expérience chez Ford Motor & Co. Il ferma le rideau de fer et se remit au travail. Pendant qu'il mettait de l'ordre dans ses papiers, Sue s'occupait d'empaqueter les vêtements en spéculant sur la quantité de vivres qu'ils pourraient acheter avec les trente dollars qu'ils avaient destinés à la nourriture. Cependant, comme le temps passait sans que Jack ouvre la bouche, elle laissa les valises et se mit à se vernir les ongles en fredonnant une chansonnette. Finalement, elle s'approcha de Jack et interposa ses mains entre son visage et les papiers sur lesquels il travaillait.

— Ils te plaisent ?

Elle lui montra ses ongles peints d'un rouge brillant comme si c'était un trésor. Bien qu'il les ait à quelques centimètres de son nez, Jack les regarda du coin de l'œil.

— Je préfère les saucisses, marmonna-t-il.

— Ah ! (Sue, honteuse, cacha ses mains, comme si elle venait de découvrir qu'elles n'étaient pas jolies.) Qu'est-ce que tu fais ? dit-elle pour changer de sujet, agrémentant la question d'un semblant de sourire.

— Je fais le compte de mes richesses, ironisa-t-il, et il écarta les papiers à contrecœur.

— Eh bien moi, j'ai terminé les valises. (Elle se leva et tourna sur elle-même dans un pas de danse improvisé au cours duquel son sourire retrouva tout son éclat.) Oh Jack, la Russie !… Tout ça est tellement émouvant que je ne sais pas si je vais pouvoir trouver le sommeil ! Et à propos de sommeil : comment allons-nous faire pour dormir ?

Jack, imperturbable, garda les yeux posés sur la table.

— Je ne sais pas pour toi. Moi, je suppose que je fermerai les yeux en attendant que le jour se lève.

La joie de Sue se figea.

— Pourquoi es-tu si cassant ? J'essaie seulement d'être aimable.

— Désolé. C'est juste que je n'ai pas envie de parler. (Il se redressa comme une bête aux abois et se mit à aligner plusieurs chaises.) Il se peut que partir pour la Russie soit votre rêve, mais je t'assure que ce n'est pas le mien, aussi n'attends pas de moi que je fasse semblant de sourire ni que je me montre enthousiaste à l'idée de pourrir dans un pays où, quoi que je fasse, je serai toujours un besogneux et un pas-grand-chose.

— Oh ! (Le visage de Sue se durcit.) Et qu'est-ce que tu es en Amérique, si on peut savoir ? Un distingué crève-la-faim ?

Jack regarda Sue comme si elle venait de le gifler.

— Je t'ai déjà dit que je suis désolé, fut la seule réponse qu'il trouva.

— Je ne te comprends pas, Jack. Ici, il n'y a aucun avenir. C'est peut-être vrai ce qu'Andrew raconte sur toi, que tu as eu de la chance et que chez Ford tu as gagné beaucoup d'argent, mais ce temps est terminé. Cette odieuse crise ne finira jamais. Tu devrais oublier ce que tu as été et te contenter du même sort que les autres, au lieu de t'aveugler avec ces délires de grandeur…

Jack se retourna pour ne pas l'entendre. Il lui aurait volontiers exposé le fond de sa pensée, mais il avait bien assez du poids de sa propre situation pour avoir, en plus, à justifier devant une gamine des choses qu'elle ne comprendrait jamais. Que savait-elle de la vie ? Qui était Sue pour lui conseiller d'oublier la fortune dont il avait joui autrefois ? Pour elle, changer de pays représentait peut-être la solution à ses problèmes, car sa plus grande aspiration consistait à épouser Andrew et à mettre au monde une ribambelle d'enfants. Mais dans ce cas, ce serait l'ambition de Sue, pas la sienne. Et, naturellement, le fait qu'il ait réussi à prospérer chez Ford n'était en rien une question de chance. Non. La vie aisée dont il avait joui à Détroit était la sorte d'existence qui avait orienté tous ses efforts depuis qu'il avait l'âge de raison. Celle pour laquelle il avait travaillé comme un chien en prenant sur ses heures de sommeil, pour laquelle il avait renoncé à sa famille, pour laquelle il s'était sacrifié et avait sué sang et eau. Tout cela pour se bâtir un avenir qui du jour au lendemain lui avait injustement été arraché de façon cruelle.

Il finit d'étaler les couvertures sur les chaises et s'arrêta pour se regarder.

Lui qui en son temps avait utilisé de délicats parfums au patchouli devait à présent supporter l'odeur rance que dégageait son corps parce qu'il n'avait même pas de savon pour se laver. Il aurait voulu s'habiller à nouveau de costumes sur mesure et non des haillons qui le couvraient, il mourait d'envie de savourer à nouveau, ne serait-ce qu'une fois, un bifteck tendre dans un restaurant aux tables couvertes de nappes de lin. Et Sue lui reprochait cela ? Pourquoi ? De quel droit pouvait-on lui reprocher ses rêves de retrouver les petites fantaisies pour lesquelles il avait tant peiné ? À l'époque, personne ne les lui avait offertes, et personne ne les lui offrirait aujourd'hui. Des délires de grandeur… Ses rêves paraissaient peut-être frivoles comparés à ceux de Sue, mais était-il si horrible de désirer retrouver un bon emploi ? De vouloir se sentir aimé et admiré ? Qu'y avait-il de mal à ça ?

Brusquement, le hurlement d'une sirène lointaine l'arracha à ses pensées. Jack imagina qu'elle provenait d'une voiture de police et il se précipita vers le volet pour regarder à travers les fentes, mais au-delà de la lumière des réverbères il ne vit que l'obscurité. Tandis qu'il gardait les paupières collées au volet, le son s'estompa jusqu'à disparaître. En se retournant, il se retrouva nez à nez avec Sue.

— Quelque chose t'inquiète ? lui demanda-t-elle.

— Non. Je voulais juste voir ce que c'était.

— Dans ce quartier, il n'est pas rare d'être réveillé par des sirènes. Il y a plus de distilleries clandestines que de gens sans travail. Nous devrions nous reposer. Demain, une longue journée nous attend.

Il acquiesça. Il n'y avait pas trop le choix des endroits où s'installer : il s'accroupit dans un coin et se couvrit de son imperméable. De là, il vit Sue prendre la bougie et se diriger vers la rangée de chaises qu'il avait disposée pour elle. Puis elle souffla la chandelle et son corps se dissipa dans la pénombre.

Jack essaya de dormir, mais le silence de la nuit résonnait à ses oreilles, évoquant l'image de son père. Il se souvint de lui à l'époque où ses cheveux étaient encore noirs, où il restait sobre et prenait plaisir à raconter des histoires de son lointain pays, où il le serrait dans ses bras, enfant, et lui fabriquait des jouets avec des rognures de chaussures, ou quand ils se rendaient ensemble à la synagogue. Il fut envahi d'un immense chagrin pour n'avoir pas su l'aider. Lorsque son souvenir s'évanouit, il se concentra sur Andrew et Sue. Il ne comprenait pas pourquoi il avait tant de mal à éprouver de la reconnaissance. Après tout, ils étaient les seuls amis qui lui restaient. Les seuls qui l'avaient aidé. Peut-être ne partageaient-ils pas les mêmes rêves, mais les leurs étaient simples, alors que les siens s'apparentaient davantage à ceux d'un être dénué de scrupules. Il avait beau le reconnaître, il ne pouvait s'empêcher d'envier son oncle Gabriel Beilis, l'unique personne que la Grande Dépression semblait ne pas avoir affecté. Il l'imagina fumant un havane et se riant du monde depuis son bureau du Rockefeller Center. C'était une raison de le haïr, mais il enviait la situation aisée de son oncle qui ne connaîtrait jamais la pauvreté. À cet instant de ses réflexions, il se jura qu'il ferait tout ce qui était en son pouvoir pour cesser d'être un crève-la-faim.

5

Ce n'était peut-être pas une bonne idée.

Dès les premières heures de la matinée, les quais de la North River étaient une fourmilière de marins, d'arrimeurs et de débardeurs occupés à vider les entrailles des gigantesques cargos qui attendaient patiemment qu'on évacue leurs bedaines. Partout, les cris des contremaîtres haranguant les ouvriers se mêlaient aux clameurs des surenchères de la criée aux poissons, aux sirènes des bateaux à vapeur en partance, aux criaillements aigus des mouettes aussi avides de nourriture que les chômeurs qui pullulaient dans les entrepôts en quête d'une journée de travail.

Et là où il y avait des chômeurs, il y avait toujours des policiers.

Jack scruta les alentours, mais il n'en vit aucun. À travers la cohue, esquivant ballots et voyageurs, savourant l'intense odeur de sel qu'il respirait à pleins poumons, il aida Sue à traîner ses bagages. Ayant appris qu'il fallait avoir l'air en bonne santé pour éviter le contrôle sanitaire de la tuberculose, il avait masqué son aspect émacié grâce à un rasage soigné et une touche de fard que Sue avait tenu à lui mettre sur les joues. Cependant, le principal souci de Jack étant de passer inaperçu, il marchait courbé pour dissimuler sa stature et masquer le contraste que faisait le fard avec le bleu de ses yeux.

Lorsqu'ils arrivèrent au quai où accostaient les navires de l'American Scantic Line, il dut s'égosiller pour que Sue l'entende dans l'incessant grincement des grues.

— Bon. On est à l'endroit convenu avec Andrew, cria Jack, et il posa ses paquets contre le mur d'une grande baraque. Le mieux est que tu l'attendes ici, moi je vais acheter les vivres qui nous manquent. (Il jeta un coup d'œil à sa poignée de billets crasseux et tenta de localiser une épicerie.) Fais attention aux voleurs ! Ils grouillent autant que des poux !

Sue défia Jack du regard.

— Je peux t'assurer qu'aucun misérable ne va gâcher le plus beau jour de ma vie, répondit-elle.

Elle s'assit sur les valises, en une pose déterminée.

Jack laissa derrière lui la foule amassée à l'entrée de la compagnie de navigation qui assurait la liaison New York-Copenhague-Helsinki. Il s'achemina vers un gigantesque magasin de poisson sur les portes duquel une affiche annonçait les meilleures salaisons de tout le port. Dès l'entrée, une odeur de sel et de mer l'attira vers l'étal d'un pêcheur qui s'époumonait, vantant la qualité de ses harengs. Mais au lieu de succomber à son boniment, Jack s'immobilisa, les yeux fixés sur l'élégante jeune femme chapeautée qui examinait attentivement les articles de l'étal voisin.

Cela faisait longtemps qu'il n'avait pas vu une dame aussi distinguée, au point qu'elle lui parut tout droit sortie des salons du Waldorf-Astoria. Hypnotisé, il s'approcha à pas lents de l'éventaire de produits d'outre-mer pour observer l'inconnue vêtue d'un élégant manteau de fourrure. Elle inspectait une boîte de caviar Petrossian beluga, sans prêter attention aux remarques de sa servante sur le prix abusif. Jack regarda les doigts gantés de la jeune femme caresser les boîtes hors de prix comme s'il s'agissait de pierres précieuses. Sans préméditation, il se plaça près d'elle et prit une boîte jaune sur le présentoir.

— Ne vous faites pas avoir. Vous feriez mieux d'acheter cet avruga. Il est préparé tout près d'ici, dans le Delaware. Il est bien moins cher et excellent, lui conseilla-t-il, lui-même surpris de son audace.

La jeune femme se tourna vers lui et le toisa des pieds à la tête.

— Vous êtes pêcheur ? lui demanda-t-elle d'un ton dédaigneux.

Jack rougit. Pendant un instant, il avait imaginé se trouver à Détroit en train de flirter avec une secrétaire éblouie par sa décapotable.

— Non. Certainement pas, mais tout le monde sait que le caviar du Delaware est aussi bon que celui…

— Écoutez, jeune homme : ce que tout le monde sait, c'est que les esturgeons du Delaware ont disparu voilà vingt ans et que depuis on ne vend que des succédanés. Donnez-moi six boîtes, demanda la jeune femme au vendeur. Du Petrossian, précisa-t-elle, et Jack resta sans voix.

Jack la regarda s'éloigner tandis qu'il restait là, impavide, ébloui par l'image irréelle d'une sirène au milieu des débardeurs. Ses yeux se posèrent ensuite sur la très onéreuse boîte de caviar russe Petrossian et il la compara au succédané bon marché qu'il lui avait recommandé. Ce faisant, il pressentit qu'entre ces deux boîtes existait autant de différence qu'entre les femmes qu'il avait fréquentées jusque-là et la demoiselle distinguée qui venait de disparaître.

Lorsque Jack revint à l'endroit où il avait laissé Sue, chargé d'une provision de harengs fumés odorants, il la trouva dans les bras d'Andrew, le bécotant comme une adolescente son premier amour d'été. Il réprima une pointe d'envie tandis que son ami le saluait en brandissant les billets de bateau qui les feraient sortir des États-Unis. S'étant efforcé d'ébaucher un sourire pour répondre à celui d'Andrew, Jack prit le billet dans ses mains et vérifia qu'au dos figuraient le nom et la photo du navire *S.S. Cliffwood* à côté du prix exorbitant de cent quatre-vingts dollars. Il ne put s'empêcher de se racler la gorge en constatant que cette somme équivalait au loyer annuel de l'appartement dont on l'avait expulsé.

— Tiens. Ton passeport.

Jack jeta un coup d'œil au document falsifié qu'Andrew venait de lui remettre. Il s'agissait du modèle normalisé à la couverture bordeaux perforée d'une petite fenêtre. Jack glissa les doigts sur le carton dont la texture imitait le cuir. Le matériel paraissait authentique, mais le tampon sec qui validait la photographie n'aurait pas trompé un nourrisson.

— Le type qui l'a confectionné m'a assuré qu'en Union soviétique ils ne s'intéresseraient qu'à la recommandation d'Amtorg, dit Andrew, en constatant son expression dubitative.

— C'est une consolation de le savoir. Et je suppose que ce type sera confortablement installé chez lui dans son divan quand je devrai expliquer aux Russes pourquoi j'essaie d'entrer dans leur pays avec un passeport qui semble avoir été gagné dans une tombola.

— Allez, Jack. Laisse-moi porter les harengs et ne fais pas ton rabat-joie. Je t'assure que comparés à ceux que tu as ici, les problèmes que tu rencontreras en Russie seront une bénédiction.

Et, fermant les yeux avec suffisance, il le poussa vers la passerelle du *S.S. Cliffwood*.

Pendant qu'ils attendaient que commence l'embarquement, Jack considéra avec méfiance la coque rafistolée du transatlantique et soupira. Malgré sa taille impressionnante, la seule ressemblance de ce navire avec la photographie sur l'envers du billet était son barbouillage d'encre noire. Jack respira l'odeur de vernis et de goudron provenant de la récente couche de peinture avec laquelle l'armateur avait tenté de donner au bateau un aspect convenable, mais qui, à son avis, l'apparentait davantage à une machine pestilentielle destinée à la casse. Cependant, aucun des passagers qui les précédaient ne semblait prêter attention à sa dégradation. Au contraire, ces ouvriers hâves, portant des vêtements fournis par des œuvres de bienfaisance, bavardaient, pleins d'illusions, maquillant de leurs sourires les traces que la faim et le désespoir avaient inscrites sur leurs visages.

À midi pile, le marin qui surveillait l'entrée dénoua le cordon qui fermait la passerelle et donna un coup de sifflet : la file impatiente des passagers et leur chargement de malles, de paquets et d'ustensiles se mit en branle, telle une caravane de colporteurs. Jack, Andrew et Sue se préparèrent. La file monta vers le pont au rythme paresseux imposé par le contrôle des billets, mais quelques mètres avant que ne vienne le tour d'Andrew elle s'arrêta de manière inattendue, et on entendit des cris.

— Que se passe-t-il ? demanda Jack.

Il regarda vers l'avant, mais ne put rien voir d'étrange.

Andrew, qui pour parer à toute éventualité les précédait de quelques places, constata qu'il s'agissait d'une altercation. Immédiatement il se tourna vers Jack pour l'avertir de la présence d'un officier de police qui avait commencé à demander les passeports.

— D'après ce que j'entends, ils ont dégoté un homme qui voulait monter à bord sans billet. Si nous tentons d'embarquer maintenant, ils vont nous arrêter, murmura Andrew.

Ses yeux brillaient, terrifiés. Jack remarqua l'arrivée d'autres policiers et le retint par le bras.

— Trop dangereux. Si nous quittons la queue maintenant nous allons éveiller les soupçons. Nous devons continuer.

— Et ton passeport ?... Merde ! En Russie il pourrait passer pour vrai, mais ici ils le découvriront et nous arrêteront.

— Passe-moi les harengs et laisse-moi faire. Toi, Sue, reste avec Andrew.

Andrew lui obéit dans un balbutiement. Jack prit la place de son ami dans la file et murmura quelque chose à l'oreille de Sue. Ensuite, il prit les harengs sur son épaule, coinça son passeport entre ses dents et, d'un pas décidé, traîna la malle qui contenait ses affaires.

— Allons, allons ! Ne vous arrêtez pas ! cria le policier qui vérifiait les documents.

Jack s'approcha de lui avec détermination et, après avoir posé la malle sur le sol, tendit son billet de sa main libre. Lorsqu'il le lui remit, l'homme en uniforme planta son regard sur lui et ferma à demi les paupières.

— Le passeport, lui demanda-t-il.

— Hein ? Ah oui, le passeport..., marmotta Jack, sans lâcher le document qu'il tenait entre ses dents.

À cet instant, Sue tituba et poussa Jack, celui-ci lâcha les harengs qui tombèrent avec le passeport sur l'asphalte.

— Merde ! Désolé. Je suis désolé, monsieur l'agent, dit Jack en s'agenouillant pour ramasser les poissons et le document. Excusez ma femme. C'est la première fois qu'elle monte à bord d'un bateau et elle est très nerveuse. Le voilà.

Il lui remit le passeport ouvert à la page où figurait sa photo.

Le policier saisit le document et scruta Jack sans indulgence. Jack serra les poings, tandis que son cœur battait la chamade. Mais il dissimula sa nervosité en s'agenouillant à nouveau pour finir de ramasser les harengs. Le policier fronça les sourcils.

— Dommage de souiller un passeport neuf de cette façon, dit enfin l'agent en nettoyant les restes de poisson collés sur le faux tampon. Votre épouse devrait faire plus attention si elle veut sauver son mariage. Prenez vos documents, et circulez.

Une fois à bord, Jack hocha la tête tandis qu'il terminait de décoller les restes de hareng qu'il avait lui-même écrasés sur le tampon au moment où il s'était accroupi pour ramasser le passeport.

— Tu es une belle fripouille ! Alors comme ça tu l'as fait exprès, s'exclama Andrew. La poussée... les harengs...

— Et j'ai été sa complice, se vanta Sue en prenant Jack par le bras. Décidément, Andrew, ce garçon vaut son pesant d'or. Tu devrais prendre note.

Le sourire naissant d'Andrew se figea sur ses lèvres.

— Je devrais..., répéta-t-il, et il traîna ses bagages vers l'endroit où se rassemblaient les autres passagers.

Un employé de l'American Scantic Line, dans un uniforme impeccable, conduisit le groupe vers les dépendances situées dans la cale de proue. Au cours du trajet, l'employé leur dit que le *S.S. Cliffwood* avait servi comme cargo pour la Marine pendant la Grande Guerre et, après l'armistice, avait été acheté par la compagnie maritime McCormack pour être aménagé en cargo mixte de marchandises et de passagers. C'est pourquoi il ne comptait qu'un nombre réduit de cabines individuelles réservées aux voyageurs les plus fortunés et une zone de chambrées communes destinées aux passagers de seconde.

— Votre attention s'il vous plaît, avertit l'employé pendant que les passagers terminaient d'occuper leurs couchettes. Comme vous le savez sans doute, et si Dieu le permet, nous accosterons à Helsinki dans cinq jours. Pendant la traversée vous pourrez monter sur le pont aussi souvent que vous en aurez besoin. En haut, près du pont, vous trouverez une petite buvette où vous pourrez acheter du tabac, des boissons et de la nourriture. Quand aux toilettes, vous les trouverez au fond de la cale.

— Cela explique pourquoi cette chaloupe ressemble autant à l'*Aquitania* qu'un âne à un mustang, dit un passager en crachant par terre.

— Je vous ai entendu, monsieur, dit l'employé d'un ton indifférent, pour garder ensuite quelques secondes de silence. Ce bateau n'est peut-être pas un luxueux transatlantique comme celui que vous mentionnez… mais je devrais vous répondre que les cavaliers qui chevauchent des pur-sang ne ressemblent pas non plus aux voleurs qui voyagent à dos d'âne. (Il enfonça sa casquette en guise de salut et se détourna pour regagner le pont.) En parlant de voleurs (il se tourna à nouveau), l'accès aux soutes est strictement interdit. Celui qui contreviendra à cet ordre sera sévèrement puni.

À deux heures de l'après-midi, agrippé à la rambarde du pont, Jack entendit le mugissement de la sirène qui annonçait le départ du *S.S. Cliffwood*. Il s'intéressa aux voyageurs qui saluaient les parents venus leur dire adieu. Quelques-uns pleuraient. D'autres, le regard perdu, contemplaient les gigantesques édifices qu'ils ne reverraient peut-être jamais. Il les scruta pareillement. Le vent froid de l'East River lui irritait les yeux. Sur l'horizon, quelques verrières resplendissaient timidement sous les rayons du soleil de décembre, comme si elles voulaient l'emporter sur le gris infini du ciment. À cet instant, comme le bateau commençait à s'écarter du quai, Jack se souvint des mots qu'Andrew avait prononcés pour justifier sa présence dans la cale. « Sue et moi restons en bas pour surveiller les bagages. Et toi tu devrais faire pareil. Tu devrais être prévoyant et garder avec toi les affaires qui ont le plus de valeur, à moins que tu ne veuilles qu'on te les vole. » Et c'est ce qu'il avait fait : il était monté sur le pont pour garder dans ses pupilles l'image de New York et la conserver en lui afin que personne, jamais, ne la lui vole.

6

La troisième journée de traversée fut la plus éprouvante. Peu après avoir levé l'ancre, Jack avait commencé à se sentir indisposé, mais il était resté sur le pont assez longtemps pour écarter les souvenirs qui le tourmentaient. Maintenant la houle grossissait et les coups de mer ininterrompus qui annonçaient l'imminence d'une tempête avaient fini par confiner les passagers sur les paillasses de leurs couchettes dans la chambre commune. Près de lui, Sue et Andrew passaient leur temps à rêvasser sur leur destination. Elle s'imaginait dans sa petite maison soviétique avec jardin et balançoires pour sa marmaille, tandis qu'Andrew se voyait en futur représentant des ouvriers nord-américains. Mais les rêves de ses amis enthousiasmaient autant Jack que la contemplation d'une couche de peinture en train de sécher. En Russie, il n'y aurait plus de voitures luxueuses auxquelles rêver, plus de costumes élégants avec lesquels se vêtir, ni de clubs de jazz où passer de bons moments. Ce qu'il pouvait espérer de mieux, s'il avait de la chance, c'était de se tuer au travail pour un salaire de misère jusqu'à la fin de ses jours. Il prit une grande inspiration et se retourna sur son matelas. Le roulis incessant de la coque lui donnait la nausée. Il finit par se lever et déambuler dans le dortoir pour se dégourdir les jambes.

Au cours de l'une de ses promenades, il s'aperçut que l'un des hublots qui communiquaient avec la soute était resté entrouvert, et il s'approcha pour regarder à l'intérieur. Il essayait de percevoir le contenu des containers qui s'entassaient de l'autre côté de la cloison lorsqu'un bras l'écarta sans ménagement de la fenêtre.

— On peut savoir ce que tu regardes ?

Jack sursauta en se retrouvant face au visage furibond d'un homme à barbe blanche, qu'il crut reconnaître comme l'un des marins russes qui venaient de temps en temps dans la soute pour vérifier l'état de la cargaison. Le ton n'était certes pas celui de quelqu'un l'invitant à prendre un verre, mais il tenta de temporiser.

— Je ne faisais que regarder, se justifia-t-il.

— Ah… Eh bien en Union soviétique on n'aime pas les curieux, dit l'homme avec un fort accent russe.

Jack imagina que la détermination de ce visage couvert de rides n'appartenait pas à un simple employé. Il ne voulait pas de problèmes, mais il n'allait sûrement pas accepter qu'un inconnu le traite de cette façon.

— Que je sache, ce bateau n'appartient pas à l'Union soviétique.

— Le bateau, peut-être pas, mais ces voitures, oui.

La voix du Russe se fit cinglante.

Jack tendit ses muscles. Il s'apprêtait à lui répondre quand Andrew s'approcha de lui par-derrière et le tira vers les couchettes. En reculant, Jack vit le Russe aux cheveux gris le défier du regard.

— Garde-les ! bredouilla Jack à voix basse en se laissant entraîner par Andrew. Je vais te dire, ces caisses m'intéressent autant que ta frangine !

L'homme ne saisit pas l'ironie. Il ferma simplement l'œil-de-bœuf, vérifia que la porte de la soute était bien fermée et retourna sur le pont. Lorsqu'il eut disparu, Andrew fit face à Jack.

— Tu es devenu fou ? Tu veux nous brouiller avec les Russes avant même qu'on mette pied à terre ?

— Mais tu as vu comment ce type m'a traité ? Je ne faisais que regarder et il m'a poussé comme si j'étais un chien en train de pisser sur ses bottes.

— Merde ! Eh bien tu prends sur toi ! Après tout ce que nous avons traversé, je n'ai pas envie qu'ils nous fassent payer le retour aux États-Unis pour une fanfaronnade.

— Ces caisses sont de la Ford.

— Quoi ?

— Je te dis que ces énormes conteneurs sont de la Ford Motor & Co. Elles sont tamponnées à l'encre rouge : *Ford Motor & Co. Détroit. USA.*

— Et alors ? Qu'est-ce que ça peut faire qu'elles soient de la Ford ou de la General Motors ? Un original a sans doute commandé deux voitures pour y promener sa petite amie.

— C'est ce qu'a voulu me faire croire cet ouvrier soviétique, mais ces caisses ne contiennent pas des voitures. J'ai travaillé neuf ans chez Ford et je peux t'assurer qu'aucune voiture de cette firme n'a le volume d'un autobus.

— Alors, celui qui les a achetées a sans doute un tas de petites amies, et il lui faut un autobus pour les balader. Mais on peut savoir quelle importance ça peut avoir ?

Brusquement, un violent coup de mer frappa le flanc du bateau, qui s'inclina. Jack parvint à s'accrocher à une couchette, mais Andrew roula à terre. Sur le pont, une alarme annonça la tempête.

Jack tint la conversation pour terminée et aida Andrew à retourner sur sa couchette. Peu à peu, les secousses répétées par lesquelles le *S.S. Cliffwood* avait confirmé la proximité de la tourmente augmentèrent, devinrent un ouragan de grincements, d'embardées et d'ébranlements. Bientôt, les premières valises commencèrent à se disperser sur le sol et leurs propriétaires ne purent rien faire d'autre que rouler derrière elles en poussant des cris de terreur. Jack comprit le danger qu'ils couraient quand l'un des passagers perdit l'équilibre et se cogna la tête contre une colonne. Les gens hurlaient autour de lui. Aussitôt, il se défit de sa ceinture et l'utilisa pour entourer la taille de Sue et la sangler sur sa couchette. Andrew l'imita et s'arrima à la sienne. Jack, confiant dans la force de ses muscles, s'agrippa aux barreaux, tandis que la houle secouait impitoyablement le navire, menaçant de disloquer cloisons et traverses.

Au milieu de ce tourbillon, quelques passagers implorèrent l'aide des membres de l'équipage qui étaient accourus du pont pour assurer la cargaison dans les soutes. Cependant, avant qu'ils y parviennent, une vague souleva la proue du bateau qui, après être restée suspendue dans le vide, plongea à pic dans un effroyable fracas.

Jack, perdant son appui, fut projeté par plusieurs cahots et alla atterrir près de l'entrée du magasin. Lorsqu'il parvint à se redresser, il vit voyageurs et bagages ballottés comme des pantins dans un vent de galerne. Un filet de sang qui coulait de son arcade sourcilière ouverte l'aveugla. Il s'essuya comme il put et regarda autour de lui, cherchant comment rejoindre ses amis, lorsqu'un cri déchirant derrière lui l'arrêta net. Il se retourna. Cela venait de la soute. À travers l'œil-de-bœuf, il distingua plusieurs hommes qui tentaient désespérément de déplacer un container renversé. Apparemment, il y avait un blessé. Un nouveau hurlement lui glaça le sang. Il ne réfléchit pas. Il ouvrit la porte et pénétra dans la pièce pour se trouver face à un chaos d'ouvriers russes qui s'acharnaient à écarter les restes du container cassé et à extraire l'homme qui hurlait, coincé sous une énorme machine. Jack reconnut une presse Cleveland : un monstre de métal dont le poids dépassait les trente tonnes. À travers l'enchevêtrement des ouvriers, il comprit que la machine écrasait le bras gauche du blessé : pour le libérer, il fallait absolument la soulever, mais à voir la manière dont ils s'y prenaient ils n'y arriveraient jamais.

Il essayait de trouver une solution lorsqu'il comprit que le Soviétique avec lequel il avait eu une altercation un peu plus tôt suggérait de lui amputer le bras.

— Si on ne le fait pas, il mourra, prononça-t-il dans un anglais mâtiné d'un fort accent étranger.

La victime refusa en secouant le tête et ordonna à grands cris qu'ils continuent de soulever la machine. Les ouvriers obéirent, mais un autre coup de mer secoua le bateau et la machine lui broya le coude. L'homme poussa un nouveau hurlement, comme si on l'avait écartelé. Les ouvriers restèrent paralysés, mais l'un d'eux se baissa et attrapa une scie mouillée. Voyant cela, le blessé retrouva son souffle et vociféra comme un dément.

— Si quelqu'un s'avise de m'effleurer le bras, je jure que je le tuerai.

Les ouvriers se regardèrent, hésitants, mais celui qui brandissait la scie s'approcha de lui, décidé à l'amputer.

— Attendez ! le retint Jack. Je crois que je sais comment le sortir de là !

Tous s'écartèrent, stupéfaits, à l'exception du Soviétique aux cheveux blancs.

— De quoi tu te mêles, l'Américain ! Sors immédiatement du magasin !

Il le repoussa violemment.

— Je vous dis que je sais comment écarter la machine ! Je la connais comme si je l'avais conçue ! insista-t-il.

Le Soviétique fit mine de frapper Jack, mais la voix du blessé s'éleva, impérative.

— Damné Sergueï ! Laisse-le s'approcher ! hurla-t-il comme s'il était le maître.

Avant de s'écarter, le Soviétique à la barbe poivre et sel murmura quelque chose en russe, et Jack put s'agenouiller auprès du blessé. Il n'avait pas l'air slave. Son visage couvert de gouttes de sueur reflétait le plus

111

grand désespoir. Il estima qu'il devait avoir une bonne cinquantaine d'années.

— Tu peux vraiment me tirer de là ? demanda le blessé dans un anglais parfait.

— Je crois, monsieur. (Jack examina la situation du bras coincé et la position de la machine.) J'aurais besoin de deux clés hexagonales et d'un marteau.

— Oui ? D'accord, mon garçon. J'espère que tu sais ce que tu fais. Vous n'avez pas entendu ? s'égosilla-t-il. Donnez-lui ce qu'il demande ! Vite !

Lorsque Jack eut les outils entre les mains il s'attaqua à la machine avec l'agilité d'un chat. Il se mit sur-le-champ à dévisser plusieurs gros boulons, sortit une came et, à travers le trou, accéda à une petite trappe par laquelle il introduisit une autre clé. Il travaillait aussi vite qu'il pouvait, mais les continuels soubresauts et secousses de la coque rendaient sa progression difficile.

— Et merde ! s'exclama Jack quand l'une des clés lui échappa des mains. Il faut que quelqu'un m'aide ! Vous, là, venez ! ordonna-t-il aux ouvriers soviétiques qui l'entouraient et dont il n'obtenait que des regards stupéfaits.

Jack réitéra sa demande, mais personne ne lui obéit.

— *Bande d'idiots !* hurla-t-il alors en russe. *Arrêtez de me regarder et donnez-moi un coup de main !*

En entendant l'ordre dans leur propre langue, les ouvriers s'animèrent et, ignorant le craquement des cloisons, s'empressèrent d'obéir. Jack empoigna de nouveau la clé et continua à donner des instructions en russe, à l'étonnement du blessé qui observait les manœuvres de sauvetage, le visage défiguré par la douleur. Enfin, un dernier boulon sauta et la machine se divisa en deux blocs, comme décapitée.

Jack aspira une bouffée d'air avant de s'adresser aux ouvriers.

— *Maintenant ! Tous ensemble !* ordonna-t-il.

À son ordre, les ouvriers saisirent à l'unisson la section qui retenait encore le bras du blessé, ils bandèrent leurs muscles et, dans un effort surhumain, tentèrent de la soulever. Malheureusement, la machine ne bougea pas d'un pouce. Jack essaya encore, tout seul, jusqu'à défaillir.

— C'est inutile ! se plaignit Serguéï. On ne la soulèvera pas, même avec un trinquet. Vasil, prends la scie.

Jack regarda le blessé tandis qu'il essayait de reprendre son souffle. Il eut de la peine pour lui. Il s'écartait pour ne pas assister à la boucherie lorsque, soudain, il s'arrêta.

— Un moment ! Combien de voitures comme celle-là y a-t-il dans la soute ?

Il montra une voiture noire qui était toujours amarrée près du mur du fond.

— Douze…, répondit le blessé dans un filet de voix.

— C'est suffisant, dit Jack. Et d'un pas décidé il se précipita dans cette direction.

Au bout de quelques instants il revint en courant, portant six crics, de ceux utilisés pour changer les roues de secours.

— Vite ! Posez-les dessous. Cherchez des points d'appui bien solides. Là…, indiqua-t-il, et sous cette planche, là…

Comme si leur vie en dépendait, plusieurs ouvriers disposèrent les crics selon les indications de Jack, et à son signal, ils commencèrent à les actionner simultanément tandis que les autres maintenaient la pièce en équilibre. Jack leur donna l'ordre de se préparer. Il les avertit qu'ils ne disposeraient que de deux ou trois secondes pour extraire le blessé avant que la machine ne retombe à la verticale.

— Maintenant, cria-t-il.

Comme un seul homme, les ouvriers tirèrent le blessé et le sortirent juste avant qu'un coup de mer fasse chuter le support de la pièce qui s'effondra dans un grand fracas.

Lorsque Jack retrouva son souffle, il frotta ses mains couvertes de meurtrissures et tourna le regard vers l'homme qu'il venait de sauver pour voir comment il allait. Il ne le put : l'officier du service de santé l'avait déjà emporté pour s'occuper de lui.

7

Pendant le petit déjeuner, le sujet de conversation des passagers tourna autour des dégâts causés par la tempête, mais, peu à peu, Jack devint le principal objet des commérages. Tandis que les uns admiraient le jeune homme élancé qui, à ce qu'on disait, avait soulevé à bout de bras une machine en acier à la seule force de ses muscles, d'autres s'interrogeaient sur le genre de personne capable de parler le russe à la perfection et, en même temps, de démonter une machine industrielle si complexe. Seuls quelques-uns, rares, le taxèrent d'insensé, pour avoir bravé l'interdiction d'entrer dans les soutes.

Andrew bavardait joyeusement avec les voyageurs, donnant des détails sur ce qu'il s'était passé, comme s'il avait lui-même tenu le premier rôle, et célébrant l'exploit en buvant sa part des bouteilles de vodka qu'un officier soviétique avait apportées aux passagers en remerciement du sauvetage. Lorsque Andrew ne sut plus quoi inventer, il rangea les cigarettes qu'il avait soutirées à ses auditeurs, finit la bouteille, s'en appropria une autre à moitié pleine, et retourna à l'endroit où Jack savourait le second des deux biscuits qui allaient constituer son petit déjeuner. Il sortit une cigarette et la lui offrit. Puis il attendit que Jack ait tiré la première bouffée pour l'interroger sur l'identité du blessé.

— Je t'ai déjà dit que je n'en ai pas la moindre idée, insista celui-ci en aspirant avec délectation la fumée chaude. Mais c'est un Américain. Ça, j'en suis sûr.

En l'entendant, Andrew évacua sa frustration en donnant un coup de poing à sa couchette. Il avait un moment imaginé que l'homme que Jack avait sauvé était un important dirigeant russe qui aurait pu les remercier par une situation avantageuse.

— Un Américain…, se désola-t-il, et il but une longue gorgée. Ces naïfs ont mordu à l'hameçon. (Il lui montra le paquet de cigarettes qu'il avait subtilisé au groupe de voyageurs.) Je vois d'ici les titres qu'aurait pu nous consacrer *La Pravda*, Jack. « Un immigrant américain sauve un dirigeant soviétique. » Ça oui, ç'aurait été entrer d'un bon pied en Union soviétique !

— Eh bien pour être tout à fait sincère, je me préoccupe surtout d'y entrer avec de bonnes mains. (Et il frotta les blessures qui entamaient les siennes. Puis il regarda Andrew et constata que ses paupières lui obéissaient à peine, se fermaient à moitié, paresseuses, pour cacher ses yeux vitreux.) Et toi, tu ferais bien de prendre garde à la vodka. Tu titubes plus qu'hier pendant la tempête.

— Ce doit être quelqu'un d'important, sinon ces Russes ne se seraient pas donné autant de mal pour le sauver, insista Andrew.

Le commentaire étonna Jack : si les Russes étaient aussi équitables que le clamait Andrew, ils auraient dû se donner autant de mal pour un chiffonnier blessé.

— Bien sûr, corrigea Andrew quand Jack lui en fit la remarque. Je voulais juste dire que ce type doit être un personnage influent. Pas forcément quelqu'un de riche, mais peut-être un journaliste proche du régime ou, si ça se trouve, un communiste américain important. Nous devrions en tirer profit.

Il se remit à boire et lui donna une tape sur l'épaule, avec en prime l'exhalaison d'une haleine pâteuse.

Jack fronça les sourcils. Il ignorait si l'homme qu'il avait sauvé était réellement quelqu'un d'important, mais même s'il l'était, il se méfiait suffisamment de ces gens-là pour savoir que le plus sage était de s'en tenir éloigné.

Il s'apprêtait à siroter une gorgée de son café lorsque Sue apparut. Elle était montée sur le pont pour respirer un peu d'air pur et revenait avec un sourire ravi. Andrew lui tendit la bouteille, mais elle refusa. Elle s'assit entre les deux hommes et les prit dans ses bras pour les rapprocher d'elle.

— Vous n'allez pas le croire.

— Croire quoi ? répondirent presque en chœur Jack et Andrew.

— L'homme que tu as sauvé, Jack. Je sais qui c'est, se vanta-t-elle en riant nerveusement.

— Il est russe, hein ? avança Andrew.

Jack attendit, intrigué.

— Non ! Bien mieux que ça ! C'est Wilbur Hewitt ! Le directeur de l'usine à laquelle nous sommes destinés !

— Tu en es certaine ? Ce n'est pas possible !

Sur le visage de Jack se dessina un sourire nerveux.

— Tu as entendu, Jack ? Je te l'ai dit. Sacrée loterie ! Tu as sauvé le cul de notre futur patron.

Les petits yeux d'Andrew brillèrent sous ses lunettes comme s'il venait d'ouvrir son cadeau d'anniversaire.

— Mais ce n'est pas le plus beau, annonça Sue.

— Non ? Et qu'est-ce que c'est ? Vas-y, dis-le ! la pressa Jack.

Sue fit une pause théâtrale, consciente de l'intérêt qu'elle avait éveillé chez les deux jeunes gens.

— D'accord. Écoutez bien ! M. Wilbur Hewitt invite Jack à déjeuner aujourd'hui sur la passerelle de manœuvre.

— Qu'est-ce que tu racontes ?

Jack pensa qu'elle plaisantait.

— Ah ! Tu n'as pas entendu ? (Andrew se leva et ébaucha quelques pas de danse ridicules tout en essayant vainement de terminer la bouteille de vodka vide.) C'est fantastique, Jack ! Tu dois le gagner à ta cause ! Tu dois le mettre dans ta poche ! Toi, tu lui parles de nous. Nous devons essayer d'en tirer parti. (Il lui tapota l'épaule.) Non ! Encore mieux ! Demande-lui une récompense pour l'avoir sauvé ! Une pour toi et une autre pour nous grâce à qui tu as embarqué !

Et il rit à gorge déployée.

Jack éclata de rire devant les extravagances d'Andrew. On voyait bien qu'il était soûl. Lorsqu'il parvint à maîtriser son émotion, il demanda à Sue comment elle l'avait appris. La jeune femme leur précisa qu'elle avait entendu un Soviétique à barbe blanche le dire au capitaine du bateau. Apparemment, ce n'était pas un quelconque ouvrier, mais une sorte d'officier que les Soviétiques avaient assigné à M. Hewitt pour l'escorter pendant son séjour en Russie.

— J'ai entendu qu'ils l'appelaient Serguei Loban.

Jack écouta l'histoire de Sue avec un enthousiasme d'enfant. Finalement, après quelques secondes, il but une gorgée de café pour s'assurer qu'il était éveillé.

— Bon, je ne sais pas, reprit-il. Alors je suppose qu'il faut fêter ça. Café ?

Il offrit une gorgée à Sue. Mais, de façon inattendue, Andrew l'arrêta.

— Sue ne boit pas de café. À l'heure qu'il est... (Sa langue lui obéissait à peine.) À l'heure qu'il est, tu devrais savoir que Sue n'aime pas le café, pas vrai, *chérie* ?

Soudain, toute trace de joie disparut de sa voix qui prit un ton aigre.

Jack en fut surpris, mais il garda un silence prudent.

— Et toi tu devrais savoir que je n'aime pas qu'on décide pour moi, lui reprocha sa fiancée, puis, esquivant les oscillations d'Andrew, elle accepta la tasse de Jack. Les paupières d'Andrew s'ouvrirent, incrédules, malgré le coup de marteau de l'alcool.

— Ah bon ! Par contre, tu obéis à Jack ! Comment se fait-il que ça ne m'étonne pas ? Ah, bien sûr ! Jack déjeune avec les huiles ! Hein, Jack ? Bientôt, toi aussi tu vas devenir quelqu'un d'important, se moqua-t-il. (Ses yeux vitreux semblaient incapables de faire le point. Il se tourna vers Sue et regarda le café que la jeune femme se disposait à boire.) Laisse ça, chérie. Si tu veux du café, je t'en prépare un, balbutia-t-il, et il tenta de lui prendre la tasse avec une telle maladresse qu'il renversa le café sur son beau foulard orange.

Sue en resta sans voix. Puis elle rougit de colère, jeta la tasse à terre et, après avoir maudit Andrew, quitta le dortoir pour monter sur le pont.

Jack contemplait la scène sans savoir quoi dire, mal à l'aise qu'Andrew puisse mal interpréter ce qui n'avait été qu'un geste d'amabilité envers Sue.

— Je suis désolé, Andrew. Je ne voulais pas…

— Vraiment ? (Il se leva comme si on venait de le poignarder.) Si tu étais vraiment désolé, tu ne flirterais pas avec ma fiancée chaque fois que l'occasion se présente, lui reprocha-t-il en s'agrippant à la couchette pour ne pas tomber.

— Mais, qu'est-ce que tu racontes ? Je voulais seulement être aimable.

Il n'en croyait pas ses oreilles.

— Eh bien sois aimable avec ton voisin de couchette, danse avec le capitaine, ou donne à manger aux dauphins… mais arrête de t'immiscer dans notre vie ! Tu crois que je ne m'en suis pas rendu compte ? Toujours en train de faire le sympathique, toujours en train de faire l'important… Qu'est-ce qui t'a pris de dire que vous étiez mariés ? (Il donna un coup de pied à la tasse de café et ôta ses lunettes.) Merde ! Je ne sais même pas pourquoi je t'ai aidé…

Jack regarda son ami. Il était évident qu'il avait bu plus que son compte, mais cela n'excusait pas des paroles qui devenaient blessantes. Il tenta de le raisonner, mais ne parvint qu'à le rendre encore plus furieux.

— Garde tes discours de séducteur pour d'autres ! hurla Andrew. On n'est plus à l'institut, et Sue n'est pas une de ces gamines de quinze ans que tu passais ton temps à me chiper.

— Andrew, je t'en prie. Tout le monde te regarde.

— Oh, ça va ! Quand tu m'as frappé dans cette cafétéria tu te fichais pas mal qu'on me regarde. Ça t'ennuie de ne pas avoir le premier rôle ? bafouilla-t-il.

Jack comprit que c'était la vodka qui parlait, aussi décida-t-il de couper court à la conversation et de s'éloigner. Mais alors qu'il s'apprêtait à le faire, Andrew le saisit par le bras.

— Lâche-moi ! grogna Jack en se dégageant. Mais tu as bien regardé Sue ? Tu te fais des illusions si tu crois que c'est le genre de femme pour laquelle je perdrais la tête !...

Au moment où il prononçait ces mots, Jack prit conscience de la cruauté de sa réponse. Il fut tenté de s'excuser, mais sa fierté le retint. Au lieu de cela, il baissa les yeux sans rien dire, s'assit sur la couchette et rentra la tête dans ses épaules. Lorsqu'il leva les yeux il découvrit Sue, les larmes aux yeux, qui observait la scène depuis l'escalier. Il se sentit comme un chien. Ses paroles étaient le fruit de la provocation, mais ni Andrew ni Sue ne les méritaient.

À midi moins cinq, Jack se regarda pour la dernière fois dans la glace, et il se reconnut un instant comme le charmant jeune homme qui quelques années plus tôt avait conquis Dearborn. Il ajusta bien sa veste, vérifia la perfection de son rasage et, avec une moue de satisfaction, enfonça sur sa tête le feutre que lui avait prêté Harry Daniels, son voisin de couchette. Cette tenue, à son avis, renvoyait l'image de quelqu'un de suffisamment respectable pour ne pas être catalogué de nécessiteux. Il arrangea une dernière fois sa cravate, vérifia l'heure et regarda les couchettes vides de ses compagnons. Il regrettait de ne pas les voir, car il aurait aimé partager ce moment avec eux, mais cela faisait un moment qu'ils avaient disparu. Finalement, il prit l'invitation qu'un marin était venu lui remettre, aspira une bouffée d'air et se disposa à monter sur le pont. Il ignorait ce que lui apporterait sa rencontre avec Wilbur Hewitt, mais pour peu qu'il lui en donnât l'occasion, il allait le presser jusqu'à la dernière goutte.

Comme Sue l'avait supposé, sur la passerelle il rencontra Sergueï Loban engoncé dans une casaque verdâtre à épaulettes rouges qui lui donnait l'aspect d'un chien de chasse prêt à défendre son os. L'officier soviétique grogna en anglais quelque chose qui ressemblait à un « bonjour » et, sans un mot, le conduisit jusqu'à la dépendance annexe où le repas allait être servi. Une fois à l'intérieur, Jack s'aperçut qu'il s'agissait d'une ancienne cabine transformée de manière à faire pâlir la suite d'un grand hôtel. Les murs tapissés d'une étoffe damassée s'harmonisaient avec le revêtement beige des sièges ; sur la table, couverte d'une magnifique nappe en dentelle ivoire, reposaient six assiettes de porcelaine, encadrées d'une armée de fourchettes, cuillères et couteaux, aussi nombreuse que celle d'un défilé du 4 Juillet. Jack fut surpris de trouver la salle à manger vide, mais n'en fit pas la remarque à Sergueï. Au lieu de cela, il attendit debout près de lui, jusqu'à ce que, quelques minutes plus tard, apparaissent, dans des uniformes impeccables, le capitaine du navire et son second, suivis d'un inconnu en costume marron et nœud papillon rouge presque aussi voyant que son épaisse moustache. Enfin, veste déboutonnée et bras gauche en écharpe, Wilbur Hewitt, l'homme qu'il avait sauvé, fit son entrée.

Dès qu'il se fut assis, le blessé regarda Jack à travers son monocle cerclé d'or, avant de se répandre en une reconnaissance chaleureuse.

— C'est donc à ce jeune homme que je dois l'honneur de m'être réveillé aujourd'hui avec mon bras ! mugit-il. Efface-moi cette mine de veillée funèbre et souris un peu ! Sans toi, ces Russes auraient fait de moi un estropié.

Avec des grimaces de douleur, Wilbur Hewitt fit les présentations. Nicholas Raymeyer, le capitaine du *S.S. Cliffwood*, qui avait plus de vingt ans à son actif dans l'American Scantic Line, et son second, M. Jones, félicitèrent Jack pour son heureuse intervention. L'homme au nœud papillon rouge se révéla être Louis Thomson, journaliste réputé du *New York Times*, journal dont Hewitt avoua être un fervent lecteur. De Sergueï Loban, il mentionna seulement que, pour être l'officiel que lui avaient assigné les autorités soviétiques, il parlait un anglais laborieux.

— Cependant, si l'on fait abstraction de ses manières de rustre, je dois reconnaître qu'il exerce son travail avec une étonnante efficacité. Quant à moi (il ôta son monocle et bomba le torse en introduisant le pouce de sa main valide sous son aisselle), on t'aura probablement déjà dit qui je suis : mon nom est Wilbur Hewitt, industriel diplômé de l'Institut technologique du Massachusetts, économiste et responsable général de la mise en route de la Gorkovsky Avtomobilny Zavod, plus connue sous le nom d'Autozavod, l'usine d'automobiles la plus grandiose qu'on ait jamais construite en Union soviétique.

Et, immédiatement, il tendit une carte à Jack sur laquelle, sous l'en-tête, figurait le titre de « Directeur général pour les Affaires étrangères de la Ford Motor & Co. USA ».

— Nous nous asseyons ? proposa le capitaine.

Par le ton employé, Jack comprit qu'en réalité la question n'était pas une suggestion, mais une consultation. De son siège, Wilbur Hewitt regarda pendant un instant la chaise encore inoccupée.

— Oui, oui ! Que peut-on faire ! Commençons. Tu le vois (il s'adressa à Jack), d'un mot je peux mobiliser cinq mille ouvriers pour qu'ils serrent les fesses et vissent des boulons pendant dix heures, mais lorsqu'il s'agit de ma chère…

À cet instant, le bruit que fit la porte du salon en s'ouvrant interrompit son soliloque.

Aussitôt, ceux qui venaient de s'asseoir se levèrent précipitamment et s'inclinèrent dans un semblant de révérence. Wilbur Hewitt sourit depuis sa chaise, remplit son verre et le leva pour porter un toast accompagné d'un grand sourire.

— Jack Beilis, j'ai le plaisir de vous présenter le joyau de ma couronne : Elisabeth Hewitt. Mon unique nièce.

Jack parvint à balbutier un « enchanté » avant de baiser la main que lui tendait la nouvelle venue. Puis il attendit que les autres s'assoient et, sans cesser de la regarder, il les imita. Dès qu'il le put, il but une gorgée d'eau pour défaire le nœud qui lui serrait la gorge. Découvrir que la personne qu'attendait le tout-puissant Wilbur Hewitt était sa propre nièce avait été une surprise de taille, mais ce qui en vérité l'avait laissé sans voix avait été de constater que cette jeune fille d'une beauté saisissante était celle-là même qui l'avait captivé juste avant d'embarquer, dans le marché aux salaisons.

Bien que la surprise fût réciproque, Elisabeth Hewitt n'en parut pas aussi heureuse que Jack. Toutefois, la jeune femme se montra discrète et occupa le siège voisin de celui à qui l'on rendait hommage. Pour sa part, c'est à peine si Jack osa la regarder, encore honteux du ridicule dont il avait fait preuve au marché. Il se demandait si elle l'avait reconnu et, si tel était le cas, il ne lui restait qu'à deviner à quel moment elle se moquerait de lui. Par chance, à cet instant Wilbur Hewitt s'intéressa aux qualités de Jack, si bien que celui-ci oublia ses craintes.

— Vous n'allez peut-être pas le croire, mais ce jeune homme est un diamant brut, dit Hewitt. Mon garçon, je n'arrive toujours pas à comprendre comment tu as pu démonter avec autant d'habileté la machine qui me tenait prisonnier. Tu as dit que tu avais des connaissances en mécanique, mais par tous les saints ! au cours des vingt-cinq années que j'ai passées à diriger des usines d'automobiles je n'ai jamais rien vu de pareil.

— Eh bien... pour être sincère, ce fut un hasard, monsieur. Je connaissais cette machine parce que nous avons réparé un modèle semblable dans un atelier où je travaillais.

Jack mentit sur son passé à Dearborn, afin de dissimuler toute relation possible avec la mort de son propriétaire.

— Un hasard ? Ne sois pas modeste, mon garçon ! Cette machine était une presse Cleveland dernier modèle, un prodige de la technique, et d'après ce qu'on m'a dit, tu l'as démontée comme on enlève la chaîne d'un vélo. Un type qui aurait gagné à la loterie sans avoir acheté de billet n'aurait pas eu autant de chance que moi. Qu'en penses-tu, Elisabeth ? Ai-je ou non raison de dire que ce jeune homme est un diamant brut ?

La nièce observa Jack avec suffisance et sourit.

— Mon cher oncle, je crois que la morphine dont on t'a gavé te rend trop indulgent. Mais à en juger par son apparence, j'ai l'impression que cet ouvrier a plus du brut que du diamant.

Et de nouveau elle sourit.

Tous rirent du bon mot. Cependant, le ton avec lequel la jeune femme avait prononcé le mot *ouvrier* blessa Jack. Pour lui, travailler avec ses mains était une chose dont personne ne devait avoir honte. Au contraire, il était fier d'avoir commencé comme ouvrier, comme il l'était d'avoir travaillé plus dur que ne pourrait jamais l'imaginer la nièce de Wilbur Hewitt. Il pensa à une réplique. Mais il resta muet en contemplant la grâce avec laquelle elle approchait le verre de vin de ses lèvres. S'il s'était agi d'un homme, il l'aurait fait rougir de honte pour ces paroles, mais, comme au marché, sa seule présence le troublait.

Le repas se déroula entre assiettes de daurade fraîche accommodée au citron, vin français et clovisses. Jack aurait préféré engloutir un succulent hamburger de viande du Montana accompagné de bière fraîche, mais n'en appréciait pas moins l'éclat des couverts d'argent, la finesse de la porcelaine et la délicatesse des verres en cristal.

Néanmoins, ce qui le fascinait le plus, c'était la nièce de Wilbur Hewitt. L'observant du coin de l'œil, Jack admirait ses manières distinguées, sa façon exquise de tenir les couverts, malgré le tangage du navire, et l'élégance, la distinction de son langage. Une élégance qui contrastait avec la spontanéité excessive de son oncle qui, malgré son apparente éducation, ne cessait de s'exprimer comme s'il avait été élevé parmi les débardeurs de Brooklyn.

Pendant qu'il savourait le délicieux sorbet au champagne que les serveurs avaient apporté entre deux plats, Jack s'imagina jouissant lui aussi de cette vie luxueuse qui semblait être celle de Wilbur Hewitt. Il porta son attention sur lui : son monocle d'or, ses boutons de manchette assortis, l'épingle de sa cravate… Son costume impeccable pouvait à lui seul valoir plus que son ancien salaire d'une année, et la montre de gousset qui brillait sur son gilet, probablement le double. Malgré son apparente familiarité, Jack eut l'impression que Hewitt était le genre d'homme non seulement capable de tenir fermement les rênes de sa propre vie, mais encore de diriger sévèrement la destinée des autres. C'était cela qu'il admirait chez lui. Peu lui importait de l'admettre : il était attiré par les montres de luxe, les mets exotiques et les vêtements sur mesure, mais ce qu'il enviait, en vérité, c'était quelque chose que les hommes comme Hewitt possédaient, et qu'il convoitait avec une impérieuse nécessité. Une position sociale. Car si Jack avait appris quelque chose de cette crise, c'était que même si le monde devenait un jour un terrain en friche, les types comme Hewitt ne seraient jamais dans la situation où lui-même s'était trouvé : sans travail, de l'eau jusqu'au cou et sur le point de mendier pour un morceau de pain. Telle était la raison pour laquelle les hommes ordinaires enviaient les types comme Hewitt. Pour leur position inaccessible. C'était cela qui forçait leur admiration et leur respect. Il regarda Elisabeth et aspira puissamment. Pour cette raison même, il était prêt à renverser tout obstacle qui se mettrait en travers de son ambition d'obtenir le respect des autres.

Cette pensée l'occupait encore lorsque Elisabeth Hewitt fit un signe au serveur et lui dit quelque chose à l'oreille. Le serveur acquiesça d'un geste hiératique, puis disparut pour revenir quelques minutes plus tard avec un plateau couvert de glace sur lequel reposait un plat chargé de caviar.

— Je n'ai pas pu résister. (Elle regarda son oncle avec une moue espiègle, comme si elle attendait une approbation dont elle n'avait nul besoin en vérité.) J'espère que notre invité aime le bélouga, dit-elle avec un sourire.

Jack rougit. Il imagina un instant qu'Elisabeth allait le ridiculiser en racontant l'épisode embarrassant du marché aux salaisons ; or, à sa grande surprise, non seulement elle ne le fit pas, mais, gentiment, lui en servit une cuillère à soupe.

— Merci, se borna-t-il à bégayer.

Il engloutissait, attentif à la conversation sur les prouesses extraordinaires du régime soviétique, quand Wilbur Hewitt mentionna de nouveau Autozavod, la gigantesque usine qu'il allait diriger, et les difficultés qu'il allait devoir affronter. D'après les dernières inspections, la tempête avait rendu inutilisable la plus grande partie des machines qui voyageaient dans les soutes, et depuis Détroit on l'avait informé par radiogramme qu'une nouvelle livraison ne serait pas disponible avant trois mois.

— Si nous ajoutons à cela les rapports décevants sur les chiffres de production qui m'ont été adressés, vous comprendrez que je sois inquiet. Ce n'est pas que je doute de la capacité d'organisation des Soviétiques (il regarda Sergueï, en quête de son approbation), mais s'agissant d'automobiles, j'ai l'impression qu'il leur faut un Américain vigoureux pour mettre de l'ordre dans ce qui paraît être une cour d'école de la taille du Wisconsin, fanfaronna-t-il.

Sergueï termina de mastiquer la bouchée de poisson qu'il dégustait.

— À notre décharge, précisa l'officier avec son accent slave, vous devriez préciser que l'Union soviétique est un pays jeune et inexpérimenté, qui a de l'énergie à revendre ; comme tout adolescent impétueux, son enthousiasme peut parfois le conduire sur des chemins tortueux. (Il s'essuya la moustache avec sa serviette.) Nous commettons peut-être des erreurs, mais nous sommes capables de les reconnaître et, bien sûr, de les corriger. Notre hospitalité et notre générosité envers quiconque a besoin de se bâtir un avenir sont sans équivoque. Mais n'ayez aucun doute, monsieur Hewitt, nos leaders sont absolument déterminés à obtenir que le peuple soviétique progresse de façon continue pour éradiquer l'inégalité et la pauvreté de la surface de la Terre.

Wilbur Hewitt demeura un instant silencieux, comme s'il soupesait les paroles prophétiques de Sergueï. Finalement, il leva son verre.

— Eh bien, trinquons à leur réussite.

Tous l'imitèrent et levèrent leur verre pour s'associer au toast de Wilbur Hewitt. Sergueï sourit comme s'il approuvait l'initiative de l'ingénieur, mais Jack eut l'impression que si les hyènes pouvaient sourire, leur sourire ressemblerait sans doute à celui du Russe.

Les desserts terminés, un à un les invités complimentèrent Jack, puis ils quittèrent le salon pour se diriger vers leurs différentes cabines. Elisabeth, qui se tenait à côté de son oncle, tendit à nouveau la main à Jack, moins longtemps qu'il l'eût souhaité, et s'éloigna avec cette élégance qui l'avait captivé lorsqu'elle était entrée. Pendant un instant, il resta debout, accablé, sans s'apercevoir que Wilbur Hewitt attendait pour le saluer. Il le remarqua lorsqu'un léger raclement de gorge se fit entendre derrière lui. Jack, qui avait déjà mis son chapeau, se découvrit à nouveau.

— Monsieur Hewitt. Vous ne savez pas combien je vous suis reconnaissant de m'avoir permis de partager votre table et votre conversation. Ce fut une expérience inoubliable. Je…

— Hé, mon garçon ! Garde tes flatteries pour un autre moment. Si tu te mets dans cet état pour un repas, je ne sais pas ce que tu aurais fait si je t'avais invité dans ma maison de campagne.

— Pardon ? hésita Jack.

— Bah ! Ne fais pas attention. Ce que je veux dire, c'est que si quelqu'un ici doit montrer sa reconnaissance, c'est Wilbur Hewitt, l'homme qui grâce à toi pourra encore s'habiller et se nourrir sans un crochet en guise de main. Dis-moi une chose, mon garçon : Comment as-tu fait ? Comment diable savais-tu quelles pièces démonter pour décapiter en cinq minutes une machine de vingt tonnes ? Et où as-tu appris le russe ?

Hewitt attendit une réponse que Jack mit du temps à formuler.

— Mes parents étaient russes, monsieur. Et j'ai travaillé dans un atelier de pièces détachées pour Buick, improvisa-t-il.

— Chez Buick ? Écoute, fiston. Je connais bien ces empotés et ils ne distingueraient pas une cigogne d'une manivelle. D'accord…, grogna-t-il, si tu ne veux pas me le dire, ne me le dis pas. De toute façon, je n'aime pas devoir de faveur à qui que ce soit. (Il mit la main dans son portefeuille et en sortit cent dollars.) Tiens.

Jack recula comme si on lui offrait de l'argent volé.

— Je… Je ne peux pas accepter, balbutia-t-il.

— Ne sois pas idiot, mon garçon. Si tu crois que c'est peu, c'est que tu es un insensé, et si tu crois que c'est trop, je t'assure que mon bras vaut bien plus. Prends-le. Ce n'est pas la première fois que je me rends en Union soviétique et je peux affirmer sans crainte de me tromper que tu vas avoir besoin du dernier dollar que tu pourras trouver.

— Je ne vous comprends pas, monsieur…

— Eh bien tu le comprendras, fils. Tu le comprendras…

Les cinq mille chevaux-vapeur produits par la puissante turbine General Electric-Curtis du *S.S. Cliffwood* soufflèrent avec force pour pousser le navire à une vitesse de dix nœuds dans les eaux glacées de la mer du Nord, dernière étape de sa traversée. Étranger à cela, Jack se promena sur le pont de proue, emmitouflé dans sa veste, prenant plaisir à la bruine légère qui frappait son visage. Chaque nuage d'embruns venait enlever la misère qui lui collait à la peau, faisant de lui l'homme nouveau, propre et différent qu'il se sentait à présent, au palais fraîchement imprégné du délicieux goût salé du caviar et de la délicate fragrance du champagne. Se remémorant le repas, Jack se vit parmi cette élite composée de capitaines de navire, d'officiers soviétiques, de journalistes, de chefs d'entreprise puissants et de femmes inaccessibles, accepté par tous, parlant d'égal à égal avec ceux qu'il enviait, admiré par eux et recevant leurs félicitations. C'était une sensation absolument enivrante, supérieure à toutes celles qu'il avait éprouvées autrefois, et à toutes celles qu'il aurait pu imaginer.

Sa montre indiquait cinq heures de l'après-midi. Bientôt il ferait nuit. Il décida qu'il était l'heure de retourner auprès de ses amis et de leur faire partager son expérience.

Dès qu'il pénétra dans le dortoir, l'effluve des dizaines d'hommes, de femmes et d'enfants maigres qui s'entassaient sur les couchettes tira Jack de sa rêverie. Il en fut surpris, car il n'y avait pas prêté attention jusqu'à présent. En fait, depuis leur départ, il aurait juré qu'ils avaient assez à manger, qu'ils voyageaient dignement et même, par moments, que leurs vies s'acheminaient vers un avenir prometteur. Mais après avoir partagé les fastueuses tapisseries de soie et les cristaux raffinés de la salle à manger des officiers, après avoir goûté les plats succulents et profité d'une exquise compagnie, il prenait conscience du véritable visage de la réalité. Ce monde sordide, caché sous le pont, le monde des pénuries, de la faim et de la misère, celui des migrants sans espoirs, c'était le monde auquel il appartenait.

Il trouva Sue et Andrew en train de ronger des harengs salés près d'un hublot au-delà duquel déclinait le jour. Sue, dès qu'elle l'aperçut, détourna la tête, mais Andrew se leva pour le saluer et lui offrit un morceau de poisson. Il fronça les sourcils, comme s'il avait mal à la tête.

— Je… Je ne sais pas. Ces choses ne me tombent pas bien sur l'estomac, Jack, réussit-il à dire. Enfin… Pardon pour ce matin. Vraiment, je ne sais pas ce qui m'est arrivé. Je n'ai pas l'habitude de boire, et d'après ce que Sue m'a raconté, je me suis comporté comme un imbécile.

Jack fut heureux de constater qu'Andrew redevenait celui qu'il connaissait. Il accepta le hareng et prit place à côté de lui.

— Nous commettons tous des erreurs. Moi le premier. (Et il regarda Sue pour s'assurer qu'elle l'écoutait.) Tu es une fille magnifique, s'excusa-t-il. J'étais en colère et je me suis laissé emporter. Je t'assure que n'importe quel homme serait heureux de t'avoir pour compagne. Je…

— Bon, assez de jérémiades ! (Andrew prit un air sérieux.) Si à New York il y a quelque chose que tout le monde connaît mieux que l'équipe des Yankees, c'est bien que mon ami Jack Beilis a toujours été le champion des stupidités.

Et il le serra dans ses bras tandis qu'il lui faisait un clin d'œil.

Tout en mangeant le poisson, Jack relata à ses compagnons de voyage les détails de sa rencontre avec Wilbur Hewitt, ce qui attira aussitôt l'attention de Joe Brown et des frères Smith. Les yeux de ses interlocuteurs étaient des soucoupes avides de détails, mais Jack, qui connaissait les privations par lesquelles ils passaient, évita de mentionner l'abondance des mets et la qualité de la vaisselle.

— Alors, ce Hewitt, c'est vraiment une huile ? demanda Andrew à la première pause.

— C'est ce qu'il paraît…

— Et tu sais s'il pourra nous aider ?

— Eh bien, je n'ai pas eu l'occasion de…

— Il a dit quelque chose au sujet des salaires des ouvriers ? l'interrompit Joe Brown.

— Il a dit si on nous attribuerait un logement et un médecin ? ajouta Brady, un mineur que tout le monde surnommait le « Silicosé ».

Jack secoua la tête. Lorsqu'il leur avoua qu'il n'avait pas eu l'occasion d'aborder ces sujets, il vit la déception se peindre sur leurs visages. De nouveau il remarqua les haillons qui dissimulaient leurs corps faméliques et baissa les yeux.

— Mais il a assuré qu'ils auraient besoin d'Américains courageux pour que cette usine fonctionne normalement. (Il haussa le ton.) Et ces Américains, ce sera nous !

Cette nuit-là, Jack ne réussit pas à trouver le sommeil. Il restait une journée avant l'accostage à Helsinki et il ne cessait de se désoler d'avoir gaspillé la chance unique qui s'était présentée à lui. Il aurait dû suivre le conseil d'Andrew lorsqu'il lui avait suggéré de tirer parti de sa rencontre avec le directeur, au lieu de quoi, fasciné par sa nièce, il avait laissé passer toute possibilité de rapprochement. Maintenant il était trop tard. Après avoir débarqué en Finlande, il perdrait leur trace, car aux dires de Hewitt lui-même, sa nièce et lui y resteraient jusqu'à ce que ses blessures soient guéries.

Il se retourna sur sa couchette, rêvant du visage parfait d'Elisabeth, et se demandant d'où elle avait bien pu sortir et pour quelle raison elle accompagnait son oncle dans un si lointain pays. Était-elle fiancée ? Quels étaient ses goûts, ses qualités, ses projets ? Désespéré, il se redressa. Il avait mille problèmes plus importants à régler, et au lieu d'essayer de les résoudre, il passait son temps à s'exaspérer en pensant à une femme qui n'avait même pas fait attention à lui et qu'il connaissait à peine. Et il n'y avait pas que ça. Il était persuadé que tant qu'elle le verrait comme un simple ouvrier, elle ne le remarquerait jamais.

La paillasse l'étouffait. Il se débarrassa de son unique couverture et se leva au milieu de la nuit, prenant garde à ne pas faire de bruit. Andrew ronflait à côté de lui, son oreiller serré dans ses bras, comme un enfant. Sue faisait de même dans la couchette supérieure. Il souhaita que les cent dollars qu'il avait partagés avec eux soient en partie la source de leur sommeil paisible. Comme il l'avait fait plusieurs fois auparavant, il se dirigea vers la porte de la soute pour observer par l'œil-de-bœuf les containers démolis par la tempête, qui laissaient voir les machines inutilisables. Il les contempla pendant un long moment, jusqu'à ce que le froid commence à engourdir ses doigts. Soudain son cœur se mit à battre plus vite. C'était peut-être une folie, mais il devait prendre le risque. Il ouvrit la porte interdite et pénétra dans la soute.

8

Le port d'Helsinki se réveilla sous un ciel encombré
de gros nuages gris menaçants, semblables à des gardiens revêches qui, aurait-on dit, épiaient les passagers
du *S.S. Cliffwood*. Depuis sa cachette, Jack respirait
l'odeur poisseuse de poisson et de pétrole. Tandis
qu'il attendait sous la bâche qui couvrait le canot de
sauvetage, il frotta ses poings enduits de graisse.
Désobéissant à l'ordre qui imposait aux passagers de
rester sur leurs couchettes jusqu'à la fin de l'amar-
rage, il était monté sur la passerelle dans l'espoir d'y
rencontrer Wilbur Hewitt. Mais il y avait plus d'une
heure qu'il se gelait et l'ingénieur ne donnait pas signe
de vie. Depuis son refuge, il admira la manière dont
le bateau était lourdement remorqué dans les eaux
brumeuses par une barcasse minuscule qui évitait la
myriade d'îlots parsemant la baie. L'image de ce géant
des mers conduit par un misérable rafiot lui fit penser,
par association d'idées, aux déshérités américains qui
s'étaient vus contraints d'abandonner leur pays et
pourraient bien, eux aussi, jouer un rôle majeur dans le
devenir de l'Union soviétique.

Il massait les contusions de ses mains lorsqu'il
remarqua la présence de Wilbur Hewitt auprès de

Sergueï et du maître d'équipage. Sans réfléchir, Jack sortit de sa cachette, lissa ses cheveux comme il put, tira sur sa gabardine pour faire bonne impression. Cependant, lorsqu'il s'approcha pour le saluer, c'est à peine si Hewitt lui prêta attention.

— Je regrette, mon garçon. Là, je suis occupé avec le déchargement.

— Excusez-moi, mais ce que je dois vous dire est important, insista-t-il.

— Tu es sourd ? intervint Sergueï.

Sa voix était aussi irritée que celle d'un homme qui n'arrive pas à se débarrasser du caillou qu'il a dans sa chaussure.

— Monsieur Hewitt. J'ai oublié de vous le dire pendant le repas, mais moi aussi je vais à Gorki pour travailler chez Autozavod et j'ai un marché à vous proposer, vociféra Jack, tentant de se faire entendre dans le bruit des grues.

— Un marché, toi ? Et de quoi s'agit-il ? demanda-t-il, surpris, et il fit signe à Sergueï de laisser parler le jeune homme.

— Je voudrais travailler directement pour vous.

— Eh bien ! Si c'est là ta manière de comprendre les marchés, tu n'iras pas loin.

Et il se tourna vers le maître d'équipage pour continuer à diriger le déchargement des machines.

— Monsieur, vous avez affirmé que la production serait retardée de trois ou quatre mois, dans l'attente d'une nouvelle pièce de rechange, c'est bien ça ?

— Oui, c'est ce que j'ai dit. Mais qu'est-ce que ça… ?

— Je peux réparer les machines.

Wilbur Hewitt abandonna sa lecture de la liste des marchandises, et fixa Jack à travers son monocle.

— Qu'est-ce que tu as dit ?

— Les machines détériorées, je peux les réparer, répéta Jack. La presse Cleveland. Celle qui vous a écrasé. J'ai travaillé dessus toute la nuit et elle est presque prête. Si vous m'embauchez, je pourrais…

Le monocle sauta de l'œil de Hewitt comme s'il prenait vie.

— Tu as réparé la Cleveland ?

— C'est bien ce que j'ai dit. Il reste à assembler une pièce lourde, mais les principaux dommages sont réparés. Avec quelques soudures, elle fonctionnera comme au premier jour. Quant à celles qui ont été abîmées pendant la tempête, si vous me fournissez un tour, une fraiseuse et un ouvrier pour m'aider, je pourrai les réparer en trois ou quatre semaines.

— Je ne sais pas pourquoi vous prêtez attention à ce charlatan, intervint Sergueï. Nous avons du retard et…

— Je vous en prie, taisez-vous un moment ! (Hewitt se tourna pour défier Jack.) Écoute, fiston, je suis très occupé, mais je vais perdre une minute de mon précieux temps pour te poser une question. Tu affirmes que tu pourrais faire fonctionner toute la ferraille qui est entassée dans la cale ?

— J'en suis absolument certain, monsieur.

Hewitt fronça les sourcils, et il scruta Jack comme si c'était la première fois qu'il le voyait. Il se racla la gorge avant de poursuivre.

— D'accord. Alors dis-moi encore une chose : pourquoi un simple ouvrier comme toi en saurait-il plus que les ingénieurs soviétiques qui ont déterminé que toute cette mécanique est complètement inutile ?

— Si vous permettez mon audace, je me fiche de ce qu'ont dit les Russes. Je connais ces machines et je sais les remettre en état de marche, répondit-il.

— Mmm… (Hewitt serra les dents comme s'il évaluait le culot de Jack. Finalement, il se tourna vers le Soviétique.) Serguéï, l'appela-t-il. S'il vous plaît, ordonnez à vos hommes d'examiner la Cleveland qui m'a blessé et qu'ils voient si sa réparation définitive serait possible sans avoir à attendre les pièces de rechange.

— Monsieur, cet examen a déjà été réalisé, et nos experts ont estimé que…

— Eh bien qu'ils recommencent !

Serguéï lança à Jack un regard assassin, avant d'obéir à l'ordre de Wilbur Hewitt.

En attendant le rapport, Wilbur Hewitt se détourna de Jack et se concentra sur la vérification du tableau de la cargaison. Il vérifia le nombre de containers en attente d'être déchargés, examina les wagons sur lesquels ils seraient transférés, et révisa le registre de contrôle de la douane, tandis que Jack attendait près de la rambarde. Enfin, au bout de quelques minutes, Serguéï revint escorté d'un technicien soviétique que Jack n'avait jamais vu auparavant. L'inconnu, un homme de type oriental à la mine rébarbative, adressa à Jack une moue de dédain avant de se pencher pour murmurer quelque chose à l'oreille de Hewitt. Dès qu'il eut terminé, l'ingénieur se tourna vers Jack, l'étonnement se lisait sur son visage. Il examina le jeune homme en silence, durant quelques secondes.

— Bien, mon garçon. À ce qu'il paraît, non seulement tu as de l'audace, mais aussi du talent. Je pourrais envisager la question de ton contrat. Toutefois, il y a encore une curiosité que j'aimerais satisfaire.

Jack aspira profondément, convaincu que Hewitt allait l'obliger à révéler l'origine de ses compétences. Il sentit son cœur pomper des flots de sang chaud. Hewitt ferma à demi les paupières et lissa sa moustache.

— Pourquoi as-tu pris le risque de défier l'interdiction d'entrer dans les cales pour tenter de régler des machines dont tu ne savais même pas s'il serait possible de les réparer ?

Jack contrôla ses nerfs tout en ruminant la réponse. Il fixa les yeux de Wilbur Hewitt et répondit :

— Parce que, comme vous l'avez dit, ce pays a besoin d'Américains courageux pour que les choses fonctionnent.

De retour dans le dortoir, il trouva Andrew et Sue occupés à tuer le temps, les balluchons prêts.

— Mais où étais-tu ? Nous pensions que tu étais passé par-dessus bord ! lui reprocha Sue.

Jack rassembla rapidement ses affaires et dissimula comme il put, attendant le moment opportun pour leur révéler les résultats de sa rencontre avec Wilbur Hewitt.

— Je suis resté sur le pont pour regarder le paysage. Il fait un froid de canard là-haut. (Il toussa.)

Nous ferions bien de nous vêtir de tout ce que nous avons apporté.

— Et que crois-tu que nous avons fait ?

Jack, qui n'avait pas prêté attention à leurs tenues, éclata de rire. Ses amis étaient saucissonnés dans plusieurs couches de vêtements. Pendant qu'il terminait d'empaqueter ses affaires, il s'aperçut qu'à quelques pas huit bouches attendaient : les Daniels et les Miller, avec leurs enfants.

— Et eux, là, qu'est-ce qu'ils attendent ? murmura Jack à l'oreille d'Andrew.

— Tu veux parler des Daniels ? Je les ai vus un peu perdus, alors je leur ai proposé de faire le voyage avec nous. Les Miller étaient à côté et quand ils m'ont demandé s'ils pouvaient se joindre à nous, je n'ai pas pu refuser, répondit Andrew, avec la tête de circonstance.

— Tu leur as proposé ?... Mais qu'est-ce que tu leur as raconté ? Qu'en venant avec nous on allait leur offrir des dindes de Noël ?... Réfléchis un peu ! Ce n'est pas qu'ils peuvent nous compliquer le voyage, c'est qu'ils vont le faire. En nous accompagnant, ils vont lier leur sort à des types recherchés pour assassinat.

— Et que voulais-tu que je fasse ? répliqua Andrew. Que je leur rappelle que nous sommes américains, et que les Américains ne s'entraident pas ? En fin de compte, c'est à cause de ça que nous sommes ici maintenant, non ? Parce que dans notre pays personne ne nous a aidés. Allez, Jack ! Ils ne nous causeront aucun problème. Regarde-les !... Ils sont pleins d'enthousiasme ! Ils savent que tu parles russe et que tu as de bonnes relations avec Hewitt, alors ils ont pensé que tu pourrais les aider. Mais enfin, c'est toi qui as réveillé leurs espoirs, alors c'est à toi de décider.

Jack se tourna vers les Daniels et les Miller, et sur leurs visages il ne vit pas une ombre de l'enthousiasme évoqué par Andrew. Bien au contraire, sous les cernes profonds et les corps faméliques, il ne perçut que le visage terrible du désespoir. Il soupira tout en se maudissant. Ces gens allaient leur occasionner plus d'un contretemps, mais si quelqu'un ne prenait pas soin d'eux, ils auraient des problèmes. Il saisit sa malle.

— Damnée sensiblerie !… D'accord. Qu'ils rassemblent leurs affaires et nous suivent.

Un vent glacial taillada le visage des voyageurs qui descendaient la passerelle du *S.S. Cliffwood*, les incitant à se blottir les uns contre les autres comme une rangée de glaçons collés par le givre. Jack fut le premier à mettre le pied sur le quai pavé d'Helsinki, un quai semblable à n'importe quel autre, hormis son sol vernissé par la glace et ses petites constructions rouges blanchies par la neige. Sue proposa de laisser les bagages à la garde d'un passager et d'en profiter pour visiter la ville, mais Jack et Andrew furent d'avis qu'il serait plus raisonnable d'économiser leurs forces et d'aller directement à la gare ferroviaire.

L'immeuble de la gare était une charmante construction Art nouveau d'un étage, insignifiante comparée au Grand Central Terminal de New York, mais avec une salle d'attente assez vaste pour héberger ses voyageurs transis. Jack s'empressa de devancer les émigrants qui le précédaient et installa son groupe sur des bancs de bois situés près des guichets. Après avoir mis les bagages en sûreté contre le mur, il regarda autour de lui. À côté de l'immense horloge française située sur le frontispice du hall, le thermomètre de la gare indiquait vingt degrés Celsius au-dessous de zéro. Il n'eut pas besoin de les convertir en Fahrenheit pour savoir qu'il faisait un froid de loup. Par chance, la salle d'attente était propre, et les gens du cru, qui les regardaient avec étonnement, portaient des manteaux d'une qualité évidente et de bonne facture, ce qui lui fit supposer qu'ils n'avaient pas à craindre les voleurs. En réalité, à l'exception des nécessiteux qui venaient de débarquer, tout paraissait neuf et soigné. Jack remit de l'ordre dans son pardessus élimé, regrettant le manteau en peau de daim qu'il portait en hiver à Détroit. Mais en levant les yeux et en observant les haillons dont étaient affublés les enfants des Miller, il ne put qu'avoir pitié d'eux. Il prit une grande inspiration et contempla leurs visages consternés. Malgré le froid et la faim, les deux petits résistaient stoïquement, respectant sans doute l'ordre de leurs parents. Sans un mot, il enleva son manteau et le tendit à Mme Miller, qui aussitôt le saisit comme si on allait le lui arracher, et elle courut en envelopper ses petits. Jack répondit aux démonstrations de gratitude de la femme par un sourire qui était une promesse, et il s'écarta à l'extrémité du banc pour organiser leur entrée en Union soviétique.

Pendant la traversée, il avait constaté qu'à bord du *S.S. Cliffwood* voyageaient deux sortes de migrants : d'une part, une poignée de fortunés qui arriveraient en Russie avec un contrat de travail sous le bras, un logement réservé et des billets de train payés ; et, d'autre part, ceux qui avaient entrepris le voyage à leurs risques et périls, avec un simple visa de tourisme. Le cas d'Andrew et le sien étaient différents : en raison de l'urgence, Amtorg ne leur avait fourni qu'un rapport de qualification qu'ils devraient échanger contre le contrat définitif au Commissariat du peuple pour l'Industrie et l'Énergie de Moscou. Ils ne disposaient ni de transport ni d'hôtel : ils allaient devoir se les procurer par leurs propres moyens. Les Daniels et les Miller appartenaient au groupe des sans-emploi, ils entreraient en Russie en tant que touristes et les accompagneraient donc au moins jusqu'à Leningrad. Il soupira. Le voyage s'annonçait long et difficile.

Il méditait sur ce sujet lorsque Andrew s'approcha de lui, le sourire aux lèvres, pour l'informer qu'il venait de se réunir « en assemblée » avec quelques « camarades qui partageaient les mêmes ennuis » – faisant référence à un groupe de migrants américains avec lesquels il avait lié connaissance.

— À la fin, nous sommes convenus qu'étant donné ta situation de privilégié, tu pourrais demander à Hewitt un traitement de faveur pour nous tous. Tu aurais dû voir leurs têtes, Jack. Même Bob Green, le charpentier du Wisconsin qui t'a présenté ses enfants sur le bateau, a assuré que tu étais la meilleure chose qui leur était arrivée depuis qu'ils avaient abandonné leurs foyers. Je leur ai promis que tu ne les décevrais pas.

Jack lâcha un juron. D'abord il y avait eu les Daniels, puis les Miller, et maintenant les Green. Si cela continuait, Jack cesserait d'être Jack le mécanicien pour devenir Jack le Moïse en route pour la Terre promise.

— Mais comment tu as pu ?... Tu sais très bien quelle est notre situation. Hewitt est un industriel qui ne voit que son intérêt. C'est-à-dire celui des engagements qu'il a avec les Soviétiques.

— Allez, Jack. Tu l'as sauvé. Lui aussi est américain. Tu ne peux pas les laisser sur le carreau.

— Et alors ? Je te répète qu'il a sûrement des impératifs. En fait, à l'heure qu'il est, il doit être en route pour un hôpital, Dieu sait où. Quand ces gens ont embarqué, ils savaient à quoi s'en tenir. En plus, beaucoup obtiendront un travail dès leur arrivée. Parce que c'était ce que tu clamais, non ? Que le travail tombait du ciel. Qu'il y avait du travail pour tous.

— Allez, personne ne parle de nécessité, mais tu sais aussi bien que moi qu'une aide, d'où qu'elle vienne, serait la bienvenue. Nous allons nous renseigner pour savoir où il sera soigné. Hewitt a l'obligation morale de te renvoyer la balle…

Jack se tut. Il regarda Andrew et baissa la tête.

— Il l'a déjà fait.

— Comment ?...

Andrew ôta ses lunettes, comme pour avoir une vision plus nette de ce que Jack semblait vouloir lui dire.

— Ce que tu entends… J'ai discuté avec lui avant de débarquer et il m'a offert un poste d'assistant. Au début, ils avaient pensé renvoyer à Détroit la machine endommagée par la tempête, mais je l'ai convaincu que je pouvais la réparer et finalement ils vont la transporter à Gorki.

— Sérieux ? Mais c'est fantastique ! Pourquoi ne l'as-tu pas dit plus tôt ? Et tu lui as parlé de nous ? Tu lui as dit que tu voyageais avec deux compagnons qui pourraient aussi lui être utiles ?

— Oui. Bien sûr. Bien sûr que je le lui ai dit…

— Et ?…

— Je regrette, Andrew. J'ai insisté, mais il m'a répondu que ce poste ne concernait que moi.

— Quoi ? Mais avec qui ce vieux capitaliste s'imaginait-il traiter ? Avec une bande de loqueteux ! À coup sûr il ignorait que nous voyageons avec un poste de travail assuré. Et toi, qu'est-ce que tu lui as répondu ? Oh, je te jure que j'aurais donné jusqu'à mon dernier dollar pour voir sa tête quand tu as rejeté son offre, sourit-il fièrement.

Jack resta sans voix. Soudain, Andrew s'aperçut que sur le visage de Jack s'installait la même expression qu'avait eue son chef le jour où il l'avait renvoyé de l'imprimerie.

— Hé, Jack ! Que se passe-t-il ? Tu n'as pas accepté, n'est-ce pas ?… Tu n'as pas accepté…

— J'ai essayé. J'ai insisté pour qu'il vous fasse aussi une offre à vous, mais il m'a répondu que je n'avais que deux options : accepter sa proposition et commencer à me bâtir un avenir prometteur, ou la refuser et

147

travailler sur une chaîne de montage le restant de mes jours.

— Mais si tu te sépares de nous, comment ferons-nous pour nous intégrer ? Toi, tu connais la langue. Tu pourrais utiliser ton influence pour nous obtenir une bonne situation. (Andrew remit ses lunettes avec une telle fureur qu'il en cassa presque l'autre branche.) Qu'allons-nous faire ?

— Je ne sais pas, Andrew. Je ne sais pas comment marchent les choses ici. C'est toi qui avais toutes les réponses sur l'Union soviétique.

Jack prit place sur un banc à l'extérieur de la salle d'attente. Il avait une dette envers Andrew et Sue, mais il ne voyait pas comment les payer de retour. Tous deux s'étaient éloignés pour se promener dans les environs. Lui ne voulait voir personne. Quelques voyageurs qui savaient qu'il parlait le russe l'avaient importuné, lui demandant des traductions de brochures et de billets, mais il avait besoin de temps pour réfléchir à la manière de dédommager ses amis. Il ne la trouva pas, jusqu'à ce qu'il prête attention aux voyageurs qui continuaient de l'assiéger pour des traductions.

Il se leva, décidé, et vérifia sur un panneau proche les tarifs correspondant aux trajets internationaux. Après avoir pris quelques notes il se dirigea vers un groupe de voyageurs et commença à les rassembler avec la promesse d'un marché qu'ils ne pourraient refuser : lui se chargerait d'acheter leurs billets, en leur épargnant les problèmes de langue, et avec une réduction de cinq pour cent sur le prix officiel stipulé jusqu'à Leningrad.

— Ainsi, rien d'autre ? demanda un homme barbu, l'air méfiant.

— Comme vous l'entendez, mes amis. Qu'on ne dise pas que les Américains ne s'entraident pas ! dit-il en se souvenant des paroles d'Andrew.

Quelques-uns émirent des réticences, mais la majorité fut d'accord. Ils lui remirent les sommes exactes, et Jack, après avoir rédigé le reçu correspondant à chacun, s'avança vers les guichets de transits internationaux où, à sa grande surprise, il rencontra Elisabeth Hewitt avec sa dame de compagnie, discutant affaires avec deux Soviétiques.

Pendant qu'il attendait son tour, Jack ne put éviter de prêter l'oreille à la conversation que la demoiselle essayait d'avoir dans un russe approximatif. Toutefois, la plus grande partie de son intérêt se porta sur l'apparence d'Elisabeth : elle était vêtue d'un manteau rouge en peau, gantée de mitaines blanches et coiffée d'une *ouchanka*, le célèbre bonnet rouge russe muni d'oreilles, qui la rendait encore plus séduisante. Jack essaya de passer inaperçu, mais la jeune femme, qui avait déjà remarqué sa présence, lui jeta un regard furtif. Le pouls de Jack s'accéléra. Entre deux regards, il laissa libre cours à son imagination, se demandant quels étaient les goûts de la jeune femme. Elle pratiquait peut-être l'équitation et le tennis, parlait français et jouait d'un instrument raffiné.

Tandis que la file avançait, Jack compta l'argent que lui avaient remis une cinquantaine de passagers.

Il recompta. Si ses calculs étaient exacts, même en soustrayant les cinq pour cent de rabais, il obtiendrait encore un bénéfice substantiel, vu que la réduction pour l'achat en groupe s'élevait à vingt-cinq pour cent. Lorsque vint son tour, il acheta les billets, vérifia le change et cacha discrètement les gains dans la poche intérieure qu'il avait cousue dans son pantalon pour éviter tout larcin. Il faisait demi-tour lorsqu'il se retrouva nez à nez avec Elisabeth.

— Eh bien ! s'exclama la jeune femme en feignant la surprise. De nouveau en train de manœuvrer la mécanique, monsieur Beilis ?

Jack sortit la main de son pantalon comme si un fer rouge la lui avait brûlée.

— Elisabeth ! Quelle… quelle agréable surprise ! J'étais… j'étais…

Il lui montra quelques roubles qu'on lui avait rendus pour dissimuler sa honte.

— Oh ! Quelle manière originale de fabriquer de l'argent ! Mais il n'est pas nécessaire que tu nous donnes les détails, n'est-ce pas, Gertrud ? lui dit-elle en passant au tutoiement.

— Mademoiselle Elisabeth ! Je dois vous rappeler que monsieur Hewitt n'aime pas que vous parliez à des inconnus. Et encore moins (elle esquissa un rictus de contrariété, comme si on lui avait servi un plat de viscères en guise de dessert) avec des inconnus qui se promènent… en se touchant à cet endroit !

La jeune femme adressa un sourire à sa dame de compagnie, laissant entrevoir une denture aussi éclatante que de la nacre.

— Ne t'inquiète pas, Gertrud. Jack est une vieille connaissance, et d'après ce que je sais, je t'assure qu'il a l'agrément de mon oncle.

— Je suis heureux que vous pensiez cela, Elisabeth, dit Jack, encore effrayé, tentant de présenter son meilleur visage.

— Bon, Jack. Que ce soit agréable à mon oncle ne signifie pas que ce le soit pour moi.

L'intensité de son regard le troubla, car ses yeux semblaient contredire ses paroles.

Jack termina de se remettre, il lissa sa veste du plat de la main et tenta de retrouver son calme. Il ne voulait pas rater une occasion qui ne se représenterait peut-être pas.

— J'ai cru comprendre que vous alliez rester quelques jours à Helsinki, parvint-il à dire.

— Je vois que même de ce côté-ci du monde les nouvelles vont vite. C'est exact : nous resterons jusqu'à ce que les médecins déterminent l'importance des lésions de mon oncle. Et si tout va bien, nous partirons ensuite pour Moscou, où il a quelques affaires à régler. C'est donc ici, apparemment, que nos chemins se séparent, lui rétorqua-t-elle.

— Peut-être pas. Nous, nous prenons le train qui part maintenant pour Leningrad, mais ensuite nous nous rendrons aussi dans la capitale, pour récupérer des documents… Je ne sais pas. Il est possible que nous nous retrouvions là-bas.

— Oui ? Je ne crois pas. Moscou est une si grande ville que l'éventualité de nous y rencontrer serait aussi extravagante qu'un ours polaire tombant sur un pygmée. Au revoir, monsieur Jack.

— Oui. Et dans ce cas, moi, que serais-je ? L'ours ou le pygmée ? hasarda-t-il en la retenant par le bras tandis qu'il lui adressait son plus beau sourire.

Elisabeth le lui rendit et, pour la première fois, Jack eut le sentiment que la jeune femme commençait à se rendre à ses charmes.

— L'ours, je suppose.

— Et cet ours pourrait danser avec toi vendredi prochain à ta fête à l'hôtel Metropol, à Moscou ? la tutoya-t-il.

— Mais, comment sais-tu ?…

— Je suis désolé. Je n'ai pas pu éviter d'entendre ta conversation avec ces Soviétiques d'Intourist que tu as chargés des détails de ta fête d'anniversaire.

— Ah ! Je comprends… Très bien, Jack. Mettons deux ou trois choses au clair. (Elle se libéra doucement de sa main.) Il est possible qu'à un moment ou un autre tu me sois apparu comme un garçon amusant. Oui, tu as de l'audace, de l'esprit, et même un certain charme… Mais regarde-toi. (Elle l'examina de la tête aux pieds, comme si elle additionnait le prix de chacun des vêtements qu'il portait.) Je t'assure que tu n'es pas, et de loin, le genre d'homme qu'une Hewitt voudrait présenter à ses amis.

Jack regarda la silhouette d'Elisabeth Hewitt disparaître peu à peu dans la foule. Lorsqu'il la perdit de vue, il demeura debout, immobile, ébloui par la dernière vision de sa démarche, et resta ainsi un moment, jusqu'à ce que les coups de l'horloge de la gare lui rappellent qu'il devait retourner auprès des siens. Pourtant, il ne pressa pas le pas. Il vérifia que les billets de train étaient en lieu sûr et se dirigea lentement vers l'endroit où attendaient ses compatriotes, afin d'en finir avec son commerce. Mais en avançant, il oublia un moment les bénéfices et concentra ses pensées sur la nièce de l'ingénieur. Peut-être à cet instant n'était-il pas le genre d'homme avec lequel sortirait une fille aussi fortunée qu'elle, mais ce qu'Elisabeth Hewitt ignorait, c'était qu'il était prêt à faire ce qu'il fallait pour y parvenir.

9

La gigantesque chaudière de la Lokomotive Factory Octoberrevolution souffla rageusement, fière de l'étoile rouge à cinq branches qui brillait sur son fronton, et elle cracha une immense fumerolle de vapeur qui inonda de blanc le quai de la gare. Immédiatement, le train s'ébranla et, entre secousses et grincements, commença à tirer le lourd convoi tandis que les derniers voyageurs montaient d'un bond dans leurs wagons, pressés par les sifflets des chefs de gare. Jack se réjouit d'avoir anticipé sa montée, parce qu'elle lui avait permis de négocier avec le contrôleur l'installation des Miller et des Daniels dans un compartiment contigu à celui qu'il avait obtenu pour lui et ses amis. Ils étaient en troisième classe, mais au moins voyageaient-ils confortablement, séparés des paysans finlandais chargés comme des baudets. Andrew se pencha en arrière pour reposer son dos, et Sue s'appuya sur ses genoux. Cependant, peu après le départ, une famille de villageois soviétiques enfouis sous une cargaison de volailles vit les sièges libres et, saluant bruyamment, les occupèrent sans plus attendre.

Passé les premiers instants de surprise, Jack observa les nouveaux passagers. La femme ressemblait à une gigantesque poupée qu'on aurait rembourrée de laine au point de faire craquer ses coutures. Quant à son mari et leurs enfants, à l'évidence ils se nourrissaient de la même manière. Par chance, leur amabilité égalait leur obésité et, peu après avoir quitté Helsinki, ils leur offrirent des épis de maïs cuits et une part de gâteau au pavot qui, pour Sue, Andrew et Jack, eut la saveur du Paradis.

Au bout de quelques kilomètres, le couple de paysans se montra si loquace que Jack dut faire un effort pour se remémorer son meilleur vocabulaire russe. Entre deux bouchées, Constantin, comme dit s'appeler le chef de famille, se montra intéressé par les coutumes américaines, et il fut étonné d'apprendre que les citoyens des États-Unis pouvaient voyager en toute liberté d'un État à l'autre sans avoir besoin d'une autorisation. Ensuite, au milieu des rires qui découvraient ses gencives parsemées de dents en or, il se vanta de connaître les Américains grâce aux documentaires que projetaient certains cinémas soviétiques, résumant son savoir en deux sentences sans appel : le base-ball était un jeu ridicule qui consistait à frapper une balle avec un bâton, et la conquête de l'Ouest par les cow-boys ne se devait qu'au fait que les Indiens attaquaient toujours en traçant des cercles, pour qu'on leur tire dessus comme dans une attraction foraine. Jack écouta avec complaisance, s'étonnant de la vitesse à laquelle Constantin vidait la bouteille de vodka. Pendant ce temps, son épouse, Olga, qui paraissait prêter une attention particulière aux vêtements et aux chaussures de Sue, lui posait des questions sur les actrices en vogue.

Jack servit d'interprète comme il put.

— Elle est complètement fascinée, traduisit Jack à Sue. Maintenant, elle demande si tu échangerais ta jupe contre son manteau en peau.

— Sérieusement ? répondit-elle, incrédule. Mais elle est déchirée... (Elle la regarda.) Et puis je ne suis pas sûre qu'il approuverait... (Et elle montra l'espace vide qu'Andrew avait laissé en quittant le compartiment pour aller prendre un thé dans la cafétéria du wagon de queue.)

— Mais c'est idiot ! Tu te plains du froid depuis le début du voyage. Profites-en ! l'encouragea Jack.

— Tu crois ? dit-elle en prenant le ton d'une fillette capricieuse. Mais ce manteau ne semble pas être à ma taille...

— Ni ta jupe à la sienne. Prends-le ! Qu'importe ? Tu coupes le morceau en trop, et avec tu te confectionneras un bonnet.

Bien qu'elle ne comprenne pas la conversation, la paysanne se dépouilla de son manteau en peau et le tendit à Sue avec un sourire qui cacha ses petits yeux sous ses joues rebondies. Sue caressa le vêtement avec précaution, s'émerveillant de la douceur de son poil, imaginant qu'une bonne lessive éliminerait l'odeur de poule.

— Tu m'aides à l'essayer dehors ? Ici je n'ai pas de place, demanda-t-elle à Jack.

— Bien sûr.

Il prit le vêtement et sortit dans le couloir derrière Sue qui, d'un mouvement rapide, glissa un bras dans la manche et laissa Jack l'aider à enfiler l'autre.

— Comment ça me va ?

Et elle imita la pose d'une comédienne de vaude-
ville.

— On va te voir, répondit Jack, et il montra les passagers qui s'entassaient dehors. Il s'apprêtait à regagner le compartiment, quand Sue l'en empêcha.

— Attends. Il faut encore que je lui donne ma
jupe.

Sans attendre la réponse de Jack, elle se tourna vers
lui et, l'utilisant comme paravent, enleva sa jupe, lui
laissant voir la pâleur de ses jambes terminées par une
culotte blanche très serrée. L'impudeur de Sue incom-
moda Jack, mais il ne put éviter de sentir l'aiguillon du
désir.

— Dépêche-toi, dit-il en détournant les yeux.

Sue boutonna rapidement son manteau et entra dans
le compartiment où Olga, qui l'attendait en marmon-
nant « *Krasivyy…, krasivyy…* », saisit son nouveau
trésor d'un geste impatient.

— Qu'est-ce qu'elle dit ? demanda Sue.

— Que même si elle ne lui va pas, elle est jolie, traduisit Jack en s'asseyant.

Sue se laissa tomber sur le banc de bois, son manteau à moitié fermé laissant voir la naissance de son
entrejambe. Jack inspira fortement pour dissiper le
malaise qui l'envahissait et tenta de se distraire en
regardant les poules qui secouaient spasmodique-
ment la tête dans leurs cages, mais son regard lui
désobéit, attiré par la blancheur des cuisses minces
et fermes qui contrastait avec la couleur sombre du
manteau. Cela faisait des mois qu'il n'avait pas joui
d'une femme. Comme sa respiration s'accélérait, il
mit sa réserve de côté et fixa les yeux sur le pubis de

Sue, tandis que celle-ci, imperturbable, dirigeait la scène. En dehors de Sue et lui, personne ne semblait se rendre compte de ce qu'il se passait, alors qu'ils étaient entourés de deux enfants assoupis et d'un couple de paysans soviétiques occupés à examiner les dentelles d'une vieille jupe américaine. Jack se tortilla sur son siège, incommodé par une chaleur intense dont il ne savait s'il devait l'attribuer au radiateur rustique situé sous la fenêtre, ou à l'attitude de Sue. Il pensa à Andrew. Finalement, il déboutonna le col de sa chemise et se leva.

— Je ne supporte pas cette odeur. Je vais voir ce que fait ton fiancé, dit-il, et il sortit du compartiment en direction du wagon de queue.

Pour se rendre à la cafétéria, Jack dut se faufiler entre les dizaines de voyageurs qui s'entassaient dans les couloirs, certains enveloppés dans tant de haillons que c'est à peine si on les distinguait des baluchons dans lesquels ils transportaient leurs misérables possessions. Il les contempla avec tristesse. Contrairement à lui, aucun d'eux n'avait payé les cinq roubles que prenait le *provodnitsa* pour réserver un siège, ni les cinq supplémentaires pour des couvertures. Toutefois, entre deux cahots, ce qui l'étonna le plus, ce fut l'arôme désagréable que dégageait la plupart des compartiments occupés par des citoyens russes et finlandais, y compris ceux de première classe. La même odeur qu'il avait attribuée aux poules des paysans.

Il passait dans les wagons suivants en s'interrogeant sur sa provenance, lorsqu'il buta contre Andrew qui revenait de la cafétéria.

— Hé, Jack ! Je venais justement vous avertir. Des gens d'ici m'ont informé que nous allons bientôt arriver à Viipuri, la dernière ville finlandaise. Tu ne trouves pas ça incroyable ? Nous éviterons la douane et dans deux heures nous débarquerons à Leningrad.

Il enleva ses lunettes pour essuyer la vapeur qui embuait les verres. Son visage était le reflet du bonheur.

— Formidable. (Jack se réjouit qu'Andrew, muet depuis leur désaccord à la gare, lui adresse de nouveau la parole.) Mais il vaut mieux que nous attendions ici. Sue dort et le compartiment empeste, dit-il dans une tentative de retarder sa rencontre avec la jeune femme.

La vision de son entrejambe continuait à le troubler.

À cet instant, les freins de la locomotive grincèrent et les wagons tremblèrent comme s'ils circulaient sur des rails en bois. Lentement, entre ébrouements et mugissements, le train s'arrêta peu à peu pour exhaler son dernier soupir devant le quai de la gare de Viipuri. Lorsque enfin résonna le coup de sifflet du *provodnitsa,* une cavalcade de Finlandais quitta le convoi et courut vers les étals de provisions que les paysans de l'endroit avaient installés sur le quai, au bord de la voie ferrée. Jack et Andrew défièrent le froid de la nuit et descendirent se dégourdir les jambes. Tout en marchant, Jack s'émerveilla des dizaines de panaches de vapeur qu'exhalaient les voyageurs et qui, telles des bouffées de fumée, éclairaient la nuit à chaque respiration.

— Qu'est-ce qu'ils font ? demanda Andrew.

— Je ne sais pas. On dirait qu'ils achètent des vivres, dit Jack, transi de froid.

À ce moment, Jack s'aperçut que Constantin, leur compagnon de compartiment, était en train de marchander avec un paysan le prix d'un sac de pommes de terre. Il laissa Andrew un moment et s'approcha pour l'interroger.

— Qu'est-ce qu'il t'a dit ? s'enquit son ami à son retour, pendant que ses yeux papillotaient derrière les verres embués de ses lunettes.

— Que si nous ne voulons pas mourir de faim en Russie, nous devrions dépenser jusqu'à notre dernier rouble pour acheter de la viande et des légumes.

Lorsque Sue vit Andrew, Jack et Constantin revenir dans le compartiment chargés jusqu'aux yeux, elle ne sut quoi penser. Jack avait acheté des saucisses de cerf fumées, du gâteau de riz et des biscuits à la cannelle, outre un paquet qui sentait aussi mauvais que l'intérieur du wagon. Ayant demandé à Jack ce qu'il contenait, Constantin répondit le premier.

— *Klavo, Gvozd.*

Il montra des poudres marron et sourit.

— Ce sont des clous de girofle en poudre, précisa Jack. C'était ça qui avait une drôle d'odeur. Prenez-en un peu et étalez-le sur vous. Apparemment, les Russes l'utilisent pour chasser les poux.

Tout en rangeant les aliments, il leur expliqua que Constantin lui avait assuré qu'ils prévenaient ainsi le typhus transmis par ces parasites.

— J'en ai acheté beaucoup pour en revendre aux autres voyageurs, ajouta-t-il fièrement.

Andrew jeta à Jack un regard réprobateur.

— Ce que je ne comprends pas, c'est d'où te vient tout cet argent. L'offre de Hewitt est donc si faramineuse ?

Jack se racla la gorge. La police de la frontière était sur le point de monter et il ne voulait pas qu'on les surprenne en train de discuter.

— Pour ta tranquillité, ça n'a rien à voir avec la proposition de Hewitt.

— Non ? Et alors, d'où l'as-tu sorti ? Car à ma connaissance personne d'autre, ce soir, n'a acheté la moitié du marché.

Jack garda le silence, se demandant s'il devait révéler à Andrew l'origine de ses gains. Il savait qu'il le lui reprocherait, mais il voulait être sincère.

— C'est à cause des billets.

— De quels billets parles-tu ?

— De ceux du train que j'ai achetés à Helsinki. En les achetant ensemble, j'ai bénéficié d'un rabais de vingt-cinq pour cent.

— Et tu as profité de tes compatriotes pour ton propre compte ?

— Hé ! Arrête avec ça, Andrew. Je leur ai proposé une réduction de cinq pour cent, et quant à vous deux, il y a encore un instant vous paraissiez tout à fait disposés à engloutir une partie de mes « bénéfices ».

Et il montra les paquets de nourriture qu'il avait partagés avec eux.

Sue regarda Jack, puis se tourna vers Andrew.

— Jack a raison. Nous avons besoin de la nourriture et il n'a rien fait de mal.

— Ah non ? cria Andrew. Il a trompé les autres et gardé leur argent.

— Je n'ai trompé personne !

L'expression de Jack se fit dure.

— Mais pourquoi tu te mets dans cet état ? Ce que dit Jack est vrai. Il n'a fait que proposer aux passagers d'acheter leurs billets avec un rabais déterminé. Si après il a obtenu une plus grosse ristourne, je ne crois pas que…

— Merde, Sue ! De quel côté es-tu ?

Sue se préparait à lui répondre quand la porte du compartiment s'ouvrit brusquement et qu'un faisceau lumineux fut braqué sur eux. Jack, Andrew et Sue se turent.

— Un problème, messieurs ? demanda l'employé finlandais dans un anglais pâteux.

Jack et Sue restèrent silencieux. Seul Andrew défia le rayon de lumière qui l'aveuglait.

— Non, monsieur. Aucun problème. Pour le moment.

Jack ignora l'insistant martèlement qui le pressait de sortir des toilettes et continua à cacher les billets dans sa poche secrète. En tout, il compta soixante-dix dollars, résultat de la somme de ses maigres économies, des bénéfices tirés de l'achat des billets de train et de ce que venait de lui rapporter la vente de la poudre de clous de girofle aux Américains effrayés. Pour donner le change, il laissa dehors quelques billets et la poignée de roubles qu'il avait changés à l'agence des chemins de fer d'Helsinki. Il se reboutonnait lorsqu'on frappa de nouveau à la porte. Jack cria qu'on lui fiche la paix. Ses mains hésitaient presque autant que son cerveau. Il n'était pas sûr de faire ce qu'il fallait. Ils allaient arriver au poste frontière de Beloostrov d'un moment à l'autre. Le coup de sifflet de la locomotive parut annoncer qu'ils s'en approchaient.

Il se passa un peu d'eau glacée sur le visage. En ouvrant la porte il se retrouva nez à nez avec un vieillard furieux qui menaça de lui pisser dessus. Jack l'écarta comme il put et se dirigea vers son compartiment, le doute lui rongeant les entrailles.

Des heures auparavant, l'agent de change de la gare d'Helsinki l'avait averti que le rouble n'était pas encore une devise reconnue, et qu'en conséquence sa valeur dépendait de ce que les banques internationales décidaient de payer. C'est pourquoi la valeur du rouble ne pouvait ni se prévoir ni, moins encore, être garantie. Quelques heures plus tôt, Constantin le lui avait confirmé.

Entre deux gorgées de vodka, le paysan l'avait assuré avoir souffert dans sa chair des continuelles dévaluations qui avaient déprécié ses économies au point de réduire leur valeur à celle d'une poignée de neige. Aussi avait-il conseillé à Jack de cacher son argent. S'il ne le faisait pas, la garde de la frontière lui donnerait deux roubles pour chaque dollar, alors qu'au marché noir russe il pourrait obtenir jusqu'à quarante-cinq roubles.

— J'ai vu que tu as des dollars. Je pourrais t'aider, en échange d'une petite commission. Il faut juste connaître les bonnes personnes, lui avait-il proposé, juste avant que sa femme ne lui donne un coup de coude pour le faire taire.

Intéressé, Jack avait offert au couple quelques-uns des aliments achetés, et encouragé Constantin à continuer.

Ce n'était peut-être qu'une impulsion, mais les paroles de cet homme distillaient la sincérité de celui qui, ayant déjà tout perdu, n'avait plus rien à perdre. Il se souvint qu'après avoir vidé la première bouteille, le paysan lui avait parlé de son ancienne condition de *koulak*, un propriétaire prospère qui avait hérité les terres que ses parents avaient eux-mêmes héritées de leurs parents. Constantin se tenait pour un patron honnête, qui traitait ses ouvriers avec respect en échange d'un salaire journalier juste. Malgré cela, les bolcheviks l'avaient accusé d'être l'un de ces exploiteurs qu'il fallait exterminer. Il avait eu la chance de survivre. Contrairement à d'autres. Il haïssait tellement les bolcheviks que s'il en avait eu l'occasion il les aurait tous tués de ses propres mains. À la moitié de la deuxième bouteille, il lui expliqua qu'après les expropriations survenues pendant la révolution de 1917, lui et les siens avaient subsisté en travaillant comme des esclaves dans une ferme collective. Pendant des années ils avaient supporté les menaces et les moqueries de leurs anciens serfs jusqu'à ce que, en 1921, le président Lénine instaure la NEP, la Nouvelle Politique économique qui conduirait l'Union soviétique au sommet de la prospérité. Pour Constantin, ce sigle tellement aseptique signifiait une lueur d'espoir, car du jour au lendemain la propriété privée fut de nouveau considérée en partie légale. Sa rage et sa détermination le poussèrent à travailler sans arrêt, volant des heures au sommeil et économisant assez pour rendre rentables les cultures de la petite parcelle que les bolcheviks lui avaient permis d'acquérir. Peu à peu, et avec d'immenses privations, il connut à nouveau une certaine prospérité, n'ayant pas compris que les bolcheviks ne toléreraient jamais la propriété individuelle, même si celle-ci avait été obtenue avec de la sueur et du sang. Staline se chargea de le démontrer lorsque, trois ans après son arrivée au pouvoir, il abolit la propriété privée approuvée par Lénine. Mais cette fois, quand les bolcheviks vinrent le spolier, son fils aîné les reçut à coups de pierre. Il gisait à présent sous la terre même qu'il avait labourée jusqu'à sa mort.

Voilà pourquoi Constantin buvait, et pourquoi il détestait le régime. Depuis, lui et les siens vivaient de la contrebande, se faisant passer pour une famille paysanne qui voyageait de temps en temps en Finlande pour rendre visite à des parents.

Avant d'entrer dans son compartiment, Jack rajusta son pantalon. Andrew aurait peut-être réfuté la version de Constantin pour justifier les bolcheviks, mais lui n'était pas Andrew, et il ignorait tout de la politique. En revanche, il connaissait très bien le langage du désespoir. Il imagina que c'était ce même langage que Constantin avait dû percevoir chez lui, lorsqu'il lui avait fait ses confidences.

À l'intérieur, tous sommeillaient. Jack s'installa face à Andrew et il regarda Sue, appuyée sur son épaule, son nouveau manteau soigneusement boutonné jusqu'aux genoux. Il tenta d'oublier ses jambes et s'interrogea à nouveau sur l'opportunité de dissimuler les dollars à la douane. Aux yeux d'Andrew, et étant tout près d'obtenir un emploi sûr, c'était peut-être un risque, mais sa décision n'obéissait pas au simple désir de s'enrichir. En fait, ils ne savaient pas ce qu'ils allaient trouver en Russie, ni quelles seraient les conditions des contrats qu'ils allaient signer. Le poste promis par Wilbur Hewitt n'était en réalité rien d'autre qu'une promesse. Les blessures de l'ingénieur pouvaient s'aggraver et l'obliger à rester à Helsinki, ou à rentrer aux États-Unis, et il pouvait aussi arriver que, même guéri, comme il le prévoyait, il oublie sa proposition dès qu'il arriverait à Gorki. Quant à lui, si les douaniers découvraient cet argent, il pourrait toujours jouer l'ignorant. Finalement, la seule obligation était de déclarer les dollars qu'on introduisait dans le pays, pas de les changer. Constantin lui avait expliqué que s'il décidait de les garder, le service des douanes lui remettrait un justificatif sur lequel figurerait la quantité de devises qu'il avait en sa possession, justificatif qu'il devrait exhiber par la suite chaque fois qu'il irait en changer dans une banque soviétique. Et à chaque transaction qu'il effectuerait, on lui remettrait un nouveau reçu justifiant les dollars échangés, si bien que le gouvernement contrôlerait toujours jusqu'à son dernier centime.

Et cela ne lui plaisait pas.

Le murmure d'Andrew l'arracha à ses pensées.

— Passe-moi ton passeport, lui dit-il, et il se redressa avec un bâillement. Jack le lui tendit.

Ils avaient décidé tous les trois qu'Andrew se chargerait des formalités d'immigration, car celles-ci se feraient en anglais, et ils pensaient que son enthousiasme, son aplomb et, surtout, sa connaissance du régime soviétique faciliteraient la paperasserie. Andrew prit le document, le mit avec celui de Sue et le sien et regarda par la fenêtre. Quelques lumières clignotaient au loin.

— La première ville soviétique ! Réveillons Sue.

Ce qu'il fit en embrassant sa fiancée sur la joue.

Il sembla à Jack que les fonctionnaires des douanes soviétiques de Beloostrov effectuaient leur travail avec la même efficacité et le même manque d'enthousiasme que les ouvriers d'une chaîne de montage. Dès que les émigrants furent descendus du train, ils les séparèrent par nationalités, leur énumérèrent la liste des produits interdits dans un anglais approximatif, vérifièrent les visas et entreprirent une fouille exhaustive, sans qu'il soit possible d'élever une quelconque objection à ce sujet.

On voyait qu'ils étaient entraînés. Ils faillirent arrêter Bishop McGee, un quaker de l'Arizona que sa surdité empêchait de comprendre les instructions, lorsqu'il refusa qu'une fonctionnaire le fouille. Par chance, les cris de son épouse alertèrent Andrew, lequel convainquit le vieil homme qu'en Union soviétique les femmes exerçaient les mêmes tâches que les hommes. Cela avait peut-être sa logique, mais d'autres cas parurent plus incompréhensibles aux yeux de Jack. Berthold Finns, un médecin californien qui s'était embarqué sur le *S.S. Cliffwood* poussé par une soif de solidarité communiste, trouva inconcevable que les agents des douanes lui confisquent son stéthoscope parce qu'ils méconnaissaient la fonction de cet instrument. Il fut tout aussi surpris qu'on oblige Richard

Barness, l'avocat aux convictions socialistes qui le précédait, à se défaire de ses livres de lois parce qu'ils étaient écrits en anglais. Mais ce qui l'impressionna le plus, ce fut le moment où l'un des agents prit sa trottinette à un tout jeune enfant au prétexte que ce genre de jouet susciterait la convoitise des enfants soviétiques moins chanceux.

Lorsque vint le tour de Jack, Andrew s'avança comme il avait été convenu, les passeports à la main.

Jack observa le jeune fonctionnaire soviétique pendant que celui-ci faisait son travail. Âgé d'une vingtaine d'années, les joues rouges d'un berger, il examinait les documents avec une minutie exaspérante.

— Attendez une minute, dit-il dans un charabia qui ressemblait vaguement à de l'anglais.

Puis il se retira avec les passeports et murmura quelque chose à celui qui devait être le chef de l'unité. Jack comprit que le jeune homme montrait son passeport.

— Un problème ? demanda Andrew, clignant les paupières comme si une poussière lui était entrée dans l'œil.

L'employé qui tenait les documents s'approcha d'eux avec une tête peu sympathique.

— Je regrette, mais il va falloir faire des vérifications, dit-il en agitant le faux passeport en l'air.

Jack se tut. Lorsqu'ils effectueraient les vérifications appropriées, ils découvriraient qu'il était un fugitif accusé d'assassinat. Un instant il pensa prendre la fuite, mais il se trouvait au milieu de nulle part et compromettrait ses amis. Andrew parut le deviner.

— Écoutez, officier, nous sommes des gens honnêtes. Des travailleurs prolétaires qui…

— Vous avez quelque chose à déclarer ? De l'argent, des bijoux ?… l'interrompit-il.

— Comment ? Non, non…

Andrew remit ses lunettes, qu'il venait d'ôter, et il déposa précipitamment sur sa malle une poignée de pièces, un vieux carnet du Parti communiste des États-Unis et un crayon épointé. Sue remit le certificat de mariage qu'ils avaient fabriqué à l'imprimerie et une vieille photo sur laquelle elle apparaissait en maillot de bain avec une amie. Pour sa part, Jack laissa dix dollars fripés et la lettre de recommandation que lui avait fournie l'agence Amtorg. Malgré l'avertissement, il garda cachée la médaille de sa mère. L'agent des douanes jeta un coup d'œil au carnet et à la recommandation, mais il s'arrêta sur la photographie de Sue, qu'il prit et regarda avec délectation.

— C'est comme ça qu'on s'habille dans votre pays ? sourit-il.

Jack lui retira la photographie, jouant le rôle du mari offensé.

— Nous sommes venus en Union soviétique pour offrir notre travail, vous comprenez ? *Uniquement* notre travail.

L'homme ébaucha un sourire et examina de nouveau les passeports.

— Jack Beilis. Vous avez un curieux nom de famille…

— Oui ? J'ignorais qu'un nom pouvait éveiller la curiosité… Quel est le vôtre ?

— Le mien ne vous regarde pas. (Le sourire disparut de son visage.) Ouvrez vos bagages.

Lorsqu'il eut exécuté l'ordre, l'employé examina son contenu. Il ne fit aucun commentaire, mais s'étonna de la quantité de nourriture. Lorsqu'il eut terminé, il haussa un sourcil, mécontent.

— Tout va bien, camarade ? tenta de fraterniser Andrew.

— Alexeï Petrov et Mikhaïl Levedev étaient mes camarades. Tous deux sont morts pendant la révolution de 17, décocha-t-il avec une moue amère. C'est bien. Rassemblez vos affaires.

Jack, Sue et Andrew ne se le firent pas dire deux fois. Ils entassèrent leurs frusques comme s'ils les fourraient dans un sac de linge sale et s'apprêtèrent à obéir. Mais lorsque Jack tendit la main pour récupérer son passeport, l'officier des douanes le lui refusa.

— Vous, vous attendez. Je dois encore effectuer quelques vérifications. Pure routine, l'assura-t-il d'un ton qui affirmait le contraire. Mon assistant va vous remettre un récépissé avec lequel vous pourrez vous déplacer dans toute la nation jusqu'à ce que nous résolvions cette affaire.

— Mais quel est le problème ? intervint Sue.

— En Union soviétique il n'y a pas de problèmes si ce n'est, de temps à autre, ceux qu'occasionnent les étrangers.

Bien que la distance entre Beloostrov et Leningrad soit habituellement couverte en deux heures, le trajet parut interminable à Jack. Il n'avait pas exprimé ses craintes à voix haute pour ne pas inquiéter Sue, mais son esprit commençait à envisager des scénarios peu engageants. Or il n'avait qu'une possibilité : continuer à avancer, et le plus loin serait le mieux.

Sur les derniers kilomètres, il essaya en vain de trouver le sommeil. Hewitt… sa nièce Elisabeth…, l'incident de la douane… Trop d'émotions, avec l'arrière-goût ordinaire d'un avenir incertain. Tandis qu'il tentait de se détendre, sa main fourragea dans la poche où il avait caché ses dollars. Il se réjouit qu'on ne l'ait pas fouillé, mais la malchance de Brady le Silicosé y était peut-être pour quelque chose. Pendant le contrôle, une quinte de toux inopportune avait trahi sa maladie et la confusion qui s'était ensuivie avait interrompu les fouilles. Il se sentit désolé pour lui. Il l'imagina seul, effrayé, dans une cellule sombre, en attente d'être rapatrié.

Il aspira une bouffée d'air et regarda autour de lui.

Le jour se levait et les fenêtres embuées laissaient entrevoir les champs enneigés de l'ancienne Saint-Pétersbourg. Lorsqu'il nettoya la vitre il découvrit que le paysage était semblable à ce que lui avait décrit son père dans son enfance : des champs propres, immaculés, comme si on venait de les peindre en blanc, parsemés de quelques datchas solitaires avec leur petit jardin planté de sapins et leur cheminée mouchetant le ciel de fumée. Mais, au fur et à mesure que le train s'approchait de la gare de Leningrad, commencèrent à surgir, l'un après l'autre, de sombres immeubles en ciment que Constantin compara à des ruches pour ouvriers.

— Et vous serez bientôt les abeilles qui vivent à l'intérieur.

10

C'est sur le quai de la gare Finlyandsky, à Leningrad, qu'eurent lieu les premiers adieux. Quelques-uns des Américains qui voyageaient avec des contrats de la Leningradsky Metallichesky Zadov avaient fait courir le bruit que la gigantesque fonderie située sur les berges de la Neva avait besoin de main-d'œuvre supplémentaire, et les Miller avaient décidé de mettre fin à leur périple pour tenter fortune à Saint-Pétersbourg. Andrew et Sue leur souhaitèrent bonne chance. Jack, tremblant de froid et occupé à vérifier la façon la plus rapide et la plus économique de se rendre à Moscou, les salua de loin.

Alors qu'il se dirigeait vers le guichet, il remarqua les deux énormes affiches placardées sur la façade de la gare, avec les effigies de Staline et de Lénine représentés tels des héros mythologiques. Elles étaient impeccables comparées aux murs lézardés qui, comme le reste de l'édifice, semblaient tomber en ruine. Mais les dizaines de paysans en haillons qui erraient de côté et d'autre, le regard perdu, l'inquiétèrent davantage. Certains étaient pieds nus, couverts d'une crasse si vieille qu'il était impossible de discerner leur couleur véritable.

Jack fut tenté de se pincer. Il avait du mal à croire que cette Union soviétique qui se proclamait le pays de l'abondance, qui regorgeait de pain et de travail, apparaisse devant lui comme une vieille photographie jaunie par le temps. Il se retourna pour regarder la horde de mendiants, d'ouvriers et de paysans qui déambulaient à l'extérieur. Pas un taxi, pas un véhicule à moteur, pas une motocyclette. Rien qu'on pût associer au progrès. Seulement des gens à pied, un vieux tramway et des charrettes tirées par des chevaux sur la chaussée couverte de neige.

Il s'apprêtait à demander les billets, quand on lui saisit brusquement le bras. Il se retourna et vit Constantin, le visage décomposé.

— Tu as vu mon fils Nikolaï ? cria-t-il.

— Mais non. La dernière fois que je l'ai vu il était avec toi sur le quai. Que se passe-t-il ?

— Fichu gamin ! Il a disparu pendant qu'on déchargeait les poules et on ne le trouve pas.

Jack scruta les alentours. À un angle, il vit un homme en uniforme qui montait la garde.

— Tu as demandé à ce policier ?

— Demander de l'aide à un type de la Guépéou ? cracha-t-il avec dégoût. Il me poserait mille questions avant de lever un seul doigt. Mon Dieu ! Tu ne sais pas comment ça marche. Ici, une vie ne vaut rien. S'il arrive quelque chose à Nikolaï...

Jack partagea la peine du paysan. Il ne comprenait pas pour quelle raison il ne faisait pas appel à la police, mais offrit de l'aider.

— Séparons-nous, proposa Constantin. Toi, reste avec Olga et cherche dans la gare pendant que je sors vérifier les environs. Que le premier qui le retrouve attende à côté des charrettes.

Dès qu'il eut acquiescé, le Russe se précipita à l'extérieur de la gare. De son côté, Jack prévint Andrew de ses intentions et suggéra à Olga de surveiller le hall pendant qu'il inspecterait les quais.

En toute hâte, il monta dans plusieurs trains à l'arrêt et parcourut leurs wagons au cas où le petit aurait eu l'idée de retourner dans le compartiment où ils avaient voyagé, mais à l'intérieur il ne trouva que des ouvriers et des paysans soucieux d'arriver au plus vite à destination. Il revint en courant sur le quai et regarda sous les voitures, dans les toilettes publiques, à la cafétéria et dans la boutique du barbier.

Il s'arrêta pour reprendre haleine. Nikolaï n'apparaissait nulle part. C'était comme si la terre l'avait avalé et qu'on avait bouché le trou avec du ciment.

Il se disposait à retourner dans le hall lorsque soudain, à demi cachée près du quai de marchandises, il distingua la forme d'un tout petit accroupi sur un homme couché à terre. L'enfant était Nikolaï. Son sang ne fit qu'un tour. Il courut vers lui tandis qu'il voyait le petit plonger la main dans le manteau de l'homme et en sortir quelque chose qu'il cacha dans sa petite bourse en cuir. Jack pressa le pas, sans bien comprendre ce qu'il se passait. L'espace d'un instant, l'idée le saisit qu'il pouvait s'agir d'un dépravé profitant de l'innocence d'un enfant, mais il chassa cette image de ses pensées et traversa l'enchevêtrement des rails en plusieurs bonds, criant le nom de Nikolaï. Une voie l'en séparait lorsque, à l'improviste, de derrière un wagon surgit la silhouette du policier qu'il avait vu dans le hall ; avec un soupir il saisit Nikolaï et l'écarta de l'homme au sol.

Jack tenta de retrouver son souffle en priant que ses soupçons ne soient pas fondés et que le petit soit indemne. Cependant, à mesure que le policier avançait, son doute se transforma en stupeur lorsqu'il constata que l'homme qui restait allongé, et qu'il avait qualifié de dépravé, était en réalité un cadavre gelé.

Il allait remercier le policier pour son aide, lorsque celui-ci, au lieu de lui prêter attention, braqua son arme sur lui.

— Vous êtes le père de cet enfant ? cria-t-il.

— Du calme. S'il vous plaît, baissez votre arme. Je suis un ami de la famille. J'étais justement…

Sans le laisser terminer, le policier de la Guépéou saisit la bourse en cuir qui pendait au cou de Nikolaï, la lui arracha d'une secousse et en sortit un document.

— Ce gamin était en train de voler un mort et il va être arrêté.

Jack resta perplexe, ne sachant quoi répondre. Il ne comprenait pas pourquoi, au lieu de vérifier les circonstances du décès, le policier se souciait d'arrêter un enfant. Il regarda le visage contrit de Nikolaï, que l'agent tenait à bout de bras à la manière d'un trophée. Il allait le lui reprocher lorsqu'il aperçut Constantin dissimulé derrière une colonne. Il ne put imaginer pourquoi il se cachait, mais supposa qu'il obéissait à quelque puissant motif. Il essaya d'improviser.

— Officier, je ne prétends pas mettre vos paroles en doute, mais comment pouvez-vous être aussi sûr que l'enfant était en train de voler le mort ? Je me trouvais presque à la même distance que vous, et moi j'ai eu l'impression qu'il touchait son cœur pour vérifier s'il battait encore.

Le policier laissa Nikolaï à terre et rengaina son pistolet, mais lorsque celui-ci se précipita vers Jack, il l'attrapa par le bras et le secoua comme un pantin.

— Bon. Dans ce cas, je suppose que cette carte de rationnement au nom de… (il sortit le document qu'il avait extrait de la bourse de Nikolaï, le lut et le montra à Jack), de Leonard Kerensky, doit être un certificat de décès délivré par l'enfant, non ?

Jack regarda le papier, tandis que l'agent se vantait de poursuivre assidûment les petits voleurs qui revendaient les cartes des morts de faim ou de froid. Il comprit que ce n'était sans doute pas la première fois que Nikolaï s'adonnait à ce genre d'activité, ou peut-être l'avait-il vu faire par l'un des siens. En tout cas, les arguments qu'il pensait opposer au policier se trouvaient réduits à zéro. Il serra les lèvres. De nouveau il regarda Constantin, mais celui-ci restait immobile derrière la colonne, tel un cerf effrayé. Il allait renoncer à défendre Nikolaï quand, au dernier moment, lui vint une idée. Il fixa son regard dans celui du policier et durcit son expression.

— Le mort n'était pas Leonard Kerensky. Leonard Kerensky, c'est moi. L'enfant a dû prendre ma carte pour s'amuser.

Le policier ébaucha une moue incrédule. Les vêtements américains de Jack n'auraient pas trompé un aveugle, et son accent étranger encore moins.

— Kerensky… Vous dites que vous êtes Leonard Kerensky.

Il regarda de nouveau la carte de rationnement, puis le mort à ses pieds, gelé.

— C'est exact.

— Très bien. Alors, dites-moi, comment est-il possible que votre carte de rationnement mentionne que vous avez soixante-cinq ans ? dit-il avec un sourire.

Jack se racla la gorge. Mais il était préparé.

— Parce que c'est mon âge, affirma-t-il, et j'ai ici le document qui le prouve.

Il plongea la main dans la poche intérieure de sa veste, manipula quelque chose et lui tendit enfin une enveloppe contenant la lettre de recommandation d'Armtorg.

— Tiens donc ! Américain…, dit le policier en simulant la surprise, et il déplia la lettre que Jack venait de lui remettre. Recommandé par l'agence soviétique pour réaliser un travail urgent à l'usine d'automobiles de Gorki, lut-il.

Jack espéra que ce renseignement ferait hésiter le policier. Soudain, l'homme haussa les sourcils. Dans l'enveloppe, sous la lettre de recommandation, étaient cachés dix dollars.

Tous deux s'affrontèrent du regard. Le défi que contenait celui de l'agent perdit de sa force.

— Savez-vous quelle est la peine pour tenter de corrompre un policier ?

— Je préférerais ne pas le savoir. (Et sans ajouter un mot, Jack sortit dix autres dollars et les introduisit sous la lettre que le policier tenait dans ses mains.) Il fait très froid ici dehors (il regarda les voies métalliques couvertes de givre), et avec ça vous pourriez vous acheter des chaussure neuves, ajouta-t-il en montrant les bottes réglementaires trouées qui laissaient voir les gros orteils du policier.

L'agent regarda d'un côté et de l'autre, prit les dollars de Jack et les glissa dans sa veste. Discrètement, espérant qu'on ne le remarquerait pas, Jack laissa échapper un soupir de soulagement.

— Quelle relation, avez-vous dit, vous unit à ce gamin ? demanda le policier en scrutant Jack de la tête aux pieds.

— Ami de la famille, répéta-t-il.

— Eh bien cette famille devrait apprendre à l'enfant que l'usage illégal de cartes de rationnement est considéré comme une atteinte aux biens de l'État, et puni de dix ans de travaux forcés.

— Bien sûr. Mais vous conviendrez avec moi que le garçon n'a pas utilisé la carte de façon illégale. Il n'a fait que la prendre, selon tout probabilité, pour la rendre aux autorités.

De nouveau le garde fixa Jack, et finit par acquiescer de la tête. Il s'apprêtait à relâcher Nikolaï lorsque, de manière inattendue, il le retint.

— Enlevez-les, ordonna l'agent.

— Quoi donc ?

— Vos chaussures. C'est vrai qu'il fait très froid là-dehors.

Jack obéit. Il ôta les magnifiques chaussures que lui avait confectionnées son père peu avant sa mort et les remit au policier. Il sentit les pierres lui geler les pieds. Par chance, le policier retira ce qu'il restait de ses bottes et les lui donna en échange.

— Autre chose.

— Oui ? dit Jack tandis qu'il chaussait les vieilles bottes.

— N'essayez pas ce truc avec d'autres. (Il palpa l'endroit où il avait caché les dollars.) Vous finiriez sûrement fusillé.

Constantin serra Jack plusieurs fois dans ses bras, au point de l'asphyxier.

— Laisses-en un peu pour Nikolaï, sourit l'Américain.

Alors qu'ils se dirigeaient vers le hall d'attente, Constantin lui confia qu'autrefois il avait eu un grave conflit avec ce même garde corrompu.

— Un fils de pute qui a la folie des grandeurs, cracha-t-il. Il était mineur avant de s'affilier au Parti et de travailler pour la Guépéou. C'est comme ça qu'ils appellent le Directoire politique unifié de l'État, mais en réalité c'est la police secrète du gouvernement. Ils l'ont mis sur le marché de ravitaillement, où l'Organisation lui payait un pot-de-vin pour fermer les yeux sur ses activités clandestines.

— L'Organisation ?

— Tu sais bien…, des « amis » qui s'entraident. Tu n'imagines sûrement pas que dans un pays comme celui-ci un contrebandier pourrait survivre en opérant en solitaire. Ici, celui qui n'a pas de *blat* n'a pas d'appui, précisa-t-il.

Constantin lui expliqua que l'Organisation lui avait fourni les faux passeports grâce auxquels sa famille traversait de temps en temps la frontière.

— Nous disons que nous allons rendre visite à des parents malades, et ainsi nous pouvons organiser l'envoi des marchandises. Grâce au *blat*, nous traversons sans problèmes, ajouta-t-il.

— Et ce que tu racontais sur le policier corrompu ?

— Ah oui ! Ce salaud a commencé à exiger des pots-de-vin de plus en plus élevés, sans se rendre compte que son supérieur immédiat faisait aussi partie de l'Organisation. Un jour ils l'ont dégradé sans lui donner d'explication et ils l'ont envoyé patrouiller dans cette gare. Je m'étais déjà heurté plusieurs fois à lui sur le marché, et il me rendait responsable de ce qui était arrivé. Si j'étais intervenu quand il a attrapé Nikolaï, il m'aurait arrêté et aurait mis en danger tout le système de courriers de l'Organisation avec la Finlande.

— Mais c'était ton fils…

— Bien sûr. Mais sois certain que si tu n'avais pas résolu cette affaire, je l'aurais réglée à ma façon.

Et il ouvrit son manteau pour lui montrer un couteau dont la seule vue faisait frémir.

Olga éclata en sanglots lorsqu'elle vit son fils courir vers elle et lui sauter au cou. Les larmes l'empêchèrent de voir Jack s'en aller.

— Je n'oublierai jamais ce que tu as fait pour Nikolaï, lui assura Constantin sans cesser de lui serrer la main. J'ai entendu ce salaud dire que tu allais à Gorki. Tiens. (Il lui remit un papier.) Maintenant, toi aussi tu as un *blat*. Et un dernier conseil : ne fais jamais confiance à personne. En Russie, les amis ça n'existe pas.

11

Le train à destination de Moscou partait de la gare de Moskva, située sur la rive opposée de la Neva, aussi Jack et les autres Américains durent-ils traverser le centre de Leningrad en traînant tout leur barda. Le froid atroce qui lui coupait le souffle empêcha Jack de prêter attention aux magnifiques palais de style français et aux fastueuses églises orthodoxes, couronnées d'une myriade de coupoles dorées, qui ornaient la ville de leurs exotiques formes d'oignon. Mais ce qui attira de nouveau son attention, c'est que pas une seule automobile ne circulait dans les rues ; on aurait dit que leurs habitants avaient voulu préserver le charme d'antan. De temps à autre, très rarement, une file de voitures tirées par des chevaux interrompait le silence des passants du claquement des sabots sur le pavé. Pourtant, malgré l'exubérance de cette beauté ancestrale, la ville des tsars semblait habitée par une foule de loqueteux dont les hardes auraient même fait honte aux chômeurs américains qui mendiaient dans les queues des soupes populaires.

Par bonheur, eux se dirigeaient vers Moscou, la capitale, qui d'après Andrew était l'emblème du progrès de l'Union soviétique.

Le *provodnitsa* qui les installa dans le wagon de troisième classe s'excusa des modestes conditions qu'offrait le convoi qui les conduirait à Moscou, mais il prit de grands airs en leur affirmant que lorsqu'on inaugurerait la *Flèche rouge*, non seulement elle couvrirait la distance entre les deux capitales en moins de huit heures, mais qu'en plus, depuis son wagon restaurant, on pourrait téléphoner partout dans le monde.

Jack le remercia pour l'information tandis qu'il étalait sur le siège en bois le matelas qu'il venait de lui louer. Les quinze heures de voyage que mettrait le train de marchandises ne lui parurent pas excessives, surtout si l'on considérait que la plus grande partie du trajet s'effectuerait de nuit et qu'il la passerait à dormir.

Il avait besoin de repos. Sinon, il risquait de tomber dans les pommes.

Il tourna plusieurs fois le bouton de réglage, mais le chauffage ne marchait pas. Le froid l'obligea à mettre ses mains à l'abri dans ses poches, où elles trouvèrent le papier que Constantin lui avait remis juste avant qu'ils ne se quittent. Il le sortit et le relut dans la pénombre : « Ivan Zarko. Oupravdom du numéro 25 de l'avenue Tverskaya de Gorki. » Constantin lui avait précisé qu'un *oupravdom* faisait à la fois office de gérant, d'administrateur et de concierge, engagé par l'État pour surveiller les immeubles que lui avait assignés le Parti. Il replia soigneusement le bout de papier et le rangea dans sa poche, tandis que lui revenait en mémoire l'image ensanglantée de Kowalski, le propriétaire pour la mort duquel il était recherché aux

États-Unis. Il imagina qu'à cette heure, le policier de la douane qui lui avait retiré son passeport avait déjà dû l'envoyer à Moscou. Établir la falsification et ordonner sa détention n'était qu'une question de temps.

Il contempla Andrew, paisiblement endormi à côté de Sue, étranger à tous les événements survenus à la gare et aux dangers qui les guettaient. D'après Andrew, il était peu probable qu'on découvre la falsification de son passeport à Moscou, pour deux raisons : la première, parce que seule une personne familiarisée avec les nouveaux documents nord-américains serait capable de détecter ses défauts insignifiants, et la seconde parce que, selon lui, on ne le lui avait pas retiré en raison de soupçons sur son authenticité, mais sûrement parce que, comme dans le bureau d'Amtorg à New York, on s'interrogeait sur l'ascendance de son étrange nom de famille russe. De plus, le fait que les États-Unis n'entretiennent pas de relations diplomatiques avec l'Union soviétique garantissait dans la pratique que les autorités soviétiques ne s'informeraient jamais sur ses éventuels antécédents délictueux auprès des Américains.

Mais c'étaient là les pensées d'Andrew, pas les siennes.

En tout cas, il voulut croire que son ami était dans le vrai. Et à présent il avait un *blat*. Il ignorait à quoi il pourrait bien lui servir, mais il l'avait dans sa poche, même si cela avait été au prix de ses chaussures neuves.

Il regarda par la fenêtre du train. Andrew lui avait parlé de l'extraordinaire beauté de la cathédrale Saint-Basile, des formidables murailles du palais du Kremlin et de l'imposante étendue de la place Rouge. Cependant, la périphérie de Moscou lui apparut comme un vulgaire faubourg, gigantesque et gris, comparée à la majesté décadente de Leningrad ; l'endroit ressemblait davantage à une zone industrielle constituée d'entrepôts réhabilités en habitations qu'à la capitale de l'État. Andrew argua que les édifices les plus emblématiques allaient venir, mais pour le moment Jack n'avait d'yeux que pour les flots silencieux d'ouvriers dont les visages et les vêtements étaient aussi sales et grisâtres que les quartiers dans lesquels ils déambulaient. Enfin, à onze heures du matin, le train fit son entrée dans la vieille gare de Leningrad, à Moscou.

Andrew fut le premier à descendre. Il laissa ses bagages derrière lui, sauta sur le quai et contempla les alentours comme s'il découvrait la mer pour la première fois. Il sourit, gonflé de satisfaction. Enfin son rêve devenait réalité. Chez Jack, cependant, la vision de la gare ne souleva aucun enthousiasme. Les énormes portraits de Staline et de Lénine se partageaient la présidence sur le fronton d'un édifice calqué sur celui qu'ils avaient vu à Leningrad : le même bossage de pierre monotone, les mêmes fenêtres style *Risorgimento* et la même grosse tour centrale ornée d'une horloge française, au centre de laquelle se détachait l'omniprésente étoile à cinq branches. Même le froid était aussi impitoyable. À son avis, seuls les Moscovites différenciaient Moscou de Leningrad. Aussi loin que portait le regard, une foule emmitouflée de manteaux, de foulards et de bonnets en peau circulait en silence d'un côté à l'autre, tels des automates dont les parcours, les fonctions et jusqu'aux gestes étaient immuablement prédéterminés.

Une pauvre femme courbée sous un tas de ballots marchait nu-pieds, tendant la main pour quelques pièces sans que personne la regarde, tandis que ceux qui semblaient être ses enfants la suivaient, le regard terrifié dans leurs maigres visages. Un peu plus loin, deux soldats traînaient un mendiant mutilé qui accusait la révolution de son malheur ; à son cou pendait un panneau sur lequel il demandait l'aumône pour survivre à l'hiver. Jack serra les mâchoires. Trop de monde et trop de pauvreté.

Il dut détourner le regard. Dans son rôle de guide, il lui fallait être d'une extrême vigilance s'il voulait éviter d'égarer l'un des passagers ; il organisa donc le déchargement des bagages et indiqua aux membres du cortège, dès qu'ils seraient sortis de la gare, de se diriger vers les bureaux d'Intourist, où ceux qui n'avaient pas encore d'hébergement pourraient essayer d'en obtenir un. Et pour dix centimes par personne il les aiderait dans les démarches qui seraient nécessaires. Tous acceptèrent sa suggestion. Mais Andrew s'approcha et l'interrompit.

— C'est impressionnant cette capacité que tu as de transformer une simple information en profit, lui reprocha-t-il.

Jack interpréta cette pique comme une pointe d'envie et il évita de lui répondre. Oui, c'était son ami qui lui avait procuré tous les renseignements sur Intourist, mais en échange il lui avait offert de partager les gains, ce qu'Andrew avait refusé.

— Tu vas aussi les faire payer pour les accompagner au Commissariat du peuple ? avait ajouté Andrew.

Jack persista dans son mutisme. L'idée ne lui était pas venue de les faire payer, et il comprenait mal la raison de ces chicanes. Tout compte fait, il fournissait un service utile que les voyageurs américains pouvaient accepter ou refuser sans aucune espèce d'objection.

— Tu ne m'as pas payé pour l'information, insista Andrew.

— Tu ne me l'as pas demandé, répondit Jack et, d'un geste exaspéré, il tira l'une des valises coincée en hauteur.

— Ces gens n'ont pas d'argent.

— Moi non plus.

Andrew le retint.

— Mais qu'est-ce que tu ne comprends pas, Jack ? Nous sommes maintenant dans un monde différent. En Union soviétique, les gens partagent avec les autres leurs efforts, leurs ressources et leurs illusions. En plus, tu as la promesse verbale d'un bon contrat.

Jack regarda autour de lui.

— Bon, tu sais quoi, Andrew ? Tout ce que je les vois partager, c'est leur pauvreté. Quant à mon contrat, tu viens de le définir à la perfection. Ce n'est qu'une promesse verbale.

Et, lui tournant le dos, il continua à décharger les valises.

En revenant du bureau d'Intourist, Jack regretta son geste d'humeur envers Andrew. Selon toute apparence, l'Union soviétique n'était peut-être pas le paradis que son ami avait prophétisé, mais une chose au moins était certaine, Andrew avait risqué sa vie pour le sauver de la prison à New York.

Il le regarda, rongé par le remords. Andrew marchait devant lui, heureux, avec ses lunettes cassées, en direction d'un hôtel inconnu, toujours près de Sue. Il semblait n'avoir besoin de rien d'autre. Juste de l'air qu'il respirait, de la compagnie de la fille qu'il aimait et de se savoir dans un monde où, selon lui, l'égoïsme n'avait pas sa place.

Il serra les poings et s'observa lui-même. Il ne portait plus la vieille veste avec laquelle il avait commencé le voyage, ni la chemise usée et raccommodée, ni même les bottes trouées que lui avait cédées le policier corrompu de Leningrad en échange de ses chaussures. Les bénéfices obtenus grâce à son activité de guide et la vente du clou de girofle lui avaient permis d'acquérir les meilleurs vêtements de chacun des voyageurs, et de se constituer ainsi, peu à peu, une tenue qui, dans l'ensemble, comparée à celle de ses compatriotes, lui donnait l'allure d'un personnage fortuné.

Cette situation le mettait mal à l'aise, mais il n'éprouvait aucun regret. Ce qu'il avait acquis était le fruit de son travail, comme tout ce qu'il avait obtenu dans sa vie. Depuis qu'il avait l'âge de raison il ne se souvenait que de journées d'efforts du lever au coucher du soleil, de l'acharnement qu'il avait mis dans son travail, des heures de veille passées à étudier et des sacrifices qu'il avait faits. Aussi loin qu'il s'en souvînt, sa vie avait été un engagement constant pour progresser, pour sortir de la misère à laquelle son père semblait l'avoir prédestiné. Chaque matin, il s'était levé en gémissant sur son sort, enviant ce qu'obtenaient les autres. Son oncle Gabriel, le banquier, avait été son modèle. Voilà pourquoi il avait continué à se battre lorsqu'il avait quitté son New York natal et s'était installé à Détroit. Voilà pourquoi il s'était battu là-bas pour se bâtir un avenir, pourquoi il s'était cassé la tête, après des journées épuisantes, à étudier chaque boulon, à analyser chaque engrenage et à mémoriser chaque procédé. Voilà pourquoi il avait profité des petits privilèges qui récompensaient son sacrifice : une voiture dans laquelle se promener, un costume sur mesure et un bel appartement. C'était pour cette raison qu'il haïssait les responsables de la maudite crise qui lui avait arraché tout ce pour quoi il avait lutté, et c'était pour cette même raison qu'il était prêt à tout faire, quoi qu'il obtienne en Union soviétique, pour que personne ne puisse jamais le lui enlever à nouveau.

Il leva les yeux et regarda les somptueux édifices qui se dressaient devant lui ; sur leurs façades et leurs balcons fissurés se devinaient les blessures non cicatrisées que l'un de ses compagnons attribua aux outrages de la révolution et qu'il compara à une troupe de vieilles actrices à la beauté flétrie par les ans. Il tourna les yeux vers l'horizon. Tout était étrange. Pour quelqu'un habitué aux gratte-ciel arrogants et aux tumultueuses avenues de New York, Moscou était un mélange inexplicable d'antiquité et de décadence, démesuré et provincial, semblable à une immense ville médiévale dans laquelle les palaces de rêve et les églises rutilantes avaient dû se serrer pour faire de la place aux nouvelles constructions socialistes, grandiloquentes, énormes et grotesques.

La nuit tombait et le froid redoublait.

Tandis qu'il attendait le tramway qui devait les conduire à la pension réservée par Intourist, Jack se reprocha sa méfiance. Pendant un instant il se vit comme un homme aigri qui étale toute sa rancœur contre les Soviétiques. Il aspira un bol d'air, glacé mais pur. Il sentit qu'il en avait besoin. Le groupe d'Américains qui les accompagnait s'était réduit à cinq personnes : les quatre membres de la famille Daniels et Joe Brown. Les autres avaient préféré engager un guide officiel d'Intourist qui les répartirait dans leurs hébergements respectifs. Au total, huit voyageurs. Huit émigrés américains perdus en Union soviétique. Peut-être n'étaient-ils tous qu'une poignée de nécessiteux qui logeaient dans des pensions misérables et voyageaient dans des wagons de troisième classe, mais à y regarder de plus près, on voyait en réalité de véritables privilégiés. Ils avaient échangé une vie misérable et sans espoirs contre une autre, nouvelle. Différente, certes, mais une vie, au bout du compte. Une vie dans un pays qui leur avait ouvert ses portes, plus vieilles ou plus modernes, cela n'avait que peu d'importance. Ce qui était vraiment important, c'était ce qui les attendait derrière ces portes : travail, prospérité, espoir.

Il voulut croire qu'il en serait ainsi, bien que le tramway dans lequel ils avaient dû s'entasser comme des harengs lui rappelât que la prospérité à laquelle il aspirait était aussi lointaine que l'arrêt vers lequel ils se rendaient.

— Il veut vraiment que nous dormions ici ? Il fait plus froid dedans que dehors.

Incrédule, Sue se tourna vers Andrew, comme si celui-ci avait une autre réponse.

— C'est la meilleure chambre, mademoiselle, dit l'*oupravdom* de l'immeuble avec un sourire, ôtant sa casquette et laissant voir des dents noires semblables à des grains de maïs brûlés.

Andrew laissa tomber ses bagages sur le sol de la pièce crasseuse pour laquelle ils venaient de payer dix roubles par personne. Elle ne ressemblait certainement pas à ce qu'ils avaient espéré pour ce prix-là, mais apparemment c'était la conséquence de la surpopulation que connaissait la capitale soviétique. Jack ouvrit de grands yeux. Il regarda les murs délabrés, les fenêtres fendues dont les vitres semblaient n'avoir jamais été nettoyées, et un grabat dont l'aspect invitait à dormir par terre.

— Une vraie porcherie, marmonna finalement Andrew.

— Ça ne devrait pas t'étonner. Tu as levé les bras au ciel quand je t'ai dit les prix des hôtels comme le Moscou, le Lux ou l'Europa, répondit-il, et il écarta du pied un tapis qui laissa apparaître un trou à travers lequel on voyait l'appartement du dessous. S'il vous plaît, vous me montrez ma chambre ? demanda-t-il à *l'oupravdom.*

Surpris, le gérant regarda Jack.

— C'est celle-ci. C'est cette chambre.

Et il lui montra le sofa à ressorts qui était appuyé contre l'un des murs.

Jack eut beau essayer de faire comprendre à l'*oupravdom* qu'ils avaient payé pour des chambres indépendantes, il fut impossible de le convaincre. D'après l'homme, au dernier moment, il avait dû installer une famille ukrainienne qui avait été transférée à Moscou, et dans tout l'immeuble il ne restait que deux chambres disponibles.

— Si vous voulez, ceci peut servir...

Il montra une couverture qui pendait du plafond pour lui indiquer qu'il pouvait la tirer en guise de rideau.

Résigné, Jack accepta et aida l'*oupravdom* à tendre la couverture. Les Daniels logeraient dans une autre chambre de la même taille. Joe Brown passerait la nuit sur une paillasse que l'*oupravdom* avait installée au milieu du couloir qui menait d'une pièce à l'autre. « Peu m'importe, avait assuré Joe. Vous auriez dû voir les endroits où j'ai dormi presque la moitié de ma vie. »

— Bon. Au moins nous avons un calorifère au centre, dit Andrew, et il montra un étrange engin en cuivre qui reposait sur le sol de mosaïque.

Lorsque l'*oupravdom* se fut retiré, tous s'assirent autour de ce qui semblait être un vieux radiateur et ils attendirent que Jack l'allume. Il l'examina en détail, et tout à coup éclata d'un rire irrépressible.

— Mais c'est un samovar ! Une théière !

Il avait tardé à identifier l'appareil parce qu'il manquait le robinet, mais il ressemblait à celui qu'il avait vu, quand il était petit, dans la maison de son oncle Gabriel. Par chance, il contenait des résidus de thé que Jack jugea suffisants pour en extraire une boisson chaude. Il découvrit aussi un petit four électrique cassé, qu'il répara à l'aide d'un raccord et utilisa pour faire chauffer le samovar et réchauffer la chambre. Peu après, tous partageaient deux tasses de thé léger pendant que Sue improvisait un dîner avec les provisions que Jack avait achetées à la frontière.

C'était leur premier repas de la journée et ils le savourèrent avec appétit. Jack vit la nourriture qu'il avait eu tant de mal à obtenir disparaître aussi vite que s'il l'avait oubliée dans le tramway, mais il n'y attacha pas d'importance.

— À partir de demain nous nous offrirons un banquet avec les tickets de nourriture qu'on nous a donnés à l'Intourist, annonça-t-il, et tous acquiescèrent avec le sourire.

Aucun d'eux n'imaginait que ce sourire serait aussi éphémère.

Le lendemain matin, à la première heure, Jack et Andrew se présentèrent dans les bureaux du Commissariat du peuple pour légaliser leurs contrats de travail, comme on le leur avait indiqué à Amtorg. Mais, après avoir fait la queue pendant plus de deux heures, le fonctionnaire chargé d'approuver les contrats étrangers secoua la tête et les rendit à Andrew sans même les avoir regardés.

— Désolé, camarades. Le contingent de personnel étranger assigné à Autozavod est déjà complet. Vous devrez attendre trois mois, jusqu'à l'ouverture du prochain contingent.

Jack regarda Andrew, imaginant qu'il s'agissait d'une plaisanterie, mais son visage stupéfait lui confirma le contraire. Il devait s'agir d'une erreur. Dans le bureau soviétique de New York on leur avait garanti qu'ils seraient tout de suite acceptés chez Autozavod. Lorsque Jack fit savoir au fonctionnaire qu'ils avaient à peine les moyens de tenir une semaine, celui-ci répéta la même phrase sans ciller. Jack exigea la présence d'un supérieur, mais pour toute réponse le fonctionnaire se contenta d'appeler un garde armé qui lui ordonna de s'écarter de la queue pour laisser passer les demandeurs suivants.

Jack, indigné, exigea d'Andrew qu'il s'explique.

— Il y a peut-être un malentendu, tenta de s'excuser Andrew.

— Un malentendu ? Tu ne l'as pas entendu, peut-être ? Ce type assure que nos contrats ne valent rien et que nous devons attendre trois mois. Qu'allons-nous faire pendant ce temps-là ? Laisse-moi deviner. Crever de faim ou mourir de froid ?

Jack se maudit d'avoir fait confiance aux Soviétiques. Il commençait à se demander si la promesse de travail de Wilbur Hewitt ne serait pas lettre morte elle aussi.

— Ton pessimisme ne réglera pas les choses. Nous ignorons comment tout cela fonctionne, mais laisse-moi réfléchir... Je connais un Moscovite avec lequel je corresponds depuis l'époque où j'étais syndicaliste et qui a des contacts au Commissariat du Peuple pour l'Industrie. Il pourra peut-être nous aider.

— Oui ? Eh bien ça vaudrait mieux pour nous, sinon je nous vois déjà en train de nous battre pour une place sur le trottoir des mendiants.

Ils passèrent tout l'après-midi à chercher Dimitri, l'ami d'Andrew, qu'ils finirent par localiser lorsque celui-ci rentra chez lui, sur la rive de la Moskova. L'homme, un Géorgien timoré qui baragouinait l'anglais, regretta les inconvénients et offrit une tasse de thé chaud à ses hôtes inattendus. Pendant qu'ils se réchauffaient, il leur assura que dans deux jours il obtiendrait qu'ils soient reçus par le commissaire aux contrats pour l'industrie, lequel était un grand ami. D'une façon ou d'une autre, on parviendrait à résoudre cette affaire. Andrew le remercia par deux étreintes. Jack, lui, resta méfiant.

De retour à l'hôtel, Andrew informa Sue de ce qu'il s'était passé et rassura les Daniels en leur promettant que celui qu'il connaissait leur trouverait rapidement du travail. Jack garda le silence. Lorsque enfin ils éteignirent la lumière, Jack s'allongea sur le sofa en bois et se retourna plusieurs fois, essayant de trouver une position à peu près confortable. Il ne pouvait croire que ce qui leur arrivait soit vrai : seuls au bout du monde, recroquevillés dans une glacière, les poches à moitié vides et le chômage pour tout horizon, même si Andrew s'obstinait à le nier. Il inspira avec force, ce qui ne servit qu'à le geler un peu plus. Il voulut penser qu'au moins il avait toujours l'offre de Hewitt dans sa manche. Il se demanda ce qu'il en était de l'ingénieur et de sa nièce. Alors il revit la silhouette d'Elisabeth. Les yeux clos, il eut l'impression que son visage resplendissait près du sien et, d'une certaine manière, dissipait le froid glacial qui pénétrait comme un couteau par les fentes des fenêtres. Il tenta de trouver le sommeil, parce qu'il voulait se lever tôt pour sortir chercher un beau cadeau. Car arriver sans rien à la fête d'anniversaire de la demoiselle Hewitt ne serait pas convenable.

Après avoir passé deux heures à parcourir les étalages, à endurer les cris des gens et les coups de coude de dizaines de badauds, Jack en vint à la conclusion que dans les marchés de Moscou pouvait s'acheter n'importe quelle ordure tirée d'un tas de fumier et déposée sur un présentoir. Sur le sol étaient éparpillés des cadres de tableaux brisés, des vêtements en lambeaux, des semelles trouées et des restes de meubles absolument inutilisables, ainsi que des casseroles cabossées, de la vaisselle dépareillée, des uniformes de l'armée ou des morceaux de tuyaux en plomb. Bref, même en cherchant pendant un an, on n'aurait rien trouvé qui fût digne d'être offert à une dame.

Il décida de s'accorder un répit et de chercher une cafétéria où se réchauffer. Pendant la nuit il avait encore neigé, et le vent glacé qui soufflait avait changé la couleur de ses oreilles, leur donnant une douloureuse teinte rubis, magnifique contraste avec la blancheur idyllique du paysage de neige !

Le thé bouillant lui brûla les lèvres, mais il n'y prit garde. Il laissa ses doigts s'imprégner de la vapeur qui se dégageait de la boisson et, prêtant attention alentour, s'aperçut qu'il était le point de mire de tous les regards. Un commerçant à la face rubiconde s'approcha et lui offrit la moitié de son chargement de fromage en échange de ses vêtements américains. En d'autres circonstances, peut-être aurait-il accepté, mais il avait trop longtemps porté des haillons pour se défaire maintenant de son costume, même pour une tonne de vrai roquefort. Cependant, il en profita pour lui demander où il pourrait acheter un bouquet de fleurs. Le marchand de fromage le dévisagea avec le même regard éberlué que si l'une de ses chèvres lui avait parlé.

— Des fleurs, à Moscou ? Ici, personne ne vend de fleurs.

Lorsque Jack lui en demanda la raison, l'autre lui répondit que personne n'achèterait quelque chose qui ne servait à rien.

Jack haussa les épaules et finit sa tasse de thé. Il s'apprêtait à quitter le local lorsque l'une des serveuses l'arrêta.

— Ne l'écoutez pas. C'est vrai que personne ne vend de fleurs au marché, mais à deux pâtés de maisons de là, en direction du fleuve, vous trouverez plusieurs étals où on en fait presque cadeau.

Par chance, Jack arriva quelques minutes avant que les vendeuses ne remballent leur marchandise pour échapper à la chute de neige. Pour deux roubles, il acheta un petit bouquet de violettes et de giroflées blanches qu'on lui enveloppa dans un feuillet de *La Pravda*. Il regarda les fleurs et sourit. L'enveloppe n'était peut-être pas la plus appropriée, mais au moins elle lui permettrait de lire le journal du régime politique sur le chemin du retour. Pour l'heure, il ne lui restait plus qu'à mettre les tiges dans l'eau, à se donner une allure respectable et à se rendre à l'hôtel Metropol pour obtenir une danse avec la nièce de Wilbur Hewitt.

12

Jack n'avait peut-être pas le glamour suffisant pour qu'un concierge en livrée lui ouvrît la porte à l'instant où il apparaîtrait, mais il savait très bien l'imiter. Il descendit du *droshky* avec un grand sourire, paya la course au cocher et, à travers les jardins enneigés, se dirigea avec insouciance vers l'imposante entrée de l'hôtel Metropol, faisant en sorte que le portier l'ait toujours dans son champ de vision et pense que celui qui approchait, avec ses manières d'aristocrate et sa moue dédaigneuse, venait traiter une affaire importante. Arrivé à la hauteur du portier, Jack s'arrêta pour jeter un coup d'œil à la merveilleuse mosaïque qui ornait le fronton de l'édifice.

— Extraordinaire ! *La Princesse des rêves* surpasse toutes les œuvres antérieures de Mikhaïl Vroubel ! dit-il, s'adressant au ciel et agitant son bouquet de fleurs. Puis, sans laisser au portier le temps d'ouvrir la bouche, il pénétra à l'intérieur d'un pas décidé.

Jack frissonna en ressentant la chaleur du chauffage. Supporter le froid moscovite sans manteau avait été presque aussi osé qu'essayer de se glisser dans le Metropol sans invitation, mais la courte promenade en voiture à cheval n'avait pas été sans intérêt s'il considérait que dans les cinq roubles du trajet le cocher avait inclus les détails de la façade de l'édifice qui lui avaient permis de faire illusion auprès du portier.

Une fois dans l'opulent vestibule, il salua tous les invités qu'il croisa comme s'il les connaissait depuis toujours, se dirigea vers le comptoir de la réception où, sans lever les yeux, il s'empara de l'un des exemplaires de l'*Izvestia* et prit place dans un fauteuil somptueux qui lui fit l'impression d'un matelas comparé au sofa sur lequel il avait passé la nuit.

Maintenant qu'il était à l'intérieur, il regardait le moindre détail de ce qui l'entourait. L'horloge de la conciergerie marquait six heures moins le quart, il avait donc encore un moment pour se distraire en lisant les nouvelles. Il déclina l'offre d'un thé que lui proposa l'un des serveurs et feuilleta le journal ; il nota que sa différence essentielle avec les journaux américains était que celui-ci ne contenait aucune publicité et que toutes les informations, y compris la rubrique nécrologique, étaient toujours présentées comme de bonnes nouvelles.

Après avoir parcouru deux ou trois articles de propagande, il porta son attention sur les invités qui commençaient à se présenter. Près de lui se posta un homme d'âge mûr pomponné comme un paon. Il conversait avec un homme plus âgé vêtu d'un smoking traversé d'une bande bleue. Vint les rejoindre un jeune maigrichon sanglé dans une vareuse marron repassée de manière exquise, qui les complimenta comme s'il leur devait le respect. La plupart des invités semblaient être des diplomates, des hommes d'affaires et des dignitaires étrangers, mais il y avait également de nombreux militaires soviétiques et des responsables politiques. Il compara son costume à leurs tenues et décida d'attendre assis jusqu'à ce que le tumulte dissimule un peu sa présence.

Peu à peu, le vestibule se remplit d'hommes et de femmes en habits de fête et les conversations solennelles firent place aux potins sur le menu prévu ou les dernières nouveautés de la mode parisienne. Enfin, à six heures tapantes, les portes de la salle de bal s'ouvrirent, découvrant un salon aux dimensions impressionnantes flanqué de colonnes en marbre marron ornées de chapiteaux dorés, couronné d'une coupole de verre multicolore qui ébahit toutes les personnes présentes.

Jack pâlit, non tant à cause de la magnificence de ce salon extraordinaire que de la vision de l'éblouissante silhouette qui s'avançait vers lui, pendue au bras d'un officier soviétique.

Elisabeth Hewitt était absolument ravissante. Lorsqu'elle passa près de lui, la jeune femme lui adressa l'ombre d'un sourire et continua sans s'arrêter ni tourner la tête. Jack attendit une occasion de l'aborder, mais le chien de garde qui l'accompagnait la suivait où qu'elle aille. Il fixa son attention sur lui. Il ne s'était imaginé personne concrètement, mais l'homme gominé qui semblait faire le joli cœur auprès de la jeune femme n'était pas le genre de chevalier servant qu'il lui aurait attribué. Sur son visage dont les traits paraissaient sculptés au ciseau se détachait une moustache parfaitement taillée qui impressionnait presque autant que son regard aux pupilles noires. Il supposa qu'il frisait la quarantaine. Jack se servit un peu de vodka et, d'où il se trouvait, en retrait, suivit attentivement les évolutions du couple. Hautain, sûr de lui, l'officier se déplaçait d'un pas énergique, et Elisabeth semblait prendre autant de plaisir à sa compagnie qu'il en prenait à la sienne.

Au grand dam de Jack, le quatuor de musiciens soviétiques chargé d'animer la soirée se mit à interpréter de manière insipide des morceaux de Tchaïkovski, de Prokofiev ou de Borodine qui, malgré tout, furent chaudement applaudis par les nombreux couples qui s'avancèrent au centre de la salle pour prendre part à la fête. Elisabeth et son chevalier servant ouvrirent le bal.

Jack finit son verre et entreprit d'engloutir le plat de gambas à côté duquel il avait abandonné son bouquet de violettes et de giroflées. Il se demanda ce qu'Elisabeth pouvait trouver à un homme aussi mûr, hormis sa ridicule casquette passepoilée.

Il se servit un autre verre de vodka et prit place dans un fauteuil du salon.

Les valses continuèrent de se succéder au rythme dont Jack vidait sa bouteille. De temps en temps, Elisabeth lui adressait un regard furtif entre les tourbillons des danseurs, mais pas à la fréquence et avec l'intention qu'il aurait souhaitées. Malgré tout, chaque rencontre visuelle lui causait un élancement dans l'estomac, comme si on le lui ouvrait avec un crochet, et faisait battre son cœur plus vite.

Lorsque la bouteille fut presque terminée, Jack commença à se demander ce qu'il faisait dans une fête où personne ne l'avait invité, entouré de vieilles badernes aux sourires figés et vêtu d'une parodie d'accoutrement qui n'aurait pas trompé un aveugle. Il voulut se lever et s'en aller, mais un dernier regard d'Elisabeth l'arrêta.

Pourquoi continuait-elle à le regarder du coin de l'œil ? Que voulait-elle ?

Il tentait d'éclaircir ses idées lorsqu'un homme dont le visage lui parut vaguement familier s'approcha de lui. Il essaya de se rappeler qui en était le propriétaire, mais n'y parvint pas. Heureusement, le nouveau venu lui prêta main-forte.

— Mais tu es Beilis, le type du bateau, non ? Quelle surprise de te rencontrer ici ! Toi aussi tu loges au Metropol ?

Sa voix aiguë permit à Jack de l'identifier comme Louis Thomson, le journaliste du *New York Times* à la table duquel il avait déjeuné à bord du *S.S. Cliffwood*. Il se leva et le salua, tout comme les deux hommes qui l'accompagnaient et que le journaliste présenta comme des collègues de travail.

— Laissez-moi vous dire que si ce jeune homme n'avait pas été là, le célèbre Wilbur Hewitt serait aujourd'hui Hewitt le Manchot, dit Louis en riant, levant son verre pour célébrer cette rencontre.

Jack le remercia sans trop d'enthousiasme en serrant la main des nouveaux arrivés. Il crut voir leurs têtes danser au-dessus de leurs épaules et comprit qu'il avait trop bu.

— Oui. Je dois admettre que je suis assez doué pour jouer les héros, dit Jack en continuant sur le ton moqueur du journaliste. En fait, à cet instant j'essayais de ne pas mourir d'ennui.

Il montra la bouteille de vodka, et remplit les verres de ses interlocuteurs.

Soudain, sans le vouloir, Jack se retrouva au milieu d'une conversation distrayante, dans laquelle on acclamait tout autant les derniers résultats des *Giants* de New York qu'on se moquait des chairs blanches que les femmes soviétiques cachaient sous leurs jupes.

Jack savoura le moment comme s'il était en train d'aspirer une intense bouffée d'un bon cigare après un copieux déjeuner. Pour la première fois, il se sentait à l'aise en Russie, se divertissant comme un Américain et entouré d'Américains. Pas des Américains indigents, mais de vrais Américains. Des Américains qui avaient réussi. Le temps passant, il se mit à parler du miracle américain comme s'il en faisait partie, presque avec la même impétuosité qu'il critiquait le système soviétique. Au milieu des rires et des plaisanteries, il se sentait l'un de ces privilégiés qui buvaient et riaient sans retenue, sans se rendre compte que le miracle dont il parlait était celui qui l'avait plongé dans cette misère qu'il abominait tant. Mais avec les verres qui se remplissaient à chaque instant, ce n'était pas le moment de raisonner. Soudain, même les fastidieuses valses classiques lui parurent moins insipides, mais il se demanda si ces musiciens russes connaîtraient un fox-trot qui animerait vraiment la soirée. Il décida d'en demander un et ses nouveaux amis l'appuyèrent avec enthousiasme.

Il se dirigeait vers l'orchestre lorsqu'il croisa Elisabeth Hewitt. Il la contempla aussi sereinement qu'il put. Elle était vraiment radieuse, vêtue d'une robe en tulle qui, serrée à la taille, lui donnait l'apparence d'un cygne. Et pour la première fois il la trouvait seule, sans la compagnie de l'officier soviétique. Il avait tellement espéré cet instant qu'il ne sut quoi dire. Pendant une seconde il tourna la tête vers le bouquet de fleurs qui gisait à côté du plat de gambas et comprit que ce n'était pas une bonne idée. De nouveau il se tourna vers Elisabeth et sourit.

— Je t'avais promis que nous nous reverrions, dit-il enfin.

— Et je dois admettre que ce fut une vraie surprise. (Elle l'examina sommairement.) Je dirais même que cette veste d'épouvantail que tu portes ne te va pas mal du tout.

Elle sourit.

— Vêtements russes. Les mains de mon tailleur soviétique étaient gelées (il lui rendit son sourire). Toi, en revanche, tu es impressionnante. Au fait, je t'avais apporté un cadeau… (changeant d'idée, il désigna les restes des giroflées et des violettes) mais je devrai le réserver pour une autre occasion.

— Russes, elles aussi ?

De nouveau elle sourit.

— Plus ou moins. Et comment va ton oncle ? Il est toujours à Helsinki ?

— Mon oncle Wilbur, à Helsinki ? (Elle éclata d'un rire qui fit se retourner tous ceux qui se trouvaient autour d'eux.) On voit que tu ne le connais pas. Un incident aussi insignifiant n'arrête pas un Hewitt.

— Oui. Je l'ai constaté.

— Qu'est-ce que tu as constaté ?

— Eh bien, que rien ne t'arrêtait et que tu dansais tout le temps. En fait, j'espérais que tu prendrais un moment de répit pour que je puisse te réclamer une danse.

— Bon... Je m'amusais.

— Moi aussi, à regarder ces danses de grand-mères.

— Eh bien tu n'avais pas l'air de t'amuser.

— Tu me surveillais ?

Elisabeth sourit.

— Je dois m'en aller.

— Attends. (Il lui saisit la main. Elle ne la retira pas.) Tu ne m'as pas dit comment allait ton oncle.

Elisabeth se rendit compte que Jack titubait un peu et de nouveau elle sourit.

— Mieux que toi. Il loge ici, au Metropol. Tu me rends ma main ?

Jack la lâcha doucement. Il attendit qu'elle s'en aille, mais elle resta devant lui pendant un instant, qui lui parut une éternité. Il allait lui demander un rendez-vous lorsqu'une silhouette apparut soudain.

— Pardon pour le retard. Affaires de politique, dit le nouvel arrivant, et il prit Elisabeth par le bras. Excusez-moi. Et vous êtes...

— C'est Jack... Jack..., s'empressa de le présenter Elisabeth, s'apercevant en rougissant qu'elle ne se souvenait pas de son nom.

— Beilis. Jack Beilis, termina-t-il, tendant sa main à l'officier soviétique avec lequel Elisabeth avait dansé.

L'officier lui rendit énergiquement son salut.

— Oui. Jack Beilis, dit Elisabeth. Je l'ai connu sur le *S.S. Cliffwood*. C'est un immigrant américain.

— C'est exact. (Jack fut chagriné qu'elle le présente comme un simple immigrant et omette d'ajouter qu'il avait sauvé son oncle Wilbur.) Un immigrant américain, répéta-t-il.

— Beilis… n'auriez-vous pas quelque chose à voir avec…

— Non. Sûrement pas, le coupa-t-il. C'est curieux. Dernièrement, on m'interroge si souvent au sujet de mon nom que je me demande si je ne devrais pas en changer. Et votre nom est… ?

— Oh ! Excusez ma maladresse, intervint Elisabeth. Jack, je te présente le commissaire aux finances Viktor Smirnov. Viktor est un cousin éloigné de Staline. Nous nous sommes rencontrés lors de mon premier séjour en Union soviétique, et depuis il est un parfait amphitryon.

— Chère Elisabeth : c'est un plaisir de te recevoir. De plus, il serait peu courtois de ne pas offrir la traditionnelle hospitalité soviétique à ceux qui viennent dans notre pays pour contribuer à son développement. (Il lui rendit son sourire, exhibant une denture d'annonce publicitaire.) Et en parlant de parfait amphitryon… (Il fit une pause théâtrale, que Jack jugea celle d'un comédien amateur.) Tiens. Une petite gentillesse de notre gouvernement.

Et il sortit un délicat écrin doublé de velours qu'il tendit à Elisabeth.

La jeune femme ne put s'empêcher d'ouvrir des yeux aussi grands que sa bouche lorsqu'elle découvrit son contenu.

— Mais Viktor… elle est… elle est magnifique.

Elisabeth prit l'émeraude de la taille d'une amande et l'accrocha à son cou. Viktor l'y aida.

— Ce collier a appartenu à Anastasia, la fille de la tsarine. Je l'ai moi-même pris sur sa coiffeuse le jour où nous les avons renversés.

Et il regarda l'Américain, d'un air prétentieux.

Jack ébaucha un semblant de sourire auquel il ne trouva lui-même aucun sens. Il aurait voulu faire un commentaire spirituel, mais rien ne lui vint à l'esprit. Soudain, voyant Elisabeth si heureuse et Viktor si triomphant et sûr de lui, il comprit qu'il était de trop. En fait, il avait la conviction de n'être, aux yeux de Viktor, qu'un ridicule insecte ne méritant même pas qu'il le considérât comme un rival. Il le pressentait, car de temps en temps Viktor lui jetait un coup d'œil, sans le voir. Il regarda Elisabeth, belle, souriante, distante. Pendant une seconde, il avait cru que sa haute taille, son sourire et ses yeux clairs suffiraient à lui faire oublier l'humilité de sa veste d'occasion et de ses chaussures ressemelées, mais à l'évidence cela ne suffisait pas à Elisabeth.

Il décida que le mieux était de prendre congé. En définitive, l'aéroplane qui transportait Elisabeth et Smirnov volait parfaitement et n'avait nul besoin d'autres passagers.

Il revenait auprès de ses compatriotes lorsque les échos de la dernière valse s'évanouirent et, comme par enchantement, la scène d'opérette soviétique surannée fit place au lumineux Cotton Club de New York. Les mesures d'un fox-trot frénétique inondèrent tout à coup le salon, acclamées avec joie par tous les invités ; oubliant à l'instant ses problèmes, Jack se tourna vers Elisabeth. Il ne put faire autrement que ravaler son envie en constatant que les mouvements sensuels de la jeune femme attiraient tous les regards tandis que Viktor, essayant de la suivre, répétait quelques pas ridicules.

Il pensa que ce qu'il avait de mieux à faire était de rentrer à la pension. Là-bas au moins, même s'il devait écouter les assommantes conversations politiques d'Andrew, la nuit serait plus supportable.

Il prenait congé des journalistes quand, au fond de la salle, il distingua un homme avec un bras en écharpe qui le saluait de loin. À son monocle il devina qu'il s'agissait de Wilbur Hewitt. Il mit fin aux civilités aussi vite qu'il le put et se dirigea vers lui pour le saluer.

— Sapristi, mon garçon ! Tu es la dernière personne que j'aurais imaginé rencontrer au milieu de cette bande de bourgeois jouant les révolutionnaires. Que fais-tu ici ? dit l'oncle d'Elisabeth.

— Je suis heureux de vous voir, monsieur. Je bavardais avec Louis Thomson et…

— Ah, oui ! Ce journaliste ! Vous avez l'air de bien vous entendre à ce que je vois.

Jack préféra éviter de donner plus de détails sur sa présence au Metropol et demanda à l'ingénieur comment allait son bras.

— Je l'ai encore ! (Il rit.) Ces médecins finlandais sont de véritables artistes. Ils ont de curieuses méthodes, mais ce sont des artistes. (Et il fit maladroitement bouger son poignet pour lui montrer l'amélioration.) Au fait, c'est vraiment providentiel de te rencontrer ici. Justement je te cherchais. Tu te souviens de Serguë, l'officier soviétique qui m'accompagnait sur le *S.S. Cliffwood* ? Eh bien ils l'ont élevé au grade de directeur des Opérations et, entre autres choses, il est maintenant chargé de la sécurité d'Autozavod. Je lui ai demandé de trouver ton adresse à Intourist et j'attendais le résultat de ses recherches.

Les poils de Jack se hérissèrent : chaque fois qu'il pensait que quelqu'un pouvait enquêter sur lui, il était sur le qui-vive.

— Et qu'a-t-il découvert ?

— Si tu veux bien, allons dans la bibliothèque. Ce que je veux te proposer n'est pas une chose qu'on peut révéler dans une salle de bal russe.

À la quatrième gorgée de café fort, Jack commença à y voir plus clair. Pourtant, il avait encore du mal à croire à la proposition que Hewitt venait de lui faire, aussi lui demanda-t-il de répéter.

— C'est simple, résuma l'ingénieur. Si tu acceptes ma nouvelle offre, je suis prêt à te payer deux cents dollars par semaine.

Jack se racla la gorge en constatant que, malgré ce chiffre à donner le tournis, les paroles de Hewitt n'étaient pas des hallucinations produites par la vodka. Il but à nouveau un peu de café et regarda le directeur général de l'Autozavod. Huit cents dollars par mois, c'était le salaire d'un cadre de la Ford Motor & Co. aux États-Unis d'Amérique.

— Pendant six mois. Un an au maximum. Ensuite tu pourras exercer un travail normal, en accord avec tes compétences. Bien payé, ajouta l'industriel.

Jack sourit. La dernière fois que quelqu'un lui avait fait une offre semblable, il avait sept ans et devant lui se tenait quelqu'un qui ressemblait au Père Noël. Par chance, étant juif, il n'avait pas cru le monsieur à barbe blanche. Il demanda à Hewitt où était l'arnaque.

— Tu sais quoi, Jack ? C'est ce que j'aime chez toi : tu piges tout de suite et tu dis les choses en face. (Il plia l'exemplaire du *New York Times* qui l'accompagnait toujours et le posa sur la table.) Pour être sincère, j'ai retourné cent fois dans ma tête ce dont nous avons parlé en débarquant à Helsinki. Du fait que les Soviétiques avaient peut-être besoin d'Américains audacieux pour…

— Oui. Pour que les choses marchent une fois pour toutes. Mais moi je parlais du travail à l'usine, pour réparer les machines endommagées par la tempête, et ça n'a rien à voir avec ce que vous me proposez maintenant. Je ne comprends rien à la politique.

— Oublie ces machines, Jack. Je sais que ça n'a pas de rapport, mais qu'as-tu à perdre ? En plus, personne ici ne parle de politique. Tout ce que je te demande, c'est de garder les yeux bien ouverts pendant ta journée de travail en tant que superviseur à la chaîne de montage.

— Et que je dénonce mes compatriotes ?

— Non. Ce n'est pas ce que j'ai dit.

— Vous avez dit qu'il y a des sabotages, et vous m'offrez un poste de couverture pour savoir qui est derrière.

— Mais je n'ai pas affirmé que les responsables sont américains. J'ai seulement indiqué que les Soviétiques sont capables d'accuser n'importe qui pour camoufler leur incompétence. Le plus probable est que les auteurs sont des travailleurs russes mécontents de leurs conditions de travail. Il est possible qu'il y ait vraiment des sabotages, ou qu'il s'agisse simplement d'accidents. Quant à qualifier ton poste de couverture je ne suis pas d'accord non plus, surtout si l'on tient compte du fait que tes connaissances techniques seraient indispensables pour découvrir l'origine des dégâts.

Jack contempla Hewitt. Huit cents dollars par mois, c'était beaucoup d'argent. Tous deux le savaient, et c'est pourquoi ils campaient sur leurs positions. C'était peut-être trop.

— Je suppose que vous ne me proposeriez pas autant… (il se servit encore un peu de café tandis qu'il pesait ses mots) s'il n'y avait pas de risques.

Hewitt haussa les sourcils.

— C'est comme tout. Tu ne peux pas avoir les plus belles vues panoramiques si tu ne commences pas par escalader la montagne.

— Et si on me découvre ?

— Qui ?

— Les Soviétiques.

— Pour être tout à fait franc avec toi, tu devras t'arranger pour que ça n'arrive pas. Les Soviétiques ne prennent pas de gants. (Il fit une pause.) Mais ne t'inquiète pas. Personne ne saura que ton travail consiste à enquêter sur les accidents, et je suppose que tu ne seras pas assez stupide pour aller le raconter. En plus, quand un problème quelconque se produit dans l'usine, ils se contentent d'en rendre responsables l'inefficacité des installations américaines, les travailleurs américains ou les procédés américains. S'ils soupçonnent quelque chose d'étrange, ils arrêtent quelqu'un, l'interrogent et le relâchent, mais ils ne veulent par entendre parler de sabotages qui corroborent l'existence de groupes anti-soviétiques. Henry Ford ne pense pas la même chose, et c'est la raison pour laquelle il m'a recommandé que l'usine de Gorki fonctionne à plein rendement. Voilà pourquoi je suis en Russie, et pourquoi je t'offre autant d'argent.

Jack but une nouvelle gorgée. Cela faisait un moment qu'il n'entendait plus la musique qui continuait à résonner dans la salle voisine. Il n'arrivait pas à penser clairement.

— Et si je ne constate rien ?

— C'est un risque que je dois assumer. Ici nous courons tous des risques, Jack. Ton risque à toi est qu'ils te découvrent. Le mien est que tu ne trouves rien et que je perde de l'argent.

— Je comprends.

La proposition de l'Américain semblait honnête, mais il ne comprenait pas pourquoi il confiait une tâche si importante à un inconnu. Lorsqu'il le lui demanda, Wilbur Hewitt fut assez explicite.

— Tu veux vraiment le savoir ? Eh bien parce que je n'ai plus de couilles, fiston !

Hewitt lui avoua qu'aux États-Unis il avait préparé un ingénieur pour cette mission, mais que celui-ci était brusquement tombé malade juste avant d'embarquer sur le *S.S. Cliffwood*.

— Une appendicite, je crois. En fait, ce freluquet de George McMillan devrait être assis maintenant à ta place, et moi en train de lui parler à lui plutôt qu'à toi. Heureusement, Dieu est miséricordieux et tu es apparu ; non seulement tu m'as évité de perdre un bras, mais en plus tu es dégourdi, tu connais les machines de Ford sur le bout des doigts et tu parles russe. Même en cherchant sous les pierres je n'aurais jamais trouvé un meilleur candidat !

Jack tambourina des doigts sur la table. Il ne savait quoi répondre. C'était peut-être l'effet de la vodka ou alors sa propre pensée, mais il ne voyait pas clairement la situation. Trop inespéré. Trop de complications. Trop d'argent…

— Je ne sais pas, monsieur Hewitt. J'aurais besoin de temps pour réfléchir. (Il se leva et lui tendit la main.)

— Bien sûr, mon garçon, bien sûr ! Penses-y calmement et, si tu veux, nous nous revoyons demain.

— Oui ! D'accord. Revoyons-nous demain.

— Très bien. (Il lui serra la main et lui rendit son salut.) Oh ! Maintenant que j'y pense ! Où es-tu logé ?

— Dans une pension. Bon. En réalité, c'est un immeuble de locataires qui…

— Tu aimerais rester ici ?

— Comment ?

— Je te demande si tu aimerais loger ici, au Metropol. La chambre de McMillan était payée d'avance et elle reste vide. Tu pourrais l'occuper, sans aucun frais.

— Mais je…

— Allons mon garçon ! Ne sois pas timide ! Dormir sur un matelas moelleux ne t'engage à rien. Prends-le comme un cadeau pour m'avoir écouté, et demain matin nous parlerons au petit déjeuner.

En montant vers la chambre située au quatrième étage de l'hôtel Metropol de Moscou, Jack s'étonna de la largeur des salles et des couloirs, dont les murs tapissés d'étoffe dorée contrastaient avec la moquette à losanges bleus du sol. Les fausses colonnes corinthiennes et les sculptures de lion en bois d'ébène conféraient aux pièces un tel aspect de richesse qu'il se sentait comme un voleur à qui l'on aurait donné l'autorisation de prendre ce qu'il voulait.

Il vérifia le numéro de sa chambre. 428. Il cherchait la clé dans ses poches lorsqu'il vit apparaître Elisabeth au bout du couloir. La jeune femme avançait seule, les yeux baissés, plongée dans ses pensées. Il laissa la clé dans sa poche et l'observa avec attention. Elle marchait distraitement, ses chaussures à talons dans une main et son sac en peau de crocodile se balançant dans l'autre en un léger va-et-vient. Jack pensa que jamais auparavant il n'avait contemplé vingt-deux années aussi jolies.

— Bonjour, lui dit-il, comme elle arrivait à sa hauteur.

— Oh, bonjour Jack ! Pardon. Je ne t'avais pas reconnu.

— Oui. J'admets que lorsque j'enlève ma veste j'ai l'air d'un serveur.

Elle lui rendit un sourire embarrassé, fatigué et somnolent.

— Que fais-tu ici ? Cette partie de l'hôtel est réservée aux clients.

— Oui, je sais.

— Et tu n'as pas peur qu'on te mette dehors ?

— Non.

— Non ? Quel courage ! Bon. Je suis flapie. Étrenner des chaussures un soir de bal est la plus grande stupidité que puisse commettre une femme. Et pourtant je la répète année après année.

— Eh bien, à la façon dont tout le monde te regardait, je dirais que ça en valait la peine.

Le sourire d'Elisabeth, bien que las, fut plus sincère. Elle se laissa tomber sur une chaise et se massa doucement les pieds. Jack la regarda.

— Tu ne m'as pas encore dit ce que tu faisais ici.

— Je t'attendais, mentit-il.

— Moi ? Pourquoi ?

— Tu me dois une danse. Tu l'as promis, tu te souviens ?

— Vraiment ? Je ne sais pas. Mais là je suis déchaussée et je n'aimerais pas que tu m'écrases avec tes grands pieds. Il faudra remettre cela à mon prochain anniversaire.

— Je ferai très attention, dit-il d'un ton persuasif.

Elle resta à le regarder, ferma les yeux et sourit.

— Une autre fois peut-être. La journée a été longue et…

Jack ne la laissa pas terminer. Il la prit dans ses bras et chercha sa bouche. Il la sentit s'abandonner un instant. Mais ce ne fut qu'un instant. Le temps qu'Elisabeth s'écarte brusquement et le frappe au visage avec son gant.

— Comment oses-tu ?

L'indignation se peignit sur son visage angélique.

— Je… Je ne sais comment j'ai pu…

Jack ne savait comment s'excuser.

— Es-tu fou ? Te crois-tu en droit de penser que tu me plais parce que je t'ai souri deux fois ?

— Je t'en prie, n'élève pas la voix ! Je t'ai dit que je suis désolé. De plus, pendant que je t'embrassais, je n'ai pas eu l'impression que cela t'était désagréable.

— Qu'est-ce que tu dis ? Tu es vraiment pathétique ! Comment as-tu pu penser que quelqu'un comme moi pouvait prêter attention à un crève-la-faim comme toi ? Tu as vraiment cru que tu pourrais me plaire et que je finirais par batifoler avec toi dans la pension misérable où tu vis sûrement ?

Jack demeura silencieux, tête basse, mordant rageusement les lèvres qui un instant plus tôt avaient goûté celles d'Elisabeth…

— Tu as raison. J'ai été stupide, dit-il en reculant de quelques pas. Et tu as vu juste en pensant que tu me plais et que j'ai cru que tu pourrais t'intéresser à un crève-la-faim comme moi. (Il resta muet quelques secondes.) Mais tu t'es au moins trompée sur une chose. (Il sortit lentement la clé de sa poche et ouvrit la porte de la chambre magnifique de l'hôtel Metropol.) Je ne t'aurais emmenée dans aucune pension misérable. Sois-en certaine.

13

Il se promena dans l'exquise chambre du Metropol, s'étonnant de chaque détail. La délicatesse du service à café de porcelaine admirablement décoré, les murs tapissés de satin, les deux ravissants fauteuils style Empire, le chauffage agréable... Il admira le plafond voûté orné de motifs floraux et d'un exubérant paysage de chasse, et se sentit écrasé par ce luxe. Un luxe aussi lointain et inaccessible que la nièce de Wilbur Hewitt. Il s'appuya contre le radiateur et laissa la chaleur envahir son corps. Ça sentait le coton propre et amidonné, un parfum aussi profond et enivrant que celui qu'exhalait le département de la chemiserie des magasins Hamilton à Détroit. Tant de temps avait passé, et il s'en souvenait encore ! Il se laissa tomber sur un lit qui l'accueillit avec la même douceur que les bras de sa mère. Quelle confusion était sa vie ! La chance lui souriait ou l'abandonnait sans remords, comme si, en dépit de ses efforts, quelqu'un maniait à son gré les fils de son destin.

Le contact de la courtepointe en velours lui donna la chair de poule. Il l'imagina semblable à la peau d'Elisabeth : douce, chaude, délicate...

Il l'avait embrassée. Si invraisemblable que cela paraisse, c'était vrai, et le souvenir de sa bouche estompait toute émotion qui ne fût celle de ses lèvres. Peut-être cela venait-il de ce que ce baiser ne ressemblait à aucun de ceux auxquels il avait goûté jusque-là. La chaleur que dégageaient ses lèvres le brûlait encore ; il sentait encore leur goût doux et humide, et la façon dont il l'avait savouré en cet instant si fugace… Mais il avait beau faire des efforts, il ne parvenait pas à s'en souvenir avec netteté et son esprit tentait en vain de voler à nouveau vers sa bouche entrouverte pour se perdre dans sa douceur, dans sa chaleur frémissante, surprise et offerte à la fois. Et cette brève seconde, frugale, infime et rare au cours de laquelle il l'avait embrassée se dilatait, s'éternisait jusqu'à l'instant où leurs lèvres se séparaient pour s'arrêter à un soupir de distance, comme si elles aspiraient à rester jointes, et ainsi, s'effleurant presque, voler un dernier souffle et le garder pour toujours.

Jamais auparavant il n'avait embrassé de cette façon, et il doutait qu'on l'eût un jour embrassée ainsi. Pour cette raison, il ne comprenait pas la rage avec laquelle Elisabeth l'avait giflé.

Il ferma les yeux. À un moment il rêva d'elle. Il rêva qu'ils dansaient ensemble, qu'ils assistaient ensemble à des fêtes et à des spectacles, qu'ils dînaient dans des restaurants luxueux et que Wilbur Hewitt approuvait. Parfois, dans son délire, Elisabeth lui apparaissait entre des draps de lin, se tortillant malicieusement, consciente de sa beauté et de sa nudité, lui mesurant chaque portion de peau pour nourrir son désir débridé.

Un désir qui augmentait à chaque insinuation, à chaque mouvement.

Et brusquement le visage d'Elisabeth se transforma en celui de Sue ; il recula, effrayé, et vit Kowalski qui le guettait, caché, menaçant à nouveau de l'expulser, s'approchant de lui avec ses sbires ; il s'accrocha au bras qui brandissait un revolver, et le retint de toutes ses forces jusqu'à ce que les détonations résonnent dans ses oreilles, à plusieurs reprises. Toc, toc, toc.

Toc, toc, toc.

Jack se réveilla d'un coup, vêtu des mêmes habits qu'il portait lorsqu'il s'était écroulé sur le lit quelques heures plus tôt. On frappait à la porte. Il coiffa ses cheveux comme il put et courut ouvrir. En voyant qui c'était, il fut terriblement surpris et rougit.

— Sue ! Mais qu'est-ce que tu fais ici ?

— C'est ce que je me demande moi aussi ! (Et elle entra dans la chambre comme une furie.) On peut savoir où tu étais fourré ? Tu devais nous accompagner ce matin au Commissariat du Peuple.

— Quoi ? Au Commissariat ? Je l'avais complètement oublié ! Mais quelle heure est-il ?

Jack parut se souvenir. Tout tournait autour de lui.

— Dix heures. (Et elle ouvrit les rideaux d'un geste brusque pour laisser le soleil entrer et blesser les yeux rouges de Jack.) Quelle chambre ! ajouta-t-elle, et elle s'y promena comme si elle dansait. Mais elle est plus grande que mon appartement ! Qu'est-ce que tu as fait ? Tu as roulé quelqu'un ?

— C'est long à raconter. (Il alla à la salle de bains se laver le visage.) Merde, mon rendez-vous !

— Quel rendez-vous ? s'étonna-t-elle, mais Jack ne répondit pas.

Il se regardait de haut en bas : le pantalon était trop froissé, et la chemise aussi. Il se dirigea vers l'armoire et l'ouvrit en grand pour constater qu'elle était vide.

— Et cette malle ?

Sue la lui montra du doigt.

Jack regarda le grand coffre qui se trouvait au pied du lit, qu'il avait pris jusqu'alors pour un élément du mobilier. Rapidement, il vérifia les initiales inscrites dessus. « G. McM. » Elles correspondaient à celles de George McMillan. Il supposa que c'étaient ses bagages et qu'il n'en avait sûrement pas besoin à l'hôpital où il se remettait de son appendicite. Il lui fallait des vêtements propres, aussi examina-t-il la serrure.

— Tu as une épingle à cheveux ? lui demanda-t-il.

Sue en enleva une, qu'elle lui tendit.

— Qu'est-ce que tu vas faire ? Super ! Tu vas l'ouvrir ?

Elle rit nerveusement, comme s'ils étaient deux enfants prêts à faire une bêtise.

— Silence ! lui ordonna-t-il.

Jack saisit l'épingle et farfouilla à plusieurs reprises dans la serrure, jusqu'à ce qu'un clic résonne dans la pièce. Il regarda Sue, déconcerté, comme s'il attendait son approbation pour l'ouvrir, et elle acquiesça.

Ce fut comme s'ils avaient trouvé une boîte-surprise. La malle renfermait tout ce dont un voyageur pouvait avoir besoin, et bien plus que Jack n'aurait pu imaginer : une chemise contenant divers documents, une tabatière, un briquet en argent, un peigne, un nécessaire pour se raser, trois boîtes de pilules contre la douleur, deux paires de chaussures, deux pantalons, un costume, trois chemises, un manteau magnifique et plusieurs rechanges de linge de corps que Sue tendit l'un après l'autre à Jack qui les étala sur le lit comme s'il s'agissait de trophées.

— Ils sont à ta taille ? lui demanda-t-elle.

— Je ne sais pas. Je dirais que oui. Tu as vu ça ? Ce type voyageait même avec du parfum. (Et il lui montra le flacon de lotion Floïd qu'il venait de découvrir.) Je vais prendre une douche. (Il prit le nécessaire de rasage, un pantalon, une chemise, du linge de corps et se dirigea vers la salle de bains. Par la porte entrouverte, Sue regarda Jack ôter sa chemise et rester torse nu.) Au fait, comment m'as-tu trouvé ? lui demanda-t-il en se savonnant le visage.

— Joe Brown m'a dit que le bouquet de fleurs que tu avais acheté était pour une fête au Metropol, j'ai donc supposé que tu étais ici. Pour qui étaient-elles ?

— Quoi ?

Il avait juste eu le temps de penser que Joe Brown était un bavard.

— Les fleurs. Pour qui elles étaient ? dit-elle en s'asseyant sur le lit et caressant les draps.

— Ah ! Pour Hewitt, mentit-il sans savoir pourquoi. J'ai appris qu'il était en convalescence au Metropol et je les lui ai apportées comme attention.

— Des fleurs, pour un homme ?

Sue fit la grimace.

— Oui. Ici, en Russie, c'est considéré comme un geste de courtoisie également entre hommes. Je l'ai expliqué à Joe. Et comment as-tu trouvé la chambre ? dit-il pour détourner la conversation.

— Ah ! Eh bien justement, dans le jardin j'ai vu ce type important que tu as sauvé sur le bateau. Comment as-tu dit qu'il s'appelait ? Hewitt ? Oui, c'est ça, Hewitt. Et comme c'était la seule personne que je connaissais, je lui ai demandé s'il savait où tu étais. Tu aurais dû voir ma tête quand il m'a dit que tu logeais dans cette chambre. Bref, je l'ai remercié et je suis montée. Dis donc ! Ce que tu ne m'as pas encore raconté, c'est comment tu as fait pour dormir dans une chambre qui n'est pas la tienne, dit-elle en regardant la malle de McMillan.

Jack ne lui répondit pas. Sue pensa que c'était à cause du bruit de la douche, qui coulait depuis un moment. Elle se leva et se dirigea vers la porte que Jack avait pris soin de pousser.

— Jack, tu m'entends ?

Sue entrebâilla la porte en sachant ce qu'elle faisait. Jack, les yeux fermés sous la douche, ne s'aperçut de rien. Cependant, au lieu de refermer la porte, Sue resta quelques secondes à regarder le corps nu de Jack tandis que celui-ci laissait l'eau caresser sa peau. Sue s'étonna de voir ce corps élancé, musclé, si différent de celui, flasque, d'Andrew. Elle ne cessa de l'admirer que lorsque Jack fit mine de se retourner. À ce moment, elle sursauta et se retira.

Lorsque Jack sortit de la salle de bains, vêtu, peigné et parfaitement rasé, Sue était de nouveau assise au pied du lit. Jack fut surpris de la voir tête baissée, comme effrayée.

— Qu'est-ce qui t'arrive ? Ça me va si mal ?

Et il serra la ceinture de son pantalon.

Sue le rassura : il ressemblait à une gravure de mode tirée d'une publicité de *Charles Atlas*. Elle se leva et l'aida à enfiler sa veste. Elle lui était un peu large, mais à l'exception de la corpulence, il semblait que le type à qui elle appartenait avait la même taille. Le compliment fit plaisir à Jack et il compléta sa transformation en appliquant quelques gouttes de lotion après rasage sur son visage.

— Allons ! Arrête de te bichonner ! Andrew doit être comme un fou à t'attendre au Commissariat avec son ami Dimitri, celui qui devait nous aider.

— Quoi ? Ah oui ! Zut, j'avais encore oublié… Je suis désolé, Sue, mais je ne vais pas pouvoir t'accompagner, s'excusa-t-il.

— Mais, qu'est-ce que tu racontes ? Si je suis venue jusqu'ici, c'est uniquement pour te ramener.

— Je sais, mais c'est impossible. Je t'en prie, va le retrouver et dis-lui que nous nous verrons à la pension.

— Non !

— Comment ça ?

— Eh bien je ne quitterai pas cette chambre sans toi ! On ne t'a pas attendu sans savoir si tu étais vivant ou mort, et je n'ai pas traversé Moscou dans un tramway pouilleux pour t'entendre dire que tu es désolé et que tu ne viens pas au Commissariat. Nous avons besoin de toi, Jack ! Nous, les Daniels et Joe. Ils t'attendent eux aussi.

Jack se mordit les lèvres. Il était ennuyé de les décevoir, mais une chance comme celle que lui offrait Hewitt ne se présenterait pas deux fois.

— Je te répète que je ne peux pas. En plus, vous n'avez pas besoin de moi. Au Commissariat, il y avait un traducteur d'anglais et vous avez les contrats d'Amtorg. Andrew pourra tout régler tout seul. Pour l'amour de Dieu ! N'allez pas vous imaginer que je vais résoudre tous vos problèmes.

— Je n'arrive pas à croire que tu nous fasses ça, Jack !

Le visage de la jeune femme était un mélange d'étonnement et de déception. Elle recula jusqu'à la porte en vacillant. La honte rendit Jack muet, mais il resta sur sa position.

— Pense ce que tu veux, Sue. Je ne peux pas t'en dire plus, mais à ma place tu n'agirais pas autrement.

Hewitt ne parut pas attacher d'importance au fait que Jack se présente vêtu d'un costume qui appartenait à McMillan, son employé. En fait, lorsque Jack lui confia qu'il avait trouvé la malle de l'ingénieur malade, non seulement Hewitt l'approuva, mais il l'encouragea à utiliser ses affaires.

— En fin de compte, McMillan les avait acquises avec l'argent de la Ford Motor & Co, non ? Si tu ne les avais pas prises, tu aurais dû t'acheter quelque chose. J'enverrai plus tard quelqu'un prendre ses effets personnels. Bon, tu as déjeuné ? (Il ne lui donna pas le temps de répondre. Il posa le *New York Times* sur la table et appela le serveur.) Que veux-tu prendre ?

— La même chose que vous.

Quoique de confession juive, Jack ne respectait pas les préceptes alimentaires de sa religion. En fait, à Détroit il avait mangé des tonnes de côtelettes de porc.

— Excellent choix ! S'il vous plaît ! Café pour deux et des œufs frits avec du bacon, des saucisses et des frites. Les miens, brouillés et pas trop cuits ! ajouta-t-il. Tu sais, Jack ? Les journaux américains arrivent toujours à Moscou avec deux semaines de retard, mais je ne peux pas m'en passer. C'est pourquoi je les garde comme un trésor.

Il montra le journal vieux de deux semaines.

Jack ne prêta pas attention au journal. Il avait encore mal à la tête, mais n'avait pas perdu l'appétit. Hewitt parut le remarquer.

— Et alors. Tu as un peu réfléchi à notre conversation d'hier ?

Il ôta son monocle.

— Un peu, monsieur. Pour être sincère, je n'ai pas fermé l'œil.

— Bien. (Il s'interrompit un moment pour permettre au serveur de poser le petit déjeuner sur la table.) Et c'est bon ou mauvais signe ?

Jack prit une grande respiration. En fait, il n'avait pas encore pris de décision.

— Monsieur Hewitt, je dois reconnaître que votre proposition est alléchante, mais avant de me décider, il y a plusieurs choses dont j'aimerais discuter avec vous.

— Mais bien sûr ! C'est pour ça que nous sommes ici, non ?

Et il engloutit une saucisse pratiquement en une seule bouchée.

Aussitôt, Jack interrogea Hewitt sur les responsabilités qui seraient les siennes en tant que superviseur, en quoi consisterait son travail et de quelle façon il lui transmettrait ce qu'il découvrirait. L'ingénieur lui expliqua qu'il occuperait le poste prévu pour McMillan et, en conséquence, travaillerait directement sous ses ordres.

— Mais, en théorie, également sous ceux de Sergueï, ajouta-t-il. Comme je te l'ai dit, il a été nommé chef de la sécurité d'Autozavod.

Jack avala de travers ce qu'il avait dans la bouche. Ses heurts avec le Soviétique à bord du *S.S. Cliffwood* ne laissaient pas présager qu'ils feraient bon ménage. Mais Hewitt le rassura.

— Ne t'inquiète pas. C'est une question de bureaucratie. Finalement, même si nous autres Américains occupons des postes importants, l'usine appartient aux Soviétiques.

Il lui expliqua que, trois ans auparavant, lorsque Staline avait décidé de construire une usine à Gorki à l'image et ressemblance de celle qui existait à Dearborn, tout leur avait été facilité.

— Joseph Staline a toujours été un fanatique de voitures, disposé à motoriser le pays quoi qu'il en coûte. Imagine la joie du vieux Henry Ford quand les Soviétiques le lui ont proposé : non seulement Staline lui payait quarante millions de dollars pour implanter la fabrication d'un modèle obsolète, mais en plus il acceptait d'acheter les vieilles machines de ses usines en Allemagne, que Ford avait déjà mises au rancart. (Il essuya maladroitement sa moustache.) Mais ça oui : les Soviétiques se sont assurés que Ford, en plus de construire l'usine et de fournir un stock adéquat de pièces, leur procurerait suffisamment de techniciens américains pour la faire fonctionner. Au début, toute la responsabilité retombait sur nous, mais au fur et à mesure que les travaux avançaient, les Soviétiques se sont peu à peu approprié les postes des Américains.

— Approprié ?

— Bon. C'est une façon de parler. Mais ce qui est sûr, c'est que n'importe quel Soviétique incompétent pouvait être nommé chef, du seul fait qu'il appartenait au Parti, et le lendemain ce nouveau chef pouvait attribuer un poste de responsabilité à son beau-frère.

— Ce n'est pas tellement surprenant. D'après ce que vous venez de dire, l'usine leur appartient, non ?

— Oui, bien sûr, mais avant ça marchait bien. Si par hasard un écrou tombait dans une fente, un ouvrier américain se cassait le cul pour le retrouver et le remettre à sa place sans faire d'histoires ! Maintenant, si tu veux qu'un Soviétique se baisse pour ramasser un écrou, qu'il a peut-être jeté exprès, il faut mobiliser la moitié de l'usine pour lui en donner l'autorisation. Il y a des chefs pour tout : des chefs de section, des chefs de chaîne, des chefs de ligne, des chefs syndicaux, des chefs de l'appareil, des chefs du comité, des chefs d'équipe, des préposés, des délégués, des responsables !... Finalement, les seuls qui travaillent sont les pauvres types : des paysans sans formation, sans initiative et sans illusions, venus du Caucase, de l'Oural ou de Mongolie. Bref. Si ça continue comme ça, il y aura bientôt plus de chefs que d'ouvriers.

— Mais je ne comprends pas. Si l'usine est soviétique, s'il y a de plus en plus de chefs soviétiques et que les choses se font comme le veulent les Soviétiques, pourquoi êtes-vous si inquiet ?

— Je viens de te le dire. Ils ont passé un contrat pour une usine qui marche, et tant que les chiffres de production accordés ne seront pas atteints, le contrat ne sera pas validé.

— Vous voulez dire que les supposés sabotages pourraient obéir à des motifs politiques ?

— Je n'en suis pas sûr. Ce pourrait être une cause. Eux les imputent à des éléments contre-révolutionnaires ou à des vengeances isolées de travailleurs mécontents. Mais ils pourraient également répondre à de simples faits accidentels, attribuables à un manque de spécialisation des ouvriers ou à un entretien inadéquat... N'importe quoi. Toujours est-il que mon devoir, en tant que cadre de Ford, est de le vérifier. Passe-moi le café.

Jack demeura pensif, regardant Hewitt dans les yeux.

— Et quel rôle joue Sergueï dans tout cela ?

Il remplit sa tasse.

— Sergueï ? Sergueï est le Russe typique, persévérant et discret. On me l'a assigné cette année comme officier de liaison et depuis il me suit partout comme un dogue. (Il fit un mouvement du menton, indiquant l'entrée de la salle. Jack regarda dans cette direction et reconnut la barbe blanche de Sergueï qui, un peu à l'écart, lisait *La Pravda*.) On l'a monté en grade, mais en principe cela ne devrait pas t'inquiéter. Prends en compte que ton travail consistera à superviser l'entretien de la chaîne de montage, rien qui puisse éveiller sa méfiance ; et une chose pour laquelle, d'après mes renseignements, tu es suffisamment préparé.

— Vous vous êtes renseigné ?

Il cessa de mastiquer.

Hewitt ouvrit le *New York Times* de sa main valide, des pages centrales il tira un dossier qu'il étala sur l'assiette de bacon de Jack.

— Vois par toi-même !

Surpris, Jack ouvrit le dossier et examina le rapport qu'il trouva à l'intérieur. C'était une télécopie datée de trois jours à Helsinki, venant de Dearborn.

— Mais c'est…

— En effet. Ton dossier professionnel. Je l'ai demandé dès mon entrée à l'hôpital. Tout y figure, depuis le jour où tu es entré chez Ford jusqu'au moment où ils t'ont licencié : cours, promotion, autorisations, ce que tu mangeais, avec qui tu entretenais des relations et combien de temps tu passais aux toilettes. Apparemment, et bien que tu m'aies assuré que tu avais seulement travaillé chez Buick, tu es un type futé.

Et il lui fit un clin d'œil.

Le cœur de Jack s'emballa. Il imagina que si Hewitt avait enquêté de façon aussi poussée, il savait peut-être quelque chose sur la mort de Kowalski. Mais il était peu probable, s'il avait été au courant, qu'il veuille encore traiter avec lui.

— Je vois que vous ne laissez rien au hasard.

— Bien sûr que non, mon garçon. Tu m'as impressionné sur le *S.S. Cliffwood*, mais je devais m'assurer que tu pouvais réparer la machine endommagée. Et ces rapports sont tombés à pic pour me faire savoir que je vais verser deux cents dollars par semaine à la personne adéquate.

— Trois cents.

— Comment dis-tu ?

230

— Je dis trois cents. Trois cents dollars par semaine si vous voulez que je m'occupe de ça. D'après ce que vous m'avez dit, il y a beaucoup d'argent en jeu, et personne d'autre ne peut s'en charger. Je voyage avec ma femme et même si vous ne voulez pas l'admettre, tout indique que ce sera risqué.

Jack se tut. Il n'avait pas demandé une augmentation de son salaire par ambition. Il voulait seulement être sûr que Hewitt ne savait pas qu'il fuyait pour assassinat. S'il le savait, Hewitt aurait tous les atouts en main et il pourrait l'obliger à travailler pour lui, y compris gratuitement, mais s'il acceptait ses prétentions économiques, cela signifiait qu'il ne pouvait le convaincre qu'avec de l'argent. Hewitt resta muet, regardant fixement Jack.

— D'accord, jeune homme. Trois cents !

Jack ne tarda pas à démontrer à Hewitt qu'il prenait son travail très au sérieux. Il n'avait pas encore fini son café qu'il demandait déjà les plans de l'usine, un rapport détaillé sur les machines, sur les qualifications des ouvriers soviétiques et américains, les équipes de travail et, bien entendu, un rapport exhaustif sur le nombre et le type d'accidents survenus, ainsi que les ouvriers impliqués.

— Mince ! Je vais essayer de réunir ce que tu me demandes.

— Parfait. En ce qui concerne l'alibi…

Jack lui fit savoir que si sa nomination inattendue ne revêtait pas un caractère crédible il éveillerait les soupçons des Soviétiques eux-mêmes.

— Ce ne sera pas nécessaire, le rassura Hewitt. Je dirai la vérité à Serguëi : que j'avais besoin de quelqu'un pour remplacer McMillan, que j'ai demandé un rapport à Détroit et que tu étais le plus qualifié pour le poste. La seule chose que je lui cacherai sera le véritable but de ton travail. Il supposera que tu le tiendras au courant de tout ce que tu constateras, mais en réalité tu ne lui transmettras que ce qui nous intéresse.

— Alors, Serguëi connaissait le problème de McMillan ?

— Il y a peu de choses que les Soviétiques ignorent. Ils demandent toujours par avance un rapport sur les spécialistes américains que la Ford destine à leur usine. C'est pour cette raison même qu'il est normal que j'embauche un remplaçant pour le poste vacant de McMillan.

— Bien. Dans ce cas il ne reste que la question de mes amis.

— Je ne comprends pas. Quel est le rapport ?

Jack lui exposa les problèmes qu'ils avaient rencontrés, lui et ses compagnons, pour faire valoir les contrats que leur avait procurés Amtorg aux États-Unis.

— Je suis désolé de l'apprendre, mais c'est là une affaire qui n'a rien à voir avec celle qui nous occupe. Je ne vois pas comment je pourrais les aider.

— C'est facile. Il n'y a que cinq personnes : mon épouse, mon ami Andrew, Harry Daniels, son fils aîné et Joe Brown. Ils sont tous qualifiés et contribueraient à mon intégration en tant que superviseur. Leur présence me permettrait de poser des questions sans éveiller les soupçons.

— Cinq, dis-tu ? À la vérité, je ne crois pas que ce sera nécessaire.

— Écoutez, monsieur. Il ne s'agit pas d'embaucher des inutiles. Comme je vous l'ai dit, tous sont venus avec la promesse verbale d'un contrat, mais apparemment les Soviétiques viennent de clore la liste et ils ne la rouvriront que dans trois mois. La seule chose que je vous demande, c'est d'avancer leur entrée. Un homme aussi influent que vous n'aura pas de mal à l'obtenir.

— Jack… Non seulement ce serait compliqué, mais en plus ça coûterait cher. Je regrette, mais pour pouvoir les embaucher il faudrait que tu me fournisses un argument qui ait plus de poids.

— Cette machine que j'ai soulevée pour sauver votre bras ne vous paraît pas avoir assez de poids ?

Wilbur Hewitt prit une respiration et serra les dents, avant de mordre une dernière fois dans sa saucisse.

— D'accord, mon garçon. Mais ne dis pas que c'est moi qui les ai fait embaucher.

14

Jack ne s'attendait certes pas à ce que ses compagnons l'accueillent avec des vivats et des confettis, mais il n'imaginait pas non plus que même Joe Brown refuserait de le saluer lorsqu'il rentra à la pension. Ils se trouvaient tous dans la pièce et faisaient des têtes d'enterrement : les Daniels et leurs deux fils, Joe Brown, Sue et Andrew. Il demanda ce qui leur arrivait, mais personne ne lui répondit. Jack s'approcha en silence du petit Danny pour lui donner un biscuit qu'il avait pris au buffet du Metropol, mais alors que l'enfant allait le saisir, sa mère l'en écarta. Harry Daniels baissa la tête. Sue l'ignora simplement. Lorsque Jack insista pour savoir ce qu'il se passait, Andrew explosa.

— Et tu as encore le toupet de te présenter comme si de rien n'était et de nous demander ce qui nous arrive ? À nous ? Demande-toi ce qui t'arrive à toi ! Ou mieux : que Joe te le dise, lui qui t'a défendu jusqu'à la dernière minute en disant qu'il était impossible que tu nous aies abandonnés... Ou demande à Harry, merde, qui n'a pas mangé pour t'attendre jusqu'au dernier moment ; ou à Sue, qui a absolument voulu aller te chercher à l'hôtel Metropol parce qu'elle craignait qu'il te soit arrivé quelque chose. Ou demande-moi à moi, ton ami le plus proche, Andrew. Demande-moi pourquoi, pendant que tu prenais du bon temps dans un hôtel de luxe, je suppliais et intercédais pour vous tous dans le Commissariat pour obtenir un travail. Pour tous, toi compris !

— Eh bien ! Quelle ambiance !... Je constate que je ne peux pas vous laisser seuls quelques minutes.

Il voulut passer son bras autour de l'épaule d'Andrew, mais celui-ci le repoussa.

— Tu ne manques pas de culot, Jack ! Pourquoi ne gardes-tu pas tes foutues blagues pour ton ami Hewitt ? Elles ne lui écorcheront sûrement pas les oreilles.

Jack comprit que l'heure n'était pas aux sarcasmes.

— Bien... Je sais que j'aurais dû vous avertir mais...

— Non, ce n'est pas bien, Jack ! C'est foutrement mauvais ! Le travail est foutrement mauvais ! Les passeports sont foutrement mauvais ! La nourriture est foutrement mauvaise, et cette putain de pension est foutrement mauvaise ! Et pendant que nous nous efforçons de faire en sorte que ça change, ne serait-ce que pour nous assurer d'être encore demain entre ces quatre murs plutôt que dans un parc, gelés sur un sommier de neige, toi tu vas à des fêtes, tu dors dans des suites et tu renies les amis qui t'ont un jour aidé.

— Attends, Andrew. Tu ne sais pas ce qui s'est passé. Je...

— Je ne sais pas ? Bien sûr que je ne le sais pas ! Et tu sais pourquoi ? Parce que tu n'as pas daigné répondre à Sue lorsqu'elle te l'a demandé à l'hôtel.

— Au nom de ce que tu as de plus cher, laisse-moi t'expliquer !

— Tu ne vas pas me convaincre avec ton bla-bla. Joe Brown et les Daniels sont déjà au courant pour les billets de train. Ils savent comment tu as profité de tous tes compatriotes. Ici, personne ne veut de tes explications. Tu te croyais très important, hein ? Tu étais Jack l'indispensable. Jack le monsieur-peut-tout-faire, mais à une condition : que tu payes assez... Eh bien apprends que j'ai obtenu des postes de travail pour eux gratis. Tu m'entends ? Gratis.

— Mince, Andrew !... Tu me laisses sur le cul.

Il ne put éviter l'ironie.

— Tu vois, Jack, je n'ai plus envie de te parler.

— Non, non... Parlons ! continua-t-il, sarcastique. Tu as obtenu du travail pour tous, hein ? Quelle bonne nouvelle ! Et je suppose que c'est bien payé, hein ?

— Bien payé ou non, là n'est pas la question.

— Combien Andrew ? Cent quatre-vingts dollars par mois ? Parce que c'est ce que tu as assuré que nous toucherions, non ?

— Non. (Il baissa la tête.) Ces salaires-là sont uniquement pour les ouvriers spécialisés qui arrivent avec un contrat...

— Nous, nous avions un contrat.

— Qui ne vaut plus rien. Ils nous les ont préparés du jour au lendemain et on n'avait pas de garantie. Ne me demande pas pourquoi, mais c'est du vent !

— Bon ! Et les salaires que tu as promis sont seulement pour les ouvriers spécialisés, hein ? Alors Joe Brown, qu'est-ce qu'il est ? Manœuvre ? Que je sache, jusqu'à la maudite crise il travaillait dans une usine métallurgique de Kosciusko où il est entré avant d'avoir des dents. Et Harry Daniels ? Harry n'est pas spécialisé lui non plus ? Parce que d'après ce que j'ai compris, dans le Massachusetts, il manœuvrait un tour comme s'il montait à bicyclette. Et son fils Jim ? Son fils, il n'a pas étudié à l'Institut technologique et n'a pas travaillé chez Stamps Jason & Brothers peut-être ? Je ne sais pas pour toi, Andrew, mais moi il me semble qu'ils sont sacrément spécialisés.

— Ici, les choses ne sont pas comme je le croyais. Maintenant, il y a de plus en plus de Soviétiques experts, et les immigrants qui arrivent sans un contrat enregistré doivent accepter…

— Accepter combien, Andrew ? Cent cinquante, cent vingt par mois ?

Andrew ne répondit pas. Jack chercha une réponse parmi les présents, mais tous restèrent silencieux.

— Cinquante ! sortit finalement Joe Brown, et il cracha à terre. Cinquante misérables dollars !

— Et qu'est-ce que vous vouliez pour un mi-temps ? Moins, c'est rien ! cria Andrew. Et toi, Jack, qu'est-ce que tu as trouvé ? Qu'est-ce que tu as trouvé pour nous, toi ?

Jack les regarda tous, l'un après l'autre, avant de répondre.

— Deux cents. Deux cents dollars par mois, pour chacun de vous.

Le voyage en train jusqu'à Gorki ne fut pas diffé-rent de leurs précédents trajets en chemin de fer : les mêmes wagons de troisième classe bondés, les mêmes retards, le même cahotement insupportable et le même horizon enneigé. La seule différence était qu'Andrew ne voyageait pas avec eux. Jack regarda le banc de bois fendu sur lequel ses fesses étaient posées depuis dix heures. L'épaule appuyée contre celle de Sue, il lui demanda pourquoi, dans un pays qui exaltait l'égalité entre ses citoyens, il y avait encore trois classes dans les trains.

— Auraient-ils trois sortes de culs ici ? ajouta-t-il.

— Je suppose que c'est parce que ces wagons datent de l'époque des tsars, répondit Sue, essayant de raisonner comme l'aurait fait Andrew.

Jack se gratta la tête.

— Je ne crois pas. Si c'était la raison, il serait facile d'y remédier. Ils pourraient établir un prix unique et attribuer les meilleurs sièges dans l'ordre des réservations.

— Ah, Jack ! sourit-elle. Je ne comprends rien à la politique. Andrew t'aurait sûrement donné une réponse. Je ne sais pas. Peut-être qu'ils gardent les classes supérieures pour les riches touristes étrangers, non ? En plus, quelle importance ? L'essentiel, c'est que nous arrivons aux portes de l'Oural !

Et elle se leva pour indiquer, à travers la fenêtre sale, les deux tours électriques grandioses qu'on apercevait au loin.

Jack nettoya un peu la buée sur la vitre et regarda à travers. En effet, les deux gigantesques tours jumelles correspondaient à la description que leur en avaient faite quelques voyageurs locaux. Un frisson lui parcourut l'échine. Dans une vingtaine de kilomètres à peine ils seraient à Gorki, et entameraient une nouvelle vie. Il ne craignait pas le destin, mais pour la première fois l'absence d'Andrew l'inquiétait. Il n'arrivait pas à comprendre pourquoi il ne les avait pas accompagnés.

La veille du départ, Andrew avait montré son dépit en affirmant qu'il n'accepterait jamais l'aumône d'un porc de capitaliste. Il n'avait servi à rien d'insister sur le fait que Wilbur Hewitt avait été engagé par Staline lui-même pour aider l'Union soviétique. Apparemment, Andrew n'avait pas digéré que l'intercession de Jack auprès de Hewitt ait été si fructueuse ; il avait décidé de rester quelques jours à Moscou et de faire intervenir son contact moscovite pour trouver lui-même du travail à Gorki. Il n'avait pas voulu que Sue l'accompagne pour lui éviter les incommodités. Il s'était donné une semaine : s'il n'obtenait pas de résultat, il se rendrait à Gorki la queue entre les jambes et accepterait l'offre de Hewitt.

À midi, le train s'arrêta dans la gare de Gorki.

Dès qu'ils eurent mis pied à terre, les soixante-huit immmigrants américains écoutèrent le fonctionnaire d'Intourist chargé de les conduire jusqu'aux pavillons où ils seraient logés. L'agent leur suggéra de déposer leurs bagages dans les charrettes qui attendaient près du fleuve pour faciliter leur transfert, mais personne ne bougea d'un pouce. Après avoir traversé la moitié du monde, ils n'allaient sûrement pas se séparer du peu qu'ils possédaient.

Jack se frictionna vigoureusement pour tenter de retenir la chaleur qui s'échappait de sa bouche à grandes volutes de vapeur. Il regarda autour de lui. À de rares passants près, l'immense avenue ensevelie sous la neige qui s'ouvrait devant eux était déserte.

Sur la façade de la gare, le thermomètre marquait trente-cinq degrés au-dessous de zéro, chiffre qui semblait correspondre aux coups de couteau qui poignardaient ses poumons à chaque inspiration. Il serra Sue dans ses bras, elle grelottait comme un chiot. Personne ne les avait avertis que le dernier paradis était aussi un enfer glacé.

Tel un troupeau de rennes, les immigrants américains suivirent le fonctionnaire d'Intourist jusqu'à l'arrêt du tramway de la ligne 8 où ils apprirent qu'ils mettraient quarante-cinq minutes pour parcourir les douze kilomètres qui séparaient le centre de la ville du faubourg où se dressait l'usine. Une fois qu'ils furent entassés comme du bétail, le chauffeur fit sonner la cloche et le tramway entraîna les deux wagons dans les rues désolées de Gorki. Tandis qu'ils se serraient les uns contre les autres, Jack imagina que les habitants transis de Gorki n'avaient sans doute aucune idée de ce que signifiait le mot *bonheur*.

Peu à peu, les derniers immeubles firent place à une étendue glacée, déserte et monotone, interrompue de temps en temps par les poteaux électriques fichés dans la neige, tels de sombres harpons sur la peau d'une immense baleine blanche. Au bout d'une demi-heure, le tramway s'approcha peu à peu d'un gigantesque ensemble de hangars protégés par des kilomètres de clôtures de fil de fer barbelé. Aussitôt, les murmures firent place à des commentaires admiratifs devant les dimensions incroyables d'une enceinte qui, à première vue, paraissait plus grande que la ville elle-même.

Jack fut impressionné. L'usine Ford où il travaillait à Dearborn englobait les bâtiments de l'assemblage, des générateurs, ceux de la fonderie, de la tôlerie, de la fabrication des moteurs, ainsi qu'un grand nombre d'entrepôts et d'entreprises auxiliaires qui s'étendaient sur quatre cents hectares ; l'Autozavod paraissait posséder des installations similaires et, en plus, une troupe de policiers armés montant la garde derrière chacune de leurs grilles.

Lorsque le tramway s'arrêta à la dernière station, « District Oriental », Jack fut parmi les premiers à accéder au bureau d'enregistrement que les Soviétiques avaient apparemment improvisé pour l'occasion dans une guérite en bois. Il fut reçu par un employé aux petits yeux bridés à l'abri sous un bonnet de peau presque aussi grand que le manteau qui le recouvrait. L'homme grelottait, retranché derrière un petit comptoir sur lequel reposait une casquette qui ressemblait beaucoup, selon Jack, à celle que portait le chevalier servant d'Elisabeth au bal de son anniversaire. Il se demanda à quelle section de l'armée il appartenait. Lorsque vint son tour et que l'employé lui demanda de s'identifier, Jack laissa tomber sur le comptoir la lettre de recommandation d'Amtorg et le contrat de travail que lui avait procuré Wilbur Hewitt. Le préposé éluda la lettre de recommandation et prêta attention au contrat, s'assurant qu'avec la signature de Hewitt figurait celle de Sergueï Loban ; il tamponna le document et cocha le nom de Jack sur un registre. Lorsque le Soviétique lui demanda son passeport, Jack l'informa qu'on le lui avait réquisitionné à la frontière de la Finlande.

— Le fonctionnaire qui me l'a retiré m'a assuré qu'on me le remettrait au Commissariat du Peuple pour l'Industrie de Moscou, mais lorsque je suis allé le récupérer, ils m'ont dit qu'ils l'enverraient directement à cette usine.

L'employé tourna ses petits yeux bridés vers Jack, comme si, au lieu d'une personne, il avait entendu le bourdonnement d'un hanneton. De nouveau il regarda le nom qui figurait sur le contrat et fouilla dans sa boîte. Jack s'aperçut alors qu'elle était pleine de passeports américains.

— Jack Beilis. Oui. Le voici. (L'ayant sorti, il compara la photographie au visage de Jack et le posa près de la casquette. Son anglais était semblable à celui de tous.) Un parent vous accompagne ?

Jack se souvint qu'à la douane il avait montré le certificat qui accréditait son mariage avec Sue. À ce moment, il se réjouit qu'Andrew ait décidé de rester à Moscou, car sinon il y aurait eu une dispute.

— Oui, je voyage avec mon épouse. (Il fit signe à Sue de s'avancer.) Elle aussi a un contrat de travail.

Il le lui montra.

La jeune femme sourit, elle s'agrippa au bras de Jack comme s'il lui appartenait et ébaucha une moue lorsqu'elle dut le lâcher pour remettre son passeport au gardien.

— D'accord. Remplissez ce questionnaire, signez-le et attendez dehors qu'on vous assigne votre logement, dit-il.

— Et nos passeports, quand nous les rendra-t-on ? demanda Jack.

— C'est quoi cette question ? Vous n'en aurez pas besoin pour travailler en Union soviétique.

Les Daniels et Joe Brown perdirent eux aussi leurs passeports. Cependant, comme à tous les autres émigrés, on leur remit un récépissé tapé à la machine grâce auquel, leur assura-t-on, ils pourraient les récupérer le moment venu.

Une fois les formalités achevées, les soixante-huit Américains furent conduits à pied sur les deux kilomètres enneigés qui séparaient l'arrêt du District Oriental de celui de Fordville, le complexe de baraques préfabriquées édifié pour loger les travailleurs étrangers d'Autozavod.

Tandis qu'il approchait, Jack observa les corps de bâtiment des appartements. Bien que de construction récente, leurs murs et leurs toitures en bois, de même que leurs proportions massives et le grillage qui bordait l'enceinte, leur donnaient l'aspect de gigantesques étables. Ils ne ressemblaient certainement pas aux maisons individuelles décrites par Andrew, mais s'abriter dans un tonneau aurait mieux valu que rester une seconde de plus en plein air, aussi oublia-t-il leur peu d'attrait et, comme le reste des travailleurs, s'empressa-t-il de chercher refuge à l'intérieur. Enfin, après des semaines de souffrances, les voyageurs laissèrent déborder leurs rires et leur joie tandis que le froid et les craintes disparaissaient comme par enchantement. Joe Brown demanda à Jack de le pincer, mais Sue le devança, lui donnant un coup qui n'effaça pas le sourire idiot installé sur son visage sombre. L'homme ne pouvait en croire ses yeux. En cinquante-trois ans d'existence, travaillant du lever au coucher du soleil, sans vacances ni dimanches, il n'avait jamais réussi à avoir un misérable matelas, et voilà qu'ils étaient là devant lui à l'attendre, comme un cadeau de Noël : des maisons neuves, gratuites, et un salaire de deux cents dollars pour visser des boulons.

Jack aurait été ravi de visiter le terrain de base-ball, le club social et les autres commodités que les Américains vétérans qui étaient venus les recevoir voulaient leur montrer, mais un jeune garde soviétique arrivé à sa rencontre l'en empêcha. Il dit venir de la part de Wilbur Hewitt, et ajouta que l'ingénieur l'attendait déjà dans son bureau.

Jack comprit qu'il ne s'agissait pas d'une invitation de courtoisie. Il confia ses bagages aux Daniels afin qu'ils les portent à son appartement et prit congé de tous.

— Mais, Jack ! Tu vas rater la fête de bienvenue qu'ils nous ont préparée ! se plaignit Sue.

— Garde-moi une part de gâteau ! cria-t-il alors qu'il sortait dans la bourrasque de neige et reculait vers le vieux camion dans lequel le chauffeur l'attendait, moteur allumé.

La camionnette rugit comme un lion décrépit tandis que ses lourdes roues tournaient sur leurs axes, s'efforçant de se libérer de l'écœurante bouillie de neige et de boue qu'était devenu le chemin. À mesure qu'ils prenaient de la vitesse, Jack observa la manière dont le petit jeune homme imberbe s'amusait à tirer toute la puissance que pouvait encore avoir le véhicule, dérapant sur les routes gelées de l'usine comme s'il s'agissait d'un immense jouet en fer. Entre deux nids-de-poule, Jack remarqua le ruban bleu qui garnissait sa casquette, différent de celui que portaient les gardes en faction aux portes et dans les guérites. Il faillit lui demander la raison de toute cette surveillance, mais quelque chose lui dit que sa curiosité pourrait lui être aussi profitable que se laver les mains dans une cuvette d'acide, aussi s'accrocha-t-il à son siège en attendant que le jeune garde termine sa course folle.

Enfin, le véhicule freina près d'un poste de garde dans un crissement qui fit penser à Jack que les freins venaient de rendre leur dernier soupir. Le conducteur arrêta le moteur, salua la sentinelle et, après lui avoir montré ses laissez-passer, demanda à Jack de l'accompagner. Ils traversèrent un bâtiment de bureaux rempli de travailleurs et s'arrêtèrent devant une porte sur laquelle se détachait l'écriteau :

SERGUEÏ LOBAN
Directeur des Opérations

Jack en resta muet. Il regarda le chauffeur comme s'il souhaitait une explication, mais le chauffeur se contenta de frapper à la porte et d'attendre qu'on lui réponde. Lorsque Jack entendit la voix de Serguéï, il ne put éviter un léger tressaillement.

Le directeur des Opérations reçut Jack vautré dans son fauteuil, surveillé par les mêmes portraits hiératiques de Lénine et de Staline qui semblaient présider tous les lieux officiels d'Union soviétique. Près du fauteuil en feutre effiloché se dressait un portemanteau sur lequel étaient accrochées une grosse pelisse et une casquette ourlée d'un ruban bleu. Serguéï Loban éteignit sa cigarette dans une tasse de thé à moitié bue, renvoya le chauffeur et invita Jack à prendre place dans l'un des fauteuils de cuir rouge. Jack obéit, anxieux de connaître la raison pour laquelle il se trouvait dans ce bureau et non dans celui de Hewitt.

— Vous devriez essayer de faire davantage confiance à vos hôtes, répondit Serguëï lorsque Jack l'interpella à ce sujet. Monsieur Hewitt avait une affaire urgente à résoudre, et comme vous allez occuper le poste qui avait précédemment été confié à M. McMillan j'ai jugé opportun de profiter de l'occasion pour vous saluer de manière officielle et vous souhaiter la bienvenue.

Jack ne sut s'il devait le croire. Néanmoins, il préféra rester sur ses gardes, étant donné l'impression que lui avait faite Serguëï sur le *S.S. Cliffwood*.

— Je vous prie d'accepter mes excuses (il tenta de rattraper sa maladresse). Soyez assuré de toute ma reconnaissance à l'égard du peuple soviétique ; mon intention n'est autre que de collaborer au mieux dans les tâches pour lesquelles j'ai été recruté. Ma confusion vient seulement de ce que M. Hewitt m'avait informé de l'énorme travail en attente, surtout sur la chaîne de montage et dans la salle des presses, et j'imaginais que cette visite servirait à me mettre au courant. C'est pourquoi j'ai été surpris de me retrouver dans votre bureau.

— Je vous comprends. C'est bien. Un instant je vous prie, je vérifie si M. Hewitt est libre.

Il décrocha le téléphone et composa un numéro.

En attendant, Jack regarda un cadre qui montrait Staline serrant la main de Serguëï, lors de ce qui semblait être l'inauguration de l'usine. Il entendit Serguëï demander si l'ingénieur américain en avait terminé avec les affaires qui l'occupaient. Lorsqu'il raccrocha, il fit à Jack une sorte de sourire que celui-ci ne lui avait jamais vu.

— On me fait savoir que Wilbur Hewitt est prêt à vous recevoir. Comme vous le constaterez, Jack, les bolcheviks ne sont pas ces ogres dont tout le monde parle. (Il se leva pour signifier que la conversation était terminée et il lui montra la sortie.) Cependant…

Il s'arrêta au milieu de la pièce.

— Oui, monsieur Loban ?

— Cependant, essayez de nous respecter. Nous ne sommes pas aux États-Unis ici.

Et subitement son sourire disparut.

— Ne te laisse pas impressionner par les fanfaronnades des Soviétiques, dit l'ingénieur en écartant la vaillante infirmière qui essayait d'appliquer de l'iode sur les cicatrices de son bras abîmé.

Jack observa que Wilbur Hewitt baissait sa manche avec difficulté et se dirigeait vers le fauteuil de son bureau avec des grimaces de cabotin. C'était peut-être un type prétentieux et excentrique, mais il avait l'impression, bien que n'ayant eu avec lui que deux ou trois conversations, que le directeur américain était le genre d'hommes à qui il suffisait d'enlever son monocle et d'éructer deux jurons pour mettre la moitié du monde au travail. Et cela le fascinait. Il imagina que, tout comme lui, personne en Union soviétique ne devait discuter son efficacité en tant que dirigeant. Pourtant, à cet instant précis, la personne qui retenait toute son attention n'était pas Wilbur Hewitt, mais la jeune infirmière qui rassemblait ses instruments avec le même soin que mettrait une mère à ordonner les médicaments d'un enfant malade. En fait, Jack n'avait pas cessé d'admirer chacun de ses mouvements, depuis qu'il l'avait trouvée en train de soigner l'ingénieur.

Natasha lui parut particulièrement attirante. En réalité, c'était la première femme russe qui, pour lui, méritait ce qualificatif. Encore que cette considération soit due au fait que les seules Soviétiques qu'il avait rencontrées jusque-là, il les avait croisées dans la rue, emmitouflées des pieds à la tête. Il profita donc du temps que Hewitt mit à s'installer dans son fauteuil pour la contempler à loisir. Sa beauté n'était pas celle d'une actrice de cinéma ; ses traits doux et nets évoquaient plutôt une jeune femme simple qui, consciente de son charme, n'y prête que l'attention nécessaire à présenter d'elle-même une image sérieuse et responsable. Jack l'imagina comme la traditionnelle étudiante de province passée inaperçue, jusqu'au jour où, parée pour le bal de fin d'année, elle éblouit tout le monde par sa présence.

Il lui donna environ vingt-cinq ans. Peut-être moins. Son visage fraîchement lavé, sans trace de maquillage, ses longues tresses rassemblées sur les tempes tels deux nids de serpents, ses yeux émeraude, uniquement centrés sur le travail médical pour lequel ils semblaient formés, ou la blouse blanche de coupe masculine qui avait apparemment connu de nombreux lavages lui conféraient un aspect sérieux et soigné. Il admirait ses manières délicates et son nom écrit sur l'étiquette de son plastron, lorsque Hewitt se racla la gorge.

— Excuse ce désordre, mon garçon. Des soins à toute heure ! Il est clair que ces Russes ne vont pas permettre que je meure avant d'avoir mis cette usine en état de marche.

Se sentant visée, la jeune infirmière rougit de nouveau. Elle termina de ranger ses instruments en toute hâte et prit congé de Hewitt, lui donnant rendez-vous le lendemain matin pour une nouvelle séance de soins.

— Oui, oui. Demain… (Il la salua d'un air las et attendit qu'elle soit partie.) Eh bien, Jack. Tu es installé ?

— À moitié, monsieur. Je me disposais à le faire lorsqu'un garde soviétique m'a amené jusqu'à vous. Au fait, avant de me conduire ici il m'a emmené au bureau de Sergueï.

— Quoi ? Ah oui ! Je t'avais averti qu'il était chargé de la sécurité d'Autozavod. Sergueï travaille, mange et dort dans l'usine. Il tient à ce que tout le monde sache qu'il fait son boulot.

— Et que signifient ces casquettes ornées de rubans bleus ? Il semble que leurs propriétaires regardent les autres comme si tous leur devaient obéissance.

— Tu as remarqué, hein ! Tu as bien fait, parce que c'est en gros comme tu l'as dit. Ces rubans sont le signe distinctif des membres de la Guépéou ou, pour que nous nous comprenions bien, de la police secrète. Certains continuent à l'appeler « la Tchéka ». En général, avec eux, il faut être sur ses gardes. Tu n'imagines pas les tracasseries qu'ils peuvent nous occasionner.

Jack se souvint du policier corrompu qu'il avait suborné à Leningrad pour récupérer le fils de Constantin.

— Secrète ? Pourquoi secrète ?

— Des idées des révolutions, je suppose… (Il s'enfonça dans le fauteuil, croisa les jambes sur la table et alluma une cigarette dont il tira une longue bouffée.) Quand les bolcheviks ont renversé le tsar, ils ont créé diverses organisations pour se garantir tout contrôle, intérieur comme international. Apparemment, des puissances étrangères ont tenté de les arrêter par toutes sortes de conspirations, y compris en soutenant les groupes contre-révolutionnaires russes, afin de saper la progression de la révolution depuis la clandestinité. La Tchéka a réuni des éléments de l'Armée rouge et des dirigeants du Parti dans une espèce d'organisation policière chargée de diriger l'intelligentsia du pays et d'éliminer les opposants. (Il ôta ses pieds de la table et se redressa, faisant mine d'approcher sa tête de l'oreille de Jack et de lui faire une confidence.) Pour liquider tous ceux qui les contrediraient !

— Ça m'a l'air dangereux…

— Ça dépend… Je n'ai jamais eu de problème avec eux, mais j'imagine que c'est parce que j'use de prudence. Ne t'inquiète pas pour Serguéï. Lui, la seule chose qui l'intéresse, c'est de donner à l'usine une patine de normalité, et pour cela il a besoin d'en finir avec les saboteurs. Tu connais le dicton : qui veut noyer son chien l'accuse de la rage. Enfin, venons-en à ce qui nous concerne : ce dinosaure d'usine. (Il ouvrit un tiroir et en sortit une chemise marron qu'il posa sur la table.) Voici les renseignements que je n'ai pas pu te donner à Moscou : les plans, le relevé des machines, les sous-traitants qui travaillent pour nous et un dossier contenant la liste des accidents et des employés impliqués. Comme je te l'ai dit la dernière fois, la majorité des problèmes se sont concentrés dans les ateliers d'estampage et de montage. Malheureusement, je ne dispose pas du recensement complet des ouvriers.

— Et vous pourriez l'obtenir ?

— À vrai dire, ça me paraît compliqué. Plus de trente mille employés travaillent chez Autozavod, répartis en trois équipes, et nous devons être discrets. Si je demande une liste exhaustive, cela éveillera les soupçons de tous ceux qui ont un rapport avec les sabotages.

— En réalité, je n'ai besoin que du recensement des ateliers dans lesquels se sont produits les incidents…

— Je vais voir ce que je peux faire, mais pour le moment tu devras te débrouiller avec ça.

Il poussa vers lui la chemise contenant les documents et se leva pour signifier la fin de l'entretien.

— Quand dois-je commencer ?

Jack se leva aussi rapidement qu'il le put.

— La première équipe commence demain à huit heures. On passera vous prendre à sept heures, toi et tes compagnons. À propos : je dois reconnaître que ton idée de placer tes amis dans les différents lieux où sont survenus les accidents est l'excuse parfaite pour recueillir des renseignements sans éveiller la méfiance.

— Espérons que cela nous aidera. Comme je vous l'ai dit, je pourrai leur parler chaque fois que j'en aurai besoin et ils me raconteront tout ce qu'ils verront.

— Eh bien alors tout est en place. Consacre ces premiers jours à te familiariser avec l'usine et à faire connaissance avec les employés pendant que tu diriges les réparations des machines endommagées pendant la traversée. À moins que tu ne découvres quelque chose d'important, nous nous retrouverons dans ce même bureau la semaine prochaine.

— D'accord, monsieur Hewitt... Autre chose. Si vous me permettez cette indiscrétion, je voudrais vous poser une question à propos de votre nièce. Je ne sais pas si dans un endroit aussi éloigné du monde, sans parler la langue, elle n'aimerait pas un peu de compagnie, et je me demandais si...

— Sapristi, mon garçon ! Mais tu n'étais pas marié ?

— Oui, monsieur. Enfin, non. Je veux dire...

— Explique-toi ! Le mariage n'est pas une chose dans laquelle on est ou on n'est pas.

— Eh bien... pour aider un couple d'amis à entrer en Union soviétique, j'ai dû simuler un mariage de convenance. Une fois ici, nous n'avons pas démenti la farce, mais je vous assure que mon intention est de résoudre cette affaire au plus vite et...

— Ah ! Pour ma nièce, ne te donne pas tant de peine, mon garçon. Elisabeth n'a d'yeux que pour les hommes aussi riches que Smirnov, le genre d'homme avec lequel elle se sent bien. En fait, je ne crois pas que ma nièce verrait un inconvénient à partager sa vie avec toi si tu étais un sultan, harem compris.

— Pardon. Je voulais seulement être aimable, dit-il d'une voix enrouée. Une dernière question. (Jack s'arrêta à la porte.) Au bureau de la réception, ils ont gardé mon passeport et ceux de mes amis. Vous savez pourquoi ?

Wilbur Hewitt garda le silence tandis qu'il aspirait la dernière bouffée de sa cigarette. Il serra les dents et s'assit.

— Je sais, oui. Mais ce que je ne sais pas, c'est si toi, tu vas aimer le savoir.

15

Jack ignora les dérapages et les coups de frein de la camionnette qui le ramenait au village américain, car dans sa tête résonnaient encore les dernières paroles qu'avait prononcées Wilbur Hewitt dans son bureau.

« La Guépéou garde les passeports des Américains parce qu'ils veulent qu'ils restent définitivement en Union soviétique. » Et il avait ajouté : « Mais ne t'inquiète pas : quand tout sera terminé, si tu as besoin de retourner aux États-Unis, je te donnerai un coup de main. »

Quand tout sera terminé… Mais si les choses ne se déroulaient pas comme Hewitt l'espérait ? Ou si celui-ci rentrait en Amérique avant qu'il ait trouvé quoi que ce soit et oubliait sa promesse ? Ou, simplement, si lui-même souhaitait changer d'air et commencer une nouvelle vie dans un autre pays ? Alors, comment ferait-il ? Pour les émigrés venus de l'autre bout du monde dans l'intention de prendre racine sur une terre qui leur garantissait un salaire sûr, la perte de leurs passeports représentait peut-être un inconvénient mineur, mais lui, cela l'inquiétait autant que de faire une sieste près d'un nid de vipères. Pourquoi les Soviétiques leur retiraient-ils leurs passeports ? Craignaient-ils quelque chose des Américains ?

Un coup violent sous la camionnette le tira de sa réflexion comme l'aurait fait la calotte d'un professeur pour le rappeler à l'ordre.

Pourquoi se faisait-il tellement de souci ? En ce moment, non seulement il n'avait pas la moindre intention de quitter l'Union soviétique, mais en plus, étant donné sa condition de fugitif, le retour aux États-Unis lui était interdit.

Il aspira une bouffée du vent glacé qui se glissait par la fente de la vitre, cherchant un souffle de bon sens qui lui permettrait de réfléchir en toute lucidité sur son avenir. Voyant cela, le chauffeur lui adressa un petit sourire stupide, comme s'il imaginait que les embardées de sa conduite donnaient la nausée à son passager et en était fier.

Jack ferma les yeux. S'il analysait la situation, il était forcé d'admettre qu'il avait de la chance. En fin de compte, le pays qui l'accueillait était la terre de ses parents, une nation grande et puissante dont les habitants étaient travailleurs et hospitaliers, comme le démontrait le fait qu'un chauffeur le conduise vers une assiette de soupe chaude et une chambre gracieusement offerte. De plus, il connaissait la langue, il était entouré d'amis et de compatriotes et il allait percevoir un salaire comme il n'en avait jamais rêvé. Mille deux cents dollars par mois ! S'il réussissait à prolonger sa mission, dans cinq ans il serait en possession d'une véritable fortune.

Oui. Pas de doute, il avait de la chance.

Plus violent que les autres, le dernier coup de frein servit néanmoins à arrêter la camionnette. Ils étaient arrivés. Le chauffeur lui adressa le sourire du vainqueur d'une course de compétition et l'invita à descendre. Jack le salua et accepta sa convocation pour le lendemain matin devant la baraque où il venait de le laisser. Puis il courut vers l'intérieur de l'édifice pour ne pas mourir de froid.

Une fois dans la salle à manger, Jack crut se retrouver en Amérique. Des dizaines de compatriotes remplissaient une salle en bois décorée pour l'occasion de banderoles américaines et de ballons en papier artisanaux, au milieu d'une allégresse qu'il fut surpris de goûter à nouveau. Les gens riaient et chantaient au rythme de la traditionnelle musique *hillbilly* des montagnes, interprétée au banjo et aux violons par un trio d'ivrognes qui semblaient rivaliser avec les cris des danseurs.

Jack remarqua la présence des Daniels et se dirigea vers eux dans l'intention de partager tant leur joie que les plats et la bouteille de vodka posée sur leur table, mais avant qu'il les rejoigne un groupe de danseurs le fit entrer dans sa ronde comme s'il faisait partie de la bande, l'obligeant à fredonner un *Cripple Creek* discordant dont ils inventaient les paroles. Il put enfin se défaire de ses nouveaux amis avec un sourire et prit place auprès des Daniels. Harry semblait prendre plaisir à la fête et il voulut absolument qu'il avale d'un trait un pichet de vodka, « comme les anciens ». Jack fut rapidement gagné par la joie générale, qui obéissait en grande partie à l'énorme quantité de saucisses à la tomate, de tranches de bacon, de côtelettes de porc grillées au barbecue et de tartelettes à la crème de fromage que les cuisiniers avaient réservées pour la fête de bienvenue.

Après avoir terminé le pichet de vodka, il ne laissa pas son ventre crier davantage famine et se jeta sur ce qu'il restait du festin. Il donna un coup de dents dans une espèce de hot-dog que lui tendit Harry et avala une gorgée de vodka pour pousser la bouchée, tandis qu'il balayait du regard l'assemblée d'inconnus qui s'amusaient autour de lui. Il fut surpris de ne pas voir Sue, mais lorsqu'il s'en ouvrit auprès de Harry Daniels, ce dernier lui répondit qu'elle avait trop bu et s'était retirée dans sa chambre.

Jack mit ses préoccupations de côté et alla se joindre au groupe des danseurs, comme s'il les connaissait depuis toujours. Il mangea et but de façon immodérée jusqu'à ce que, sur le coup de neuf heures du soir, les femmes commencent à rassembler, d'abord les plateaux, puis leurs maris, en les traînant de force vers leur logement. Jack et les Daniels furent parmi les derniers à se retirer. Sous l'effet de l'alcool, c'est à peine s'ils pouvaient articuler quelques mots, mais en chemin, ils furent d'avis, entre balbutiements et rires, que venir en Russie avait été la meilleure décision qu'ils aient jamais prise.

Après avoir tenté de l'introduire pour la troisième fois dans la serrure, Jack regarda, perplexe, la clé que Harry venait de lui remettre. Il l'approcha de l'ampoule du couloir pour s'assurer qu'elle n'était pas tordue et essaya de l'enfoncer à nouveau dans son trou. Alors qu'il allait presque y arriver, elle lui glissa des doigts. Conscient de son état éthylique, il sourit comme un idiot. Enfin, il parvint à la glisser dans la serrure et à la faire tourner. Il entra dans l'obscurité et butta contre une valise qu'il identifia comme la sienne. Il rit à nouveau. Harry s'était occupé de son bagage, mais il l'avait posé au plus mauvais endroit. Il tâta la cloison à la recherche de l'interrupteur lorsque, sans avis préalable, un éclair illumina la pièce, blessant ses yeux. Jack les protégea de ses mains et à travers la fente de ses paupières observa, déconcerté, la silhouette qui se dressait dans le lit situé au milieu de la pièce. Sur le coup, il se dit qu'il s'était trompé de chambre, mais alors qu'il reculait déjà, il comprit que la personne qui le regardait, aussi surprise que lui, était Sue.

Il voulut s'excuser, mais elle le devança.

— Entre et ferme la porte ! Tu vas réveiller les voisins !

Jack haussa les épaules et obéit sans réfléchir.

— Que… ? Que fais-tu ici ? parvint-il à bafouiller.

— J'essayais de dormir jusqu'à ce que tu me réveilles. La fête est finie ? Quelle heure est-il ?

Jack ne répondit pas. Il ne fit que regarder Sue, à moitié nue sur son lit.

— Je ne comprends pas. Harry m'a dit que c'était ma chambre. Il m'a donné la clé, et mes bagages sont ici, et…

— Bien sûr. La chambre est pour tous les deux.

— Pourquoi ? Mais comment ?…

— On est mariés, tu te souviens ? Cette chambre est celle qu'on nous a attribuée. Les individuelles sont encore plus petites.

— Plus petites ? (Il ouvrit les yeux, comme si c'était une chose impossible.) Mais pourquoi ne leur as-tu pas expliqué que nous… ?

— Que quoi, Jack ? Que nous les avons tous bernés ?

— Non, bien sûr, pas ça. Mais Andrew…

Jack n'arrivait pas à se concentrer.

— Allez. Viens te coucher et demain nous trouverons une solution.

— Mais Andrew…

Pour toute réponse Sue éteignit la lumière et prit Jack par la main pour l'attirer vers elle.

Jack la laissa faire. Il lui était difficile de penser avec la tête embrumée, et le contact de Sue ne l'y aidait pas. Il voulut résister, mais le « viens » qu'elle prononçait doucement résonnait dans l'obscurité, l'attirant comme un tourbillon aspire un radeau à la dérive. Sans savoir comment, il se dépouilla de ses vêtements et se retrouva en caleçon. Sue l'enveloppa avec la couverture et se serra contre lui. On n'y voyait rien. Dans le silence, Jack ne percevait que la respiration de la jeune femme contre son oreille, lourde, tremblante, et la sienne, profonde et altérée. Lentement, il sentit les jambes nues, douces et chaudes de Sue s'enrouler autour des siennes tandis que ses bras l'attiraient. Il essaya de penser, mais ses mains qui caressaient sa poitrine et ses cheveux l'en empêchèrent, l'entraînant vers un précipice de confusion et de désir dans lequel les visages de Sue, d'Elisabeth et de Natasha s'entremêlaient, apparaissaient et disparaissaient, s'offraient et s'éloignaient.

Il ne parvint pas à éclaircir ses pensées et, cessant de résister, se laissa emporter.

Il ne se souvenait pas d'avoir jamais eu une telle gueule de bois ; il avait l'impression que sa tête était un cocktail de lames de rasoir qui au moindre mouvement lui vrillaient le cerveau. Il essaya de se souvenir de ce qu'il s'était passé, mais ne put qu'esquisser des images floues où la musique du banjo et la vodka se mêlaient à une tornade de baisers et de caresses. Le corps nu de Sue et les draps qui gisaient mollement au pied du lit ne laissaient cependant aucune place au doute. Il se leva et la réveilla. Il fallait se hâter. Dans moins d'un quart d'heure, le véhicule qui devait les transporter partirait pour l'usine et il ne voulait pas le rater. Ils s'habillèrent à toute allure et coururent à la salle de bains commune située dans le couloir qui, vu l'heure tardive, était déserte. Puis ils descendirent les escaliers quatre à quatre en finissant de se peigner et montèrent dans la camionnette au moment où elle partait. Aucun des deux ne fit de commentaire sur ce qu'il s'était passé. Ils supportèrent en silence le trajet, et ne se dirent même pas au revoir lorsqu'ils durent se séparer pour se diriger vers leurs destinations respectives : elle, dans une brigade de nettoyage, et lui, vers sa dangereuse mission.

Sa première journée de travail fut aussi épuisante que s'il avait dû transporter une montagne de pierres, mais elle lui permit au moins d'oublier les conséquences de sa rencontre nocturne avec Sue, et de connaître les différents bâtiments qui composaient la gigantesque usine.

Conformément à ce qu'avait stipulé Wilbur Hewitt, il s'était d'abord rendu au magasin d'équipement pour se procurer le grand tablier blanc qu'il devrait porter à tout moment comme vêtement de travail, et qui l'identifierait comme superviseur américain. Le tablier, d'une étoffe grossière et usée, portait sur la bavette un badge au nom de George McMillan, l'ingénieur malade qu'il remplaçait, et Jack jugea opportun de le garder jusqu'à ce qu'on lui donne le sien. On lui fournit également un cahier, un crayon, une gomme, un mètre pliant en bois, une jauge, des gants en laine, un bonnet de type *ouchanka* avec des oreillettes, et des bottes de feutre.

De là, et en compagnie d'Anatoli Orlov, l'ouvrier soviétique qu'on lui avait assigné comme guide, le temps qu'il se familiarise avec ses obligations, il s'était rendu à l'atelier des presses, où avaient lieu les processus d'estampage. Tout comme dans l'usine de River Rouge, à Dearborn, le bruit des machines était assourdissant. Bien que Jack connût parfaitement le procédé, Orlov s'obstina à lui expliquer que la tôle d'acier arrivait sous forme d'énormes bobines aux massicots, où elles étaient cisaillées en plaques rectangulaires ; celles-ci étaient transportées le long de la chaîne de matrices pour être découpées, embouties et estampées, donnant forme aux différentes pièces qui constitueraient les carrosseries. Mais toute ressemblance entre les deux usines s'arrêtait là.

Le complexe de River Rouge, à Détroit, était un gigantesque prodige d'efficacité et de technologie, où chaque élément – homme, fourniture ou machine – s'encastrait avec l'exactitude d'un mécanisme d'horlogerie.

Mais il n'y avait pas que ça. Sur les plus de cent mille ouvriers employés dans les ateliers de Dearborn, cinq mille s'occupaient exclusivement de garder les installations impeccables : laver les sols à grande eau, vider les bidons d'ordures toutes les deux heures, nettoyer les fenêtres et repeindre les murs et les colonnes bleu et blanc de la compagnie. À River Rouge, on pouvait lécher le sol sans crainte d'avaler un brin de saleté. Si vous tentiez la même expérience chez Autozavod, le plus probable serait que vous mourriez d'empoisonnement avant que la salive n'atteigne votre gorge.

Ce n'était pas une exagération. Où qu'il posât les yeux, il lui était difficile de trouver un coin qui ne ressemblât pas à une poubelle. Les copeaux de métal couvraient le sol ; les découpes accumulées et les pièces oxydées cohabitaient avec des chariots de transport désordonnés ; des dizaines de caisses de pièces de rechange s'entassaient dans les couloirs, comme oubliées là depuis des années. Autozavod donnait l'impression qu'aspirer à l'ordre et à la propreté revenait à introduire une harde de cochons dans une salle d'opération et prétendre qu'elle reste immaculée.

Cependant, et malgré l'évidente répercussion de la malpropreté sur le déroulement des processus de fabrication, ce qui à ses yeux était le plus frappant, c'était l'inefficacité et la négligence avec lesquelles les employés soviétiques abordaient chaque tâche. À son avis, ceux qui s'occupaient de la production tenaient plus d'une armée de pâtres engoncés dans des bonnets et des vestes de laine que d'ouvriers qualifiés. Ils maniaient les soufflets avec la même compétence que s'ils frappaient un troupeau de chèvres.

À travers les craquements et la pénétrante odeur de soudure qui lui brûlait la gorge, Jack les observa avec attention. Beaucoup parmi eux n'avaient pas plus de vingt ans, mais leurs visages exténués par le travail en paraissaient quarante. Les femmes, presque aussi nombreuses que les hommes, couvraient leurs cheveux de foulards blancs pour les protéger du danger des machines. À côté des plus âgés étaient posées des bouteilles de vodka ouvertes, malgré les panneaux interdisant la consommation d'alcool pendant les heures de travail. La surveillance pourtant omniprésente paraissait davantage s'intéresser à d'autres problèmes. Le froid était vraiment atroce, au point que dans les couloirs on distinguait des plaques de glace formées par les gouttières.

En Amérique, le minerai de fer arrivait sur les quais de River Rouge le lundi matin et il était transformé en une automobile à quatre cylindres prête pour la vente le jeudi après-midi. Voilà ce qui s'appelait de l'efficacité. Un terme qu'on ignorait encore chez Autozavod.

Il prit note de ce qu'il voyait et réserva ses réflexions pour plus tard. Il se dirigea ensuite vers l'entrepôt où avaient été entassées les machines endommagées par la tempête, et passa le reste de la matinée à expliquer aux ouvriers comment s'y prendre pour les réparer.

À la fin de sa journée de travail, Jack retrouva les Daniels dans la cantine de l'atelier d'estampage ; la pièce consistait en une sorte d'entrepôt où s'alignaient des centaines de tables. Pendant qu'ils faisaient la queue pour acheter les tickets de repas, Jack s'intéressa au travail de ce premier jour.

— Ça s'est plutôt bien passé, répondit le vieux Harry. Un froid de loup, mais on est contents d'avoir retrouvé les emboutisseuses.

Jack acquiesça. Il avait persuadé Hewitt de mettre Harry et Jim, son fils aîné, à l'atelier de réparation des matrices, l'endroit où les ouvriers les plus expérimentés corrigeaient les imperfections des moules. Cela ne lui avait pas été difficile. En technique d'estampage, la famille Daniels avait tellement d'expérience que même les mules de son ancienne ferme auraient pu se débarrasser de leurs harnais pour se mettre à fabriquer des roues à coups de ruades.

— Et les camarades soviétiques ? Ils sont sympas ? demanda Jack pour les faire parler.

— Pour le moment, ils sont juste soviétiques. Camarades, c'est autre chose.

— Et que voulez-vous, père ? intervint le jeune Jim. Nous, on parle pas le russe, et eux, la seule chose qu'ils savent dire en anglais, c'est *camarrada*.

— C'est juste, concéda Jack. La langue est un problème, mais le soir ils donnent des cours gratuits auxquels peuvent assister tous ceux qui le veulent.

Il se plaça devant la caisse enregistreuse.

— Étudier ? (Harry laissa échapper un rire sarcastique.) Tu as vu mes mains ? (Il les montra à Jack, toutes calleuses.) En mars, j'aurai cinquante-cinq ans. À six ans, j'ai appris les lettres de l'alphabet, et depuis j'ai pas eu besoin d'en savoir plus. Que mes fils étudient s'ils veulent ! Moi, quand j'aurai fini mon travail, j'irai avec ma femme boire un verre de vodka en regardant tomber la neige.

Jack interrompit momentanément la conversation pour acheter les tickets du dîner. Un homme de petite taille au teint brun et au nez aquilin, coiffé d'un curieux bonnet rouge, s'occupa de lui. L'Américain le salua et lui demanda quelle sorte de menu ils proposaient.

— Américains, pas vrai ? C'est que je vous ai entendus parler anglais. (Il sourit.) Je le baragouine un peu, à force de servir les étrangers, mais je vois que vous parlez bien le russe. J'imagine que vous êtes arrivés chez Autozavod il y a peu, non ? Je dis ça parce que je ne vous avais pas encore vus. (Il sourit à nouveau avec plaisir.) Ici vous serez bien. Tout près des cuisines, on ne sent pas le froid.

Jack fit la tête de celui qui comprenait pourquoi la queue s'éternisait. Le caissier le remarqua.

— Ah, oui ! Le menu ! Bien sûr ! C'est qu'on ne voit pas beaucoup de nouvelles têtes par ici, vous savez ? Et moi, j'aime parler. Bien. Vous me demandiez quelle sorte de menu nous servons ? Oui, bien. Quels talons vous a-t-on assignés ? Ouvriers ? Cadres ? Du Parti ?

Jack haussa les sourcils presque en même temps que Harry Daniels et son fils. Le matin, quand on les leur avait remis, aucun d'eux n'avait remarqué qu'il y avait des talons différents. Jack découvrit sur le sien une étiquette disant « cadre intermédiaire ». Sur ceux des Daniels il y avait seulement « ouvriers ». Il demanda ce que signifiait la différence.

Le visage de l'homme au bonnet rouge s'illumina comme s'il était heureux de pouvoir s'épancher à nouveau.

— Selon le talon attribué, vous avez droit à une ration simple ou double. Voyons… (Il vérifia les différents talons.) Pour vous ce sera trois plats pour un coût de cinq roubles, indiqua-t-il à Jack. Les autres talons sont pour une part normale qui consiste en une soupe et un plat. Ce sera également cinq roubles chacun.

— Pardon, mais tu dois faire erreur, intervint Harry. Tu viens de dire que mon fils et moi on n'a droit qu'à deux plats ?

— C'est ça.

— Dans ce cas, pourquoi veux-tu nous faire payer le même prix qu'à lui qui aura un plat de plus ?

— Ah ! Je vois qu'on ne vous a pas expliqué. Voilà : le gouvernement subventionne tous les menus, indépendamment de la quantité et du contenu, c'est pourquoi le prix est le même pour tous.

Harry Daniels regarda le comptoir sur lequel reposaient plusieurs rangées d'assiettes attendant d'être distribuées. Il se gratta le nez sans comprendre. La soupe était un liquide verdâtre dont on ne pouvait rien dire de plus, et le second plat consistait en une espèce de purée accompagnée de quelque chose qui ressemblait à un hareng salé. Il pensa que s'ils étaient aussi nourrissants que leur aspect était répugnant, ce serait suffisant, mais il supposa que ce n'était sans doute pas le cas. Il jeta un coup d'œil aux biftecks qui composaient le troisième plat destiné aux cadres intermédiaires et sentit son estomac gargouiller d'envie.

— D'accord. (Il sortit deux roubles de plus qu'il ajouta aux cinq.) Mets-moi aussi un troisième plat. J'ai pas arrêté de travailler toute la matinée et je mérite un morceau de ce bœuf, même si je dois le payer à prix d'or.

— Je regrette, mais ce n'est pas possible.

— Comment ça ? Tu vois donc pas les deux roubles que j'ai ajoutés ?

— Ce n'est pas une question d'argent, monsieur. Le problème, c'est qu'il n'y a pas assez de nourriture.

Harry regarda la rangée de biftecks. Il en compta plus de quarante.

— Tu plaisantes ?

— J'aimerais bien, monsieur, mais ces filets sont uniquement pour les cadres.

Harry laissa exploser une série de reproches que le caissier fut incapable d'interpréter. Le petit homme rougit, mais s'en tint à son discours.

— Je vous en prie, monsieur. Ne faites pas d'histoire ou nous allons tous avoir des problèmes. C'est cinq roubles chacun. Prenez vos tickets et donnez-les quand vous prenez vos plats.

Harry ne se calma pas. En Amérique, son argent valait autant que celui des autres et il n'était pas disposé à accepter que ce soit différent en Union soviétique. Il laissa les sept roubles sur le petit plateau destiné à recevoir l'argent, s'empara de l'un des biftecks et en avala une bouchée avant que l'énorme garde soviétique qui surveillait la cantine pût l'en empêcher.

— *Prisoyedinit'sya ko mne !* lui cria le garde en le saisissant par le bras.

— Fichez-moi la paix ! dit Harry en se dégageant.

Jack s'avança et s'interposa entre le fils de Harry et le garde, alors que ce dernier se préparait à utiliser la force pour mettre sa menace à exécution.

— Excusez-le, monsieur. Cet homme ne comprend pas votre langue. Il s'agit d'un malentendu, lui assura Jack en russe.

— Malentendu ? Ce crève-la-faim d'Américain croit qu'il peut faire ce qu'il veut et s'en tirer comme ça ?

Jack se réjouit que Harry ne comprenne pas ce qu'il disait.

— Je regrette si vous avez mal compris, mais je vous assure que ce pauvre diable n'a rien fait de mal. Simplement, je n'avais pas très faim et je lui ai donné mon plat de viande. Regardez. Je ne vous mens pas. J'ai droit à ce plat.

Il lui montra le talon de son ticket certifiant sa qualification de cadre intermédiaire. Le garde le regarda de travers sans changer d'expression.

— C'est bien vrai ? demanda-t-il au caissier.

Jack supplia l'homme au bonnet du regard.

— Oui… Oui monsieur, affirma-t-il. Cet homme… (il regarda Jack un instant), cet homme a donné son troisième plat au vieux.

Le garde grogna et retourna à sa place. Jack s'assit sur un long banc à côté de Harry qui continuait à dévorer son bifteck comme si de rien n'était.

— Que voulait cet imbécile ? dit Harry.

Jim aussi prêta attention.

Jack les regarda sans trop savoir quoi leur dire.

— Rien. Continuez à manger.

Dès qu'ils eurent fini leur repas, les Daniels quittèrent précipitamment la cantine pour attraper le tramway qui couvrait le trajet entre l'atelier d'emboutissage et le village américain. Jack, quant à lui, choisit de boire tranquillement sa tasse de thé. Il n'était pas pressé de retrouver Sue, et il y avait des problèmes de travail sur lesquels il jugea préférable de réfléchir près de l'agréable chaleur des cuisines. Il alluma une *papirosa* et avala une gorgée de thé.

Il passa un long moment à revoir ses notes, jusqu'à ce qu'une voix acerbe l'arrache à ses pensées.

— On va fermer.

Jack leva les yeux pour trouver devant lui une femme de ménage de la taille d'une armoire qui, le chiffon à la main, envahissait l'espace qu'occupaient ses notes sans attendre qu'il les ait retirées. Il les rassembla en toute hâte et vérifia l'heure à l'horloge de la cantine. Elle indiquait sept heures. Trop tard pour utiliser les services du chauffeur dingue, et le prochain tramway ne passerait pas avant le changement d'équipe. Il se préparait à quitter la cantine lorsqu'il entendit quelqu'un l'appeler.

— Monsieur. Tenez, vos deux roubles.

Jack, surpris, se retourna. C'était le petit caissier avec son étrange bonnet rouge penché sur l'oreille gauche. Il vit qu'il lui tendait la main, lui offrant les deux pièces.

— Vous ne vous souvenez pas ? Votre ami a payé deux roubles de plus pour votre bifteck, mais en fait il a mangé celui qui vous revenait, cet argent est donc à vous.

— Ah ! Peu importe. Garde-le.

— Merci, monsieur, mais je ne peux pas accepter.

— Non ? Pourquoi ?

— En Union soviétique, on n'accepte pas les pourboires. Si exceptionnellement on les acceptait, cela voudrait dire qu'on les a mérités, ce qui reviendrait à admettre qu'exceptionnellement on a fait du bon travail.

— Oui. Et qu'y a-t-il de mal à ça ?

— Rien, j'imagine. Simplement, on suppose que nous, les Soviétiques, nous faisons toujours bien notre travail.

Jack haussa de nouveau les sourcils. Il se dit que s'il continuait à découvrir des curiosités soviétiques, ce serait son rictus habituel.

— Bon. Dans ce cas, tu pourrais l'accepter pour deux raisons. La première, parce que, à en juger par ton aspect et ton accent, tu n'es pas soviétique. Et la seconde, parce que ces deux roubles ne sont pas un pourboire, mais une récompense pour nous avoir aidés. Tu oublies peut-être que tu as confirmé ma version au garde qui voulait arrêter mon ami ?

L'homme balbutia sans savoir quoi dire. Avant qu'il réponde, Jack l'obligea à refermer sa main et à garder l'argent.

— Merci, monsieur…

— Jack, tu peux m'appeler Jack. Ne t'inquiète pas. Personne ne saura que tu les as acceptés.

Et il se retourna pour quitter la cantine.

Dès qu'il fut à l'extérieur, un froid assassin le frappa au visage. Il s'emmitoufla dans son manteau pour se protéger de la bourrasque et regarda le défilé de réverbères qui se perdait au loin. C'était le même chemin qu'avait emprunté son chauffeur, donc, s'il les suivait, tôt ou tard il arriverait aux baraquements américains. Il avait commencé à marcher dans la neige lorsqu'il entendit des pas pressés derrière lui.

— Monsieur Jack ! Attendez, monsieur Jack !

Jack se retourna et se trouva à nouveau devant le caissier au bonnet rouge.

— Tenez, monsieur, dit-il en lui tendant un paquet enveloppé dans du papier journal. Quelques biftecks. Ce n'est pas vrai qu'il n'y a pas de nourriture. Bon, si, mais ces biftecks ne manqueront à personne.

— Dis donc ! Je disais bien que tu n'étais pas soviétique. Comment t'appelles-tu ?

L'homme sourit.

— Agramunt. Miquel Agramunt, monsieur.

— Eh bien merci, Miquel. Et ne m'appelle pas « monsieur ».

Jack avait réussi à éviter toute nouvelle rencontre avec Sue en dormant sur une paillasse, par terre, dans la chambre de Joe Brown. Cela faisait déjà cinq nuits, assez pour que ses os commencent à en sentir les effets, et que ses poumons, habitués à des climats moins extrêmes, toussent plus qu'il n'était souhaitable. Lorsque Sue l'interrogea sur le motif de son rejet, il répondit que la nature de ses sentiments se limitait à de l'amitié et de l'estime, et que ce qu'il s'était passé le soir de la fête ne pouvait être imputé qu'à l'excès de vodka. Elle le gifla. Dès lors, Jack s'arrangea pour l'éviter. Les fois où ce fut impossible, il la salua sèchement, car elle interprétait toute forme d'amabilité comme une tentative de rapprochement qu'il lui fallait ensuite gérer. La sixième nuit, Jack la trouva qui montait la garde devant la chambre de Joe Brown. Impatiente, elle frappait de la pointe du pied et son visage semblait comme incendié par un dangereux mélange de rage et d'alcool. Elle lui demanda de revenir avec elle, sinon elle raconterait à Andrew qu'il avait tenté de la forcer. Elle bredouillait, titubant à cause de la boisson. Jack ne l'écouta pas. Il voulut croire que sa menace était la conséquence de l'ivresse, mais il perçut tout de même le danger, et bien qu'il ignorât comment résoudre le problème, il décida de ne plus lui adresser la parole jusqu'au retour d'Andrew.

Celle qu'il n'avait pas revue, c'était Elisabeth. Il savait de la bouche de son oncle Wilbur qu'ils avaient renoncé à une modeste maison préfabriquée dans le village américain pour s'installer dans une somptueuse demeure située dans la partie haute de Gorki, que les Soviets cédaient parfois aux cadres supérieurs nord-américains. D'après l'ingénieur, sa nièce passait son temps de fête en fête, ce qu'il réprouvait, mais il n'avait d'autre solution que d'y consentir, tant il lui était impossible de contrôler son tempérament. Les parents d'Elisabeth étaient morts quand elle était petite, et lui et son épouse, qui n'avaient pas eu d'enfant, l'avaient élevée du mieux qu'ils pouvaient. Mais après l'attaque de méningite qui avait conduit sa tante dans une clinique psychiatrique, Elisabeth était devenue désobéissante, frivole et indolente. Il ne l'en rendait pas responsable, elle était jeune et avait trop de temps libre, mais cela ne l'empêchait pas, à l'occasion, de blâmer son comportement.

— Sa dame de compagnie était la seule personne capable de la raisonner, et c'est sans doute pour cette raison que ma nièce n'a pas fait d'objection quand Gertrud a demandé à rentrer aux États-Unis, avait ajouté Wilbur.

En l'entendant, Jack se proposa aussitôt comme professeur pour apprendre le russe à Elisabeth pendant son temps libre, mais Hewitt ne l'envisagea même pas. Sa nièce savait très bien ce qu'elle voulait, et l'étude de nouvelles langues ne faisait certainement pas partie de ses priorités. Non, à moins que celui qui les lui enseignerait ne possédât assez de richesses pour qu'elle lui trouve du charme.

— Et combien d'argent cela supposerait-il ? lui demanda Jack.

Lorsqu'il s'aperçut que l'intérêt de Jack pour sa nièce dépassait celui d'un employé prévenant faisant de son mieux pour satisfaire son patron, Hewitt éclata de rire.

— Plus que tu ne pourras en gagner dans toute ta vie, je te l'assure, fiston.

Sa réponse n'impressionna pas Jack. Il était prêt à montrer aux Hewitt que, malgré l'existence de Smirnov, Jack Beilis pouvait être un bon parti.

16

Un seul sur vingt-deux.

Après avoir étudié les rapports de la première à la dernière ligne, Jack était arrivé à la conclusion que, sur les vingt-deux accidents survenus dans les différents ateliers d'Autozavod, vingt et un semblaient être la conséquence de la très mauvaise organisation de l'usine. Mais pour le dernier, il n'avait trouvé aucune explication.

Il transmit ses conclusions à Wilbur Hewitt dès que l'occasion se présenta.

— Tu en es absolument sûr ? lui demanda l'ingénieur après avoir jeté un coup d'œil à son rapport.

— Tout à fait. D'un côté, j'ai mis les accidents dans lesquels des ouvriers ont été blessés, de l'autre, ceux qui ont uniquement porté préjudice aux machines ou à la production. J'ai eu l'occasion de vérifier les dossiers des ouvriers estropiés. (Il les lui montra.) Igor Pavlov, vingt-six ans, ukrainien, bras gauche amputé lorsqu'il l'a introduit dans l'une des emboutisseuses qui était en marche. Conséquences : arrêt de la ligne de production pendant vingt-six heures pour le nettoyage et la remise en fonction des matrices.

— Eh bien ?

Il massa son bras en écharpe, heureux de l'avoir encore.

— Maintenant, voici le plus préoccupant. Profession précédente : paysan. Expérience comme ouvrier : deux semaines de formation et une comme travailleur.

— Je vois…

— Olga Moskovskaya, trente-quatre ans, originaire d'Azerbaïdjan, plusieurs coupures au visage et sur la poitrine qui ont nécessité des points de suture quand sa chevelure s'est prise dans la courroie transporteuse de moteurs. Conséquences : interruption de la production pendant une heure pour libérer ses vêtements et ses cheveux. Profession précédente : fermière. Expérience comme ouvrière : une semaine de formation et un jour de travail à l'usine.

« Mikhaïl Lenovski, dix-huit ans…

— Sans expérience lui aussi, j'imagine. Tous les cas sont-ils semblables ? l'interrompit-il.

— Presque calqués : paysans, agriculteurs, femmes au foyer, éleveurs… Des accidents qui ne seraient jamais arrivés s'ils avaient eu une formation adéquate.

— Bien. De simples imprudences. Et le reste ?

— Monsieur, je n'appellerais pas *imprudences* des accidents qui auraient pu être évités si…

— Oui, bien sûr, mais ce n'est pas le sujet qui nous occupe. Continue s'il te plaît.

Jack se racla la gorge. Il écarta les dossiers des blessés et passa à ceux qui avaient affecté les installations. Il lui expliqua que la majorité des accidents pouvait être imputée à l'absence d'entretien des machines, à des dérèglements, au manque de lubrifiants, à des coussinets corrodés, à des courroies non remplacées, à la détérioration du matériel, à des défauts dans le dessin ou à un manque d'attention dans le nettoyage des différents mécanismes.

— Mais il y en a un pour lequel je n'ai trouvé aucune explication. Il est survenu le 1er janvier 1933 dans l'atelier des moteurs, le jour même où Joseph Staline en personne arrivait à Gorki pour inaugurer la chaîne de production. D'après les rapports que vous m'avez procurés, il y a eu dans l'après-midi une coupure de courant due à un arrêt programmé, et j'ai pu vérifier qu'elle n'apparaît nulle part dans les comptes rendus d'avaries. Pourtant, d'après les protocoles de procédure, chaque fois que se produit un arrêt non programmé, il est obligatoire non seulement d'enregistrer l'incident, mais également d'en indiquer les possibles causes.

— C'est exact.

— Eh bien il n'est fait référence à aucune interruption programmée dans les copies des bulletins d'incidents que vous m'avez transmis, ni dans ceux de l'approvisionnement électrique généré dans l'entrepôt des turbines, ni dans celui du transformateur qui contrôle la quantité d'énergie consommée dans le hangar des moteurs.

— Étrange, oui. Mais cela ne prouve rien. Ils peuvent avoir oublié de le signaler.

— C'est possible, mais curieux, car ces Soviétiques ont l'excellente habitude de tout noter. Ils relèvent votre nom, l'heure à laquelle vous entrez et sortez, la machine sur laquelle vous travaillez et le nombre de pièces produites pendant votre temps de travail, j'ai donc du mal à croire qu'ils oublient de signaler une chose aussi importante. De plus, nous ne parlons pas d'un arrêt ponctuel. La production de moteurs a été arrêtée pendant plus de cinq heures, alors que Staline était présent et observait tout. Le rapport officiel attribue l'interruption à un arrêt programmé de la centrale électrique, mais j'ai vérifié que c'est faux. Mes informateurs m'ont assuré que ce jour-là n'était prévue aucune interruption. Évidemment, Staline était furieux et il a exigé des explications.

— Oui. Je me rappelle avoir été informé de cet incident. Une semaine avant notre arrivée, ils avaient justement avancé l'inauguration de l'usine afin de s'en attribuer tout le mérite. Est-ce que tu insinues par là que les responsables ont inventé l'excuse de l'arrêt pour cacher un autre problème ?

— C'est cela. Et si ma théorie est exacte, la seule explication est que, en ce jour si spécial, ils ont voulu cacher les conséquences d'un sabotage aux yeux de Staline.

— C'est étrange. Ces rapports, c'est Sergueï Loban qui me les a directement communiqués. Il aurait dû m'avertir que cet arrêt programmé n'avait jamais existé. Quel intérêt pouvait-il avoir à me le cacher ?

— Ça, je l'ignore. Vous devriez peut-être le lui demander.

Jack sourit, satisfait, lorsqu'il cacha sa première paie de trois cents dollars dans le double fond qu'il avait confectionné dans son ceinturon. Hewitt lui avait précisé qu'il lui verserait chaque semaine, en privé et sans reçu, la somme convenue, car la feuille de paie de sa catégorie ne pouvait justifier un salaire aussi élevé. Jack avait trouvé cela parfait. Cette semaine-là, il avait l'intention de rendre visite à Ivan Zarko, le contact que lui avait donné le contrebandier Constantin à la gare de Leningrad, pour changer quelques dollars contre des roubles qu'il pourrait ainsi dépenser. Il se souvint que ce Zarko travaillait comme *oupravdom* dans l'avenue Tverskaya, et il se demanda si son domicile était proche de la maison où résidait Elisabeth. En fait, il pensa que s'il voulait lui rendre visite, il devait auparavant se procurer une tenue plus convenable.

Malgré les rides qui striaient son visage et ses yeux de glace, Ivan Zarkov se révéla être l'un de ces anciens au poignet de fer capable d'enfoncer, sans que sa main tremble, un gourdin dans le derrière de quiconque essaierait de le trahir. Jack le comprit dès qu'il l'eut demandé quand, sous son œil, ses deux fils le fouillèrent pour vérifier qu'il ne portait aucune arme.

— Alors comme ça, c'est Constantin qui t'envoie…, murmura le patriarche. Et qu'attend un étranger d'un pauvre vieux comme moi ?

Jack lui expliqua que Constantin lui avait affirmé qu'il obtiendrait un taux de change intéressant au marché noir pour ses dollars, et qu'il était l'homme qui pouvait les lui procurer.

— Il y a des années que je ne fais plus ce genre de commerce, affirma l'ancien en regardant vers l'infini. Les condamnations pour contrebande de devises m'empêcheraient de revoir mes petits-enfants. Et dis-moi : comment va Constantin ? demanda-t-il, retranché derrière une table branlante dans le couloir d'entrée de l'immeuble qu'il gérait.

Jack devina que les paroles de Zarko répondaient simplement à la méfiance d'un vieux madré devant un parfait inconnu.

— Constantin ferait n'importe quoi pour moi.

— Lui, c'est possible. Mais moi je ne te connais pas. Écoute, fiston, voici un bon conseil : oublie le marché noir, dis à la banque que tu ne connaissais pas la réglementation et contente-toi des roubles qu'on te donnera. Tu perdras de l'argent, mais tu y gagneras la santé. Et la santé est importante dans un climat si rude.

— Ce serait trois cents dollars par semaine, dit Jack.

Surpris, les deux fils de Zarko se regardèrent.

— Écoute-moi bien, l'Américain. Nous, les Zarko, on n'aime pas les plaisantins…

Pour toute réponse, Jack se défit du ceinturon dans lequel il avait caché les billets verts et déposa la liasse sur la table. Voyant cela, le vieux attrapa l'argent et le dissimula sous son manteau.

— Tu es fou ? On pourrait nous arrêter.

Jack regarda d'un côté et de l'autre pour s'assurer que l'endroit était désert.

— Je ne plaisante jamais. Et encore moins sur les questions d'argent.

Le vieux tourna pour la première fois le regard vers les yeux bleus du grand jeune homme qui se tenait fermement devant lui.

— Maudit étranger… Qu'est-ce qui me dit que tu connais vraiment Constantin et que tu ne travailles pas pour la Guépéou ?

Jack garda le silence, tout comme les fils d'Ivan Zarko. Il vit que ceux-ci se consultaient du regard et qu'ils avaient l'air nerveux.

— Parce qu'il m'a donné un *blat*, répondit-il.

Sans attendre il tira d'une poche un papier parafé par Constantin et le posa à l'endroit même où se trouvait la liasse deux minutes plus tôt.

Avec neuf mille roubles tout chauds dans sa poche, à raison de trente roubles par dollar, Jack entreprit d'admirer les vitrines de l'avenue Sverdlovka avec la convoitise d'un enfant qu'on aurait abandonné dans un magasin de bonbons. « La Grande Intercession », comme l'appelaient les habitants de Gorki, et que lui-même avait baptisée « la rue des riches », était une avenue tellement large que dix voitures auraient pu y circuler en parallèle. Cependant, elle n'était parcourue que par quelques charrettes à cheval et par les wagons du tramway. Tout en marchant, il admirait la succession ininterrompue d'hôtels, d'églises, de musées et de palais qui semblaient rivaliser pour le titre de l'édifice le plus somptueux. Malgré le froid, Jack dédaigna le tramway et monta à pied vers la place du Monastère, à la recherche d'un tailleur qui lui confectionnerait un costume semblable à celui que portait quotidiennement l'ingénieur Hewitt. Cependant, sur les trois établissements qu'il visita, aucun ne put lui donner satisfaction.

— Mais comment est-il possible que vous n'ayez pas de tissu ?

Pour toute réponse, le dernier tailleur qui le reçut haussa les épaules avant de servir à Jack le refrain entendu dans les boutiques précédentes.

— Autrefois, on nous livrait encore de la laine de bœuf musqué, et parfois même du *pashmînâ* de chèvre du Cachemire, mais il y a longtemps que nous ne recevons plus de belles étoffes pour la confection de costumes sur mesure, monsieur. Tout ce que nous pouvons faire, c'est arranger de vieux costumes que vous nous apporterez, ou vous vendre des pièces usagées. Nous avons des manteaux d'astrakan et quelques *vatnik* que vous pourriez porter dessous pour mieux vous protéger de l'hiver.

Jack trouva inconcevable que, disposant d'argent, on ne puisse le satisfaire comme il le méritait.

— Et les costumes que portent les cadres soviétiques aux réceptions de l'usine, ce n'est pas ici qu'on les confectionne ?

— Si bien sûr, monsieur. Mais dans ce cas, ce sont eux qui nous fournissent l'étoffe.

Lorsqu'il s'aperçut que la veste du tailleur lui-même était rapiécée, Jack pesta intérieurement. Après avoir envisagé toutes les possibilités, il convint finalement de lui apporter quelques pièces conservées de la malle de McMillan pour qu'on les lui retaille lors d'une prochaine visite. Il prit congé et revint dans l'avenue, disposé à se consoler en achetant un peu de vodka et quelques tartes pour fêter sa première paie avec ses amis. Andrew lui manquerait, mais son dernier câble assurait qu'il reviendrait bientôt.

Il ne lui fut pas facile de trouver un magasin d'alimentation. Finalement, il entra dans une boutique dont la devanture exposait de nombreux morceaux de viande, des volailles et des pâtisseries ; il fut surpris par le groupe important d'hommes et de femmes à l'air fatigué attendant dans la queue qui accédait à la caisse enregistreuse. Les comptoirs n'exposaient qu'une poignée de pommes de terre, quelques barquettes contenant du beurre, des sardines fumées et une caisse de céréales moulues. Les autres étagères étaient tellement désapprovisionnées qu'elles donnaient l'impression d'être vides depuis des années. Jack se dirigea vers un employé qui nettoyait derrière une caisse et il lui demanda quelques-uns des produits de la devanture.

— Pour acheter, vous devez vous adresser à l'autre caisse. Celle-ci est réservée aux membres du Parti.

Jack regarda la file interminable, qui lui rappela tout à coup celle des jours de faim à New York. Malgré tout, en Russie, même s'il fallait attendre son tour, on pouvait sortir avec de la nourriture. Il allait se placer au bout de la queue, lorsque l'employé le héla.

— De toute façon, dit-il, si ce que vous voulez c'est acheter des aliments comme ceux qui se trouvent en vitrine, vous ne pourrez pas.

Jack rougit. Il ne voulait pas penser que ces mets aussi étaient réservés à quelques privilégiés. Mais la remarque de l'employé le stupéfia.

— Ce n'est pas que nous ne voulons pas vous les vendre. C'est que la marchandise exposée à la devanture est en carton peint. C'est juste de la réclame pour faire joli.

Deux heures plus tard, Jack prenait le chemin du retour vers le village américain, chargé d'une douzaine d'œufs, d'un peu de sucre et, pour le même prix, d'un tas de récriminations. Il avait visité plus de dix magasins d'alimentation, et dans tous, non seulement il fallait faire des queues interminables, mais en plus leurs réserves étaient pratiquement vides.

Tandis que le tramway avançait dans le paysage de neige, il se demanda à quoi allait lui servir de gagner tant d'argent s'il ne pouvait le dépenser nulle part. Il n'avait aucune envie de vivre comme un avare au bout du monde, de se nourrir de pain noir, de porter des costumes rapiécés et de se déplacer en tramway comme un mouton en route pour l'abattoir. Ce n'est pas ainsi qu'il obtiendrait qu'Elisabeth lui prête attention. Que pouvait-il faire ? Entasser ses gains dans un sac et les montrer à la nièce de Hewitt pour lui prouver sa valeur ? Il secoua la tête et jura intérieurement. Il faisait tellement froid qu'il craignait que ses fosses nasales ne gèlent s'il éternuait. Il envia les autres voyageurs qui se couvraient la tête avec toutes sortes de bonnets. Par chance, le tramway arrivait à destination.

Dans la cuisine commune, il remit le sucre et les œufs à la femme de Harry Daniels pour qu'elle prépare un dessert.

— Je n'ai pas pu acheter de farine, s'excusa Jack. Dans toute cette maudite ville je n'ai pas trouvé un seul endroit où l'on en vendait.

— Et pourquoi tu ne l'as pas achetée ici ?

— Ici ? Où ça ?

— Où ? Mais à l'économat des Américains !

Jack eut l'air déconfit. Apparemment, les étrangers disposaient de magasins particuliers où il n'était besoin ni de faire la queue ni de pâtir du manque de marchandises, ce qu'il ignorait. Ça oui, les prix étaient trois fois plus élevés que dans les magasins soviétiques. Mme Daniels ajouta que l'économat américain était situé derrière les baraques.

— C'est cher, mais tu pourras y trouver presque tout, pas comme ces pauvres paysans russes qui ne donnent à manger que des bouillies coupées d'eau à leurs enfants, dit la femme, l'air désolé.

C'était son jour de repos, aussi Jack décida-t-il d'aller voir lui-même les produits qu'on vendait au village. Il prit congé de Mme Daniels et l'assura qu'il rapporterait la meilleure farine de toute l'Union soviétique.

L'économat américain était un magasin exigu, à peine mieux achalandé que les magasins qu'il avait visités le matin même en ville, avec moins de marchandises qu'une gargote de Brooklyn dévalisée par une bande de voleurs. Il déambula entre les étagères presque vides en se demandant si Mme Daniels avait vraiment fait référence à cette friche comme à l'endroit où l'on pouvait acheter tout ce qu'on voulait, jusqu'à ce qu'il découvre, derrière le comptoir, un employé soviétique au front fuyant qui le salua d'un air morose. Sans trop d'espoir, Jack lui demanda un paquet de farine, et à sa grande surprise l'employé disparut par une porte et revint quelques secondes plus tard avec la marchandise sous le bras. Au vu des résultats, Jack ajouta deux bouteilles de vodka, des cigarettes américaines, des côtelettes de porc et un paquet de gimblettes. L'employé soviétique disparut à nouveau pour réapparaître avec la vodka et les gimblettes. Les autres produits n'étaient pas disponibles. Lorsque Jack lui demanda s'il pouvait les commander, le type lui adressa un sourire suffisant, comme si celui qui venait de lui poser la question était l'idiot du village.

— Monsieur, je prends ma retraite dans cinq ans, mais à dire vrai, même si je la prenais dans dix ans, je ne crois pas que vous verriez un jour votre commande dans ce magasin.

Il lui expliqua que l'économat ne vendait que des produits de première nécessité, et que bien qu'il soit mieux fourni que les commerces de Gorki, il était de plus en plus compliqué d'obtenir certains aliments.

— Les dernières saucisses ont été vendues il y a deux semaines pour la fête de bienvenue. Depuis, c'est comme si les livraisons s'étaient volatilisées.

Jack ne put éviter un tressaillement. Lorsqu'il lui demanda la cause de l'interruption, l'homme secoua la tête.

— Prions pour qu'elle n'arrive pas à l'Autozavod.

— Pour que n'arrive pas qui ?

— La famine, monsieur. La famine.

Lorsqu'il sortit de l'économat, une voix qui lui parut familière l'arrêta à grands cris.

— Monsieur Jack ! Monsieur Jack ! Vous vous souvenez de moi ?

Jack se retourna pour se trouver devant un bonnet rouge enfoncé sur une tête brune.

— Tu es le caissier de la cantine de l'atelier des presses, non ?

— Je suis heureux que vous vous souveniez de moi, monsieur ! Je ne vous ai plus revu à la cantine. Vous emportez votre gamelle au travail ?

— Non, non, ce n'est pas ça. (Il évita de lui expliquer que depuis leur dernière rencontre il mangeait à la cantine de la fonderie.) Et toi, que fais-tu par ici ? Tu as changé de travail ?

— Oh non, monsieur ! Ce qui arrive, c'est que je travaille à la fois comme caissier et comme livreur. Parfois, c'est nous qui livrons les produits à l'économat américain depuis l'économat central, et d'autres fois, au contraire, nous sortons les produits d'ici pour les apporter à notre cantine. Ça dépend des besoins.

— Ah ! Eh bien je suis heureux de te voir... Michael ?

— Miquel, monsieur. Miquel.

— Bien, Miquel. Je retourne aux baraques, car à rester dehors on risque de se transformer en bonhomme de neige.

— Oui, monsieur, bien sûr... (Et il fit mine de s'en aller.) Un moment, monsieur !

Il appela Jack avant qu'il ne disparaisse.

— Oui ?

— Je vous ai entendu tout à l'heure... quand vous passiez votre commande à l'économat, et... d'après ce que j'ai pu comprendre, il est évident que vous avez assez d'argent pour commander un carré de côtelettes de porc.

Jack se méfia. Il avait entendu parler d'escrocs professionnels, et que cet homme s'intéresse à son argent lui parut un trop grand hasard.

— Je ne crois pas que cela te regarde.

Il fit demi-tour pour retourner aux pavillons.

— Monsieur, je suis désolé si je vous ai importuné. Je voulais simplement que vous sachiez que je pourrais peut-être vous le procurer.

Jack s'arrêta pour regarder le petit homme qui lui proposait ce que personne, semblait-il, n'était capable d'obtenir dans ces contrées lointaines. Son sourire paraissait sincère. Il plissa les lèvres et s'accorda un instant de réflexion.

— Dis-moi une chose. Cet étrange bonnet qui te tombe sur l'oreille, c'est un symbole de la Guépéou ?

— Ha, ha, ha ! De la police secrète ? Par les moustaches de Lénine ! Non, monsieur ! C'est un bonnet catalan !

— Et pourquoi cela ?

— Si je devais vous raconter toute mon histoire dehors, nous mourrions de froid avant la fin du premier chapitre.

Et il indiqua la cantine du village américain.

— D'accord. Prenons un verre et parlons de ces côtelettes. Et cesse de m'appeler monsieur, ça me gêne.

À la troisième vodka, le petit homme à la peau brune oublia les rigueurs du climat et se mit à parler des crapules qui l'avaient obligé à émigrer loin de sa chère Barcelone. Il lui raconta que dans son adolescence il avait eu des amis anarchistes avec lesquels il rêvait d'un avenir plus juste pour tous. Il n'avait pas encore dix-huit ans, et tous les soirs, en sortant de la société libertaire qu'il fréquentait, il se rendait à des réunions et des meetings syndicalistes pour écouter les harangues de leurs leaders sur la solidarité, l'égalité et la lutte. Lors de ces rencontres, son cœur s'enflammait et il manifestait contre les patrons, comme tous les ouvriers qui l'entouraient, même si son seul travail consistait à aider son père à vendre des haricots secs dans la boutique familiale qu'ils tenaient sur la *rambla* de Catalogne. Mais cela ne l'empêchait pas d'aider ses camarades travailleurs à faire plier les patrons qui les opprimaient.

— Au fil du temps j'ai acquis une certaine importance à la CNT[1] et je me suis distingué dans des grandes grèves, comme celle de la Canadienne[2], où nous avons obtenu que les patrons acceptent la journée de huit heures. Mais ensuite les choses ont mal tourné. Quelques patrons véreux ont engagé des tueurs à gages pour assassiner nos compagnons syndicalistes. Ils les attendaient au coin d'une rue et leur tiraient une balle dans la nuque… Ils m'ont averti que je serais le prochain. Certains de ceux que je connaissais ont décidé de s'enfuir à Paris et ils m'ont convaincu de les accompagner. Là-bas, j'ai rencontré une Russe qui travaillait pour le Komintern, tu sais, l'Internationale communiste. Je suis tombé amoureux et je suis venu

---

1. *Confederación Nacional del Trabajo*, syndicat anarchiste espagnol fondé en 1910. *(N.d.T.)*

2. Grève de l'entreprise électrique *Barcelona Traction, Light and Power Company Limited*, plus connue sous le nom de *La Canadiense* (parce que son principal actionnaire était la *Canadian Bank of Commerce of Toronto*), à partir du 5 février 1919, et qui dura 44 jours, tournant à la grève générale qui paralysa Barcelone et 70 % de l'industrie catalane. *(N.d.T.)*

vivre avec elle. Finalement, elle m'a laissé tomber pour un soldat soviétique et je suis resté ici, chez Autozavod, pour faire à peu près le même travail que je faisais dans mon magasin.

Jack dut faire un effort pour retenir un bâillement. Miquel lui paraissait sympathique, mais il parlait trop, et de choses qui ne l'intéressaient pas.

— Et ton bonnet ? Tu ne l'enlèves jamais ? fut la seule chose qui lui vint à l'idée.

— Le bonnet catalan ? Il a appartenu à mon grand-père. Il attire toujours l'attention des gens, ils me posent des questions, et j'en profite pour leur parler de mon pays.

Jack lui versa un autre verre de vodka, dans l'espoir qu'il se tairait pendant qu'il boirait. Il profita de la pause pour l'interroger sur le prix et la provenance des côtelettes de porc qu'il avait affirmé pouvoir lui fournir. Miquel s'approcha de l'oreille de Jack.

— Ça, c'est mon secret, murmura-t-il. Si je le révèle, je suis perdu.

Il ajouta qu'il avait des contacts dans certaines coopératives d'élevage qui approvisionnaient les cuisines d'Autozavod, mais que ce genre de commerce était formellement interdit. Ceux qui étaient pris se retrouvaient expédiés en Sibérie.

— C'est pour ça que c'est si cher, ajouta-t-il.

— Combien ?

Miquel fit mine de compter.

— Deux cents roubles.

Jack le regarda. Il disposait certes de plus d'argent qu'il n'en fallait, mais deux cents roubles représentaient un peu plus que le salaire mensuel d'un ouvrier. Il voulut voir jusqu'où il pouvait négocier.

— Je peux t'en donner cent.

Miquel secoua la tête. Il avala une autre gorgée, regarda des deux côtés de la table pour s'assurer que personne ne les écoutait, et de nouveau s'approcha de Jack, à presque toucher son oreille.

— Montez l'offre.

— Mais si à l'économat on m'a assuré que ça me coûterait cinquante roubles ! se plaignit Jack.

— Eh bien commandez-les là-bas si vous voulez attendre deux ou trois ans pour les avoir. Écoutez, Jack. Le problème, c'est pas le prix du cochon. C'est ce qu'il faut payer à ceux qui ferment les yeux et restent bouche cousue, et cela seul s'élève à cent roubles, que ce soit pour un carré ou pour une seule côtelette.

— Et toi tu en empoches encore cinquante. Ça ne me paraît pas très communiste.

— Vous ne savez rien de mes problèmes. Si ça ne vous intéresse pas…

Il vida son verre et se leva.

Jack l'arrêta.

— C'est bon. Quatre cents roubles. Mais tu devras me fournir un porc entier. Des pattes à la tête.

17

Au cours des semaines qui suivirent, la vie de Jack ressembla à celle d'un rat égaré dans un labyrinthe.

Chaque matin, vêtu de son tablier blanc, il se rendait à Autozavod pour sa ronde d'inspection. Il commençait par la centrale à vapeur qui générait toute l'électricité nécessaire à l'aciérie, de là il passait à l'usine des moteurs, où l'on forgeait les propulseurs et les boîtes de vitesses, et continuait par l'usine d'estampage où étaient élaborées les différentes parties de la carrosserie. Une fois peintes, elles étaient assemblées dans l'atelier de montage sur un châssis de longerons et de traverses auquel les roues avaient déjà été adaptées. Cependant, et malgré son rythme de travail frénétique, c'est à peine si Jack parvenait à terminer l'examen des quatre ateliers en une semaine. En Union soviétique, la semaine consistait en cinq jours de travail pour un de repos, si bien que son jour de relâche tournait et ne tombait pas toujours un dimanche. Comme Joe Brown et les Daniels étaient dans des équipes différentes, il n'avait jamais ses jours de congé en même temps qu'eux et, pour cette raison, consacrait ses journées de repos à analyser les rapports établis pendant la semaine.

Dernièrement, il avait l'impression de ne pas avancer.

La plus grande partie de ses conclusions indiquait que les problèmes de l'usine provenaient de l'implantation d'un processus industriel dans un pays dont la langue et la culture stagnaient au Moyen Âge. Les situations absurdes – comme le fait que des presses très chères importées des États-Unis avaient été prises pour du matériel de remplissage et employées pour renforcer le béton dans la construction d'une gare ferroviaire, ou que tout un lot de découpeuses avait succombé à la rouille, méconnaissant leur fonctionnement les Russes les avaient entassées dans un entrepôt à ciel ouvert – étaient son quotidien. Son analyse révélait que certains ingénieurs américains de l'Austin Company de Cleveland, l'entreprise qui avait monté l'usine, étaient déjà suspectés, et qu'un grand nombre d'ouvriers soviétiques avaient été déportés en Sibérie. Jack savait par ailleurs que la Ford avait rencontré le même genre de difficultés lorsque, en 1926, elle avait installé sa filiale à Berlin. Toutefois, le caractère allemand – organisé, méthodique et discipliné – ainsi qu'un développement technologique proche de celui des États-Unis avaient permis à l'expérience de se dérouler sans problèmes en Allemagne.

Tout le contraire de ce qui, selon lui, se passait à Gorki, et pas parce que les Soviétiques étaient moins travailleurs que les Allemands. En fait, les Allemands avaient répondu au défi à la manière d'une armée d'abeilles, alors que les Russes semblaient l'avoir fait comme un troupeau de chèvres.

Il attisa le brasero qu'il s'était acheté pour lutter contre le froid et continua d'examiner ses papiers.

D'après les rapports, l'absurdité venait apparemment de l'entêtement de Staline qui, après avoir ignoré les conseils des experts, avait décrété la construction d'un gigantesque complexe pour faire concurrence à celui que la Ford possédait à Détroit, comprenant des usines, l'adduction de réseaux d'égouts, des écoles, des hôpitaux, des centres sociaux et des logements, tout à la fois et sans infrastructures préalables, ce qui, ajouté à son inauguration précipitée, afin qu'elle coïncide avec la clôture de son premier plan quinquennal, faisait que la construction d'Autozavod était loin d'être achevée.

Une simple donnée confirma son analyse : pas une seule voiture russe n'était encore sortie des chaînes de production et les rares unités assemblées provenaient du stock de soixante-quinze mille véhicules endommagés du modèle A que Staline avait acquis pour les recycler.

L'autre gros problème venait de ce que quatre-vingt-dix pour cent des trente mille employés du complexe industriel étaient des agriculteurs et des éleveurs sans aucune expérience. À plusieurs reprises, pendant ses rondes d'inspection, Jack avait surpris des ouvriers en train d'allumer un feu sur le sol de leur lieu de travail pour faire cuire des aliments ; certains s'abritaient d'une peau d'ours alors qu'ils manipulaient des machines pouvant agripper n'importe quel vêtement ample, ou abandonnaient leur poste de travail pour aller faire leurs besoins sur le terrain vague le plus proche, au lieu d'aller dans les latrines. Vouloir que des travailleurs originaires des steppes respectent les mesures de sécurité, de propreté ou de discipline était une question épineuse, et il ne fallait donc pas s'étonner que surviennent des catastrophes. Pourtant, certains accidents pouvaient difficilement être qualifiés de tels.

Chaque soir, Jack écartait les dossiers dus à des inattentions ou à des négligences pour se concentrer sur ceux qui, par leur nature mystérieuse, pourraient être qualifiés de sabotages. Et le plus curieux, c'était que tous s'étaient produits dans l'atelier d'estampage.

Le premier concernait une courroie de transmission sectionnée sur la chaîne de carrosseries. D'après les rapports d'entretien, la courroie avait été remplacée par un ouvrier qualifié avant l'accident, raison pour laquelle sa détérioration posait des questions. On n'avait pas déploré de dommages corporels, mais la production avait été interrompue pendant deux jours à cause du manque de pièces. Le plus étrange n'était pas tant qu'une courroie neuve se soit cassée, mais que ce soit justement la seule pour laquelle il n'existait pas de rechange dans toute l'usine.

Le deuxième accident était dû à la rupture du crochet de l'une des grues responsables du transfert des moteurs. Le propulseur, qui à ce moment dansait en l'air, était tombé d'une hauteur de trois mètres et avait écrasé deux ouvriers. Jack fut désolé pour les défunts. Il connaissait bien le fonctionnement de ce type de grues, et il savait que le crochet cimenté dont elles étaient équipées ne se rompait pas, même si on le plaçait sous un rouleau compresseur. De plus, les travaux d'entretien avaient été reconnus satisfaisants d'après ce que stipulait le fabricant.

Le dernier accident était l'explosion d'une bonbonne d'acétylène. Ce genre d'imprévus se produisait lorsque des jeunes n'ayant aucune expérience de la soudure laissaient les bonbonnes d'oxygène ouvertes et frottaient une allumette, mais la personne qui manipulait le matériel la nuit de l'accident était une ouvrière qui travaillait depuis dix ans dans la métallurgie ; brûlée sur tout le corps, elle avait succombé deux jours plus tard. Jack n'avait aucune preuve, mais l'horrible façon dont était morte cette femme de grande expérience lui fit ajouter son dossier à ceux des possibles sabotages.

Malheureusement, et vu la paresse de la bureaucratie soviétique, Jack constata qu'il ne pouvait pas faire grand-chose de plus. Wilbur Hewitt ne lui fournissait pas les données qu'il lui demandait avec une rapidité suffisante, et il ne pouvait pas non plus aller interroger les personnes impliquées sans risquer de révéler son double jeu. C'est pourquoi, certains jours, il abandonnait l'enquête et mettait toute son énergie à réparer les machines ou à résoudre des problèmes plus prosaïques.

Et parmi ces derniers, le sujet qui le préoccupait le plus était celui de Sue.

Comme la fiancée d'Andrew travaillait dans une brigade de nettoyage, ils n'avaient que peu l'occasion de se rencontrer. Mais le problème venait de l'état civil sous lequel tous deux avaient été enregistrés. Jack avait vérifié que tant qu'ils seraient officiellement mariés il ne pourrait pas solliciter une chambre individuelle, ce qu'il souhaitait, mais s'il admettait le mensonge du certificat matrimonial pour clamer son célibat, il risquait d'être découvert et déporté pour faux témoignage. C'est pourquoi il avait convaincu Joe Brown que son mariage était un désastre et qu'il avait besoin de la tranquillité d'une chambre individuelle pour réfléchir la nuit tandis qu'il faisait les démarches nécessaires pour obtenir le divorce. Joe Brown se montra des plus compréhensifs lorsque, aux motifs sentimentaux, Jack ajouta la somme de trente roubles pour qu'il lui cède sa chambre. Le règlement soviétique interdisait formellement la sous-location, mais, par chance, dans le village américain, certaines choses fonctionnaient encore comme aux États-Unis, et Joe Brown fut heureux d'employer la moitié des honoraires de Jack pour payer une chambre partagée avec un autre collègue de l'usine. À partir de ce moment, Jack put dormir seul dans une chambre, à peine plus grande qu'une armoire et qui empestait le crottin de cheval.

Lorsqu'il consulta la réceptionniste des baraques à ce sujet, celle-ci lui expliqua que, pendant leur construction, on avait rempli les espaces entre les cloisons de bois avec un mélange de paille et d'excréments et que, malgré l'odeur pestilentielle, c'était un isolant efficace.

Une fois la question du logement résolue, il ne restait plus qu'à attendre le retour d'Andrew. D'après ses dernières nouvelles il était encore à Moscou où, apparemment, il avait trouvé un travail spécial en tant qu'assistant de la Guépéou, cause de son retard.

Jack, par ailleurs, avait consacré le reste de son temps libre à organiser son avenir. Depuis son arrivée à Autozavod, deux mois plus tôt, il avait réussi à économiser deux mille dollars ; il en avait utilisé deux cents pour régler d'avance les trois mois de loyer de sa nouvelle chambre, et pour acheter deux manteaux usagés ainsi qu'un réchaud rudimentaire qui lui permettaient de supporter les rigueurs de l'hiver.

Il en éprouvait une certaine satisfaction. Si tout continuait de la sorte, dans un an il disposerait d'une fortune de quelque douze mille dollars ou, s'il les changeait au marché noir, de trois cent soixante mille roubles libres d'impôts. Avec de telles perspectives, il ne lui resterait qu'à choisir le pays d'Europe où aller vivre pour dépenser cette somme.

En attendant qu'arrive ce jour, il allait s'occuper de bien se nourrir.

Bien qu'il ait droit à des tickets de catégorie supérieure, il avait constaté que non seulement les rations servies dans les réfectoires d'Autozavod diminuaient de jour en jour, mais qu'en plus leur variété s'était peu à peu réduite, se limitant à des marmites de *valanda*, une soupe de légumes dans laquelle prédominait l'eau salée, des steaks de viande hachée dont personne n'osait imaginer l'origine, et des omelettes confectionnées avec des œufs en poudre. Jack ignorait lequel de ces plats lui donnait la diarrhée, aussi avait-il décidé de trancher dans le vif et d'acheter, en réglant d'avance un prix exorbitant, les saucisses et les côtelettes de porc déjà cuisinées que Miquel Agramunt lui fournissait à la fin de chaque journée.

Ce qui l'incommodait le plus, c'était d'avoir à se cacher pour manger. Il le faisait en priant que ses voisins ne détectent pas l'odeur que les aliments dégageaient lorsqu'il les réchauffait sur le fourneau de sa chambre, et qui par chance était couverte par la puanteur des cloisons. Il faisait cela pour éviter de susciter l'envie de ses compagnons qu'il voyait maigrir un peu plus chaque jour, alors que lui-même devenait plus robuste.

Il semblait inévitable que le fantôme de la famine finisse par s'attaquer à l'Autozavod, où des milliers d'âmes attendaient patiemment d'être dévorées.

Cela faisait près de trois mois qu'il travaillait en tant que superviseur à Gorki, et les choses suivaient plus ou moins leur cours. Mis à part le message qu'on avait glissé sous sa porte cette nuit-là. Il constata qu'il s'agissait de l'écriture de Sue. La note annonçait qu'Andrew arrivait le lendemain.

Il prit une grande inspiration. Il n'avait pas peur d'effectuer son travail sous le regard scrutateur de milliers d'yeux qui le surveillaient, ni d'acheter illégalement de la nourriture, ni de faire confiance à un trafiquant pour changer des dollars contre des roubles. Pourtant, son cœur se serrait à l'idée de devoir regarder Andrew dans les yeux comme s'il ne s'était rien passé.

Il le trouva très affaibli. Il ne savait pas si Sue lui avait révélé quelque chose sur le moment d'intimité qu'ils avaient eu la nuit de la fête de bienvenue, mais le visage de son ami s'était émacié davantage encore et, sous ses lunettes, les cernes assombrissaient un regard sérieux et pensif. Jack évita de mentionner tout sujet ayant un rapport avec Sue, et orienta la conversation sur sa situation professionnelle tandis qu'ils prenaient ensemble un thé à la cantine.

— Trois mois ! Nous n'avions pratiquement pas de nouvelles de toi. Nous avons essayé de joindre ton collègue moscovite, mais il nous a été impossible de le localiser. Nous étions inquiets, dit Jack, sans réussir à soutenir son regard.

Andrew but sa tasse de thé d'un trait, comme si c'était le premier qu'il avalait depuis une semaine. Jack lui demanda s'il voulait partager l'unique morceau de gâteau qui restait sur le comptoir, et son ami accepta.

— J'aurais dû vous appeler, mais les communications avec Gorki sont compliquées et tu sais que je ne baragouine que quelques mots de russe. Je vous ai écrit. J'ai passé deux semaines à arpenter Moscou, avec mon ami Dimitri. (Il engloutit en une bouchée son morceau de gâteau, si bien que Jack ne saisit presque rien de ce qu'il racontait.) Il m'a cherché du travail au Komintern, comme agent de liaison avec le CPUSA, le Parti communiste des États-Unis d'Amérique, mais tous les postes étaient déjà occupés.

— Et pourquoi n'es-tu pas venu à Gorki ?

— Parce que je suis un entêté, tu me connais. Dimitri m'assurait que c'était une question de semaines, mais qu'il y aurait un poste vacant. J'en ai bavé, Jack, conclut-il.

— Mince ! Je suis vraiment désolé. Si je l'avais su, j'aurais…

— Non, ne t'excuse pas. Tout est ma faute. (Il se lécha les doigts l'un après l'autre.) Je ne sais pas pourquoi, j'ai été vexé que tu trouves de meilleurs postes de travail que les miens à Moscou. En fait, tu nous aidais tous. Mon stupide orgueil… J'ai été idiot de croire que tu voulais m'empoisonner la vie.

Jack sentit son estomac se serrer au souvenir de sa nuit avec Sue. Il dut boire toute sa tasse de thé pour que le nœud se desserre. Il attendit avant de poursuivre.

— Bien. Et quelle est ta situation maintenant ? Je peux sûrement encore parler à Hewitt…

— Non, ce ne sera pas nécessaire. Finalement, Dimitri a obtenu que le Commissariat du Peuple pour l'Industrie reconsidère la proposition que j'avais refusée à Gorki. Ç'a été compliqué, parce que les Soviétiques sont très stricts en ce qui concerne le travail, mais on a fini par régler tout ça et je vais travailler comme auxiliaire de liaison pour les relations entre les Soviétiques et les Américains. Un emploi de gratte-papier, mais un travail malgré tout.

— Quoi qu'il en soit, si ton salaire…, nous pourrions essayer de le négocier.

— Non ! Vraiment, Jack. Peut-être plus tard. Cinquante roubles de plus ou de moins ne vont pas bouleverser ma vie, et j'ai déjà demandé trop de faveurs pour annoncer maintenant que je change de travail. Il ne me reste qu'à te remercier d'avoir pris soin de Sue. Je sais que tu as demandé le divorce et que tu t'es payé une chambre pour qu'elle puisse rester seule. Tu es un véritable ami.

— N'y pense pas. (Jack se réjouit d'avoir trouvé le courage d'inscrire la demande de divorce au *Zapis Aktov Grazhdanskogo Sostoyaniya*, le bureau d'enregistrement russe.) Enfin… je suppose donc que tout redevient comme avant.

Il n'avait pas encore terminé sa phrase que Sue apparut brusquement. Surpris, Jack prit le regard qu'elle lui adressait comme celui d'un félin à l'affût. Andrew les regarda tous deux en silence.

— C'est ce que j'espère, Jack. C'est ce que j'espère.

Cette nuit-là, Jack rêva qu'Andrew lui tranchait la gorge. Il se réveilla trempé de sueur, ce qui ne lui était pas arrivé depuis longtemps. Il avait besoin de respirer. Il se leva et mit son manteau pour aller aux toilettes communes. Là, il se lava abondamment le visage comme si, d'une façon ou d'une autre, l'eau glacée pouvait laver sa conscience. Ce fut inutile. La seule chose qu'il obtint fut de se salir les pieds avec des détritus provenant de la fuite d'un tuyau. Tandis qu'il se nettoyait avec un vieux journal, il se sentit aussi répugnant que les excréments des latrines.

Avec l'arrivée du printemps, les choses empirèrent à l'usine. Le haut commandement des Soviets avait ordonné de faire tourner Autozavod à plein régime avant l'été, ce qui avait entraîné un surcroît de travail, mais celui-ci ne s'était accompagné d'aucune augmentation des rations alimentaires. En conséquence, les dispensaires commencèrent à recevoir des légions de travailleurs de plus en plus exténués, qu'ils renvoyaient à leurs postes après leur avoir administré un remontant assorti d'un avertissement. Harry Daniels avait été l'un des derniers ouvriers à avoir besoin de l'assistance médicale, mais sa faiblesse ne se traitait pas avec des cachets. Tout ce qu'il lui fallait, d'après son épouse, c'était un bon plat de légumes à l'étouffée, et c'est ce qu'elle demanda à Jack, après avoir frappé à sa porte.

Lorsqu'il entendit sa requête, il ne sut quoi dire.

— Par Dieu, je t'en prie, Jack, insista-t-elle. Mon Harry a à peine la force de respirer. Le matin il vomit je ne sais pas quoi, parce que tout ce qu'il avale au dîner, c'est l'eau colorée qu'on lui donne à l'usine. Il déjeune d'un verre de thé et ne veut rien manger d'autre que son biscuit. Il ne veut pas prendre le mien. Je t'en supplie. À Boston j'ai vu mon frère mourir de faim et je sais de quoi je parle.

— Mais, madame Daniels, vous savez aussi bien que moi que l'économat est pratiquement vide. Je ne peux pas...

— Mon fils, l'interrompit-elle, je reconnaîtrais l'odeur qui sort de ta chambre à une lieue de là. Regarde-toi. Tu n'es peut-être pas gros, mais tu es fort comme un taureau. Tu sais comment obtenir de la nourriture, et il te reste sûrement quelque chose. Écoute. (Des larmes coulèrent lentement de ses yeux.) Nous envoyons tout ce que nous gagnons à ma mère qui est malade à Détroit, mais nous avons réussi à économiser deux cents roubles. C'est tout ce que nous avons. Tiens, prends-les.

Elle lui tendit une poignée de petites coupures toutes fripées.

Jack inspira un bon coup en essayant d'étouffer la rougeur de sa honte. Il refusa les billets et tendit un mouchoir à la pauvre femme pour qu'elle essuie ses larmes. L'argent n'était pas le plus important. Le problème était que s'il aidait Mme Daniels, le bruit courrait qu'il savait où trouver de la nourriture, et dans

le village tous viendraient le supplier de leur en procurer. Il pinça les lèvres et regretta le jour où il avait
eu l'idée d'inviter tous ceux qu'il connaissait à manger
le rôti de porc.

— Madame Daniels, si vous me trouvez bel aspect,
c'est parce qu'on m'a arrangé ce costume. De plus, à
la cantine ils traitent mieux les cadres intermédiaires.
Je… Je suis désolé, mais je ne peux pas vous aider.

La femme s'agenouilla devant Jack avant que
celui-ci puisse l'en empêcher et elle éclata en sanglots.

— Au nom de ce que tu as de plus cher, je t'en
supplie. Pense à tes parents. S'ils étaient ici, tu les
aiderais.

En entendant mentionner ses parents, Jack tressaillit. Il se dit que si tous deux étaient encore de ce
monde, il ne se trouverait pas aujourd'hui dans un pays
étranger, souffrant du froid, devant une vieille femme
agenouillée à ses pieds le suppliant de lui donner un
peu de nourriture. Il releva la femme comme il put
et l'accompagna jusqu'à la porte. Il lui dit d'attendre
dehors. Puis il se dirigea vers sa malle et en sortit cinq
cent roubles avant de retourner dans le couloir pour les
lui donner.

— Tenez. C'est tout ce que je peux faire pour vous.

— Mais qu'allons-nous faire de cet argent ? (La
femme balbutia, les larmes aux yeux.) Nous, on ne sait
pas…

— Je suis désolé, madame Daniels. Demandez
autour de vous. Il m'est vraiment impossible de vous
aider. Je regrette.

Une minute plus tard, Jack se laissa tomber sur le
lit et ferma les yeux, essayant de ne plus entendre les

plaintes de Mme Daniels qu'on percevait toujours au loin. Il n'y parvint pas. Il voyait le visage de sa mère dans le corps de la vieille femme à genoux, son cœur tremblait. Il marmotta un juron. Il aurait aimé aider ces pauvres gens, mais s'il le faisait il soulagerait leurs souffrances pendant une journée, et le lendemain il se retrouverait en prison. De nouveau il s'approcha de la table pour prendre une bouteille de vodka près de laquelle reposaient les restes du ragoût de veau dont il avait dîné. Soudain, un haut-le-cœur le secoua et il vomit dans l'assiette, salissant tous ses vêtements. Il se nettoya comme il put. Puis il ouvrit la bouteille et se mit à boire. Lorsqu'il parvint à trouver le sommeil, un enfant aurait pu la finir sans crainte qu'on le réprimande : il en restait à peine une goutte.

18

Jack n'avait jamais imaginé que le simple fait de manger chaud chaque jour et de gagner des dollars à la pelle finirait par le mortifier à ce point. Il termina de faire sa toilette dans la salle de bains commune, juste au moment où M. Daniels entrait. L'homme le salua d'un soupir. Quand le vieil homme enleva sa chemise, Jack put compter sur son dos plus de côtes qu'il n'aurait voulu. Il lui rendit son salut et sortit. En chemin vers sa réunion hebdomadaire avec Wilbur Hewitt, il tenta de réfléchir à la façon d'aider le vieux Daniels sans que cela le compromît, mais il eut beau se creuser la tête, il ne trouva pas la solution. À travers la grille qui précédait les bureaux, un soleil timide disputait un morceau de ciel aux gros nuages accumulés au-dessus d'Autozavod. Il prépara les rapports qu'il avait rédigés tout au long de la semaine et frappa à la porte du bureau. Il était dix heures tapantes et, comme certaines autres fois, la jeune infirmière blonde qui chaque semaine surveillait l'évolution du bras de Hewitt sortit du bureau. Jack lui rendit le sourire qu'elle lui avait adressé dès qu'elle l'avait vu. Il se souvint qu'elle se prénommait Natasha. Un bref instant il eut envie d'en savoir plus sur elle, et il se demanda combien de temps elle allait continuer à soigner l'ingénieur.

Soudain, la voix rauque de Hewitt le secoua comme s'il venait d'être surpris en train de voler des pommes. Jack sursauta, sortit ses notes et les rangea sur la table. Hewitt posa son monocle sur un vieux numéro du *New York Times* et attendit que Jack lui communique les résultats de son enquête. Mais Jack laissa de côté les rapports et regarda Hewitt dans les yeux. Il se demanda s'il devait l'informer de la situation de ses compatriotes. Finalement, il se décida.

— Monsieur Hewitt, si vous me le permettez, avant que nous nous concentrions sur l'enquête, j'aimerais vous parler d'un sujet qui nous concerne tous.

— Tous ? Sapristi ! Je t'écoute.

Il éteignit son cigare et se pencha au-dessus de la table pour lui prêter attention.

— Il s'agit des rations alimentaires. J'ignore si vous le savez, mais elles sont de plus en plus réduites, et à l'économat du village aussi l'approvisionnement a diminué.

— Eh bien non, je n'étais pas au courant. Je déjeune toujours ici, dans ce bureau, et à vrai dire je trouve le menu aussi abondant et aussi mauvais que d'habitude. Mais si c'est le problème, je vais voir comment faire pour qu'on t'accorde quelques tickets supplémentaires et…

— Pardonnez-moi, monsieur Hewitt. Peut-être me suis-je mal exprimé. Ce problème n'est pas le mien. Comme je vous le disais, c'est une chose qui affecte tous les ouvriers.

— Ah ! Dans ce cas, le mieux serait de déposer une plainte à ce sujet. Je te donnerai le nom du délégué de l'intendance. Ces questions ne sont pas de mon ressort.

— Excusez-moi d'insister, monsieur, mais je ne crois pas que voir des compatriotes tomber malade à cause de la faim soit étranger à vos responsabilités.

Hewitt afficha l'expression d'incrédulité d'un sergent qu'une recrue aurait insulté. Il toussa comme s'il venait de prendre un coup de poing et se dressa au-dessus de la table.

— Bien. Mettons les choses au clair, Jack. Ça marche comme ça : nous, on ne renifle pas le cul des Russes et les Russes ne reniflent pas le nôtre. J'ignore évidemment pourquoi ils réduisent les rations, mais s'ils le font, je t'assure qu'ils ont sûrement leurs raisons. De plus, d'après ce que tu me dis, les réductions affectent tout le monde, et je ne pense pas que les Soviétiques se réjouissent de voir leurs propres compatriotes souffrir d'inanition, je ne crois donc pas qu'on puisse faire grand-chose à ce sujet.

— Et donc, c'est tout ?

— C'est tout.

— Mais…

Hewitt s'élança vers la table et saisit le tas de rapports que Jack y avait déposé.

— Écoute, mon garçon, et écoute-moi bien parce qu'il n'y a que deux choses que tu puisses faire ! dit-il en agitant son index sous le nez de Jack. Si ça te plaît, tu continues à travailler en silence comme tu l'as fait jusqu'à présent et tu empoches un salaire mirifique. Si ça ne te plaît pas, tu ramasses tes rapports, tu sors par cette porte et tu t'en vas partager les souffrances de tes compagnons.

Jack resta sans voix devant le visage rouge de Hewitt. Il ne l'avait jamais vu dans cet état. Il avala sa salive, et remit soigneusement de l'ordre dans ses papiers.

— Monsieur, veuillez m'excuser d'avoir outrepassé mes droits.

Pour la première fois de sa vie il se sentit comme un chien la queue entre les pattes.

— Tu les as assurément outrepassés !

— Si vous le désirez, je peux encore vous faire part de mes dernières découvertes, dit-il d'une voix calme.

Hewitt pinça les lèvres, tandis qu'il tirait sur son gilet de son bras valide. Il toisa Jack et se laissa retomber dans son fauteuil.

— C'est bien, mon garçon. Dis-moi une chose. Tes conclusions de cette semaine nous éclairent-elles ?

— D'une certaine façon, je le crois.

— Eh bien, jetons-y un coup d'œil et espérons qu'elles le fassent vraiment, parce que cette discussion m'a mis en retard et dans dix minutes je dois fournir des explications à Sergueï.

Il rassembla les notes que Jack lui avait apportées.

— J'espère que ça se passera bien pour vous, monsieur.

— Que ça se passera bien pour moi, mon garçon ? Tu devrais t'inclure dans tes souhaits, parce que aujourd'hui, c'est toi qui vas transmettre tes résultats à Sergueï.

Bien qu'accompagné de Hewitt, Jack ne put éviter de ressentir le frémissement qui avait parcouru son épine dorsale la première fois qu'il était entré dans le bureau de Sergueï Loban. Tandis qu'il prenait place dans l'un des deux fauteuils en cuir rouge, il respira l'air raréfié par l'odeur de tabac, d'humidité et de vieux bois du bureau qui semblait ne pas avoir été aéré depuis des années. À la différence de sa précédente visite, les rideaux étaient tirés ; une ampoule dont le filament était aussi languissant que les yeux de Sergueï éclairait faiblement la pièce. Le reste du mobilier – une machine à écrire avec deux touches enfoncées, un téléphone en bakélite noir et deux classeurs en métal – prenait un aspect sinistre dans cette pénombre. Une fois qu'ils furent installés, Sergueï se laissa tomber dans son fauteuil. Le Soviétique porta un cigare à sa bouche et en offrit un à Hewitt. Il ne jeta pas un regard à Jack.

Hewitt en aspira une bouffée, comme s'il en éprouvait vraiment le besoin. Puis il sortit la chemise à couverture jaune où il gardait les notes de Jack et entreprit d'exposer son contenu de manière détaillée. Lorsqu'il eut terminé, il aspira une autre bouffée et attendit l'approbation de Sergueï.

— Un travail excellent. Mais ce ne sont là que des données, et moi, ce qu'il me faut, ce sont des coupables, murmura Sergueï.

Hewitt regarda Jack, comme si c'était à lui de communiquer au Russe le reste des explications. Jack approcha ses notes et les relut.

— Monsieur, les conclusions auxquelles je suis arrivé indiquent qu'il existe un haut pourcentage d'accidents qui obéissent à des négligences et…

— Les accidents ne m'intéressent pas.

— Bien, dit Jack, un chat dans la gorge. En ce qui concerne les cas de sabotage, il faut distinguer deux sortes d'actions, dont les objectifs et les méthodes d'exécution sont à l'opposé. D'un côté, nous avons les petites détériorations : des boulons dévissés, des machines qui se dérèglent ou des matériaux qui disparaissent et qui, si cela ne se répétait pas si souvent, pourraient passer pour des actes accidentels. Ces sabotages produisent rarement des dommages et il est difficile de les éviter. Je pense que ceux qui les provoquent sont des ouvriers jaloux ou mécontents qui…

— Il n'y a pas d'ouvriers mécontents en Union soviétique ! l'interrompit à nouveau Sergueï.

Jack fronça les sourcils. Il faillit répliquer, mais il comprit que s'obstiner le conduirait dans une impasse.

— Quant aux secondes actions, elles sont le fait d'ouvriers bien formés qui prennent soin de ne pas être découverts, et les planifient longuement pour provoquer le plus de dégâts possibles. (Il lui remit l'une de ses notes.) Voyez : des lots de roulements fabriqués en dehors du seuil de tolérance, et dont les effets dévastateurs ne seront découverts que lorsque des milliers de moteurs exploseront (il lui en remit une autre), des impuretés métalliques dans les matrices qui, lors du processus d'emboutissage, seront soudées avec les moules d'acier, les rendant inutilisables (il lui tendit la troisième), ou des ruptures d'éléments de fabrication dont, curieusement, il n'existe pas de pièces de rechange dans les magasins.

— Intéressant… (Serguéï sortit de leur étui des lunettes abîmées et, les ayant chaussées, lut attentivement les rapports.) Et en ce qui concerne les responsables ?

— Voilà le problème. Comme je vous le disais, ces personnes savent très bien ce qu'elles font. Leurs sabotages ne provoquent pas de dommages immédiats, ce qui complique leur suivi.

— Donc, nous parlerions d'ouvriers très qualifiés ?

— Sans aucun doute.

— Bien, dans ce cas…

Il ne put terminer sa phrase, car la porte du bureau s'ouvrit brusquement et un homme en uniforme vêtu d'une vareuse marron ajustée fit irruption dans la pièce sans prêter attention aux personnes présentes.

— Serguéï ! J'ai besoin qu'un mécanicien répare ma Buick une fois pour toutes, lança-t-il.

Serguéï souffla comme si celui qui venait de l'interrompre était un fils adolescent rebelle. Mais il s'agissait de Viktor Smirnov.

— Je t'ai dit mille fois de frapper avant d'entrer ! hurla le directeur des Opérations.

Viktor sursauta, mais ne s'excusa pas. Il regarda les Américains d'un air hautain et sortit en claquant la porte, sans prendre congé.

— J'en ai par-dessus la tête de ces bureaucrates ineptes ! Voyons ! Où en étions-nous ?… Ah oui ! Aux ouvriers très qualifiés. Bien, alors restons-en là. Merci beaucoup à tous les deux. Jack : ton aide a été précieuse.

Et il lui tendit la main pour le féliciter.

À peine sortis du bureau, Jack et Hewitt tombèrent sur Viktor Smirnov, qui attendait Sergueï en faisant les cent pas d'un mur à l'autre, comme un félin en cage. Jack sut qu'il allait commettre une imprudence, mais il ne put résister.

— Votre Buick, ce ne serait pas une Master Six Roadster de 1928 ? demanda-t-il à Viktor.

En l'entendant, l'officier s'arrêta net.

— C'est cela, mais comment savez-vous… ?

— Moteur six cylindres, quarante-huit chevaux, carrosserie décapotable… Je n'ai pas pu éviter de la remarquer garée en bas.

— Vous vous y connaissez en automobiles ?

Les yeux de Viktor brillèrent comme s'ils venaient de découvrir un diamant.

— C'est mon métier. J'ai travaillé un temps sur ce modèle aux États-Unis. Une jolie voiture, mais aussi délicate qu'une demoiselle, monsieur…

Il fit mine de ne pas se souvenir de son nom.

— Smirnov. Viktor Smirnov. Nous nous connaissons ?

Il essaya de se souvenir ; il était évident qu'il n'avait prêté aucune attention à leur rencontre à la fête de l'hôtel Metropol.

— Non… Je ne crois pas. Enfin. Profitez de votre voiture avant qu'elle ne tombe en ruine.

— Quel hasard ! La culasse de la mienne est cassée justement. Vous sauriez la réparer ?

Jack pensa à Elisabeth avant de répondre.

— Bien sûr. Je pourrais la démonter les yeux fermés.

De retour à son bureau, Hewitt, qui n'avait pas desserré les dents de tout le trajet, claqua la porte et jeta les rapports de Jack dans la corbeille à papier.

— Bon sang ! À quoi pensais-tu ? La seule chose dont Serguei avait besoin, c'était d'une excuse, et tu la lui as servie sur un plateau. Qu'est-ce qu'il t'a pris d'affirmer que les sabotages venaient d'ouvriers spécialisés ? Je t'avais bien dit de garder le secret sur ce genre d'information.

Jack balbutia. Il avait imaginé que Hewitt le féliciterait pour son enquête, mais au lieu de cela, il lui criait dessus, hors de lui.

— Je… je n'ai accusé personne, se défendit-il.

— Mais tu ne te rends pas compte ? Les Soviétiques ne reconnaîtront jamais qu'il existe des renégats parmi eux. Maintenant, Serguei va prendre ton rapport, il va le présenter à ses supérieurs et accuser les Américains des sabotages.

Hewitt s'affala dans son fauteuil. Il sortit d'un tiroir une bouteille de vodka et en but une longue gorgée. L'alcool sembla le calmer. Puis il offrit la bouteille à Jack. Le jeune homme l'imita.

— Serguei est un vieux renard, continua Hewitt. Il a besoin de montrer qu'il tient l'usine sous son contrôle, et il sait que la meilleure façon de le faire est de détourner l'attention du véritable problème.

— Mais s'il sait d'où vient le problème, pourquoi ne le résout-il pas ?

— Parce qu'il ne peut pas ! Les saboteurs sont disséminés parmi ses propres travailleurs : des ouvriers fatigués d'être exploités, des paysans qu'on a sortis de leurs terres pour les employer de force dans cette usine, des gens simplement affamés. Quand les sabotages ont commencé, ils ont essayé de les contenir au moyen de la répression, mais au lieu de diminuer, les incidents ont augmenté. À présent, Sergueï va se justifier en arrêtant des Américains.

Jack douta de l'argumentation de Hewitt. L'ingénieur attribuait les sabotages à des paysans soviétiques mécontents, mais ses découvertes pointaient des auteurs ayant une qualification technique dont les Soviétiques manquaient sans doute. Lorsqu'il le lui fit savoir, Hewitt se mit en colère.

— Eh bien si tu ne veux pas voir tes compatriotes tomber l'un après l'autre, tu vas devoir démontrer que tu t'es trompé. Ah ! Une chose encore. À propos de ton salaire, je déplore les inconvénients que cela peut te causer, mais les Soviétiques surveillent mes comptes et il m'est difficile de justifier les règlements en espèces. Ça ne veut pas dire que je vais te le retirer, non… mais je te le remettrai au fur et à mesure que tu le gagneras.

19

Le garçon au bonnet rouge s'assura que personne ne le voyait décharger le dernier sac qu'il avait transporté jusqu'à l'économat américain.

— Je ne sais pas pourquoi vous allez lui rafistoler son joujou, marmonna Agramunt lorsqu'il apprit que Jack avait accepté de réparer la Buick de Smirnov. Ce Viktor est un déshonneur pour les Soviétiques, un prétentieux qui ne pense qu'à satisfaire ses caprices. À ce qu'on dit, il est protégé par Staline en personne. Je ne sais pas si c'est vrai, mais en tout cas il a des relations dans le Parti. Et ça l'est sûrement : voyez comme il passe ses journées à se pavaner dans sa magnifique décapotable, avec son uniforme impeccable et ses manières de maître.

Jack ne prêta pas attention à son bavardage. La seule chose qui l'intéressait, c'était la possibilité d'approcher Elisabeth.

— Eh bien le mieux à faire avec les inutiles, c'est de les tenir occupés, répliqua-t-il, et il cacha le carré de côtes de porc dans la charrette à outils qu'il allait utiliser pour transporter la viande et les saucisses. Comme d'habitude ?

— Oui, la même chose.

Jack régla à Miquel la somme convenue et s'éloigna. Il poussa la charrette jusqu'au bûcher où l'attendait Jim, le fils aîné de Harry Daniels, qu'il avait convaincu de l'aider pour la vente au détail dans le village américain, en échange d'une part des aliments.

Lorsque s'était confirmé l'avertissement de Hewitt sur les difficultés concernant le paiement de son salaire, Jack avait compris que la contrebande pouvait lui apporter des revenus qui, en quelque sorte, épongeraient les retards. Des bénéfices obtenus aux dépens de la faim pouvaient ne pas être bien vus mais, selon lui, chacun en sortait gagnant : de son côté, il fournissait un service de première nécessité, en faisant un bénéfice licite, et de l'autre ses compatriotes obtenaient un morceau de lard qui soulagerait la diminution alarmante des rations alimentaires. Il pensait que Hewitt, tôt ou tard, régulariserait les paiements, mais en attendant, mieux valait couvrir ses arrières. Quant au troc, Jack l'avait organisé de façon à éviter toute indiscrétion qui aurait pu alerter les Soviétiques. Comme les sentinelles du village américain restaient postées à l'entrée du périmètre clôturé, il avait décidé que le règlement s'effectuerait dans les chambres, et la livraison dans les latrines des cours, à travers un trou pratiqué dans le mur qui donnait sur les égouts, et cela sans que l'acheteur et le vendeur se voient.

Jim et lui terminèrent de découper le cochon, et ils enterrèrent les portions sous la neige.

— Tu as compris. Fais-toi payer d'avance et vends les rations une à une, lui rappela Jack après avoir caché la dernière pièce de viande.

— Les Robertson n'ont pas pu réunir l'argent. Qu'est-ce que je fais de leur commande ? dit Jim.

Il avait dix-neuf ans, mais raisonnait comme un adulte.

— Comment va leur fille ? Elle est en meilleure santé ?

— Non. Sa pneumonie traîne toujours.

— Alors donne-leur la part qui revient à la petite. Le reste, tu le vends aux Philips. (Jack avait l'habitude de donner la priorité aux clients ouvriers qui avaient une famille.) Et si elle ne va pas mieux, dis-lui de venir me voir. Je connais une infirmière à qui je pourrais parler pour qu'on la soigne.

Jim suivit les instructions au pied de la lettre, le bruit se répandit, et pendant les jours qui suivirent Jack fournit la population en viande et saucisses. Malheureusement, les indiscrétions dépassèrent les limites du village et bientôt les Soviétiques augmentèrent les contrôles à la recherche de marchandises susceptibles de les trahir.

Le salaire versé par Hewitt continua à prendre du retard, cependant Jack décida d'éviter les risques. Lorsqu'il annonça à Jim sa décision d'arrêter le négoce, celui-ci réagit comme s'il venait de lui voler tout ce qu'il lui restait.

— Tu peux pas nous faire ça ! Regarde dans quel état on est. (Il lui montra ses bras maigres.) On a besoin de ces côtelettes. Mes parents en ont besoin.

Jack resta sur ses positions. C'était vrai que dans le village américain les gens avaient de plus en plus faim, mais les travailleurs soviétiques subissaient les mêmes privations sans rechigner. En plus, il ne comprenait même pas pourquoi il avait pu avoir l'idée de devenir trafiquant alors qu'il avait un travail privilégié.

— Toi, à ma place, tu ferais pareil, se justifia-t-il.

— Et toi, à ma place, qu'est-ce que tu ferais ? lui cria le jeune, le visage rouge d'impuissance.

Jack regarda Jim. Il avait vraiment maigri, comme toute sa famille. Lui, au contraire, avait dû faire un nouveau trou à sa ceinture pour qu'elle ne le serre pas. Il l'aurait volontiers aidé, mais il ne savait comment s'y prendre sans se faire du tort. Miquel ne négocierait pas directement avec des inconnus sans ressources. Il y réfléchit un moment. Enfin il se maudit, cracha le morceau de viande fumée qu'il mâchonnait, et se tourna vers le garçon.

— D'accord. Je vais te dire ce que nous allons faire. Je vais continuer le négoce aux mêmes conditions, mais c'est toi qui en seras responsable. Si pour une raison ou une autre ils nous découvrent, tu assumeras les conséquences. C'est tout ce que je peux faire pour vous.

Jim acquiesça d'un bégaiement et Jack l'imposa d'un ton ferme. Il laissa le garçon se charger du nettoyage et monta dans sa chambre pour se laver. Il arriverait tard à son rendez-vous, mais il voulait être présentable au cas où il parviendrait à faire revenir à la vie le moteur de la Buick Master Six. Pendant qu'il se séchait les cheveux, il se dit qu'il venait d'entériner l'accord le plus stupide de sa vie.

Avec ses coupoles d'un bleu vif, posées sur deux tourelles, se dit Jack, la datcha dans laquelle vivait

Viktor Smirnov ressemblait beaucoup à une église byzantine. Tandis qu'il attendait qu'on réponde à son coup de sonnette, il admira les jardins et les fontaines qui entouraient l'imposant édifice d'un étage. Depuis le parc, on apercevait, au bas de la colline, le cours de la Volga engloutissant les eaux de l'Oka, son affluent. Au-delà, une étendue glacée, infinie, fuyait jusqu'à l'horizon.

Il allait de nouveau tirer sur le cordon de la clochette, lorsqu'il s'aperçut que Smirnov sortait de sa demeure, vêtu d'une veste d'intérieur en soie rouge, pour l'inviter à entrer.

— Une vue majestueuse, n'est-ce pas, Jack ? le salua-t-il avec une poignée de main.

Une fois à l'intérieur, Jack fut ébloui par l'enfilade de tableaux et de tapisseries qui couvraient les murs et donnaient à la pièce l'aspect d'un exquis salon palatin. Il prit place sur un sofa recouvert de velours, près d'une table basse sur laquelle reposait un vieux phonographe, et il savoura la tasse de thé que lui offrit une domestique tandis qu'il écoutait Viktor vanter le gros poêle central qui chauffait toute la maison.

L'officier soviétique lui parla de cette datcha comme d'une retraite. Elle avait appartenu à un parent du tsar Nicolas II. Un ancien hôtel particulier qui, lorsqu'il l'avait occupé après la révolution, était peu ou prou une écurie.

— Mais petit à petit, j'ai transformé cette porcherie en un palais. Ici, face à l'ancien Kremlin, sur le meilleur site de Gorki. Regarde : cristal de Bohême, mobilier français authentique, tapis persan Ziegler, toiles de Levitan et de Serov… Coûteux, oui, mais extraordinaire. Je comprends que tout le monde ne puisse pas apprécier ces merveilles, mais si tu as été le propriétaire d'une Buick Master Six, tu sais de quoi je parle, dit Viktor, tenant pour acquis qu'il était un ingénieur nord-américain aux goûts raffinés.

Jack se réjouit d'avoir mis le costume de McMillan, que les tailleurs de l'avenue Sverdlovka avaient ajusté à sa taille et qui lui allait comme un gant. De fait, Viktor le remarqua.

— Œil de perdrix ?

— Pardon ?

— Je fais référence à l'étoffe de ton costume. C'est de l'œil de perdrix, n'est-ce pas ?

— Ah ! oui ! affirma Jack par pur réflexe. Il te plaît ?

Il se permit lui aussi de passer au tutoiement.

— Évidemment ! Pas très approprié pour ce climat, mais élégant et parfaitement cousu. Moi, j'achète mes costumes au GORT, nos magasins privés. Mais bon, termine ton thé et parlons de ma voiture, car c'est la raison de ta venue.

Viktor n'attendit pas que Jack ait fini son thé pour lui demander de l'accompagner au garage où il gardait son bien le plus précieux. Avec sa peinture beige reluisante, la Buick brillait autant que si elle venait de sortir de l'usine. Enflé d'orgueil, il lui assura la faire nettoyer deux fois par jour avec l'eau de l'Oka. Jack constata qu'à côté de la Buick se trouvaient une vieille Ford A couverte de poussière et une Ford B bordeaux importée récemment.

— J'ai trouvé les outils que tu m'as demandés, lui indiqua Viktor.

Jack les examina. En plus des habituels jeux de clés en tube, étaient posés sur l'établi un manche dynamo-métrique, quelques pinces et plusieurs tournevis. Il se dirigea vers la Buick et, en ouvrant le capot, demanda à Viktor de lui décrire à nouveau les symptômes qui l'avaient alarmé, puis il fouilla à l'intérieur du moteur.

— Le réchauffement et la consommation d'eau semblent indiquer une fuite à travers la culasse. (Jack dévissa le bouchon du radiateur et le regarda. Il glissa le doigt à l'intérieur pour récupérer un peu de l'onctueux mélange café au lait qui s'accumulait à sa base.) Cette espèce de crème le confirme.

— C'est ce que m'a dit mon mécanicien.

— Oui. Et j'imagine qu'il t'a proposé de sortir la culasse et de la réparer au moyen d'une soudure.

— En effet. Mais il m'a assuré que cette réparation ne tiendrait pas longtemps, c'est pourquoi j'ai décidé de la remettre à plus tard.

Jack inspecta les autres organes du moteur. Il fit mine de réfléchir un moment.

— C'est le défaut du modèle. La culasse de ce véhicule souffre d'un problème de corrosion dû au diamètre et à la position des conduits de refroidisse-ment. La soudure ne serait qu'une rustine. Même si on fraisait une culasse neuve, tôt ou tard l'avarie se repro-duirait.

— Et qu'est-ce que ça veut dire ? Ça peut se réparer ou pas ?

Viktor attendit le diagnostic de Jack comme s'il s'agissait d'une maladie incurable.

Jack différa sa réponse. Peut-être avait-il découvert un trésor dans l'obsession de Viktor pour sa Buick.

— Évidemment, la réparation serait possible. Mais il faudrait plusieurs pièces difficiles à obtenir, et je ne crois pas que tu pourrais assumer leur coût.

Il attendit que Smirnov morde à l'hameçon.

Viktor répondit au défi avec le même orgueil que si Jack avait douté de l'authenticité de son lignage.

— Il n'est pas question d'argent. Dis-moi ce dont tu as besoin, exigea-t-il.

Jack resta silencieux un long moment. Enfin, il regarda Viktor dans les yeux.

— D'accord. Eh bien ce qu'il faudrait, c'est du temps pour travailler, les outils adéquats, un moyen de transport pour me déplacer… (Il fit une pause.) Et un endroit tranquille où la réparer.

À son retour au village américain, Jack ne pouvait croire ce qu'il avait obtenu. Agramunt l'avait prévenu des contacts troubles qui permettaient à Viktor Smirnov d'assouvir ses caprices sans que la machine communiste l'étrangle, mais la réalité dépassait tout ce qu'il aurait pu imaginer sur le sujet… C'est ainsi qu'il prit du recul à propos des fantastiques bénéfices qu'il obtiendrait de la réparation de cette voiture idolâtrée.

Lorsqu'il avoua à Joe Brown qu'il lui rendait son ancienne chambre parce qu'il déménageait dans l'une des maisons individuelles du village américain, celui-ci n'en crut pas ses oreilles.

— Mais ces maisons sont réservées aux grands manitous ! s'exclama-t-il, surpris.

Pour toute réponse, Jack sourit en lui adressant un clin d'œil, et il ajouta que sa propre voiture l'attendait à la porte.

Joe exhala un soupir d'étonnement lorsqu'il vit Jack mettre ses valises dans une vieille Ford A et partir vers son nouveau domicile.

Sous prétexte qu'il avait besoin d'un espace tranquille où effectuer la réparation de la Buick, il avait persuadé Viktor de le faire loger dans l'une de ces maisons vides, et comme, en plus, il devrait couvrir les dix kilomètres qui séparaient Gorki de l'établissement américain chaque fois qu'il aurait besoin de matériel, il l'avait également convaincu de lui prêter la Ford qu'il n'utilisait pas.

La nouvelle se répandit comme une traînée de poudre, et Jack eut bientôt l'agréable sensation de voir ses compatriotes le traiter avec le respect qu'on réserve aux potentats. Certains détails, comme celui de les voir se découvrir sur son passage, déborder de sympathie à son égard ou s'intéresser à sa vie personnelle agrémentèrent désormais son quotidien. De plus, son poste de superviseur et son contrôle sur la contrebande de nourriture incita ses compatriotes à finalement le considérer comme le chef du village. Ce que Jack ignorait, c'était que parallèlement à l'admiration qu'il semblait susciter chez ses amis, croissait en eux un dangereux sentiment de jalousie.

Durant une courte période, Jack jouit de ce que n'importe qui, chez Autozavod, aurait qualifié de vie agréable. Malgré les objections du début, Viktor avait convaincu Wilbur Hewitt de relever temporairement Jack de certaines de ses obligations, ce qui permettait à ce dernier de déjeuner au club social entouré d'une cohorte d'admirateurs, qui n'avaient de cesse de l'aduler. Là-bas, avec le chauffage et sans manteaux pour dissimuler la maigreur provoquée par la faim, les différences entre favorisés et défavorisés étaient évidentes. Pour cette raison, et même s'il partageait son petit déjeuner avec les autres, il buvait rapidement son café et courait s'enfermer dans la remise de sa nouvelle maison pour travailler à la réparation de la Buick avec la précision d'un chirurgien intervenant sur une blessure. À midi, trempé de sueur, il s'arrêtait pour déjeuner, et se rendait ensuite à l'usine pour ses rondes obligatoires, à la recherche de pistes qui lui permettraient d'avancer dans son enquête. À la nuit tombée, il allait donner des nouvelles à Viktor Smirnov, son brillant allié soviétique, partageait un dîner léger avec lui en parlant de voitures de sport, et au passage lui soutirait des informations, comme le lui avait demandé Hewitt, en échange de son temps libre. Il apprit ainsi que Viktor était non seulement commissaire aux finances, mais qu'il occupait en outre un poste intermédiaire à la Guépéou, que lui-même s'empressa de qualifier de « testimonial ».

Elisabeth fut présente à l'un de ces dîners.

Lorsque Jack tomba sur elle, tous deux en perdirent la parole. Viktor présenta Jack comme l'ingénieur de l'Autozavod qui lui réparait sa Buick, et elle comprit que l'officier soviétique avait complètement oublié leur rencontre au Metropol. Pendant le dîner, Jack et Elisabeth gardèrent leurs bonnes manières, jusqu'au moment où Viktor se retira à l'étage supérieur pour aller chercher le micromètre que Jack lui réclamait depuis un certain temps. Dès qu'il eut disparu, la jeune femme lui fit face.

— Ingénieur ? Mais tu n'étais qu'un ouvrier !

Pour toute réponse, Jack déposa un trousseau de clés sur la table, Elisabeth haussa les sourcils lorsque Jack lui sourit.

— Qu'est-ce que c'est ? demanda-t-elle, feignant l'indifférence.

— Ce que ça paraît être : les clés de ma voiture et de ma nouvelle maison. Peut-être un jour auras-tu envie de faire un tour et de la connaître.

Et il fit tinter les clés.

Elisabeth perçut le retour de Viktor.

— Peut-être, dit-elle dans un murmure, et elle se concentra de nouveau sur son assiette de loup de mer.

20

Cinq mois après l'arrivée de Jack Beilis en Union soviétique disparut le premier Américain d'Auto-zavod.

Il s'agissait d'Alex Carter, un assembleur de l'équipe du matin que tous connaissaient comme « l'Express du Milwaukee », parce qu'il avait un temps travaillé à l'usine de motocyclettes Harley-Davidson. Sa femme, Harriet, avait signalé sa disparition la veille, mais les autorités ne lui avaient prêté que peu d'attention. C'est pourquoi, à l'heure du petit déjeuner, elle s'était présentée à la cantine pour demander à Jack de le retrouver.

Jack s'agita sur son siège et se souvint du conseil que Hewitt lui avait donné de ne pas mettre son nez là où ça sentait mauvais.

— À la vérité, Harriet, je ne comprends pas pourquoi vous vous adressez à moi. Vous devriez peut-être demander à ses copains. Parfois, après une journée de travail harassante, les hommes vont en ville et dépensent leur paye en boisson et dans…, et en distractions.

Jack allait dire dans un bordel, mais il préféra s'abstenir. La femme rougit tout de même.

— Mon Alex ne fréquenterait jamais une putain, si c'est ce que vous insinuez, dit-elle avec peu de conviction.

Jack serra les lèvres. L'impression d'être un chef de la mafia à qui tout le monde se croit en droit de faire appel pour résoudre ses problèmes le mettait mal à l'aise. Il inspira fortement, finit sa tranche de pain noir et se leva.

— Si j'apprends quelque chose, je vous tiens aussitôt au courant.

La femme laissa échapper une larme et serra la main de Jack en signe de remerciement. Lorsqu'elle eut disparu, Jack essuya la paume de la main dans laquelle Harriet avait mis son dernier espoir.

Bien que l'absence d'Alex Carter fût le sujet de conversation des Américains d'Autozavod, aucun de ses compagnons de travail ne daigna répondre aux questions que Jack leur posa pendant sa ronde du soir. Seul Tom Taylor, le meilleur ami de l'Express, lui fit face, une clé anglaise à la main.

— Pourquoi tu ne demandes pas à tes amis soviétiques ? dit-il en crachant à terre.

— Oui. Pourquoi tu ne leur demandes pas à eux ? le bouscula un autre ouvrier américain au cou de bison.

— *Ruki nazad !* cria un garde armé.

— Les mains en arrière, traduisit Jack à ses compatriotes, et le type recula.

— Oui, va donc avec eux. Mais fais gaffe, le menaça Tom Taylor en reculant, tout comme son compagnon. Ton fric ne te protégera pas toujours.

Le 28 mai, un deuxième citoyen américain disparut, et le 6 juin, un troisième. La rumeur se propagea dans le village que les « corbeaux » – c'est ainsi que les Soviétiques désignaient les nervis de la Guépéou – venaient la nuit et emmenaient les ouvriers qui protestaient avec un peu trop de virulence. D'après ce qu'on disait, tous trois s'étaient plaints de ce que les salaires stipulés au départ n'étaient pas respectés, en raison des impôts élevés. Lorsque Jack interpella Wilbur Hewitt à ce sujet, l'ingénieur se contenta de nier de la tête.

— Je t'avais averti que si tu accusais les ouvriers spécialisés des sabotages, ça retomberait sur nous, les Américains, fut son seul commentaire.

Jack fut blessé que Hewitt le compromette sur un sujet dont il n'était en rien responsable. À son avis, il n'y avait pas de rapport entre ses découvertes et les disparitions. De plus, les trois Américains dont on n'avait plus de nouvelles n'étaient impliqués dans aucun des incidents sur lesquels il avait enquêté. Il s'apprêtait à répliquer, lorsque la porte du bureau s'ouvrit à l'improviste. Jack se tut en constatant que la personne qui entrait était Natasha, l'infirmière qui soignait le bras blessé de Wilbur Hewitt. La jeune femme s'excusa de les interrompre, alléguant qu'elle désirait seulement apporter les pilules qu'elle lui administrait contre la douleur. Hewitt grogna, mais il accepta le comprimé et l'avala devant elle. Puis il éructa et demanda à Jack et Natasha de le laisser seul.

Une fois hors du bureau, Jack se souvint de la fillette des Robertson qui souffrait de pneumonie et profita de l'occasion.

— Vous allez peut-être me trouver audacieux, mais la petite est malade depuis des mois et ses parents sont très inquiets. En vous voyant je me suis demandé si vous sauriez comment faire pour que quelqu'un la soigne, même s'il faut payer.

— Le médecin qui s'occupe des Américains ne lui a-t-il pas rendu visite ? s'intéressa l'infirmière.

— Je suppose que si. Ce que j'ignore, c'est si le traitement est celui qui convient.

Elle lui adressa un regard rassurant.

— Ne vous inquiétez pas, monsieur Beilis. Il faut du temps pour se remettre de ce genre d'affection. Donnez-lui cela (elle sortit de sa poche un bonbon qu'elle lui remit) et faites confiance au service de santé soviétique. Cette petite est entre de bonnes mains.

Elle prit congé avec un sourire.

Jack resta à regarder la jeune femme qui s'éloignait en se déhanchant dans sa blouse blanche. Il fut surpris de son amabilité, mais encore plus du fait qu'elle se soit parfaitement souvenue de son nom après tant de temps.

Jack donna un coup de pied dans une pierre lorsque, en sortant de chez lui, il s'aperçut que sa voiture était de nouveau inutilisable.

C'était la deuxième fois que, le matin, il trouvait les roues de la Ford A crevées, mais en plus, cette fois, quelqu'un avait peint en rouge sur les vitres : « Ami des soviétiques ». Jack nettoya le pare-brise comme il put, changea les roues contre celles de rechange qu'il avait pris la précaution de stocker dans la remise et fit démarrer le moteur. Ensuite, de telle façon que tous les présents entendent le rugissement du moteur, il s'élança à toute vitesse vers le lieu où Andrew travaillait.

Son ami fut surpris de voir entrer Jack dans son modeste bureau, situé dans les quartiers généraux de la Guépéou. Il écarta la montagne de papiers qui l'encombrait et lui offrit un siège. Jack refusa l'invitation et resta debout, marchant de long en large.

— Tu dois m'éclairer sur ce qu'il se passe. Tu travailles avec les Russes, lui décocha-t-il.

Bien qu'il n'y ait personne d'autre dans le bureau, Andrew regarda autour de lui, comme s'il craignait qu'on l'espionne. Il fit signe à Jack de se taire et sortit avec lui dans la cour. Dehors, le haut-parleur émettait la même rengaine de propagande qui était diffusée matin et soir dans l'usine.

— Mais qu'est-ce qu'il te prend de venir ici me demander ça ?

Il écarta les quelques cheveux qui tombaient sur ses lunettes.

— Merde ! Trois hommes ont disparu en deux semaines et les gens me traitent comme si j'en étais responsable. Ils ont crevé les roues de ma voiture. Si ça continue comme ça, ils finiront par me briser les os.

Andrew se mordit les lèvres, comme s'il lui en coûtait de révéler ce qu'il savait.

— Et pourquoi crois-tu que je pourrais savoir quelque chose ?

— Allez, Andrew ! Si au lieu de t'installer en ville tu étais resté avec nous au village, tu saurais qu'on ne parle pas d'autre chose. Ceux de la Guépéou se sont présentés à minuit dans leurs voitures noires et ils ont arrêté deux hommes qu'ils ont emmenés sans aucune explication. Sans les accuser de rien. Et on n'a plus eu aucune nouvelle d'Alex Carter, le premier qui a disparu.

— J'ai vu par hasard leurs dossiers, lui avoua-t-il dans un filet de voix. Mon russe est encore assez précaire, mais leurs noms écrits en anglais ont attiré mon attention et j'ai demandé à un camarade de m'informer.

— Un camarade ?

— C'est ainsi que nous nous appelons entre nous.

— Bon… Et que disaient les rapports ?

— Il ne m'a pas donné tous les détails, mais ils sont apparemment accusés d'avoir participé à plusieurs sabotages.

— Mais c'est quoi cette idiotie ? Nous parlons de pères de famille dont la principale préoccupation est d'obtenir que leurs enfants mangent tous les jours. Quelle est la tête capable d'imaginer qu'ils ont décidé de saboter ceux qui les nourrissent ?

— Chuuutt ! Ne parle pas si fort !

— Et où les ont-ils emmenés ? Dans les camps de travail ?

Jack avait eu vent de l'existence d'un gigantesque camp de redressement nommé Ispravdom, en dehors de Gorki.

— Ça, je ne peux pas te le dire.

Les sourcils de Jack se levèrent. Il demanda à Andrew s'il pouvait au moins lui dire s'ils allaient être jugés, et celui-ci acquiesça d'un signe de tête, mais lorsque Jack demanda quel tribunal serait chargé de l'affaire, Andrew se tut.

— C'est la Guépéou qui va les juger, dit-il enfin sans lever les yeux.

— Mais c'est illégal ! Comment peuvent-ils être jugés par ceux-là mêmes qui les ont arrêtés ?

— Réveille-toi, Jack ! Tu n'es plus en Amérique. Il y a ici une révolution qui n'est pas encore terminée, et nos ennemis sont nombreux.

Jack se racla la gorge. Il était de plus en plus sidéré par la position qu'Andrew semblait avoir adoptée. Cependant, lorsqu'il lui rappela qu'il connaissait les gens qui avaient disparu, leurs femmes et leurs enfants, son ami se fit distant, comme si on lui parlait tout à coup d'une histoire du passé.

— J'ai dû quitter le village pour la même raison que tu devrais le quitter toi-même. Les Américains sont des ingrats. Ils se plaignent que la nourriture est rare et que le travail est dur, sans considérer que c'est le cas pour tous. Ils ont déjà oublié qu'ils ont fui leur pays parce qu'ils y mouraient comme des rats. Les Soviétiques nous ont accueillis à bras ouverts, et maintenant, quand nous sympathisons avec eux, nos compatriotes nous traitent d'ennemis.

— Écoute, Andrew. (Il posa les mains sur les épaules de son ami.) Nous ne sommes pas en train de discuter d'un mécontentement plus ou moins grand dû aux conditions de travail ou à la rareté de la nourriture. Nous parlons de compatriotes qui disparaissent !

— Non, Jack. (Il ôta ses mains de ses épaules.) Ce sont peut-être tes compatriotes, mais pas les miens.

Jack resta un instant muet.

— Je ne comprends pas. Que veux-tu dire ?

— Que j'ai renoncé à mon passeport. Je suis maintenant un citoyen soviétique, affirma Andrew.

Le bruit courut bientôt que les disparus avaient été déportés en Sibérie. Cependant, personne n'eut l'occasion de le vérifier. On fit savoir aux familles des inculpés que les détenus avaient été accusés d'activités contre-révolutionnaires et condamnés aux travaux forcés, ajoutant que toute protestation serait punie de la même façon. Les femmes ne purent même pas dire au revoir à leurs époux, mais dans les dépendances de la Guépéou on leur assura qu'on ne leur ferait pas de mal et qu'ils reviendraient lorsqu'ils seraient réinsérés. Harriet Carter n'en crut rien. S'ils avaient eu l'intention de leur faire du bien, ils les auraient informées du lieu de leur destination, ce qui, à son avis, était le minimum qu'on pouvait faire pour quelqu'un qui était encore en vie.

Au cours des semaines qui suivirent, il n'y eut pas d'autres disparitions, ce qui favorisa un lent retour au calme chez Autozavod, au point que les ouvriers commencèrent à venir à l'usine comme s'il ne s'était rien passé. D'autre part, et même si cela obéissait uniquement à la nécessité d'acquérir de la nourriture, les Américains du village se remirent à considérer Jack comme un allié. Néanmoins, les attaques sur son véhicule l'avaient suffisamment alerté pour lui faire comprendre qu'il devait s'inquiéter de sa sécurité et de celle de son argent, inquiétude qu'il rapporta à Ivan Zarko, le cambiste avec lequel il négociait ses dollars. Zarko n'hésita pas à lui louer ses services.

— Je vais t'envoyer mon neveu Yuri. Même un ours ne s'aviserait pas de venir lui renifler le derrière, lui affirma le vieux.

Quand Jack fit la connaissance de Yuri, il en fut tout à fait convaincu. Le neveu de Zarko était un malabar qui, s'il n'avait émis quelques monosyllabes de temps en temps, aurait pu passer pour le parent d'un plantigrade. Il fut établi que Yuri monterait la garde de sa maison la nuit, mais que son activité serait camouflée en celle d'aide-mécanicien tout le temps que durerait la réparation de la Buick Master Six de Viktor. Ensuite, on lui trouverait un autre emploi.

Les jours passant, Yuri ne se révéla pas seulement un gardien efficace. Apparemment, il pratiquait aussi la contrebande, et suggéra à Jack quelques idées pour amplifier son commerce.

— Des chaussures ! Les gens tueraient pour avoir des chaussures.

Jack fut surpris d'entendre cette proposition, et il pensa l'espace d'un instant que s'il n'avait pas eu une occupation aussi lucrative que celle de superviseur chez Autozavod, les connaissances que son père lui avait inculquées lorsqu'il était enfant auraient peut-être pu lui servir à quelque chose.

21

Fin juin, la Buick Master Six démarra pour la première fois et Jack se félicita que Viktor Smirnov soit
absent. Le moteur ronronna quelques minutes comme
une horloge, mais subitement le joint en cuivre qu'il
avait fabriqué céda et le moteur exhala un feulement
semblable à celui d'une cafetière. Yuri haussa un
sourcil et se mit à rire.

— Saleté de bagnole !

Jack ne trouva pas ça drôle. Il avait promis à Viktor
qu'il aurait sa voiture pour l'inauguration du champ
de tir que les Soviétiques avaient construit dans les
environs d'Autozavod, et il n'était pas sûr de pouvoir
tenir parole. Par chance, Viktor et Sergueï avaient dû
partir pour Moscou pour des raisons politiques et ils
ne reviendraient pas avant septembre, aussi avait-il
largement le temps de réparer la Buick et d'avancer
dans ses enquêtes. Il laissa Yuri se charger du nettoyage et sortit faire une promenade. Pour la première
fois depuis des mois, un beau soleil brillait. C'était son
jour de congé et il faisait si beau qu'il valait la peine
d'en profiter avec Elisabeth.

Dès qu'il avait appris le départ de Viktor, il avait
pris rendez-vous avec la jeune femme ; il ne voulait

pas arriver en retard et accéléra, filant dans sa Ford A récemment lavée, à travers les ruelles de Gorki.

Il la trouva assise devant le porche de sa demeure, occupée à démêler ses cheveux. La température idéale avait permis à Elisabeth de se débarrasser de ses manteaux, et sa silhouette apparaissait de nouveau dans toute sa splendeur, pour le plaisir de celui qui la regardait. Jack fit sonner le klaxon de son automobile et il lui montra le panier de pique-nique qu'il avait préparé. Elle se leva, tout sourire, et s'approcha pour voir les saucisses de porc que Miquel avait cuisinées. Elle salua Jack, ouvrit la portière du passager et occupa son siège comme s'ils partaient à l'aventure.

— Où vas-tu m'emmener ? dit-elle.

Jack n'hésita pas.

— Allons au fleuve.

— Je n'ai pas de maillot de bain.

Elle lui fit un clin d'œil, sachant que, même en été, aucune personne saine d'esprit ne se baignerait dans les eaux froides de la Volga.

— Eh bien nous nous baignerons nus !

Il sourit et démarra sans attendre qu'Elisabeth puisse répliquer.

Dans les heures qui suivirent, Jack admira l'éclat et la douceur de sa peau. Ils avaient fait halte sur une colline proche de l'Oka, d'où Gorki était semblable à un parc lointain parsemé de petites briques blanches. La température était si agréable que s'il n'y avait eu cette bouteille de vodka qui dépassait impudemment sous la serviette du panier, Jack aurait juré se trouver de nouveau en Amérique. Elisabeth riait en parlant de ses progrès en russe, que son instructeur qualifiait de régression. Jack était heureux. Il voyait Elisabeth proche et détendue, comme s'ils sortaient ensemble depuis toujours, et cette sensation le ravissait. Ils bavardèrent un long moment, évoquant leur vie, leurs habitudes et leurs projets. Elle finit par lui avouer qu'elle en avait assez de l'Union soviétique, et que tout ce qu'elle souhaitait, c'était que l'usine soit complètement achevée pour que son oncle Wilbur obtienne sa mutation.

— Et quand tu rentreras à New York, que se passera-t-il avec Viktor ? demanda Jack, qui saisit sur-le-champ l'inconvenance de sa boutade.

— Rien. Qu'a-t-il à voir là-dedans ?

Il se racla la gorge. Il lui confessa que pendant un moment il avait supposé que l'officier et elle étaient fiancés. Elisabeth éclata d'un rire insolent.

— Ne sois pas vieux jeu. Nous sommes au pays de la libération ! Tu ne t'es pas aperçu qu'il n'est pas nécessaire, ici, de se marier pour avoir des enfants ?

Jack se sentait de plus en plus confus.

— Tu as l'intention d'avoir des enfants ?

Elisabeth regarda Jack comme s'il était vraiment obtus.

— Viens, rentrons à Gorki, dit-elle en remettant son chapeau. Ne va pas t'imaginer que cette idée de nous baigner nus était sérieuse.

Ils se retrouvèrent les semaines suivantes. Lorsqu'il était libre, ils allaient sur les berges froides de l'Oka, se promenaient dans les rues commerçantes de Gorki ou assistaient aux fêtes que certains haut gradés donnaient chez eux. Pendant leurs rencontres, Jack tentait d'approfondir sa relation avec Elisabeth. Cependant, elle changeait d'attitude sans raison apparente, comme si ses désirs variaient selon les caprices du vent. Elle se montrait aussi vite intéressée et expansive qu'elle prenait ses distances et s'adressait à Jack avec arrogance, le traitant de la même façon qu'un inconnu qui, de but en blanc, prétendrait lui faire la cour. Lorsque cela se produisait, Jack se demandait pourquoi il continuait de s'intéresser à cette jeune femme si versatile. Mais à l'instant où Elisabeth lui adressait un sourire, sa beauté le désarmait.

— Et toi, quand rentreras-tu aux États-Unis ? lui demanda-t-elle en sortant du théâtre.

Ce samedi-là ils étaient allés voir *La Cerisaie.*

Jack s'était posé cette question bien des fois. Il avait la nostalgie des salles de spectacle de New York, de son tapage et de ses avenues pleines de voitures colorées, mais sa condition de fugitif lui donnait conscience que tout cela lui était à jamais interdit. La question d'Elisabeth lui fit se demander pourquoi il restait chez Autozavod alors qu'il disposait déjà d'assez d'argent pour émigrer dans n'importe quel autre pays européen. Il supposa qu'il restait en Russie parce que la vie y était facile pour lui, mais sa propre réponse ne le convainquit pas. En fin de compte, la seule chose qui lui plaisait en Union soviétique, c'était de sortir avec Elisabeth et de continuer à amasser des économies.

— Quand j'aurai assez d'argent pour que tu acceptes de te fiancer avec moi, lui dit-il sans y penser.

Elle rit comme s'il s'agissait d'une bonne plaisanterie. Elle ajusta à son cou le collier d'émeraude que Viktor lui avait offert et le regarda dans les yeux.

— Mon cher Jack, si je voulais épouser un vieux millionnaire, je pourrais le faire dès aujourd'hui.

À la grande surprise de Jack, le dernier dimanche d'août, Elisabeth accepta de dîner avec lui au village américain. Lorsqu'il arriva chez elle pour l'emmener, elle apparut sous le porche vêtue d'une robe fourreau toute simple, une bouteille de vodka à la main. Jack prit la boisson et en profita pour lui baiser la main. Puis il l'aida à monter dans la voiture et conduisit lentement jusqu'au village.

Il avait donné sa journée à Yuri en échange d'un sérieux nettoyage de la maison et de la décoration florale du salon, mais au vu des résultats, il était évident que le garçon n'avait pas compris le mot *sérieux*. Quant aux fleurs, Jack n'aurait pas trouvé de différence si au lieu du pauvre bouquet que le neveu de Zarko avait mis sur la table il avait flanqué un plat rempli de salade. Par chance, Elisabeth n'y prêta aucune attention, et elle s'installa sur une chaise pendant que Jack allumait des bougies. Le jeune homme lui servit un verre de vodka et leva le sien avec détermination.

— À l'amour en Union soviétique, trinqua-t-il.

— À l'amour tout court.

Et d'un trait elle avala sa vodka.

Ils avaient bu la moitié de la bouteille lorsque Jack se leva pour servir le dessert. Il en profita pour effleurer son cou d'un baiser.

Bien qu'il le lui ait volé, il sentit sa peau frissonner. Elisabeth se redressa pour le lui rendre, mais il la tint serrée par-derrière, l'empêchant de se retourner. Comme il l'embrassait sur la nuque, il entendit sa respiration devenir profonde et saccadée. Il prolongea l'instant jusqu'à ce que, brûlant d'impatience, elle se retourne pour chercher sa bouche. Quand leurs lèvres se joignirent, Jack crut devenir fou. Il la serra contre lui, comme si cet instant était irréel et qu'il craignait de ne jamais le revivre, il l'embrassa avec fougue et délicatesse, se délectant de la saveur de sa bouche qui s'entrouvrait et permettait à leurs langues de se rencontrer, chaudes, ivres, avides de caresses plus profondes.

Ils se laissèrent tomber sur un canapé sans desserrer leur étreinte, comme si se séparer une seconde signifiait une perte irréparable, et ils continuèrent à se manger les lèvres, se mordant et se caressant, cherchant de leurs mains les espaces de peau qu'ils ne connaissaient pas encore. Jack glissa ses doigts sous la robe de plus en plus serrée, qui sous l'effet du désir paraissait vouloir s'écarter d'elle-même. Il en dégrafa les boutons et de ses lèvres chercha ses seins. Elle les lui offrit et gémit lorsqu'il s'en empara, les dressant en volcans. Ils se laissèrent glisser sur le tapis de laine qui protégeait le sol tandis que la peau nue d'Elisabeth, impatiente et fuyante, se serrait contre la poitrine de Jack, contre ses jambes et ses bras qui ne cessaient de la caresser.

Lorsque Jack la pénétra, il pensa mourir. Tandis qu'il jouissait de sa chaleur et de son regard, abandonné par moments, lascif à d'autres, il voulut se pincer pour s'assurer qu'il était vraiment en train de la posséder, mais ses gémissements étaient aussi réels que sa bouche, que ses mains qui l'attiraient et le retenaient, que ses jambes minces qui enlaçaient sa taille ou la sueur fraîche qui perlait sur ses joues. Il l'embrassa tant qu'il en eut mal aux lèvres, et continua sans cesser de bouger, alternant calme et frénésie, ardeur et tendresse, amour et désir, tandis que leurs corps s'embrasaient, se cabraient et se convulsaient de plus en plus rapidement, jusqu'à ce qu'ils explosent l'un dans l'autre. Épuisés, ils s'abandonnèrent, puis s'endormirent enlacés, comme deux fiancés amoureux.

Jamais auparavant Jack n'avait désiré une femme avec tant d'ardeur. Il se réveillait en rêvant d'Elisabeth et se couchait avec son souvenir. Le reste du temps était un calvaire dont son travail ne parvenait pas à le délivrer. Le matin, il déambulait dans les ateliers d'assemblage en veillant à ne pas s'attirer plus d'hostilité de la part de ses compagnons nord-américains, mais cela lui était difficile. Chez Autozavod, le mécontentement inondait l'esprit des travailleurs de plus en plus affamés, de plus en plus pauvres et épuisés. Mais Jack ne s'en rendait pas compte. Ses sens étaient engourdis, captifs d'une femme dont la beauté quasi irréelle paraissait s'être emparée des fils de son destin. Il l'imaginait constamment près de lui, nue de nouveau ; il se remémorait chaque regard, chaque gémissement, chaque baiser, et ce souvenir le torturait pendant les heures vides, interminables, qui le séparaient du prochain rendez-vous. Alors, près d'elle, le désir l'aiguillonnait avec violence, affamé et désespéré, mais elle se montrait distante, comme si elle avait effacé de son souvenir la nuit qu'ils avaient passée ensemble ou, pire encore, comme si celle-ci n'avait jamais existé. Pourtant, Elisabeth riait et lui parlait avec amabilité, avec l'amabilité futile qu'elle aurait accordée à une connaissance, et non avec l'amour et la passion qu'elle aurait dû vouer à un amant amoureux. Sans qu'il sache pourquoi, Elisabeth avait de nouveau dressé un mur entre eux. Et Jack se douta que l'imminent retour de Viktor était la cause de son éloignement.

22

L'été passa en un soupir. Peu à peu, les chaussures firent place aux bottes de feutre et les épaisses *ouchankas* remplacèrent les chapeaux. Avec le froid revinrent aussi de nouvelles disparitions.

La plus remarquable fut celle de Harriet Carter. Désespérée, persuadée que les Soviétiques avaient assassiné son mari, la femme de l'Express du Milwaukee avait entrepris une campagne de protestations qui, si elles furent ignorées au début, trouvèrent finalement une réponse. Un matin, Harriet sortit pour s'entretenir avec Sergueï Loban, et on ne la revit plus. Robert Walkins connut le même sort. Dans son cas, on raconta qu'il avait fait un scandale à la fonderie en apprenant que les Soviétiques refusaient de lui rendre son passeport pour retourner aux États-Unis. Cette nuit-là, il fut arrêté par les corbeaux et disparut à jamais.

Ils ne furent pas les seuls. Toute la famille Collins fut arrêtée, accusée d'activités contre-révolutionnaires. Mais dans le village américain, on savait que leur seul délit était d'avoir voulu informer les journalistes du *New York Times* en déplacement à Moscou de la précarité de leur situation.

Jack observait les événements en silence, tel un spectateur devant un écran de cinéma. C'était le conseil que lui avait donné Hewitt, et le suivre à la lettre paraissait le plus sage. Il avait en outre remis à plus tard la réparation de la voiture de Smirnov pour se recentrer sur son travail à l'usine après que Wilbur Hewitt l'eut averti qu'il se verrait obligé de revoir les termes de son contrat s'il n'avançait pas sur son enquête. Certes, il avait peu progressé au cours des dernières semaines, mais Jack ne s'en défendit pas moins, reprochant à Hewitt de ne pas lui permettre de fureter pendant les tours de nuit.

Hewitt resta inflexible.

— Je te l'ai répété mille fois. (Il écarta son journal, las des récriminations du jeune homme.) Une inspection nocturne attirerait l'attention, et la dernière chose qu'autoriserait Sergueï serait une action susceptible d'alerter les saboteurs. Et quand le plus haut responsable de la sécurité dit *niet*, c'est *niet*.

— Mais Sergueï est toujours à Moscou, vous pourriez trouver le moyen de…

— D'aller directement en prison ! Dis-moi ! C'est ça que tu veux ?

Jack préféra clore la discussion. Il croyait avoir des motifs fondés impliquant Sergueï lui-même dans les sabotages, mais sans les preuves nécessaires, transmettre ses soupçons à Hewitt n'avait aucun sens.

Il se convainquit que s'il voulait avancer dans ses recherches, il devait trouver le moyen de contourner l'interdiction de Sergueï. Ce moyen, il le trouva le jour où Viktor Smirnov, à son retour de Moscou, se présenta au village américain pour savoir si sa Buick était réparée.

— Comment ça, elle n'est pas encore prête ? Ça fait des mois que tu es dessus ! vociféra le Russe en l'apprenant.

Jack l'assura qu'il l'aurait réparée s'il avait eu les outils nécessaires, étant donné que le problème venait du joint en cuivre.

— J'ai essayé d'en fabriquer un avec les outils que tu m'as fournis, malheureusement il a fondu comme du beurre à la première explosion. Chez Autozavod il existe une machine qui résoudrait le problème, mais il est impossible de l'utiliser. C'est pourquoi j'attendais que tu reviennes.

— Bien… et quelle est cette machine ? grogna-t-il.

Jack tenta de mener à bien son plan en lui affirmant qu'il aurait besoin d'accéder à une presse spéciale située dans l'atelier d'assemblage.

— Je n'en aurais besoin que pendant quelques heures. L'inconvénient, c'est qu'elle fonctionne sans arrêt.

— Eh bien je vais la faire arrêter ! conclut-il, affichant le rictus d'un dictateur que l'on aurait contredit.

— Je crains que ce ne soit pas si simple. Cette machine est unique, et interrompre son activité supposerait une énorme perte de production. Mais je pense tout à coup que…

Jack fit mine de réfléchir à une alternative.

— Oui ?

— Une fois par semaine, pendant le travail de nuit, ils stoppent la machine pour changer les matrices. Si je pouvais l'utiliser à ce moment-là, j'aurais suffisamment de temps pour que ta Buick soit prête avant l'inauguration du champ de tir.

— C'est absolument sûr ?

— Sans aucun doute.

— Et quand vont-ils arrêter la presse, la prochaine fois ?

— Justement, cette nuit.

À l'instant où il franchit la clôture d'accès à l'usine, Jack comprit qu'il venait de se fourrer tout seul dans la gueule du loup. La présence de Viktor Smirnov marchant à côté de lui, à un pas derrière le garde armé qui les conduisait vers le bâtiment d'assemblage, nourrissait son espoir de sortir indemne de sa désobéissance aux ordres de Sergueï. Il imaginait que la présence de l'officier soviétique l'exempterait de toute responsabilité, même si cela l'obligeait à trouver le moyen de le semer, le temps de découvrir les preuves qui corroboreraient ses soupçons.

Longeant l'interminable couloir qui courait le long de la chaîne de montage, ils atteignirent l'endroit où était située la presse à laquelle Jack avait fait allusion. Le garde armé les somma de ne pas quitter l'endroit sans son consentement et il les laissa travailler. Jack enfila une blouse ordinaire à la place du tablier blanc qu'il portait habituellement. Il sortit de sa boîte un micromètre, le joint explosé de la culasse et une planche de bois sur laquelle il avait préalablement perforé l'emplacement des conduits de réfrigération. Viktor s'intéressa au procédé.

— Cette presse peut être utilisée pour emboutir ou découper, en fonction des moules qu'on place entre ses mâchoires. Nous avons besoin de découper dans le joint les trous correspondant aux chambres de combustion et aux conduits de refroidissement. Mais pour augmenter la dureté, je dois d'abord en réduire l'épaisseur par compression.

Viktor ne saisit pas.

— Imagine que tu utilises un rouleau à pâtisserie pour étaler la pâte d'un gâteau rectangulaire. Suppose que nous employions le bord d'un verre pour découper dans cette pâte six trous alignés et que nous enlevions leurs centres. Tu me suis ?

Viktor acquiesça.

— À ce point, on pourrait croire que le joint est déjà prêt, mais si je l'aplatis à nouveau avec le rouleau, son épaisseur va s'affiner tout en se dilatant. Cela se fera aussi vers l'intérieur des trous et le diamètre de ces derniers va diminuer, d'accord ?

— Je suppose que oui.

— Bien. Si c'était vraiment un joint, son diamètre s'étant réduit, l'explosion des cylindres brûlerait le bord excédentaire et détruirait complètement la pièce. Maintenant…

— Oui ?

— Si je change l'ordre des opérations et que je presse le joint avant de pratiquer les perforations, la pièce ne se déformera pas davantage, même si elle subit ensuite une très forte pression, car je l'aurai préalablement comprimée au maximum.

— Intelligent, mais souverainement soporifique ! Ça va marcher, n'est-ce pas ?

— Oui, si je le fais soigneusement. Cette presse comporte un mesureur micrométrique qui va me permettre de contrôler le niveau de déformation, mais c'est un travail délicat qui va me prendre du temps.

— Eh bien ne traîne pas et commence tout de suite. Nous avons deux heures avant le changement d'équipe.

Jack se mit à l'ouvrage, accompagnant chaque opération d'un chapelet d'injures qui étaient étouffées par le bruit infernal des machines. Au bout d'une heure, l'intérêt de Viktor se mua en ennui.

— Ce travail est un vrai martyre ! dit le Soviétique.

Jack, les mains pleines de graisse et le front couvert de sueur, regarda Viktor.

— Eh bien il reste encore le plus fastidieux. Au fond il y a une salle chauffée dans laquelle tu pourras te servir un thé chaud. Je t'appellerai si j'ai besoin de toi.

Viktor n'y réfléchit pas à deux fois. Il accepta et, entre deux bâillements, alla chercher refuge dans la salle de repos. Dès qu'il eut disparu, Jack sortit de son sac un joint déjà terminé qu'il échangea contre celui qu'il était en train de fabriquer. Ensuite il prit le micromètre, un carnet, et se perdit dans les myriades de voitures qui encombraient les couloirs.

Il était en train d'examiner l'une des assembleuses à roulements qui avaient subi un sabotage, lorsqu'un garde braqua son fusil sur lui.

— Qu'est-ce que vous faites dans ce secteur ? lui demanda-t-il, le doigt sur la détente.

— J'ai l'autorisation de Viktor Smirnov. Je suis…

— Américain ? Reculez. Éloignez-vous de cette machine, et sortez ce que vous avez dans ce sac.

Jack répandit le contenu sur le sol. Du pied, le garde éparpilla les outils et le joint inutilisable.

— Je vous répète que j'y suis autorisé. Vous pouvez demander à…

— Baissez votre arme ! Que se passe-t-il ? intervint Viktor, qui en constatant que Jack avait abandonné la presse était parti à sa recherche.

— Cet homme affirme avoir votre autorisation, monsieur.

L'ayant reconnu, il se mit au garde-à-vous.

— C'est exact. Bon, en réalité, il aurait dû rester au bout du couloir.

— Je regrette. Je devais vérifier le joint avec le calibreur de cette assembleuse et je n'ai pas voulu vous déranger. (Jack avait interrompu Viktor lorsqu'il avait perçu l'ombre d'un doute dans son regard.) Mais peu importe à présent, cet incapable vient de le détruire.

Comme il l'avait imaginé, en voyant la pièce détériorée Viktor se mit en colère.

— Quel est ton nom, espèce d'imbécile ? vociféra-t-il en saisissant le garde au collet.

— Du calme ! l'arrêta Jack. J'ai pris la précaution de fabriquer un joint de réserve.

Viktor respira, soulagé. Ce que l'officier soviétique ignorait, c'était que Jack tenait enfin les preuves qui démontraient sa théorie.

Jack s'était donné une semaine pour mettre les preuves en ordre avant de les présenter à Wilbur Hewitt.

Or, il n'eut pas le loisir de terminer. Quelques heures après sa visite clandestine, une voiture noire s'arrêta devant sa porte et deux hommes en uniforme le poussèrent à l'intérieur pour le conduire à toute allure dans un bureau des locaux de la Guépéou.

Il vécut une heure de perplexité absolue, avant que la porte de la pièce dans laquelle on l'avait enfermé s'ouvre dans un grincement, laissant place à Sergueï Loban. En le reconnaissant, Jack sursauta et se leva. Il ne savait pas que lui aussi était rentré de Moscou. Personne ne lui avait expliqué le motif de son arrestation, mais il n'était pas nécessaire d'être un fin limier pour comprendre que celle-ci était la conséquence de son audacieuse promenade nocturne. La voix grave de Sergueï le lui confirma. Le responsable de la Guépéou s'installa sur l'une des chaises et planta son regard dans les yeux de Jack, dont l'iris bleu étincelait sous la faible lumière émise par l'unique ampoule.

— Tu peux t'asseoir, dit Sergueï, et Jack obéit. Voyons ça. Je viens d'arriver et vous autres Américains m'accueillez avec des problèmes. D'après le rapport que j'ai entre les mains, cette nuit, en mon absence, et contrevenant aux ordres, tu es entré au petit matin dans l'usine et tu es allé à l'assembleuse à roulements. C'est exact ?

Jack avait préparé sa défense.

— Oui, mais je n'ai enfreint aucun ordre. J'y suis allé avec l'autorisation de Viktor Smirnov dans la seule intention de fabriquer un joint pour sa Buick. Vous pouvez le lui demander, si vous voulez.

— Je l'ai déjà fait, et il confirme ce point. Mais il assure qu'en son absence tu t'es dirigé vers l'assembleuse à roulements, alors que lui t'a seulement accompagné pour que tu travailles à son joint.

— Je voulais vérifier que la pièce que je fabriquais…

— Assez de bobards ! Tu peux peut-être tromper un freluquet comme Smirnov, mais je suis diplômé en ingénierie et je sais parfaitement que pour fabriquer un joint de cuivre, une machine à roulements te serait aussi utile qu'un couteau à une poule.

Jack avala sa salive. Il se maudit d'avoir cru Hewitt lorsque celui-ci lui avait affirmé que la seule formation de Sergueï était celle d'un sergent de carrière. Il tenta de réfléchir rapidement.

— Je n'ai pas affirmé vouloir utiliser cette machine pour fabriquer le joint. J'avais besoin d'utiliser la calibreuse pour vérifier l'exactitude de mon micromètre. Dans le rapport, vous constaterez certainement que j'en avais un défectueux dans mon sac, si tant est que le garde qui m'a mis en joue avec son fusil sache ce que c'est.

— Évidemment qu'il le sait. (Il le vérifia dans ses notes et grinça des dents.) Et en effet, il l'a noté. Mais c'est tout à fait par hasard que tu manipulais justement la calibreuse qui a provoqué l'un des pires sabotages survenus chez Autozavod… À moins que tu ne l'aies fait exprès.

— Comme vous le dites, c'est un hasard.

— Tu comprendras donc que je ne te croies pas.

— À ma décharge, je dois vous confesser que je ne vous crois pas non plus.

— Ah ! Ces Américains toujours fanfarons, même à un doigt d'être expédiés en Sibérie.

— Puisque vous en parlez, j'aimerais vous poser des questions à leur sujet. Sur les Américains qui ont disparu sans laisser de trace, le défia-t-il.

— Là, tu te trompes. Les détenus ont laissé derrière eux de si forts effluves de trahison qu'on pourrait les suivre jusqu'à la prison où ils vont payer jusqu'au dernier de leurs délits.

— Quels délits ? Celui d'être des Américains ?

— Non, Jack. La majorité de tes compatriotes impliqués l'ont été pour avoir exercé des activités contre-révolutionnaires qui n'ont rien à voir avec cette enquête.

— Quelles activités ? Se plaindre de devoir payer des impôts dont on ne les avait pas avertis ? Demander de la nourriture pour leurs enfants ? Vouloir rentrer dans leur pays ?

— Ces hommes ont trahi notre confiance ! Tu ne peux pas mordre la main qui te donne à manger. Qu'importe qu'on les accuse de sabotage ! De toute façon, ce sont des ennemis du peuple. Rappelle-toi que c'est toi qui m'as fourni le prétexte. Tu as affirmé que les sabotages venaient à l'évidence d'une manipulation tellement sophistiquée qu'ils n'avaient pu être commis que par des ouvriers qui avaient des connaissances spécifiques !

— Mais vous savez que ce n'étaient pas eux les coupables. Les rapports indiquent le moment où se sont produits les accidents, pas celui où la manipulation a eu lieu. Car si nous parlons de la calibreuse, le premier problème a été détecté lors d'une opération de maintenance de routine effectuée le 6 février à huit heures dix du matin.

— C'est exact.

— Mais ce que vous ignorez sans doute, c'est que, pour dérégler cette machine, un ouvrier qualifié aurait besoin d'au moins vingt minutes, le temps nécessaire pour provoquer un dérèglement suffisamment subtil et éviter que la détérioration ne soit détectée tout de suite, mais suffisamment préjudiciable pour endommager les pièces au bout de plusieurs heures de fonctionnement.

— Que veux-tu insinuer ?

— Que la manipulation a forcément eu lieu à l'aube du 6, quelques minutes avant le changement d'équipe.

Sergueï adressa à Jack un regard perplexe, teinté d'une pointe de ressentiment.

— Cela ne met aucun Américain à l'abri des soupçons.

— Je pense tout le contraire. Je vous rappelle que, sur votre ordre, à cette époque, il était interdit aux Américains de travailler dans l'équipe de nuit, et qu'il est par conséquent impossible que l'un d'eux ait provoqué le dommage.

Sergueï pinça les lèvres et se leva, balançant la chaise sur le côté.

— Américains tout-puissants ! Vous vous croyez toujours au-dessus des autres. Vous pensez que les Soviétiques sont des idiots, sans vous rendre compte que c'est nous qui possédons l'intelligence, le courage et la détermination dont vous manquez. Et qui m'assure que tes rapports sont exacts ?

— Peu m'importe ce que vous croyez. Wilbur Hewitt m'a engagé pour découvrir la vérité sur les sabotages, et c'est ce que j'ai fait. Si vous préférez fermer les yeux et nier l'évidence, c'est votre problème.

— Mais comment oses-tu ? Ne sais-tu pas à qui tu parles ?

— Jusqu'à il y a un moment, je croyais parler à Sergueï Loban, représentant de la justice soviétique. Mais à ce que je vois, je me trompais.

Le jour se leva, aussi froid que nuageux.

Jack se redressa, le dos endolori. Tandis qu'il revêtait le tablier blanc qui l'identifiait en tant qu'ouvrier spécialisé, il secoua la tête. Il était de plus en plus convaincu que Sergueï cachait quelque chose, même si celui-ci l'avait encouragé à poursuivre ses recherches avec l'appui d'un assistant soviétique.

Lorsqu'il arriva à la fonderie, il fut reçu par l'officier que Sergueï avait chargé de l'accompagner. C'était Anatoli Orlov, ce même Soviétique qui l'avait guidé dans l'usine à son arrivée chez Autozavod. Il le salua froidement et se mit au travail. Sergueï lui avait ordonné de réviser les fours, la zone des chaudières et des wagons de minerai. Il lui fallut la moitié de la matinée pour achever les premières tâches. Cependant, alors qu'il se disposait à inspecter les trains qui déversaient le minerai fondu, Jack s'arrêta.

— Que se passe-t-il ? demanda Orlov.

— Je ne peux pas les inspecter tant qu'ils sont en marche.

— C'est impossible. La production ne peut pas être interrompue.

Jack n'accepta pas cet argument. Les trains de déversement consistaient en un rail suspendu où défilaient des cuveaux métalliques qui transportaient le minerai fondu en provenance des creusets. Les examiner tandis qu'ils fonctionnaient tenait de la témérité, car le risque, pendant le trajet, était qu'une partie du minerai fondu éclabousse celui qui se trouverait dessous.

— Pour l'observer correctement, il faudrait que je franchisse la barrière de protection et que j'entre dans la fosse, l'avertit Jack. Et je ne le ferai pas sous une pluie de métal fondu.

— Très bien. Je vais ordonner qu'on l'arrête, bredouilla-t-il.

Jack attendit que le train s'immobilise. Il demanda à un ouvrier un tablier de protection, enfila des gants et ouvrit le portillon d'accès à la fosse. Bien qu'ils soient à l'arrêt, les cuveaux contenant le métal tanguaient dangereusement au-dessus de sa tête. Jack se protégea les yeux et considéra les cuves. Apparemment, elles étaient bien arrimées, même si elles grinçaient de façon inquiétante. Il se déplaça avec prudence, évitant de marcher sur les morceaux de métal incandescent et se dirigea vers le portillon.

— Tout va bien, je vais sortir ! prévint-il.

Soudain, et avant qu'il puisse atteindre la barrière, le train se remit en marche sans avertissement, traînant sa charge mortelle.

Jack hurla tel un possédé à l'instant où une éclaboussure ardente passa à quelques centimètres de son visage. Mais le train continua sa danse macabre, crachant des éclats de métal liquide qui l'obligèrent à faire marche arrière.

— Arrêtez le train, espèce d'idiots ! cria-t-il depuis le refuge provisoire qu'il avait trouvé sous un support métallique.

Personne ne parut l'entendre. Le bruit dans la fonderie était infernal. Jack tenta de réfléchir, le support ne le protégerait pas éternellement. S'il restait là, il mourrait criblé d'éclaboussures. Il regarda autour de lui. À cet instant, la pluie de projectiles éclaira sur le sol un morceau de rail cassé que quelqu'un avait abandonné là. Ce pouvait être son salut, mais encore fallait-il qu'il l'atteigne. Il regarda en direction du train et vérifia l'oscillation des cuveaux qui se balançaient au-dessus de sa tête. Il essaya de synchroniser son mouvement avec celui des éclaboussures en comptant intérieurement : « Un… deux… trois… » Il répéta deux fois le mouvement et se prépara. À trois, il abandonna d'un bond son refuge et se jeta sur la barre métallique, la saisit et revint aussitôt vers la poutre. Mais avant de l'atteindre, il sentit sur sa hanche gauche un coup de fouet brûlant qui le fit hurler de douleur.

Jack regarda l'endroit où le métal fondu avait traversé la zone non protégée pour s'incruster dans son corps. L'éclat rouge dévorait sa chair, il sortit un canif de sa poche et coupa le pantalon pour laisser sa hanche à nu. Il rugit en introduisant la pointe entre la chair et l'éclat. En l'extrayant il sentit une douleur tellement insupportable que l'espace d'un instant il souhaita qu'on lui arrache la jambe. Recroquevillé sous la poutre, il appela de nouveau à l'aide, mais personne ne l'entendit. Il inspira un bon coup, essayant de ne pas s'évanouir. Il pouvait à peine supporter la douleur. De nouveau il regarda sa hanche et vit un trou semblable au cratère d'un volcan. Il détourna le regard. Il devait sortir de là, mais un déluge de gouttes ardentes continuait de pleuvoir, et juste au-dessus de la porte elles formaient un rideau de feu impossible à franchir. Il savait que ce qu'il envisageait était une folie, mais il n'avait pas le choix. Il mit le tablier sur son dos, inspira et saisit la barre métallique de toutes ses forces. Puis, sans réfléchir, il abandonna son refuge et courut en boitant vers la chaîne qui entraînait le train de wagonnets. Les lingots ardents sifflant autour de lui, il introduisit la barre entre les maillons et revint comme il put sous la plaque de métal. Il pria tandis que la chaîne entraînait le levier jusqu'aux engrenages moteurs. Enfin, la barre arrêta la transmission, la chaîne se tendit et hurla dans un grincement violent, tandis que ses maillons craquaient et vibraient.

Jack pressentit qu'il ne disposait que de quelques secondes avant que la barre ne rompe. Il ajusta son tablier et courut vers le portillon. Lorsqu'il l'atteignit, il était fermé. Il essaya de l'ouvrir mais n'y parvint pas. Au-dessus de lui, le train trépidait comme s'il allait lui tomber dessus d'un moment à l'autre.

— Fils de chienne ! Ouvre la porte ! cria-t-il.

Brusquement, tout le train crissa et se tordit comme s'il avançait tout seul.

— Ouvre tout de suite, salaud !

Jack essaya de sauter la barrière avant que toute l'armature ne s'écroule, mais alors qu'il tentait de grimper dessus, la chaîne explosa en mille morceaux et tout l'échafaudage, avec les wagonnets chargés de métal fondu, se déversa dans un fracas assourdissant.

Il sentit un grand coup sur la tête à l'instant où des mains noires le saisissaient et le tiraient vers l'extérieur. Avant de s'évanouir, à demi asphyxié par la fumée et les cendres, il reconnut le visage de Joe Brown, qui appelait à l'aide comme un désespéré.

23

Sans cette douleur à la hanche, Jack aurait juré qu'il était au ciel. Ayant à peine la force de bouger, il vit une jeune femme aux cheveux blonds lui sourire tandis qu'elle lui appliquait une pommade sur le front. Puis, lentement, une profonde somnolence l'envahit, qui le fit replonger dans un univers de rêve.

— Jack, tu nous entends ? Réponds, Jack.

Il eut du mal à ouvrir les yeux, mais il finit par y arriver. Il avait la tête qui tournait. Lorsqu'il parvint à y voir clair, il crut distinguer à ses pieds Joe Brown et Andrew. Il regarda autour de lui. De chaque côté de sa couche des dizaines de convalescents semblaient reposer sur une rangée de lits. Il eut l'impression que Joe Brown avait une main bandée. En voyant que Jack bougeait, Andrew ôta ses lunettes.

— Où suis-je ?

Il tenta de se redresser, mais une douleur fulgurante à hauteur de la hanche l'en empêcha.

— Essaie de ne pas bouger. Les médecins ont dit que tu devais rester au repos, lui suggéra Andrew.

— Que s'est-il passé ? J'ai l'impression qu'un troupeau de bisons m'est passé sur le crâne.

— Une poutre t'a frappé à la tempe. Un sacré coup ! Ils ont dû dépenser tout l'arnica de l'hôpital pour toi, dit Joe Brown en souriant.

— Ils t'ont fait des radiographies et tu n'as rien de cassé. Juste des petites brûlures sur tout le corps. Le pire, c'est la hanche. Maintenant, tu as une sorte de nouveau nombril de la taille de l'Arizona, dit Andrew.

Jack sourit.

— Tu m'as sauvé, n'est-ce pas ? demanda-t-il à Joe.

— J'ai entendu tes cris. Au début je n'ai pas compris d'où ils venaient, mais quand j'ai vu que le train de wagonnets tremblait, j'ai supposé qu'il y avait quelqu'un dessous.

— Et tes mains ?

Il montra les bandages qui les recouvraient.

— Bah ! Juste quelques égratignures. Cet après-midi je retourne au boulot.

Jack respira profondément. Il avait les bras et la tête bandés, et des pansements sur tout le corps. Le brusque souvenir de l'officier qui le regardait, impassible, l'agita.

— Et quel est cet endroit ?

— L'hôpital d'Autozavod. Ne t'inquiète pas. C'est le meilleur de Gorki. Tu es entre de bonnes mains, dit Joe Brown en souriant. Je dois m'en aller. Tu as besoin de quelque chose ?

— Non, Joe. Seulement de me rétablir pour te remercier comme il se doit.

— Oublie ça pour le moment. Retrouve la forme, car nous regrettons tous tes côtelettes de porc.

Et il lui fit un clin d'œil.

— Quand je reviendrai au village, je t'inviterai à un banquet.

Joe sourit de nouveau et quitta la salle de convalescence.

Lorsqu'ils furent seuls, Andrew sortit une cigarette et l'offrit à Jack.

— Un chic type, ce Joe. Une chance qu'il t'ait sauvé. Enfin, maintenant je dois retourner au travail. À ma prochaine visite je t'apporterai un peu de tabac.

— Attends ! Prends cette chaise et assieds-toi, dit Jack dans un filet de voix, comme s'il allait lui confier un secret.

Surpris, Andrew obéit. Il approcha la chaise du chevet du lit et s'assit.

— Pourquoi tant de mystère ?

— C'est Serguéï. Il a essayé de me tuer, dit-il dans un murmure.

— Qu'est-ce que tu racontes ?

— Ce que tu entends. L'un de ses sbires a mis en marche le train de wagonnets après m'avoir fait descendre dans la fosse.

— Mais c'est impossible ! C'est Serguéï lui-même qui a ordonné ton hospitalisation…

— Je te répète qu'il a voulu m'assassiner !

Il éleva la voix et vit plusieurs malades tourner la tête vers lui.

— Réfléchis, Jack. Ce que tu dis n'a pas de sens. Si Serguéï avait voulu te liquider, il l'aurait déjà fait. Ici, c'est lui qui dirige la Guépéou. Il peut faire ce qu'il veut sans avoir besoin de se justifier. Et il ne l'a pas fait.

— Je te dis que ce n'était pas un accident ! (Il laissa tomber son poing sur le matelas.) Pour une raison ou une autre, Sergueï doit préférer que ma disparition ait l'air d'un accident.

— Mais pourquoi voudrait-il faire ça ?

Andrew, à l'abri derrière ses grosses lunettes de bakélite, attendit la réponse de Jack, incapable de comprendre ce qu'il se passait.

— Et moi, qu'est-ce que j'en sais ! Peut-être parce que j'ai découvert qu'il envoie des Américains en déportation sous de fausses accusations.

Andrew se redressa, indigné, comme s'il venait d'entendre un blasphème.

— Ce coup a dû te déranger ! Sergueï est un homme honnête ! C'est un représentant de l'Union soviétique, et en tant que tel il veut seulement protéger...

— Au nom de ce que tu as de plus cher au monde ! Regarde-moi ! (Il lui montra ses blessures.) Ouvre les yeux et regarde autour de toi ! L'Express du Milwaukee... sa femme Harriet... Robert Walkins... les autres compagnons... Nous n'avons plus de nouvelles d'eux. Ils nous exterminent, Andrew ! Il faut que tu comprennes. Il faut que...

— D'accord ! Ne t'énerve pas. Tu dis qu'un homme de Sergueï t'a obligé à descendre dans la fosse. Tu connais son nom ?

— Je ne sais pas. Je ne m'en souviens pas... Orlov ! Oui ! Il a dit s'appeler Anatoli Orlov.

— Bien. Je vais voir ce que je peux vérifier. Toi, repose-toi et récupère. Quand tu iras mieux tu verras sûrement les choses autrement.

Alors qu'il essayait de trouver le sommeil, Jack se demanda pourquoi Sergueï l'avait envoyé à l'hôpital alors qu'il aurait pu le tuer sans avoir de comptes à rendre. Il n'y comprenait rien. Il avait toujours aussi mal à la tête, mais ce qui le tourmentait le plus, c'était la brûlure profonde à la hanche, qui se réveillait au moindre mouvement.

Il se mit à envisager de fuir Gorki. Les Soviétiques gardaient toujours son passeport, mais avec l'argent qu'il avait économisé sans doute pourrait-il demander à Ivan Zarko de lui en procurer un faux.

Il essayait d'imaginer comment il organiserait sa future vie dans un pays comme l'Angleterre, lorsque le doux contact de doigts qui caressaient son front le fit sursauter. Ouvrant les yeux, il distingua le visage aimable de la même jeune femme blonde vêtue d'un uniforme blanc qu'il croyait avoir vue en rêve. Son sourire rassura Jack pendant les quelques secondes qui s'écoulèrent avant qu'elle lui demande d'enlever le pantalon de son pyjama pour procéder aux soins.

— Vous ne pourriez pas faire votre travail sans… ? Je ne sais pas…

Il se contenta de baisser la ceinture du pyjama juste au-dessous de la brûlure, prenant garde que le tissu couvre ses parties intimes.

De nouveau la jeune femme lui sourit, et c'est alors qu'il la reconnut. C'était Natasha, la charmante infirmière qui avait soigné le bras de Wilbur Hewitt. Si elle avait été une vieille édentée, sans doute n'aurait-il pas été aussi gêné, mais sa jeunesse et sa beauté le troublèrent encore plus.

— Jack Beilis, lut Natasha sur le rapport médical. Nous nous retrouvons !

— Oui, et si c'était possible je préférerais qu'un infirmier s'occupe de ces choses, dit-il dans un sursaut de dignité.

Natasha lui adressa un regard maternel.

— Écoutez, Jack, je dois faire mon travail, mais si cela peut vous consoler, je vous avouerai que lorsque je vous ai soigné ce matin j'ai vu tout ce qu'il y avait à voir, et cela ne m'a pas impressionnée outre mesure.

Jack eut presque aussi honte que lorsque sa mère l'avait surpris en train de caresser l'entrejambe de sa première petite amie.

La jeune femme posa le rapport sur le lit et, sans lui laisser le temps de protester, baissa son pyjama jusqu'aux genoux. Pendant un instant, Jack s'agrippa au drap.

— C'est votre blessure que je dois soigner, pas le drap.

Et elle l'écarta doucement.

Jack finit par permettre à Natasha de l'examiner. La jeune femme retira le pansement iodé et vérifia le cratère de la blessure, toujours à vif.

— Elle n'est pas belle. Ne rougissez pas : je parle de la blessure.

Elle sourit et trempa un nouveau pansement dans un liquide antiseptique.

Le commentaire ne fit pas rire Jack.

— Ça me brûle terriblement, expliqua-t-il.

— C'est à cause du morceau de métal qui est resté à l'intérieur. Nous l'extrairons demain, dit-elle tandis qu'elle nettoyait la plaie avec du coton.

— Demain ? Et pourquoi pas aujourd'hui ?

— Il y a d'autres malades plus graves et les salles d'opération sont occupées. En tout cas, vous avez eu beaucoup de chance. Si les bords de votre tablier n'avaient pas été en acier, nous pourrions à présent examiner vos poumons sans avoir besoin de radiographies…

Et elle montra le tablier troué posé sur une chaise à côté de ce qu'il restait de ses vêtements.

— Oui, une chance extraordinaire. Savez-vous quand je pourrai parler au médecin responsable ?

— Bien sûr.

Elle sourit et continua de nettoyer la blessure avec la même douceur que si elle baignait un nouveau-né.

Jack remonta son pyjama et empêcha Natasha de terminer les soins.

— Je n'ai pas le temps de plaisanter. S'il vous plaît, prévenez votre chef et dites-lui que j'ai besoin de sortir d'ici au plus tôt.

— Monsieur Beilis : sachez qu'aucun malade n'est dans cet hôpital pour son plaisir. On vous opérera quand votre tour viendra. Je vous souhaite un prompt rétablissement.

Elle se leva et sortit par où elle était venue. Une fois seul, Jack se tourna vers son voisin de lit, un vieux Caucasien qui avait deux moignons bandés à la place des pieds.

— Que vous est-il arrivé, mon ami ? lui demanda-t-il.

— Ce damné froid m'a gelé les pieds jusqu'aux os. Et toi, pourquoi es-tu ici ?

Pour toute réponse, Jack baissa son pyjama et lui montra sa blessure.

— Bah ! Ce n'est rien, mon garçon. Dans deux semaines tu gambaderas de nouveau comme un poulain.

— Le problème, c'est que je n'ai pas deux semaines. Savez-vous qui est le responsable de cet asile de fous ?

— Bien sûr ! Tout le monde le sait.

— Et que devrais-je faire pour lui parler ?

— Rien de spécial, mon garçon. Attendre qu'elle vienne pour les prochains soins.

— Attendre ? Qui ?

Le vieux mutilé lui adressa un sourire moqueur avant de répondre.

— Natasha Lobanova, la jeune femme qui t'a soigné. C'est elle le chirurgien en chef de l'hôpital d'Autozavod. Et la meilleure personne que j'aie jamais rencontrée.

Jack découvrit que Natasha Lobanova ressemblait à son père, Sergueï Loban, dans l'attachement que l'un et l'autre portaient au régime soviétique. Tous deux voulaient l'égalité, même si chacun la poursuivait par des chemins différents. Pour le reste, ils semblaient venir de deux mondes opposés. Aux yeux de Jack, Sergueï était un fanatique du communisme qui se laisserait couper un bras pourvu que ses idées prévalent, de même qu'il arracherait les deux bras au pauvre imprudent qui ferait obstacle à ses objectifs ; alors que le principal intérêt de Natasha semblait être d'arracher un sourire à chacun des patients auxquels elle rendait visite. Sergueï contrôlait son apparence dans les moindres détails, depuis son impeccable vareuse jusqu'à sa barbe soigneusement taillée. C'était une question de discipline, qu'il exigeait aussi de ses subalternes. Natasha, au contraire, s'en souciait fort peu ; elle se contentait de montrer un visage net qui, embelli par l'innocence de son regard, lui donnait un charme différent de celui de toute les femmes qu'il avait pu connaître. Lui, c'était l'inflexibilité ; elle, la douceur. Lui, la peur ; elle, le ciel.

Dès que l'occasion se présenta, Jack s'excusa de l'avoir prise pour une infirmière et lui avoua qu'il connaissait son père. Or, au lieu de favoriser leur rapprochement, cette confidence provoqua la méfiance de la jeune femme.

— Je le savais. En fait, il m'a demandé de prendre tout spécialement soin de vous, répondit-elle sèchement.

Jack vit se durcir le visage qui, quelques secondes plus tôt, ne distillait que bienveillance.

— Et pourquoi cette grimace ? essaya-t-il de temporiser.

— Pour rien. C'est juste que je n'aime pas les favoritismes.

Elle serra le bandage avec plus d'énergie qu'à l'accoutumée. Jack émit un grognement de douleur.

— Comment va la blessure ? dit-il pour détourner son attention.

— Comme elle doit aller. C'est une brûlure profonde. Lorsque nous aurons retiré l'éclat métallique,
nous verrons s'il a affecté un nerf. Vous avez toujours
mal ?

Elle se pencha pour examiner la blessure.

— Constamment. Sauf…

— Oui ?

Natasha lui adressa un regard dubitatif.

— Sauf quand je vous vois.

Et aussitôt la futilité de sa remarque fit rougir Jack.

Natasha haussa un sourcil et se redressa.

— Bien. Dans ce cas je vais voir si je peux vous
donner une photo, dit-elle, l'air sérieux, et elle prit
le carnet qui contenait les rapports. Ensuite, un infirmier viendra faire votre toilette pour l'intervention. De
toute façon, j'ai le regret de vous informer que même
si vous me revoyez cet après-midi, l'extraction de
cette esquille va vous faire un peu mal.

Jack dut reconnaître que Natasha avait raison. Apparemment, la dose de procaïne qu'on lui avait injectée
près de l'aine avant l'intervention ne faisait pas tout
son effet, et au moment où les pinces fouillèrent dans
la brûlure, il se tordit de douleur. Lorsqu'elle retira
enfin l'éclat, la jeune femme s'excusa.

— Je suis désolée d'avoir mis plus de temps que
prévu. J'avais administré assez d'anesthésique pour
une courte intervention, mais le métal touchait une
branche du nerf crural et je ne voulais pas que vous
boitiez le restant de vos jours.

— Eh bien, si j'en crois la douleur que vous m'avez causée, je dirai que vous y êtes presque arrivée, dit Jack, tandis qu'un infirmier épongeait la sueur sur son front.

— Bien. Je suppose que tout évoluera normalement, même s'il est trop tôt pour le dire. Demain, lorsque l'inflammation aura diminué, nous vérifierons la mobilité et la douleur qu'elle présente. À présent il faut vous reposer.

— Et au lieu de rester ici, je ne pourrais pas passer ma convalescence chez moi ?

— Vous avez une maison ? s'étonna Natasha en se lavant les mains dans une cuvette.

— Cela vous étonne ?

— Non… ou plutôt, oui. Comme vous n'avez pas d'alliance et qu'aucune femme ne vous a rendu visite, je supposais que vous étiez célibataire.

— C'est ce que vous regardez quand vous m'examinez ?

Jack fut surpris que Natasha s'intéresse à des questions d'ordre privé.

— Bien sûr que non ! dit-elle en rougissant.

— Eh bien oui. Je suis célibataire.

Pendant un instant, il oublia son faux certificat de mariage.

— Dans ce cas, comment se fait-il qu'on vous ait accordé une maison ? (Elle rassembla son chignon qui avait laissé échapper une mèche rebelle sur son visage.) En Union soviétique aucun célibataire ne peut en avoir une.

— Disons que les choses vont bien pour moi.

Jack omit d'expliquer que Viktor Smirnov était pour beaucoup dans l'octroi de la maison.

— Eh bien vous avez de la chance. Surtout si l'on considère que la chance n'est pas une chose que l'on trouve en abondance chez Autozavod. (Elle montra la multitude des malades qui emplissaient la salle commune.) Je vais essayer d'accélérer au maximum votre récupération. Beaucoup ont plus besoin que vous de ce lit… (Et de nouveau son expression se durcit.) Ah ! et s'il vous plaît, ne vous plaignez pas trop quand l'anesthésie va s'estomper. Il y a ici des gens qui sont vraiment malades.

Pendant sa convalescence, Jack eut tout le loisir de constater que son état de santé ne semblait même pas concerner ceux qui, d'après lui, voulaient mettre fin à ses jours. Elisabeth n'avait pas daigné apparaître et, à part Joe Brown et Andrew, la seule visite qu'il avait reçue après son hospitalisation était celle de Wilbur Hewitt, qui était venu à Autozavod pour le mettre au courant des problèmes qui agitaient l'usine.

— Nous sommes tous très inquiets, lui confia l'ingénieur dans la salle de rééducation où il avait trouvé Jack qui, aidé de béquilles, effectuait une série d'exercices. Qui aurait pu imaginer qu'une grève allait paralyser l'usine ! D'après les bruits qui courent, Staline est furieux, ce qui veut dire qu'à tout moment les têtes vont se mettre à tomber comme si c'était du bétail. Et tu peux parier que les premières seront celles des Américains.

La confession de Hewitt surprit Jack. Il se reposa de la promenade que lui avait prescrite Natasha et s'assit dans un fauteuil à moitié défoncé qu'un vieillard venait de libérer.

— Une grève… Et l'usine est arrêtée ?

— Complètement paralysée. Les piquets ont empêché les travailleurs d'entrer, ils ont brûlé plusieurs voitures et coupé l'alimentation électrique. Autozavod ressemble à un champ de bataille.

— Eh bien ici, personne n'a rien commenté.

— Les ouvriers ont l'interdiction de répandre ce qui se passe sous peine de déportation, et tu es un étranger. Le mécontentement n'est pas nouveau, mais les premières manifestations ont commencé il y a trois jours. D'après ce que j'ai pu savoir, la Guépéou a averti Staline et celui-ci a envoyé l'armée.

— Et vous, qu'avez-vous l'intention de faire ?

Jack constata que Wilbur Hewitt transpirait autant que s'il s'était trouvé dans un sauna.

— Je ne sais pas encore. J'ai envoyé un câble à Détroit pour demander des instructions. Je ne peux pas abandonner l'usine, parce que le contrat signé avec le gouvernement soviétique prévoit une pénalisation en cas d'interruption du support technique. J'imagine que c'est ce que veut Sergueï : faire valoir la non-exécution du contrat et annuler les paiements en suspens. Mais je crains pour ma nièce. Pour l'instant, je lui ai suggéré d'accepter l'invitation de Viktor Smirnov de loger dans sa datcha en attendant la fin des hostilités.

— Bien. (La nouvelle le mit mal à l'aise.) Et il y a quelque chose que je peux faire pour vous aider ?

— Tu devrais te remettre au plus vite. Dans le village américain les gens sont remontés. Beaucoup s'organisent pour retourner aux États-Unis, mais la rumeur court que les Soviétiques ne leur rendront pas leurs passeports. C'est pourquoi j'ai pensé que toi, peut-être... Bon, les gens disent que tu as des contacts.

— Je ne sais pas de quoi vous parlez.

— Allons, Jack ! Fais-moi confiance ! Tu en as ou tu n'en as pas ?

Jack constata son désespoir.

— Je ne sais pas. Je pourrais peut-être parler avec quelqu'un qui connaît quelqu'un... mais seulement peut-être.

— Bien. C'est ce que je voulais savoir. Quand crois-tu que tu pourras marcher ?

— Franchement, je l'ignore. La doctoresse assure que d'ici deux ou trois jours je n'aurai plus besoin de béquilles, mais je n'en suis pas sûr.

— La doctoresse ?

— Oui, Natasha Lobanova. Celle qui...

— Natasha ? Tu es tombé entre de bonnes mains ! Rien à voir avec son ogre de père. Remets-toi sur pied aussi vite que possible. J'ai besoin de toi à l'extérieur, et je suis prêt à payer ce qu'il faudra.

— Mais que voulez-vous ?

À cet instant, Wilbur Hewitt perçut la proximité d'un malade qui semblait prêter un peu trop d'attention à leur conversation.

— Il serait dangereux de t'en dire plus maintenant, mais dès que tu quitteras l'hôpital, viens me voir chez moi.

— Allons, monsieur Hewitt, de quoi s'agit-il ? Ce qui m'est arrivé ne vous paraît donc pas dangereux ?

— Tu veux parler de ton accident ?

— Ah ! Curieuse façon de le désigner ! Je devrais peut-être qualifier votre grève de bagarre de cour d'école ! Même si vous ne le croyez pas, on a essayé de me tuer ! Un certain Anatoli Orlov a attendu que je me mette sous le train de wagonnets et il l'a remis en marche.

— Désolé, Jack. J'ignorais ce fait. Sergueï m'a assuré qu'il s'agissait d'un accident. Il m'a même montré la déclaration de plusieurs témoins qui assurent que c'est toi qui as provoqué le renversement du train en détruisant l'engrenage avec une barre de fer.

— Mais vous ne vous rendez pas compte ? C'est Sergueï qui a tout préparé. Il m'a sûrement hospitalisé pour me contrôler pendant qu'il m'accuse de sabotage.

— Ce Soviétique me soupçonne. C'est pourquoi tu dois sortir au plus vite. En tout cas, en ce qui concerne cet Orlov, je ne crois pas que tu doives t'inquiéter. Apparemment, il travaillait pour Sergueï, c'était son bras droit.

— Il travaillait ? Il ne le fait plus ?

— Je ne pense pas qu'il en ait la capacité.

— Pourquoi ? Que lui est-il arrivé ?

— Il a été retrouvé mort ce matin dans l'atelier des presses, la tête écrasée. Il paraît que c'est un accident. Comme le tien.

24

Jack n'avait jamais mis les pieds dans une prison sibérienne, mais il imagina que le régime disciplinaire n'était pas très différent de celui qu'on lui infligeait chaque matin à l'hôpital.

Bien que les patients soient rasés dès leur entrée, tous les jours un infirmier examinait leurs têtes à la recherche de poux, afin d'éviter la propagation du typhus. Puis on emmenait aux douches ceux qui pouvaient marcher, tandis que les invalides comme lui étaient lavés par deux vigoureux infirmiers qui les retournaient avec autant d'égards que s'ils étaient en train de décharger des sacs de pommes de terre. Les pansements étaient changés quotidiennement, mais même s'ils affirmaient les désinfecter dans un autoclave, Jack aurait juré que les bandages provenaient de linceuls.

Le manque de moyens contrastait avec la sophistication des machines utilisées chez Autozavod. Pour construire des automobiles, les Soviétiques disposaient de machines importées très chères, de coûteuses fonderies et d'un investissement inépuisable, mais on avait l'impression que nourrir et prendre soin des travailleurs était une question secondaire. De l'avis de

Jack, c'était la seule vraie cause de la grève qui paraly-
sait Autozavod, une grève qui menaçait de débusquer
des coupables cachés n'importe où. C'est pourquoi il
devait quitter l'hôpital au plus tôt. Dans un premier
temps il avait envisagé la possibilité de s'enfuir, mais
à l'obstacle de sa claudication venait s'ajouter la surveillance qu'exerçaient les gardiens de salle ; un voisin
de lit l'avait averti qu'ils appartenaient à la Guépéou.
L'alternative ? Faire pression sur Natasha Lobanova
pour qu'elle lui signe le bulletin de sortie.

Il décida de profiter du moment des soins nocturnes pour insister auprès d'elle. Cette nuit-là, la fille
de Sergueï était de garde et elle semblait avoir envie
de bavarder. Mais il eut beau essayer, elle se montra
inflexible et refusa de satisfaire sa requête.

Tandis qu'elle examinait la cicatrisation de la blessure, Natasha posa à Jack des questions sur l'Amérique, et celui-ci, habitué à fasciner ses interlocuteurs
soviétiques d'histoires merveilleuses, se lança dans la
description de son pays, avec la ruse d'un renard qui
guette une poule.

— Je voudrais que vous connaissiez ce pays ! Dans
les villes, les immeubles touchent presque le ciel, qu'ils
éclairent de leurs néons ; les voitures sont les reines de
la rue, et sur les trottoirs les gens vont et viennent d'un
commerce à l'autre, se divertissant entre des comptoirs
remplis de tout ce qu'on veut : nourriture, boisson,
tabac, vêtements, outils, gramophones. Tout ce que
vous imaginez, vous pouvez l'acheter.

— Et si on n'a pas d'argent ?

— Eh bien vous faites ce qu'il faut pour en gagner.
C'est avec de l'argent qu'on achète ce qu'on veut.

— Répondez à ma question. Dans ces comptoirs, on vend de la dignité ?

Elle souleva le pansement et appliqua une solution sur la blessure. Jack sursauta en sentant le picotement du permanganate.

— Pardon ?

— Je vous demandais si dans ces merveilleux magasins dont vous parlez on vend de la dignité.

— Je ne vois pas bien où vous voulez en venir, mais en tout cas, à quoi sert la dignité si on ne peut l'accompagner d'une nourriture digne ?

Il montra l'assiette dans laquelle on lui avait servi une louche de *kacha*, cette « écœurante bouillie d'avoine », comme il préférait l'appeler.

— Elle sert à regarder les gens dans les yeux.

Elle lui adressa un regard clair comme de l'eau.

Jack se racla la gorge. La discussion s'acheminait vers un terrain rocailleux.

— Vous, Natasha, il vous est sûrement difficile de comprendre les millions d'affamés qui, plutôt qu'un regard digne, préféreraient un bon plat de lentilles.

— Et pourquoi ne pourrais-je pas les comprendre ?

Natasha ôta deux épingles de ses cheveux et son chignon se répandit sur ses épaules en une cascade blonde. Son assurance impressionna Jack.

— Voyez vous-même : jeune femme chirurgien, vous êtes belle, vous avez un poste à responsabilité chez Autozavod et vous appartenez à une famille qui, à coup sûr, vous a permis de faire des études avec toutes les facilités que procure une telle situation. À vrai dire, je ne crois pas que vous soyez la personne la mieux indiquée pour se mettre dans la peau de misérables qui ne peuvent même pas choisir ce qu'ils mangent.

— Un autre reproche ?

Natasha se renversa sur la chaise, adoptant une pose décontractée que Jack ne lui avait jamais vue auparavant. Lorsqu'elle croisa les jambes, il les regarda du coin de l'œil, suffisamment longtemps pour perdre le fil de la conversation. Il hésita lorsqu'il tenta de le reprendre. Cette jeune femme qui lui donnait la réplique avec des arguments aussi profonds le déconcertait. Au bout de quelques secondes qui lui parurent des minutes, il se souvint de la question.

— Eh bien, peut-être le fait que votre poste vous permette n'importe quel caprice : de vivre dans une datcha confortable, de vous vêtir à la mode ou de manger un bon rôti accompagné de pain blanc. C'est du moins ce que font certains de vos dirigeants.

— Oui ? Je vois que vous êtes mieux informé que moi. Nos dirigeants sont des personnes honnêtes qui…

— Comme Viktor Smirnov. Je ne sais si vous le connaissez…, l'interrompit-il.

Lorsqu'elle entendit son nom, le visage de Natasha se durcit.

— Viktor et moi avons des façons différentes de comprendre la vie.

— Vous le connaissez donc ? Et comment, si ce n'est pas trop indiscret ?

— Ça l'est, mais pour ne pas paraître impolie je vous répondrai que les vêtements de soie ne m'intéressent pas plus que les voitures de sport. Mais parlons de vous. Si vous fréquentiez le bureau de Wilbur Hewitt, je suppose que vous devez être l'un de ces ingénieurs qui se font payer leur journée de travail à prix d'or.

— Et qu'y a-t-il de mal à ça ? (Jack fit montre d'une pointe de présomption.) En fin de compte, les Soviétiques ont besoin de notre aide, et nous la leur prêtons.

— De quelle façon ? En saignant à blanc un pays qui tente de sortir de la misère ?

— Vous ne voudriez pas que nous traversions l'océan pour un vêtement de rechange et un bol de soupe.

— Ce serait possible... Il y a des gens qui l'ont fait. Certains de vos compatriotes se sont établis ici pour aider à construire un monde plus juste. Rendez-vous compte : l'espace d'un instant, lorsque vous m'avez reproché ma formation et ma situation professionnelle, j'ai pensé que ce pouvait être votre cas. Mais apparemment, vous jouissez des privilèges dont vous m'accusez. En fait, vous travaillez comme ingénieur et, vu votre aspect, il ne semble pas que vous souffriez de la faim. Pourtant, il y a quelques instants vous m'avez traitée comme si j'étais une riche utopiste et vous un révolutionnaire indigent.

Jack resta sans voix. Il se demanda s'il devait lui avouer sa véritable situation, mais il se retint. Bien qu'elle lui inspirât confiance, tout ce qu'il savait d'elle, c'était qu'elle était la fille de Sergueï.

— Écoutez, Natasha. (Il s'approcha d'elle du peu que le lui permettait sa position dans le lit.) Vous ne pouvez pas comprendre ce qu'ont souffert des personnes comme moi. Et encore moins les critiquer. Je vous assure que j'ai gagné jusqu'au dernier rouble le droit de profiter de ce que peut me payer votre gouvernement.

Il souleva son pyjama pour lui montrer la brûlure.

— Peut-être. Mais j'ai l'impression que les roubles que vous gagnez ne résoudront pas vos nombreux problèmes.

— Que voulez-vous dire ?

Jack pensa que Natasha faisait référence à sa tentative d'assassinat.

— Que pour vous l'argent est la solution à tout.

— Je ne le crois pas. Je le sais.

— Et comment pouvez-vous en être si sûr ?

— Parce que j'ai eu une vie aisée, et je peux vous assurer qu'à cette époque j'ai été l'homme le plus heureux de la terre. (Il serra les poings. Natasha le remarqua.) Vous ne pouvez imaginer ce que ça signifie quand on vous enlève tout ce que vous avez, sans raison, sans avoir le droit de réclamer, sans compensations. Quand tout ce pour quoi vous avez lutté, tout ce que vous avez obtenu par vos efforts disparaît du jour au lendemain.

Il commençait à perdre la maîtrise de ses émotions.

— Bien sûr que je le peux, Jack. Ici, je suis entourée de gens qui n'ont même pas eu la possibilité de lutter pour ce que vous dites avoir perdu.

— Vous ne me comprenez pas. Je ne parle pas de personnes inconnues. Je parle de moi. De ce qu'on m'a fait. Depuis que j'ai l'âge de raison, je me suis échiné à être quelque chose dans la vie, et maintenant que j'y parviens de nouveau, vous apparaissez, une fille à papa protégée par sa famille, qui prétend me donner des leçons de moralité que…

Natasha se leva, sans laisser à Jack le temps de terminer son discours.

— Enfin, monsieur Beilis, nous aurons peut-être l'occasion de poursuivre cette conversation à un autre moment… quand vos blessures seront cicatrisées.

Jack acquiesça, sans y prêter trop d'attention. Il restait plongé dans ses pensées, se souvenant des jours où la faim était sa seule compagne. Soudain, il parut revenir à lui.

— Excusez-moi… Je ne sais pas ce qui m'a pris. Oui. J'espère me remettre rapidement. Les bords de la brûlure semblent se refermer et…

— Je ne parlais pas de votre hanche. Je parlais de votre âme.

Au cours des jours suivants, Natasha n'apparut pas.

Au début, Jack pensa que son absence était une réponse à l'épineuse discussion qu'ils avaient eue la dernière fois qu'elle l'avait soigné, mais il se convainquit bientôt que cette femme n'abandonnerait jamais un patient pour un motif aussi futile. De plus, dans la salle de convalescence avait commencé à courir le bruit que lors des affrontements survenus après la grève, de nombreux saboteurs avaient été blessés et transférés dans les camps de travail, et que Natasha Lobanova s'était déplacée pour prendre soin d'eux. Toujours est-il que cela préoccupait beaucoup Jack, car c'était elle qui devait autoriser sa sortie de l'hôpital.

En ce qui concernait l'évolution de sa blessure, elle s'améliorait de jour en jour. La douleur n'était plus constante et, même s'il boitait encore, il avait commencé à se déplacer à l'aide de béquilles. Il consacrait ses matinées à pratiquer des exercices de rééducation et à se promener dans un petit jardin intérieur auquel il avait accès. Après le déjeuner, il recevait des soins et passait ensuite le reste de l'après-midi à étudier avec acharnement l'un ou l'autre des livres bolcheviques de la bibliothèque, imaginant que mieux connaître ses ennemis lui permettrait d'en tirer avantage. Le dernier qu'il avait feuilleté s'intitulait *L'Économie et la Politique à l'époque de la dictature du prolétariat,* un opuscule écrit par Lénine, le père de la révolution soviétique, qui l'avait terriblement déconcerté. L'auteur y défendait l'abolition de la propriété privée qui, au nom de tous les travailleurs, deviendrait propriété de l'État.

Après y avoir réfléchi un moment, Jack en vint à la conclusion que ces idées étaient des sottises. Peut-être convenaient-elles à une société médiévale comme l'ancienne Russie, dans laquelle les grands propriétaires terriens traitaient leurs employés comme des esclaves, mais ce n'était assurément pas la situation aux États-Unis. Là-bas, la crise prendrait fin, et alors son pays redeviendrait une terre riche et pleine de possibilités, où tout entrepreneur qui aurait de l'enthousiasme à revendre et deux centimes en poche pourrait construire son propre empire s'il travaillait avec courage. Et naturellement, tout individu sain d'esprit verrait comme une injustice que l'État vienne ensuite prendre à cet entrepreneur tout ce qu'il aurait gagné.

Il pensait de la sorte parce que, s'il n'y avait eu cette menace de la prison, il aurait pu envisager lui-même de retourner en Amérique, les poches pleines, d'ouvrir un atelier de réparations dont, au fil du temps, il aurait étendu le réseau. Ce n'était bien sûr qu'un rêve, mais rêver était l'une des rares choses qu'on pouvait encore se permettre en Union soviétique.

Il lut aussi un volume défraîchi sur l'égalité des hommes et des femmes, intitulé *Discours sur l'émancipation de la femme*, qui le troubla. Avant cela, il ne s'était jamais penché sur ce sujet. Les femmes étaient des femmes et elles semblaient heureuses d'exercer leur rôle de mère et d'épouse. Ce n'est pas qu'il était opposé à l'idée que les femmes travaillent en dehors de chez elles : aux États-Unis, il y avait des femmes de ménage, des secrétaires, des standardistes ou des maîtresses d'école, et à ses yeux ces occupations leur convenaient parfaitement. Mais il n'avait jamais envisagé la possibilité qu'elles puissent exercer correctement les métiers de mineurs, de conductrices de train, d'aviatrices ou de directrices d'hôpitaux. Or, en Russie, le cas de Natasha Lobanova et les nombreux contingents féminins occupant, à Autozavod, les mêmes postes que les ouvriers masculins avec des salaires identiques lui démontraient le contraire. En observant les résultats, non seulement Jack dut tomber d'accord avec Lénine sur l'opportunité d'octroyer aux femmes les mêmes droits qu'aux hommes, mais en plus il fut surpris de la rapidité et de l'efficacité avec lesquelles les Soviétiques avaient popularisé des principes qui, malgré leur évidence, n'avaient jamais jusque-là été appliqués dans aucun autre pays.

Il pensa que l'une de ces constatations pourrait peut-être le tirer un jour d'un mauvais pas. Il demanda du papier et un crayon et entreprit d'écrire tous les sujets qui attiraient son attention, y compris ceux avec lesquels il était en désaccord. La liste s'allongea, en même temps que se développa son intérêt pour la révolution.

Le dernier livre qui lui tomba entre les mains était la retranscription du discours prononcé par Lénine à l'université Sverdlov, dans lequel il analysait les relations de pouvoir qui avaient engendré les différentes sociétés au long de l'Histoire.

Il le lut sans enthousiasme. Jack n'avait jamais été intéressé par l'Histoire, les choses du passé étaient passées. En fait, tout ce dont il se souvenait de ses années d'école, c'était que les États-Unis d'Amérique étaient nés le 4 juillet 1776, et qu'après la guerre de Sécession on avait aboli l'esclavage. Mais le discours de Lénine exposait des situations qui n'avaient jamais retenu son attention jusqu'à ce jour, comme par exemple qu'indépendamment de l'époque ou du type de gouvernement que l'on examinait, ceux qui avaient occupé le pouvoir l'avaient toujours exercé à leur seul profit.

Il n'en lut pas plus. L'absence de Natasha l'inquiétait.

La jeune doctoresse réapparut enfin au bout d'une semaine, avec ses tresses blondes nouées sur la tête et l'ombre d'un sourire qui ne suffisait pas à dissimuler sa fatigue. C'est à peine si elle rendit son salut à Jack lorsqu'elle entreprit de retirer le bandage de sa hanche. Elle se contenta de vérifier que le trou de la brûlure continuait à se refermer. Jack imagina que son silence était dû à la discussion qu'ils avaient eue la dernière fois qu'ils s'étaient vus et il s'en excusa.

— Ne vous inquiétez pas. Ce n'est pas votre faute. C'est seulement que je suis épuisée. La blessure cicatrise bien, elle ne présente aucun signe d'infection. Et vous, comment allez-vous ?

— Beaucoup mieux. Elle ne me fait presque plus mal et je marche déjà sans béquilles, mentit-il.

— Je suppose que vous souhaitez rentrer chez vous. (Jack la laissa le prendre dans ses bras tandis qu'elle bandait sa hanche.) Bien. (Le bandage terminé, elle s'écarta.) Demain matin, je signerai votre bulletin de sortie. Je vais vous prescrire une série d'exercices qui vous aideront à récupérer.

— Attendez. Ne partez pas encore. Je voulais vous demander…

— Oui ?

— C'est à propos de ces livres. (Il les lui montra.) Je les ai lus, et je dois admettre qu'ils ne contiennent pas que des bêtises.

— Eh bien ! En voilà un progrès !

— Mais il y a certains aspects que je ne comprends pas. D'après Lénine, à une époque, les rois, les empereurs, les tyrans, les évêques, les nobles et les dictateurs ont uni leurs forces pour accroître leurs richesses et leurs privilèges aux dépens de ceux qu'ils soumettaient, mais il affirme que ces temps-là ont pris fin avec la Révolution française.

Les paroles de Jack parurent avoir un effet apaisant sur le visage las de Natasha.

— C'est exact. Jusqu'alors, le peuple était prisonnier de sa propre ignorance, mais Voltaire, Diderot et d'Alembert ont rédigé l'*Encyclopédie*, un abrégé du savoir qui remettait en question l'autorité politique et religieuse ; avec les traités de Descartes, elle a été le stimulant qui a réveillé un peuple exaspéré par la pauvreté et l'oppression.

— Oui, c'est ce qu'il relate. Pour la première fois, la plèbe unie renversait les esclavagistes qui l'avaient tyrannisée pour prendre en main son propre destin. Mais alors, comment se fait-il qu'après une conquête aussi importante, les tyrans dominent à nouveau le monde ?

— À cause de l'ambition et de l'égoïsme, Jack. Comme des germes, les exploiteurs ont à nouveau fait bloc et se sont développés. Ils ont manipulé et prospéré, trouvant leur parfait bouillon de culture dans la révolution industrielle. Et tels des germes, en costume de bourgeois, ils ont infecté la société en créant des fabriques, des monopoles et des banques dont le seul but consistait à s'emparer une nouvelle fois du pouvoir et de la richesse, pendant que le reste de l'humanité, pris dans ses tentacules, retournait à l'esclavage. Finalement, les États, y compris ceux qui se disaient démocratiques, sont devenus les complices idéals de cette répartition obscène du pouvoir : tout pour quelques-uns et rien pour le reste. C'est triste, n'est-ce pas ?

Jack acquiesça, sans bien savoir ce qu'il faisait. La conviction de Natasha était si grande que, pendant un moment, il se sentit pris dans ses filets. Il tenta de réagir.

— Mais s'il n'y avait pas d'entrepreneurs, qui nous donnerait du travail ?

— Personne. C'est pourquoi il fallait qu'un nouvel État révolutionnaire s'empare des moyens de production et destine leurs rendements aux travailleurs eux-mêmes.

Jack garda le silence. Il ne faisait pas de doute que, sous certains aspects, Natasha formulait des vérités aussi grosses que le poing. Cependant, après avoir tâté de près les terribles conditions de vie du peuple soviétique, il n'avait pas non plus de doute sur le fait qu'aucun Américain n'aurait émigré en Union soviétique s'il les avait connues à l'avance.

— Vous reviendrez pour les soins de cette nuit ? fut la seule chose qui lui vint à l'esprit.

— Non, j'ai eu des journées très agitées et j'ai besoin de repos, mais je serai remplacée par le Dr Dimitrenko. Si vous avez besoin de quelque chose, il pourra…

— Et demain soir ?

— Demain ? Mais demain vous ne serez plus ici.

— Mais vous devrez dîner, je suppose.

— Vous essayez de flirter avec moi ?

— Bien sûr que non ! plaisanta-t-il. Je voulais seulement poursuivre cette conversation pour permettre une meilleure entente entre l'Union soviétique et l'Amérique du Nord.

— Sapristi, Jack ! Je me réjouis que vous vous préoccupiez de favoriser les relations diplomatiques entre nos pays. (Elle sourit, se tut un instant, comme si elle réfléchissait tout à coup à l'invitation de Jack, puis de manière inattendue son sourire se figea et elle se leva.) Je ne verrais pas d'inconvénient à dîner avec vous pour bavarder un moment, mais je ne crois pas que ce soit possible.

— Et pourquoi pas ? Vous devrez dîner, et chez moi je peux préparer des mets succulents.

— Mais alors, vous ne savez pas ? Je pensais que mes camarades vous auraient informé.

Son visage s'assombrit.

— M'informer ? De quoi ?

— Ce ne devrait pas être à moi de vous le dire, mais… Je suis désolée. La raison pour laquelle j'ai avancé votre sortie n'est pas l'amélioration de votre blessure. C'est parce que, demain, vous serez envoyé dans un camp de travail.

25

Cela faisait trois jours qu'il était détenu dans la zone numéro 1 de l'Ispravdom, et Jack ne savait toujours pas pourquoi on l'avait enfermé. Tout ce qu'il avait pu apprendre de l'un de ses geôliers était que deux cent cinquante autres prisonniers politiques se trouvaient incarcérés dans ce camp de travail, séparés des trois mille cinq cents prisonniers de droit commun qui y subsistaient. Il pensa qu'on devait le considérer comme le pire de tous, car il était à l'isolement, n'ayant reçu d'autre attention médicale que l'inspection oculaire qu'avait pratiquée un infirmier à son arrivée.

Il se redressa pour arpenter les trois pas que lui permettait la longueur de sa cellule, une pièce de la taille d'une boîte à chaussures ; sur les murs rongés par l'humidité on percevait l'emplacement d'une fenêtre condamnée. Pour tout mobilier, il disposait d'un grabat, d'une couverture et d'un seau pour se soulager, outre la cuvette d'eau glacée qu'on lui donnait chaque matin avec un vieux journal.

Il se rassit et contempla la casserole de *tchaï* qu'on lui avait apportée pour le petit déjeuner. Cette cochonnerie servie en guise de thé était constituée de deux cuillerées de purée de farine d'orge dissoute dans de l'eau sale. Il la but malgré tout jusqu'à la dernière goutte. Ensuite il se serra la ceinture en attendant qu'on lui apporte l'inévitable assiette de *valanda*, à midi, dans l'espoir que cette soupe de légumes le nourrirait davantage que la bouillie d'avoine accompagnée de harengs qui l'avaient fait vomir la veille au soir. Il se souvint de Natasha. Il avait du mal à imaginer qu'elle était impliquée, mais il ne pouvait éviter de se méfier de la fille de l'homme qui l'avait enfermé.

Le bruit du verrou l'alerta. Avant qu'on ouvre, il se leva et se mit au garde-à-vous. Lorsqu'il se redressa, sa hanche le fit souffrir. Derrière la porte apparut un garde en uniforme qui lui ordonna de le suivre. Après l'avoir obligé à se laver dans les toilettes communes, il le conduisit dans une cour à l'air libre où se promenait un groupe de prisonniers russes auxquels on n'avait pas encore attribué un travail dans le camp. Tous avaient un aspect famélique, et ils se grattaient comme si les poux les dévoraient. Jack boita jusqu'à un coin où il alluma une *papirosa* et en aspira une bouffée. Aussitôt un détenu, le crâne rasé et les yeux entourés de grands cernes, s'approcha et lui demanda une cigarette. Un instant, Jack examina le personnage. Puis il sortit le paquet qu'on lui avait permis de garder et le laissa en prendre une.

— Étranges vêtements, l'ami ! (Il palpa l'épaulette de sa veste.) Étranger ?

Jack confirma d'un hochement de tête. Il n'avait pas envie de bavarder, mais c'était la première personne qui lui adressait la parole et il pensa qu'il pourrait en obtenir quelques informations.

— Américain.

— Moi, ukrainien, d'Odessa. Pourquoi on t'a enfermé ? À cause de l'histoire d'Autozavod ?

Il s'assit à côté de lui.

— Si seulement je le savais ! Où sommes-nous ? Ils m'ont amené de nuit dans un fourgon et tout ce que je sais, c'est que c'est un camp de travail.

— C'est comme ça qu'ils l'appellent, mais c'est un camp d'esclaves. Ils arrêtent les gens, les sortent chaque jour pour aller désherber des champs, et la nuit venue ils les enferment à nouveau. Comme ça jusqu'au jour du procès, et alors, direction la Sibérie, pour crever comme des cafards.

— Et toi, pourquoi es-tu ici ?

— Viens. Éloignons-nous des haut-parleurs. Entendre tous les jours les mêmes harangues, ça finit par t'abrutir.

Jack se laissa guider. Pendant qu'ils se dirigeaient vers l'extrémité la plus éloignée de la cour, le nouveau venu se présenta sous le nom de Kuzmin, un mineur du bassin du Donbass qui avait été expulsé du Parti communiste pour avoir planifié des activités contre-révolutionnaires.

— C'est ce dont on m'accuse, mais en réalité je n'ai fait que protester contre leurs méthodes d'exploi-teurs.

Jack ne manifesta que peu d'intérêt, mais Kuzmin paraissait incapable de se taire. Il lui expliqua que, dans son ancien travail, tous les mineurs recevaient un salaire standard qu'ils pouvaient augmenter en fonction du rendement de leur labeur. Plus de charbon extrait, bonification plus importante.

— Il semble juste que celui qui fait plus d'efforts gagne plus, temporisa Jack, et il se réchauffa les poumons en aspirant une grosse bouffée.

— Bien sûr ! Le problème est venu de ce que certains désespérés se sont tués au travail et qu'au lieu des sept tonnes quotidiennes, qui étaient la moyenne stipulée, ils ont extrait jusqu'à cent tonnes de charbon par jour.

— S'ils ont travaillé comme des bêtes, je trouve normal qu'on les récompense.

— Tu n'y es pas. Les autorités de l'exploitation en ont conclu que si quelques hommes étaient capables de sortir cent tonnes, les autres mineurs devaient en extraire un minimum de quarante s'ils voulaient garder leur salaire. Quand mes compagnons et moi avons protesté contre le surcroît de travail sans aucune espèce de compensation, c'est alors qu'ils nous ont arrêtés.

— D'accord... Vu sous cet angle, ils vous ont vraiment mis à terre. Et que fais-tu ici, si loin de l'Ukraine ?

Jack lui offrit une autre *papirosa* pour qu'il continue à parler. Lorsqu'il l'accepta, il constata qu'il lui manquait trois doigts à une main.

— Ils me retiennent dans l'attente du jugement. (Il embrassa la cigarette et la mit dans sa poche.) Mes compagnons ont été jugés tout de suite et ils les ont enfermés à la prison d'Odessa, mais moi ils m'ont amené à Gorki. Je suis sûr qu'ils finiront par me fusiller.

— Ils tardent longtemps avant d'ouvrir les procès ?

— Ces salauds font ce qu'ils veulent. Ici, il y a des gens qui attendent depuis un an, mais normalement c'est trois ou quatre mois. Ça dépend de qui traite ton cas : un tribunal populaire ou cette maudite Guépéou. (Kuzmin s'aperçut qu'en entendant mentionner la police secrète, Jack avait sursauté.) C'est eux ? Alors c'est mauvais.

— Mauvais ? Que veux-tu dire ?

— Que tu n'auras même pas de procès. Personne ne contrôle la Guépéou, tu m'entends ? Personne ! Tu auras de la chance si tu en sors vivant.

— Mais tu ne sais même pas de quoi on m'accuse.

— Écoute, je regrette, mais je ne peux pas continuer à te parler. Les prisonniers de la Guépéou n'attirent que des ennuis. Si tu veux un conseil, quand ils t'interrogeront ne remets jamais en question leurs lois ou leurs méthodes. Au contraire, tires-en parti. Les policiers de la Guépéou travaillent comme des automates, en suivant les lois soviétiques au pied de la lettre. Si tu trouves le moyen de faire valoir leurs propres lois, ils ne te toucheront pas avant d'avoir consulté Moscou, et pendant ce temps tu gagneras des mois de vie. De toute façon, ils finiront par te condamner, mais mieux vaut passer trois mois à Gorki à labourer la terre, qu'à casser des pierres dans un goulag sibérien. Bonne chance et merci pour les cigarettes.

Au bout d'une heure de promenade solitaire, un nouveau garde l'emmena à l'infirmerie où il fut ausculté par un médecin qui l'interrogea sur l'origine de sa claudication. Jack récita les mêmes réponses qu'il avait faites à son arrivée. Lorsque le médecin fut satisfait, il lui administra des poudres pour la blessure et lui ordonna d'attendre dans une petite salle contiguë. Il attendit sur l'unique chaise de la pièce ; au bout d'une demi-heure, la porte s'ouvrit et Natasha Lobanova apparut. Dès qu'il la vit, Jack se leva, mais elle lui fit signe de rester assis.

— Natasha ! Que faites-vous ici ?

— J'essaie de ne pas abandonner mes patients. Comment allez-vous ?

— À votre avis ? lui décocha Jack. C'est votre père ?

— Pardon ?

— Je vous demande si c'est Sergueï qui a ordonné qu'on m'enferme. Je ne sais pas pourquoi je suis ici, ni de quoi on m'accuse, ni quand on va me relâcher. Plusieurs prisonniers m'ont dit que si quelqu'un est arrêté par la Guépéou, il peut se considérer comme condamné.

— La vérité, c'est que j'ignore les circonstances qui ont pu entourer votre détention. Je ne me mêle jamais des affaires de mon père, mais je peux vous assurer que c'est un homme honnête, et…

— Oui ? Eh bien quand vous le verrez, dites-lui que, *honnêtement*, il a enfermé un homme dont le seul délit est d'appeler les choses par leur nom.

— Écoutez, je ne suis pas venue ici dans l'intention de discuter. Je pensais que cette visite vous ferait plaisir, mais si vous préférez que je m'en aille, je chargerai un autre médecin de vos soins.

Jack la regarda tandis qu'elle attendait sa réponse. Il ne savait pas à quoi cela tenait, mais quelque chose dans l'attitude de Natasha lui paraissait conciliateur. Il défit très lentement son bandage et garda le silence.

Elle glissa les doigts sur le bord de la blessure, pressant à peine la peau.

— Vous êtes donc ici pour avoir dit des vérités, dit Natasha.

— Je vous ai déjà dit que je ne sais pas pourquoi on m'a enfermé. La seule chose certaine, c'est qu'après avoir affirmé à votre père qu'il se trompait en arrêtant des travailleurs innocents, le lendemain une tempête de métal fondu s'est déversée sur moi. Ouf ! geignit-il lorsqu'il essaya de bouger.

— Et vous pensez qu'il y a un rapport ? (Elle interrompit sa tâche.) Je veux dire… Vous croyez que mon père est derrière cet accident ?

— Qui d'autre ?

— Je ne saurais vous répondre, mais je connais bien mon père. Vous devez vous montrer patient. Si vous êtes vraiment innocent, vous sortirez d'ici par vos propres moyens.

Jack ne put éviter un grognement. De la réponse de Natasha, la seule conclusion qu'il tirait était que certains ne sortaient pas d'ici par leurs propres moyens. La jeune femme se préparait à partir lorsqu'il se leva et lui saisit le poignet.

— Natasha, pourquoi vous intéressez-vous à un délinquant étranger ?

Il ne percevait aucune trace de malice sur son visage pur.

— Je suppose que vous n'avez pas l'air d'un délinquant. De plus, vous affirmez n'être là que pour avoir dit des vérités, n'est-ce pas ? sourit-elle, laissant Jack tenir son poignet.

— Écoutez. Je vous suis reconnaissant de votre présence, mais j'ai besoin que quelqu'un me dise la vérité une fois pour toutes. Pourquoi vous entêtez-vous à me rendre visite ?

Natasha resta muette, le regardant dans les yeux, sans ciller.

— Sincèrement, Jack : vous me faites de la peine. (Elle se libéra de sa main.) Ne le prenez pas mal. Ce que je veux dire, c'est que j'ai de la peine qu'il n'y ait personne ici auprès de vous. Que vous n'ayez aucun parent qui s'occupe de vous.

Jack sentit le remords lui nouer l'estomac. Bien qu'il lui ait dit le contraire quelques jours plus tôt, il se décida à lui révéler sa situation personnelle. Natasha l'écouta en silence. Lorsqu'elle sut que Jack était entré en Union soviétique en tant qu'homme marié, son regard fixa les dalles de la cellule.

— Eh bien ! Ainsi, c'est parce que vous avez une femme que vous vivez dans une maison, dit-elle sans lever les yeux. Et… et vous avez aussi des enfants ?

— Pardon ! Je ne me suis pas bien expliqué. En réalité, je n'ai même pas de femme. Je veux dire que notre mariage est dû à une terrible erreur. En fait, j'ai déjà déposé la demande de divorce, s'empressa-t-il de préciser.

— Bon. Enfin. Il nous arrive à tous de faire des erreurs. Moi la première.

Et sans s'attarder davantage, elle prit congé dans un soupir et sortit par où elle était venue.

Cette nuit-là, Jack dormit à peine. Il était heureux d'avoir vu Natasha, mais inquiet qu'elle soit la fille de la personne qui semblait tenir les ficelles de son destin incertain. Avant qu'elle ne s'en aille, il lui avait demandé d'avertir son ami Andrew, et elle avait promis de le faire. Le son d'une explosion lointaine l'alerta. Apparemment, les troubles continuaient. Il s'abrita sous la couverture élimée et attendit que le jour se lève.

Le mugissement du geôlier fit sursauter Jack, qui abandonna la lecture du journal *Izvestia* pour se mettre, comme on venait de lui en donner l'ordre, au garde-à-vous.

— Vous avez de la visite, lui annonça-t-il.

Jack avança à travers le corridor qui conduisait au parloir, imaginant que son ami Andrew avait reçu le message. Cependant, lorsque les verrous de la porte s'ouvrirent, il eut la surprise de se trouver devant Sue, debout, vêtue d'un manteau râpé. Après quelques secondes de stupeur, Jack s'assit près d'elle sur un banc, sous le regard attentif du garde qui les surveillait. Il lui demanda comment elle avait pu accéder à la prison.

— Je suis encore « ta femme », tu t'en souviens ?

Elle lui montra le faux certificat de mariage.

Jack se racla la gorge. Il était contrarié qu'elle s'obstine à exhiber cette copie falsifiée qui pouvait leur créer des problèmes alors que le divorce était en passe d'être prononcé. Mais il n'était pas en situation de choisir ses visiteurs et à cet instant Sue était son unique contact avec l'extérieur. Il écarta le sujet du mariage et lui demanda pourquoi Andrew n'était pas venu.

— Quand tu as disparu de l'hôpital, la nouvelle s'est répandue dans le village. Ceux qui croyaient que tu sympathisais avec les Russes ne se sont pas inquiétés, mais Andrew a tenté de te localiser. Tu sais qu'il travaille maintenant pour la Guépéou, dit-elle d'un air important.

— Oui, je le sais. Mais pourquoi n'est-il pas venu, lui ?

— Il désirait le faire, mais il ne voulait pas risquer qu'on l'associe à un homme accusé d'être un contre-révolutionnaire. En fait, il n'a aucune idée de la raison pour laquelle on t'a arrêté, mais il pense que tu pourrais être accusé d'être un « ennemi des travailleurs ».

— Et qu'est-ce que ça veut dire ?

— Tu n'as pas lu le Code pénal soviétique ?

— Non. J'aurais dû ?

— Andrew m'a demandé de t'apporter celui-ci. (Elle le sortit d'un sac.) Je crois qu'un docteur le lui a donné. Tiens. C'est l'édition de 1927. Nous l'avons regardé hier soir, mais nous n'avons presque rien compris, parce qu'il est en russe. Attends… (Elle ouvrit nerveusement le volume à la recherche du marque-page en papier sur lequel elle avait noté quelque chose.) Oui. Le voilà : « article 58.1. Est déclaré action contre-révolutionnaire tout acte visant à détruire, affaiblir et remplacer le pouvoir des travailleurs. » Il dit d'autres choses, mais c'est le paragraphe qu'on nous a traduit.

Avec l'assentiment du garde, Jack prit le volume et y jeta un coup d'œil. Il constata qu'outre ce que Sue avait lu, l'article 58.7 mentionnait expressément les sabotages dans l'industrie et le 58.9, les dommages.

Il fut surpris de constater que les deux délits étaient punis de la peine de mort.

— Tu vas bien ? lui demanda-t-elle en le voyant pâlir.

— Oui, oui, grommela-t-il. Et vous ?

— On tient le coup. Andrew semble satisfait de son nouveau poste. Il dit que les Russes ont de la considération pour lui, et il a l'intention d'adhérer au Parti, parce que alors ils nous changeront peut-être la carte de rationnement pour une autre qui nous donnera droit à plus de nourriture.

— Écoute, Sue… En réalité, tout cela est le résultat d'un malentendu. Si je pouvais parler à Andrew, lui pourrait sûrement…

— Je t'ai déjà dit qu'il ne peut pas venir. Raconte-moi tout, et moi je le lui dirai.

Elle regarda le garde du coin de l'œil, comme si elle craignait qu'il comprenne ce qu'ils se disaient.

Jack hocha la tête. Il n'aimait pas impliquer Sue dans ses problèmes, mais il comprit qu'il n'avait pas d'autre solution. Il lui révéla que Wilbur Hewitt l'avait engagé pour enquêter sur les sabotages qui ravageaient Autozavod et que pendant ses enquêtes il avait découvert qu'on arrêtait des Américains sur de fausses accusations.

— Dis à Andrew d'agir avec prudence. Je suis convaincu que Sergueï Loban, le responsable de la Guépéou, est derrière tout ça, lui murmura-t-il.

Sue toussa en l'entendant.

— Loban ? Mais Loban est le chef de la Guépéou !

— Toi, dis-le-lui.

— D'accord. Je le lui dirai, mais je ne sais pas comment il pourra t'aider. Finalement, c'est un nouveau venu.

— Vous devez me tirer de là. À qui vais-je m'adresser sinon ?

— Jack, réfléchis ! Andrew n'est qu'un assistant. Que veux-tu ? Qu'ils nous arrêtent tous ? Andrew dit qu'en novembre ils ouvriront l'ambassade américaine à Moscou. Peut-être qu'eux pourront…

— On dit, on dit !… Cette rumeur circule depuis que Roosevelt a gagné les élections en mars.

Il donna un coup sur la table. En plus, même si des relations diplomatiques étaient établies, il ne pourrait pas solliciter une aide de l'ambassade vu qu'en Amérique il était recherché pour meurtre.

— Ne t'inquiète pas. Nous trouverons le moyen de te sortir de là. Je dois partir, dit Sue lorsqu'elle perçut le signe du garde lui indiquant que l'entretien était terminé. Il faut que je t'embrasse, sinon ça va paraître étrange au surveillant.

Jack accepta, l'esprit ailleurs. Lorsqu'elle l'embrassa, il fut surpris.

— Prends soin de toi, dit Sue.

— Oui. Vous aussi. Remercie Andrew pour le Code. Et rappelle-lui de parler avec Hewitt ! Peut-être que lui pourra venir à mon secours.

Lorsque Sue eut disparu, Jack pensa qu'il ne sortirait jamais vivant de ce camp de travail.

26

Jack n'oublierait jamais la nuit où, sans un mot, deux gardes soviétiques entrèrent dans sa cellule pour l'en faire sortir en le traînant jusqu'à la voiture noire dans laquelle, quelques semaines auparavant, on l'avait arraché au village américain. Il demanda où on l'emmenait, mais aucun de ses deux gardiens ne lui répondit. Ils se contentèrent de le mettre sur le siège arrière et s'installèrent de chaque côté. Pendant que le chauffeur conduisait le véhicule à travers les rues sombres de Gorki, Jack se souvint des sinistres histoires qui circulaient à l'Ispravdom sur les promenades nocturnes que les détenus politiques subissaient de temps en temps. D'après ce qu'on disait, ils les prenaient au milieu de la nuit, les faisaient monter dans une voiture qui se perdait au loin, et la dernière chose qu'ils voyaient était un éclair. Il imagina ce qui l'attendait, et son cœur se serra.

Au fur et à mesure que la voiture s'enfonçait dans la forêt et que les lumières de la ville disparaissaient, les craintes de Jack augmentaient. Il ne savait pas où ils s'arrêteraient, ou s'il y aurait d'autres personnes à l'arrivée, mais attendre pouvait être fatal. Bien qu'il fût menotté et escorté de deux hommes, probablement armés, il se dit qu'il devait essayer de s'échapper. Il était fort. S'il attaquait ses gardiens à l'intérieur de la voiture, le chauffeur ne pourrait pas les aider. Peut-être avait-il une chance.

Il regarda ses ravisseurs. Celui à sa gauche paraissait être le plus fort. Il le frapperait en premier avec les menottes et aussitôt après il affronterait celui de droite avant qu'il ait le temps d'intervenir.

Juste avant de passer à l'attaque, il sentit son corps se couvrir de sueur. La voiture poursuivait sa route tandis que Jack différait le premier coup, dans l'attente du moment adéquat qui semblait ne jamais venir. Il supposa que, touchant la mort de près, il hésitait à la précipiter. Il ne se considérait pas croyant, mais se recommanda à Yahvé. Il inspirait profondément avant d'assener le premier coup lorsque brusquement, d'un coup de frein sec, la voiture pila au bord d'un précipice, près d'une maisonnette abandonnée où attendaient deux autres hommes munis de lanternes. Il n'eut pas l'occasion de réagir. Le gardien à sa droite le saisit par l'épaule pour le traîner hors du véhicule comme s'il s'agissait d'un sac d'ordures, tandis que le faisceau d'une torche braquée sur lui l'aveuglait. Jack se protégea les yeux pour identifier ses ennemis, sans succès. Soudain, les Soviétiques s'écartèrent et le laissèrent seul face à la silhouette d'un homme dont les cheveux grisonnants lui parurent familiers.

— Bonne nuit.

La voix de Serguëi Loban résonna dans le silence de la nuit.

— Elle l'est peut-être pour vous.

S'ils allaient le tuer, les politesses étaient superflues.

— Jack, Jack… (Il se promena autour du jeune homme.) Je dois prendre une décision difficile et j'aimerais que tu m'y aides.

— Quelle sorte de décision ? Me tirer une balle dans la tête ou me précipiter dans le ravin ?

Et il cracha en direction de l'abîme au bord duquel stationnait le véhicule. Lorsqu'il dit cela, il lui sembla que Sergueï souriait.

— Mais que vous êtes dramatiques, vous autres Américains ! Vous deux, éloignez-vous, ordonna-t-il à ses hommes. Tu vas voir. Mon dilemme est très simple, aussi simple, je l'espère, que sera le tien. Il me faut juste savoir si tu serais disposé à reprendre ton ancien travail.

Jack resta sur la défensive en entendant l'étonnante proposition de Sergueï. Il n'arrivait pas à croire qu'on l'ait traîné hors de la prison au milieu de la nuit pour lui dire que désormais tout était arrangé.

— C'est une plaisanterie ? parvint-il à dire.

— Je ne plaisante jamais, répondit Sergueï très sérieusement. Maintenant, écoute avec attention. Je te propose de revenir à ton poste comme s'il ne s'était rien passé. Si tu acceptes, cette conversation devra rester secrète. Tu pourras raconter que nous t'avons arrêté par erreur et que nous avons décidé de te relâcher avant l'arrivée imminente de l'ambassadeur William C. Bullit.

Jack regarda autour de lui. Les fusils des sbires de Sergueï brillaient dans l'obscurité. S'il tentait de s'échapper, ils le cribleraient de balles avant qu'il ait fait un pas. Vraie ou fausse, cette proposition était sa seule option, se montrer curieux ne lui ferait pas de tort.

— Et quel sera mon travail ? Attendre qu'un camion me renverse ou qu'une poutre de fer m'écrase dans sa chute ?

— Je te garantis que rien de cela n'arrivera. Un homme de confiance t'escortera tout le temps.

— De confiance, comme Orlov ?

— Oublie Orlov. Nous t'assignerons quelqu'un de plus compétent. La seule différence avec ton travail précédent consisterait à ce que, au lieu de transmettre tes découvertes à Wilbur Hewitt, tu me les transmettes à moi, en exclusivité.

— Et pourquoi tous ces secrets ?

— Nous avons des raisons de le soupçonner. Apparemment, il a utilisé son poste pour détourner des fonds soviétiques à son profit.

Jack se souvint de la conversation qu'il avait eue avec Hewitt à l'hôpital. L'ingénieur lui avait exprimé sa crainte d'être accusé lui aussi.

— Et qu'est-ce qui vous fait penser que je vais trahir un compatriote ?

— Jack, Jack… tu es toujours si méfiant. Pourquoi ne le regardes-tu pas d'un autre point de vue ? Si tes enquêtes confirment nos soupçons, nous devrons parler d'un escroc qui mérite un châtiment. (Il tourna autour de lui.) Si, au contraire, tes découvertes écartent l'implication de Hewitt dans les sabotages, tu auras contribué à sauver son honneur.

Jack fit mine de réfléchir. Il fallait gagner du temps.

— Mais si je n'informe pas Hewitt, il croira que je ne fais pas mon travail et je perdrai mon salaire.

Il devait se montrer inquiet pour paraître crédible.

— Eh bien, invente des avaries, élabore des hypothèses, propose des améliorations. Distrais-le le temps qu'il faudra. Tu es malin. Je suis sûr que tu y arriveras très bien.

— Hewitt l'est aussi. Tôt ou tard il découvrira la tromperie et alors il me renverra.

— Tu pourras toujours continuer à travailler chez Autozavod comme ouvrier qualifié.

— Pour le salaire de misère que gagnent mes compagnons ?

— Ta situation était pire en Amérique. En plus, tu fais du trafic de nourriture, non ?

Jack rougit.

— Je... Je ne sais pas de quoi vous parlez. La contrebande est interdite, et...

— Je te parle des côtelettes que te fournit Miquel Agramunt et que l'un de tes employés vend au village américain. Je t'ai déjà dit que les Soviétiques ne sont pas des idiots, Jack. Si j'ai permis ce commerce abject, c'était pour contenir le mécontentement que la famine pourrait provoquer chez tes compatriotes. (Il se remit à marcher.) Si tu acceptes ma proposition, quoi qu'il arrive avec Hewitt, tu continueras à travailler pour moi et je fermerai les yeux sur ton commerce de contrebande. Mieux encore : je pourrais même t'autoriser à vendre tes produits à l'économat du village. Après tout, vous êtes tous des capitalistes, la façon dont vous vous volez les uns les autres n'est pas mon affaire.

— Et si je m'y refuse ? osa demander Jack.

— Je ne crois pas que tu sois en situation de négocier.

Il indiqua les armes qui le visaient. Jack les contempla.

— Vos fanfaronnades ne me font pas peur.

— Peut-être pas à toi, mais tu ne voudrais pas que ton « épouse » et ton ami finissent comme toi, au fond d'un ravin.

— Espèce de salaud !

Jack fit mine de se jeter sur Serguéï, mais un coup de crosse dans le dos l'arrêta.

Serguéï se pencha au-dessus de Jack, tandis que celui-ci restait à genoux, essayant de ne pas s'évanouir de douleur.

— Je t'en prie, Jack… Ne m'oblige pas à me comporter en barbare… Décide tout de suite ce que tu préfères. Travailler pour moi ou partager une balle avec tes amis.

Jack jura. Après avoir accepté la proposition de Serguéï, il comprit qu'il avait fait un pacte avec le diable lui-même.

Quand les corbeaux le firent descendre de voiture au centre du village américain, Jack poussa un soupir de soulagement. Il attendit que la voiture noire ait disparu au loin, et alors seulement il prit son sac. Puis il fit demi-tour et s'achemina en boitant vers sa maison. À sa grande surprise, il trouva Yuri assis dans le petit escalier, en plein courant d'air glacial, emmitouflé dans un manteau en peau qui lui donnait l'aspect d'un ours accroupi. D'abord, le Russe l'arrêta, mais dès qu'il l'eut reconnu il émit un rugissement de joie qui se transforma en un éclat de rire lorsque Jack l'invita à le suivre pour boire un coup. Lui aussi en avait besoin, et la demi-bouteille de vodka qu'il réservait pour les grandes occasions ne dura que le temps d'un round. Finalement, bien réchauffés, ils parlèrent des événements survenus en son absence.

— Mon oncle Ivan m'a ordonné de continuer à surveiller la maison au cas où tu ne resterais pas long-temps prisonnier. Il a des contacts jusqu'en enfer, et quand il a appris qu'ils t'avaient enfermé à l'Is-pravdom, il a pensé que tu ne courais pas un grand danger.

— Tiens ! Et pourquoi en a-t-il déduit cela ? demanda-t-il, intrigué.

Yuri termina son verre et sourit.

— Parce que les autres Américains qui ont disparu n'ont jamais mis les pieds à l'Ispravdom. Ils se sont simplement évaporés dans la nature.

Lorsque Yuri le quitta, Jack déambula à travers les pièces de sa maison en ayant la sensation de se trouver dans un palais. Il constata que tout était comme il l'avait laissé : les rapports à leur place, la nourriture dans le garde-manger, les livres empilés et les meubles rangés. Même les outils restés éparpillés sur le sol de l'appentis lorsqu'on l'avait arrêté étaient toujours en désordre près de la Buick.

Il lui fut impossible de trouver le sommeil. Allongé sur le lit, les yeux ouverts comme si ses paupières étaient soudées aux orbites, il fixait dans le noir le pla-fond de la chambre. Il n'y comprenait rien. Il ne com-prenait pas pourquoi on l'avait arrêté et encore moins pourquoi on l'avait libéré. Il ne s'expliquait pas pour-quoi Natasha Lobanova avait montré autant d'intérêt pour sa personne. Il n'arrivait même pas à imaginer que cette maison extraordinaire ait pu être gardée sans qu'aucun intrus ait songé à en dérober le moindre tableau. Il ne trouva aucune réponse. Il ferma les yeux et tenta de se reposer, mais ne put que se tourner et se retourner dans son lit. Enfin, les faibles rayons de soleil entrant par la fenêtre lui annoncèrent l'arrivée d'une nouvelle journée.

Bien qu'il lui en coûtât, il devait se lever. Son travail de traître l'attendait à l'Autozavod.

Wilbur Hewitt se redressa dans le fauteuil de son bureau, incapable de croire à ce qu'il entendait. Pourtant, au lieu de montrer de la méfiance, il étreignit Jack comme s'il venait de retrouver un fils revenu de la guerre. L'ingénieur lui assura qu'il avait tenté de le faire libérer par tous les moyens en son pouvoir.

— Mais ç'a été impossible. Ils m'ont même interdit de te rendre visite, dit-il, contrit.

— Je vous assure que vous n'avez rien perdu.

— Je t'avais prévenu qu'il fallait oublier ça ! vociféra-t-il comme un fou. Je te l'ai dit ! On ne renifle pas le cul des Russes et les Russes ne reniflent pas le nôtre... Enfin, l'important est que tu sois de retour. Et tu dis que Sergueï lui-même a reconnu que tout cela était dû à une erreur ? C'est inconcevable ! Au moins ils t'ont relâché. Et comment va ta blessure ?

— Elle guérit lentement. À propos : qu'est-ce que vous aviez à me dire ? À l'hôpital je vous ai trouvé très nerveux.

Il voulait vérifier si l'inquiétude de Hewitt avait à voir avec les soupçons de Sergueï.

— Chut ! Plus bas ! lui murmura-t-il, et il lui montra un haut-parleur, comme si l'appareil pouvait les entendre. Je ne sais pas si je te l'ai déjà dit, mais outre la lecture du *New York Times*, le tir est l'une de mes distractions favorites, s'exclama-t-il en haussant exprès le ton. Tu sais tirer ?

— Non.

— Même pas avec un revolver ? Et tu te dis américain ? Peu importe, dit-il en criant presque. Je t'apprendrai. Après-demain on va inaugurer un champ de tir, tu seras mon invité. Ça te paraîtra peut-être un peu frivole, mais il y aura un bon banquet et en ces temps de disette il ne faut pas laisser passer certaines occasions. (Il fit une pause, puis s'approcha de Jack pour murmurer à son oreille.) Tâche de paraître normal. Après la fête, nous trouverons peut-être le moyen de parler sans éveiller les soupçons.

En entendant Hewitt, Jack se souvint que Viktor Smirnov avait l'intention d'assister à l'inauguration du champ de tir avec sa Buick Master Six réparée. Il imagina qu'Elisabeth accompagnerait l'officier soviétique, et son cœur battit plus vite. Bien que sa hanche l'empêchât de se déplacer normalement, il supposa que s'il travaillait d'arrache-pied, et si Joe Brown lui donnait un coup de main, il parviendrait peut-être à la réparer.

Il répondit à Hewitt qu'il pouvait compter sur lui pour cet événement.

En route vers l'usine, il se demanda s'il devait vraiment, quant à lui, apprendre à tirer au revolver.

Jack fut surpris que l'inauguration d'un champ de tir soviétique pût dépasser en tapage un rodéo américain. L'ouverture des nouvelles installations avait rassemblé des centaines de personnes qui envahissaient l'esplanade de tir, profitant de la campagne comme si elles étaient entourées de toutes sortes d'attractions. Pourtant, seules quelques cabines en bois s'alignaient alentour avec des dizaines de cibles dispersées face à elles. Il ne tarda pas à repérer Wilbur Hewitt qui, équipé de son fusil, entretenait une conversation animée avec Viktor Smirnov, près d'une grosse planche posée sur des tréteaux où étaient disposés toutes sortes de canapés. Elisabeth était auprès d'eux. Lorsqu'il s'approcha, Viktor le reçut comme s'ils étaient de grands amis.

— Mon vieux Jack ! Je parlais justement de toi. Je disais à Hewitt et sa nièce qu'en sortant de chez moi, ce matin, j'avais trouvé la Buick avec les clés sur le contact. Elle roule parfaitement ! C'est sûr, tu as des mains de magicien.

— C'est sûr ! intervint Elisabeth.

Avec un sourire complice, elle tendit sa main à Jack pour qu'il la baise.

Jack dissimula son trouble comme il put. Après avoir complimenté la jeune femme, il s'adressa à Viktor.

— Je me réjouis que tu sois satisfait. Mais j'aimerais continuer à veiller à son entretien. Tu sais bien… C'est une voiture délicate qui exige une attention constante, dit Jack dans l'intention de prolonger la relation avantageuse qu'il avait établie avec le Soviétique.

— Ha, ha, ha ! Ne t'inquiète pas. Tu as gagné le droit de conserver la maison, répondit Viktor comme s'il lisait dans ses pensées et avait le pouvoir de lui accorder ce droit. Et maintenant, amusons-nous. (Il saisit le fusil qui reposait à ses pieds et le lui montra fièrement.) C'est un Mosin-Nagant 1891/30 modifié. Il a une portée de trois kilomètres et peut servir dix tirs à la minute. Il a appartenu à mon père. Dans ma famille nous pratiquons tous. Tu sais tirer ?

— Eh bien, non. Je le confesse. C'est dans une fête foraine que j'ai approché au plus près une arme à feu.

Jack omit de mentionner les occasions où les Soviétiques l'avaient mis en joue.

— Alors il faut y remédier.

Après avoir englouti un dernier canapé, Viktor les conduisit vers les cabines de tir pour leur faire la démonstration de son habileté.

Après une douzaine de tirs, Jack suivit le plan convenu avec Hewitt et simula une brusque indisposition qu'il imputa aux séquelles de son accident. Aussitôt, le directeur général d'Autozavod s'empressa de s'occuper de lui. Smirnov accepta leurs excuses en y prêtant à peine attention et continua à montrer à Elisabeth combien il était adroit, tandis que Jack et Hewitt s'éloignaient en direction des chaises. Une fois à l'écart, Hewitt déplia un exemplaire de *La Pravda* et fit semblant de lire.

— Jack, ça va de mal en pis. J'ai parlé avec les dirigeants de Détroit, mais ils minimisent, alors qu'ici les gens continuent à disparaître. Je crains qu'à un moment ou un autre ne vienne notre tour.

— Mais qu'est-ce que les Soviétiques auraient contre vous ?

— Je te l'ai dit à l'hôpital. Je les suspecte de vouloir me faire passer pour le responsable des sabotages. À la différence de ces communistes utopistes qui rêvent d'établir l'égalité entre tous les êtres humains, Sergueï est un homme pragmatique. Il poursuit le triomphe de ses idées comme un ours sa proie : sans repos, sans défaillance. Il ne se contente pas de penser. Il agit et agit encore. Et je crois qu'il a fixé son objectif sur nous, les Américains.

— Mais pourquoi ? Nous l'aidons à construire Autozavod. Sans nous…

— Comme tu te trompes ! Aux yeux des Soviétiques nous avons autant de valeur qu'un vieux papelard. Nous étions utiles tant qu'ils apprenaient, mais maintenant ils sont en train d'atteindre leurs objectifs sans autre aide que leurs propres mains et la terreur qu'ils infligent à leurs ouvriers.

— Mais même s'il en était ainsi, pourquoi voudraient-ils nous supprimer ? Nous pouvons encore les aider.

— Jack, Jack ! Tu crois que les Soviétiques agissent selon ta logique, or ta logique n'est pas la leur. Tu dois élargir ton champ de vision. Pour eux, les travailleurs américains sont devenus des invités gênants. Les Américains se plaignent, ils demandent qu'on leur paie ce qui était convenu au lieu de la misère qu'on leur verse après impôt, ils réclament une nourriture décente, des vêtements décents… Et certains osent même exiger qu'on leur rende leurs passeports pour retourner aux États-Unis. Crois-tu qu'ils vont autoriser ça ? Crois-tu qu'ils vont laisser des étrangers semer la graine du mécontentement ? Qu'ils vont permettre qu'une poignée de travailleurs déçus révèlent dans leurs pays d'origine les mensonges du communisme ? Non, mon fils, non. Ils les feront taire coûte que coûte parce que, pour eux, la fin justifie les moyens.

— D'accord. Les moyens consistent à exterminer les Américains dissidents et à vous accuser des sabotages. Et le mobile ?

— Je t'en ai déjà parlé à l'hôpital. Le mobile, ce serait des millions de dollars. Ceux qu'ils économiseraient en justifiant l'annulation des paiements qu'ils doivent encore pour le contrat de construction d'Autozavod.

— Simplement en vous accusant ?

— Jack ! Nous ne parlons pas de l'achat-vente d'un terrain vague ! Le contrat signé entre Henry Ford et Staline comportait non seulement la livraison du matériel nécessaire pour faire marcher une usine gigantesque, mais il incluait également des clauses sur le support technique que les cadres supérieurs américains devraient fournir et, évidemment, de nombreuses sanctions en cas de non-exécution.

— Mais si cette accusation est fausse, je suppose que Henry Ford les poursuivra en justice.

— Une fois pour toutes, réveille-toi ! Pour Staline, l'Autozavod est une affaire personnelle. Ils ont fait tomber un empire, tu crois qu'un procès va leur faire peur ? Ils fabriqueront de fausses preuves pour nous accuser tous et s'en tirer à bon compte ! Ils ont commencé par éliminer de pauvres ouvriers qu'ils ont taxés de contre-révolutionnaires pour fomenter un bouillon de culture qui justifie leurs prochains abus. Et ce n'est pas pour couvrir leurs actions face à un éventuel litige, ça ils s'en fichent complètement, mais pour se donner une apparence de légalité qui les cautionnera aux yeux des puissances étrangères avec lesquelles ils n'ont pas encore de relations diplomatiques.

— D'accord. Ce que je ne comprends pas, c'est le rôle que je joue dans tout cela.

— Tu dois nous aider à sortir de Russie. Moi et ma nièce. J'ai de l'argent et toi des contacts. Je te paierai ce que tu voudras.

— Mais pourquoi moi ? Vous ne pouvez pas simplement quitter le pays ? Vous êtes un directeur important. Henry Ford vous aidera.

— Ha ! Le vieil Henry est un renard ! Il ne me sortirait pas d'ici même si on braquait un revolver sur son propre fils.

— Mais si vous le mettez au courant des plans de Sergueï…

— C'est justement ce qui me condamnerait ! Dès que Ford soupçonnerait que les Soviétiques trament de rompre le contrat, il ferait de moi la tête de Turc. Tu ne comprends pas ? S'il attribue la responsabilité des sabotages à une seule personne, et pas à l'organisation, ma condamnation serait son salut.

— Eh bien, prenez votre passeport et fuyez de votre côté.

— Quel passeport ? Ils nous les ont pris, comme à vous. C'est précisément pour cette raison que nous avons besoin de toi ! Tu crois peut-être que Serguei nous laissera nous enfuir ? (Discrètement, il montra deux tireurs postés à proximité.) Ils nous gardent constamment à l'œil. Voilà pourquoi je t'ai donné rendez-vous ici. Quand ce n'est pas moi qu'ils suivent, c'est ma nièce, ils sont toujours derrière nous, comme des limiers.

Jack tenta de trouver une solution qui ne le compromettrait pas. Un attentat lui avait suffi.

— Vous pourriez aller à l'ambassade. Les Soviétiques assurent qu'elle ouvrira le mois prochain.

— L'ambassade et Ford sont de la même espèce. Tu crois qu'ils bougeraient un doigt pour sauver quelqu'un dont la détention éviterait la perte de millions ?

Il laissa tomber le journal, accablé.

Jack le regarda sans rien dire. C'était à peine s'il restait à Hewitt un soupçon d'arrogance.

— Et vous n'avez pas d'amis à qui vous adresser ?

— À qui vais-je demander de l'aide, Jack ? À mes subordonnés ? Ils sont tous terrorisés, comme des moutons qu'on mène à l'abattoir.

— Je ne sais pas. Peut-être que Smirnov pourrait vous aider. Il paraît amoureux d'Elisabeth, il a beaucoup d'argent et de contacts, et d'après ce que j'ai pu savoir, il méprise Serguei.

— Je n'ai pas confiance. Il travaille pour Serguei. Pour la Guépéou.

Jack essaya de réfléchir. Il se demanda un instant s'il devait révéler à Hewitt le chantage auquel Loban

414

le soumettait. Mais aider l'ingénieur ne pouvait lui apporter que de gros ennuis.

— Et si on démontrait que celui qui est derrière cette conspiration, c'est Serguéï lui-même ?

— À qui, s'il est le chef ? Et tu crois que ça servirait à quelque chose ? Les Soviétiques se couvrent les uns les autres comme une bande de loups. Même si on avait des preuves, ils en fabriqueraient d'autres pour dissimuler leur imposture.

— Alors, quel est votre plan ?

— Si au moins j'en avais un ! La seule chose à laquelle je pense, c'est que tu obtiennes de faux passeports pour Elisabeth et moi.

— Mais vous savez le danger que ça représenterait pour moi ? De plus, qu'est-ce qui vous fait croire que je pourrais en obtenir ?

— Écoute, Jack. Mettons cartes sur table. Je ne te demande pas la charité. Je t'offre de l'argent en échange. Un tas d'argent ! Je pourrais te donner plus que tu n'as jamais rêvé de gagner. Et même, si tu le veux, je serais disposé à financer ta fuite jusqu'en Amérique avec nous.

Jack resta muet. Un tas d'argent… Son rêve à portée de main. Il pourrait fuir la Russie et commencer une nouvelle vie qui…

Une salve de tirs résonna dans l'air, arrachant Jack à ses chimères. Il pâlit. Depuis qu'il avait quitté New York il ne s'était pas passé un jour sans qu'il rêve de rentrer les poches pleines, mais la proposition de Hewitt n'avait aucun sens.

Tout en imaginant qu'il le regretterait peut-être, il regarda l'ingénieur avec détermination.

— Je suis désolé, monsieur Hewitt, mais c'est trop dangereux.

Il se leva et quitta le champ de tir en clopinant, laissant l'ingénieur aussi blessé que si Jack avait placé sur son cœur les cibles sur lesquelles tiraient les Soviétiques.

27

Au mois de novembre, les altercations entre les Américains qui soutenaient le régime soviétique et les désabusés qui voulaient rentrer aux États-Unis s'aggravèrent au point de diviser l'établissement américain en deux bandes dressées l'une contre l'autre. Jack essaya de se tenir à l'écart, mais quand le fils de Harry Daniels refusa de vendre un paquet de côtelettes de porc à Paul Farmer et que celui-ci riposta en le frappant à la tête avec une bouteille, il ne put faire autrement qu'intervenir.

— Ils nous empêchent de rentrer chez nous, et en plus ce salaud se moque de nous ! hurla le jeune Daniels, le visage couvert de sang. Jack le retint comme il put. Sa hanche le faisait souffrir : Jim Daniels l'avait frappé accidentellement alors qu'il tentait de les séparer.

— Sale contrebandier ! Comme ça tu apprendras que nous aussi on a faim, autant que vous, se défendit Paul Farmer.

Jack parvint à faire reculer le jeune Daniels jusqu'aux latrines proches de l'économat où avait éclaté la dispute. Lorsque Jim lui jura qu'il se tiendrait tranquille, il revint en boitant à l'endroit où se trouvait son agresseur.

— Tu n'aurais pas dû faire ça ! Pas à un compatriote ! l'affronta-t-il.

Jack avait une tête de plus que Paul Farmer, mais les bras de Paul étaient deux troncs noueux.

— Mon petit garçon est né ici, et sa mère russe a le même droit de manger chaud que les renégats qui veulent retourner aux États-Unis.

— Les mêmes droits… (Il prit le paquet qu'il avait arraché à Jim Daniels et le jeta à Paul.) Tiens. Fiche le camp d'ici ! Et si je te revois brandir une bouteille, je te jure que je te la ferai avaler sans te donner le temps d'ouvrir la bouche !

Paul saisit le paquet et serra les dents. Son défi dura quelques secondes, juste le temps de vérifier qu'il y avait bien des côtelettes dans le papier journal. Puis il fit demi-tour et s'en alla en grommelant des grossièretés. Aussitôt Jack se dirigea vers les latrines pour s'occuper du jeune Daniels assis près de la porte. Il constata qu'il avait le front traversé par une balafre qui le marquerait sans doute le restant de ses jours. Il sortit un mouchoir et épongea la blessure.

— Tu es un bel imbécile ! Crois-tu que nous sommes en situation de provoquer des affrontements ? lui reprocha Jack.

— Mais c'est lui ! Ce salaud s'est vanté d'appartenir au Parti. Il a dit que soit on devenait russes, soit on pourrirait dans un camp de travail, se justifia-t-il.

— Et tu crois que c'est en les contrariant que tu obtiendras quelque chose ? cria Jack, en proie à l'agitation.

— Au moins je me suis offert la satisfaction de ne pas lui donner de côtelettes. (Il regarda les mains de Jack.) Mais où elles sont ? Tu les lui as données ?

— Rentre chez toi et que ta mère regarde cette blessure.

— T'inquiète pas, Jack. Je vais bien. Je vais nettoyer les morceaux de verre et je me remettrai au travail...

— Ce ne sera pas nécessaire, Jim.

— Je t'assure, c'est qu'une égratignure. Je vais me laver et...

— Je t'ai dit que ce ne sera pas nécessaire. Désolé mon garçon, tu es renvoyé.

Il ne le regretta pas. Il supposa que, tôt ou tard, un Soviétique viendrait au village lui demander des explications et causer des problèmes à Jim. Il se trompait à peine : Andrew se considérait déjà comme un Soviétique de pure souche et, l'après-midi même, il se présenta devant lui en exigeant des excuses. Jack ne se troubla pas. Il affirma à Andrew qu'il ignorait le motif de l'affrontement entre le fils des Daniels et Paul Farmer, mais que de toute façon c'était déjà résolu, et il continua à nettoyer le distributeur Delco-Remy que Smirnov lui avait demandé de réviser.

— Moi, tout ce que j'ai fait, c'est de les séparer. Demande-leur.

— Allons, Jack ! Dans le village tout le monde sait que c'est toi qui contrôles l'achat et la vente d'aliments. Les Soviétiques commencent à s'indigner.

— Tu m'en diras tant ! Eh bien qu'ils s'indignent ! Je t'ai déjà dit que tout ce que j'ai fait, c'est éviter une bagarre. (Et il frotta le distributeur jusqu'à le faire briller, comme si c'était la seule chose au monde qui méritait son attention.)

— Tu t'en inquiéterais peut-être davantage si tu savais que moi aussi ça m'indigne.

Il lui adressa un regard de reproche à travers les verres de ses lunettes à monture métallique.

— Voyez-vous ça ! Toi, indigné ? Toi qui depuis que tu es affilié au Parti profites d'une double ration de nourriture ?

— Écoute, Jack. Je suis seulement venu t'avertir. Il y a de plus en plus d'affrontements avec les Américains, et la Guépéou ne va pas accepter que par la faute de…

— Ça suffit, Andrew ! Parlons franchement. (Il se leva en s'aidant d'une béquille, et une douleur fulgurante lui traversa la hanche.) D'abord, je ne sais pas en qualité de quoi tu te présentes ici en demandant des explications. Tu viens comme le vieil ami qui veut aider, ou tu es le nouveau Soviétique qui est ennuyé que quelqu'un gagne plus d'argent que lui ?

— Tu veux vraiment le savoir ?

— Oui. J'en serais ravi.

— Alors, apprends ceci : j'ai été nommé responsable en chef de la sécurité du campement américain, et je ne vais pas permettre que dans mon village…

— Oh !… Ton village !… Peut-être devrais-je te faire une révérence.

— Arrête avec ton ironie ! Il vaut mieux que ce soit moi qui vienne plutôt que les corbeaux. Merde ! La seule chose que je veux, c'est qu'on puisse vivre en harmonie dans cet établissement. Et telle que se présente la situation, avec des fauteurs de troubles et des sabotages de tous côtés, ce dont nous avons le moins besoin c'est de nous battre entre nous.

— Entre nous ? Mais la première chose que vous avez faite, toi et Sue, c'est de ficher le camp du village.

— Eh bien si tu veux que je te donne un conseil, tu devrais en faire autant et emménager en ville. Ainsi tu cesserais de provoquer l'envie, en vivant dans une maison majestueuse pendant que les autres travailleurs s'entassent dans des chambres de la taille d'une armoire.

— Bien ! Et qui paiera le déménagement ? Toi, ou ceux qui t'ont fourni ces lunettes neuves et ce magnifique uniforme ?

— C'est juste un conseil.

— Parfait. Alors permets-moi de t'en donner un autre : tu ferais bien de moins regarder du côté des Soviétiques et davantage du côté de tes compatriotes. Depuis que tu es devenu un assistant de la Guépéou, il semble que les choses vont bien pour toi et que tu as le vent en poupe, mais pour les Américains qu'on empêche de rentrer chez eux, ou ceux qui disparaissent, ou ceux qui meurent de faim à cause des misérables rations que leur fournissent les Soviétiques, ceci n'a rien d'un paradis.

— D'accord, Jack ! Tu veux parler franchement ? Eh bien faisons-le, parce qu'il ne semble pas que toutes ces calamités t'aient empêché d'en faire ton négoce ! Qui es-tu pour t'ériger en défenseur des gens dont tu ne te souviens que lorsqu'il s'agit de gagner de l'argent ?

Jack comprit que cette conversation ne le mènerait qu'à un affrontement. Andrew pensait probablement, comme tous les autres Américains d'Autozavod, que ses gains venaient exclusivement de la contrebande, ce qui devait en effet susciter leur envie et leur rejet. Mais il ne pouvait lui révéler ni que ses revenus provenaient des honoraires que Hewitt lui accordait en paiement de la mission dangereuse qu'il lui avait confiée, ni que Sergueï Loban lui-même était au courant de son « activité commerciale » – comme il préférait l'appeler – et qu'il y consentait.

D'un autre côté, et bien qu'il ait du mal à l'admettre, l'accusation d'Andrew était quelque peu empreinte de raison. Il avait beau essayer de doter son activité de contrebandier d'une aura de service public, ce qui était sûr, c'était qu'il tirait profit des besoins de ses compatriotes. Et peut-être Andrew avait-il également raison sur le fait que le plus sage serait de quitter le village américain. Il pouvait se le permettre, et s'il arrivait à un accord avec le neveu d'Ivan Zarko, le déménagement ne l'empêcherait pas de continuer le commerce de l'économat.

Il supposa que s'il acquiesçait au raisonnement d'Andrew, celui-ci se sentirait satisfait.

— Peut-être… (Il se racla la gorge, comme s'il lui en coûtait de prononcer les mots.) Je devrais peut-être y songer. Je ne sais pas… Il est possible que le déménagement ne soit pas une si mauvaise idée, dit-il finalement.

— Bien sûr que non, approuva Andrew avec la satisfaction de celui qui a vaincu un adversaire. Préviens-moi quand tu seras prêt. Tu verras que nous en sortirons tous gagnants.

Deux jours plus tard, Andrew lui-même aidait Jack à monter dans la voiture qui devait le transporter à Autozavod. Une fois qu'ils furent installés sur les sièges arrière, Jack regarda par la fenêtre. Le jour s'était levé pluvieux, comme s'il augurait d'une nouvelle étape pleine de problèmes. Le chauffeur démarra et Jack s'emmitoufla dans sa veste.

— Merci d'être venu me chercher, Andrew. Sergueï m'a appelé de toute urgence. L'autre jour, j'ai reçu un coup sur ma blessure et je peux à peine marcher.

— Ça n'a pas d'importance. C'était sur mon chemin. As-tu déjà pensé à ce que tu vas faire de tes vieux meubles ? (Il ne s'intéressait pas à la blessure de sa hanche.) Je veux parler de toutes les affaires que tu as accumulées dans ta maison : le poêle, le samovar, la table de billard… Tu vas les vendre ou tu vas les emporter ? Quand j'ai dit à Sue que tu avais décidé d'emménager en ville, elle a pensé que tu avais peut-être des choses en trop.

Jack fit non de la tête.

— À la vérité, je n'y ai pas pensé. Il se peut que je me débarrasse de certaines choses, mais je n'ai pas encore visité le logement qu'on m'a trouvé. J'ai parlé à un ami soviétique et pour l'instant je vais emménager dans une petite maison vide qu'il a dans le centre de Gorki.

— Une petite maison ? Tu devrais faire attention à tes amis. En Union soviétique, il est interdit de posséder une maison individuelle.

— Je ne sais même pas à qui elle appartient, et ça m'est égal. En fin de compte, je vais juste la louer. Mais si ça t'intéresse, je connais quelques cadres de la Guépéou qui vivent dans de magnifiques datchas. (Il profita que le véhicule passait devant des magasins incendiés pour changer de sujet.) Et ces nouveaux dégâts ? Que s'est-il passé ?

— Des groupes de contre-révolutionnaires incontrôlés. Les piquets de grève antisoviétiques ont réussi à paralyser l'usine pendant quelques jours, mais les milices de la Guépéou les ont obligés à rentrer dans le rang, lui dit-il avec fierté, comme s'il se considérait vraiment comme un membre de la police secrète.

Jack fixa son regard sur les ruines.

La voiture s'arrêta devant le bureau de Sergueï Loban, où Jack venait justifier son absence au travail. Andrew l'accompagna jusqu'à la porte du bureau et attendit que le directeur des Opérations l'autorise à entrer.

— Bon, Jack, je dois partir. Si tu changes d'avis pour les meubles…

— Oui. T'en fais pas. Et salue Sue.

Andrew sourit. Il prit congé de Jack et retourna à la voiture dans laquelle il l'avait transporté. De la fenêtre, Jack vit Andrew indiquer sa destination au chauffeur. Il haussa les sourcils. Andrew avait un chauffeur à sa disposition. Pas de doute, il était monté en grade.

— Tu vas rester là toute la matinée ? Allons, entre !

La voix impérieuse de Sergueï fit entrer Jack plus vite qu'il n'était conseillé et de nouveau sa blessure se rappela à lui. Lorsqu'il s'en aperçut, Sergueï se leva.

— Tu boites toujours ? Peut-on savoir quel traitement te donne ma fille ?

Jack remercia Sergueï de l'aider à s'asseoir.

— La vérité, c'est qu'il y a des jours que je n'ai pas vu le Dr Natasha. En fait, j'avais pratiquement récupéré et je pensais reprendre le travail aujourd'hui, comme nous en étions convenus, mais je me suis refait mal et je ne peux pratiquement pas marcher.

— Vous autres Américains, on croirait que vous êtes en sucre ! Je me souviens encore du jour où j'ai reçu trois balles, pendant l'assaut de Saint-Pétersbourg. Une dans le ventre, ici, juste au milieu, une autre dans le bras, et une autre dans la cuisse. Un vétérinaire m'a soigné et le lendemain j'étais de nouveau en première ligne, à boire de la vodka et à tirer.

— Il est possible que nous soyons d'une autre pâte. Toujours est-il que je voulais vous expliquer personnellement ma situation.

— Il n'est pas nécessaire que tu t'excuses, l'interrompit-il. J'étais au courant de ton indisposition, je ne t'ai pas fait venir pour te dire bonjour. Je sais que tu as parlé avec Hewitt au champ de tir. Il t'a dit quelque chose ?

— Rien en particulier. Apparemment, il aime le tir et m'a invité à l'inauguration.

— Et c'est pour parler de tir que vous vous êtes mis à l'écart de sa nièce et de Viktor ?

— J'étais épuisé. J'avais travaillé toute la nuit pour finir de réparer la voiture de Smirnov et il fallait que je m'assoie. Hewitt a eu l'amabilité de m'accompagner et je n'ai pas cru devoir refuser.

— Il n'a pas fait de commentaires sur l'usine ? Sur les arrestations ? Sur ce qu'il se passe avec certains Américains ?

— Juste en passant, pour se préoccuper du sort de ses compatriotes, inventa-t-il. De quoi les accuse-t-on ?

Il en profita pour s'intéresser à ses compagnons.

— D'être des contre-révolutionnaires ! dit-il avec une expression amère tandis qu'il froissait son uniforme. Des gens ingrats qui, d'une façon ou d'une autre, ont tenté d'entraver l'inéluctable destin bolchevique !

— C'est étrange. Les habitants du village américain ont l'air de personnes honorables, qui ne pensent qu'à leurs familles et à leur travail.

Jack tentait de les disculper.

— De quel genre d'honorabilité parles-tu ? De celle de gens qui font passer leurs propres intérêts avant ceux de la Grande Famille soviétique ? Parce que moi, je parle de canailles, d'individus qui, dans l'espoir de mettre leurs sombres desseins en œuvre, n'ont pas hésité à soutenir par des obstacles et des sabotages les quelques insurgés qui regrettent encore le temps des tsars.

Jack écouta en silence la harangue de Sergueï, constatant que c'était une redite de la propagande qu'émettaient constamment les haut-parleurs d'Autozavod. Il renonça à demander d'autres explications, qui n'auraient servi qu'à rapprocher sa position de celle des saboteurs.

426

— Bon. Eh bien si vous ne voulez rien d'autre de moi…

— Bien sûr que je veux autre chose. (Il lissa sa moustache grisonnante, tel un félin qui se lèche les babines avant de bondir sur sa proie.) J'ai ordonné une surveillance de Wilbur Hewitt vingt-quatre heures sur vingt-quatre ; à partir de cet instant, toute conversation que tu voudras avoir avec lui, qu'elle soit téléphonique ou directe, devra avoir lieu en présence de l'un de mes hommes ; dans le cas contraire, tu seras arrêté. En ce qui concerne ta soudaine incapacité de travail, je crois qu'il faudrait trouver une solution. En Union soviétique, les ouvriers malades touchent une allocation, elle est dérisoire et il me serait difficile de justifier un salaire comme celui que je t'ai promis.

— Je ne comprends pas. Vous avez assuré que vous maintiendriez…

— Oui, oui… Je sais ce que j'ai dit, mais d'après le pronostic de ma fille tu devais être sur pied dans les deux semaines et tu es une véritable loque ; aussi, pour résoudre cet inconvénient et jusqu'à ce que tu te réta-blisses, je vais faire deux choses : la première, auto-riser l'ouverture d'un bureau d'alimentation Torgsin dans le marché américain, et la seconde, te nommer son responsable direct.

— Comme ça, sans rien d'autre ?

Jack se tint sur ses gardes. À Gorki il n'existait aucun Torgsin, mais Ivan Zarko lui avait parlé de ceux qu'il connaissait à Moscou. Il s'agissait d'établisse-ments autorisés dans lesquels on pouvait acheter cer-tains produits en échange de bijoux et de devises.

— Entre deux ventes, je pense qu'un peu de conversation ne te fera pas de mal. Il court sûrement des rumeurs ou des nouvelles qui pourraient m'intéresser. Peut-être qu'ils savent des choses dont nous n'avons pas connaissance, et qu'ils ne verront pas d'inconvénient à les partager avec toi.

Le dirigeant soviétique attendit une réponse, sans sourciller. Jack fixa son regard de pierre, insondable, imaginant que, quel que soit le plan tracé par Sergueï, il n'y avait sans doute que peu de ficelles susceptibles d'être tirées. Mais peut-être en restait-il quelques-unes. Il décida de jouer son jeu.

— J'aurais besoin d'un aide de confiance. J'ai du mal à rester debout. Si je ne peux pas travailler chez Autozavod, comment vais-je m'occuper d'un économat ? demanda-t-il, considérant comme acquis qu'il acceptait sa proposition.

— Tu as des amis. Choisis-en deux qui soient disposés à te donner un coup de main. Tant que durera ta convalescence, je les dispenserai de leurs occupations. Ils percevront le même salaire, mais ils auront un travail plus facile et bénéficieront d'une meilleure nourriture. Ils t'en seront probablement reconnaissants.

— Bien. Je crois que j'aurai assez d'une semaine pour me rétablir et tout préparer.

— Tu peux y compter.

— En ce qui concerne le local... Vous ne voudrez sûrement pas que ce commerce ait lieu dans les latrines.

— Bien sûr que non ! J'avais pensé à l'un des magasins de pièces de rechange qui sont limitrophes du village américain. Je vais donner l'ordre qu'on le mette en état. D'autres questions ?

— Oui. La marchandise. Qui me la fournira, et à quel prix ?

— La marchandise ? Il n'y a pas de marchandise.

— Je ne comprends pas. (Il pensa que Sergueï se moquait de lui.) Comment pensez-vous qu'on puisse acheter quoi que ce soit dans un économat vide ?

— Dis-le-moi, toi. Jusqu'alors ça ne t'a posé aucun problème.

Lorsque Jack sortit du bâtiment, il vit qu'un véhicule l'attendait, moteur allumé. Il fut contrarié de retrouver Andrew installé à l'intérieur, et malgré son apparente cordialité, il se prit à le considérer moins comme un ami que comme un chien de garde aux ordres de Sergueï. Pendant le trajet, Andrew s'intéressa aux résultats de l'entrevue, mais Jack se montra fuyant tandis que la voiture parcourait à rebours le chemin qu'elle avait emprunté une demi-heure plus tôt depuis le village américain. Il était plongé dans ses pensées lorsque, en pénétrant dans l'enceinte, il remarqua qu'on était en train de détruire certaines baraques.

— Et ça ?

Il indiqua à Andrew la remise qu'une grue motorisée abattait.

— Relogements. Tu as choisi un bon moment pour déménager. (Il lui désigna le couple que deux gardes emmenaient vers une voiture noire.) John Selleck et son épouse Lisa. Ils ont tenté de s'enfuir hier, mais ils ont été interceptés au premier contrôle en gare.

— Où les emmène-t-on ?

— À l'Ispravdom, je suppose. Apparemment, ils s'étaient associés à des renégats qui voulaient quitter le pays. Pauvres idiots !

Jack observa le couple à travers la vitre arrière. La femme pleurait, inconsolable, suppliant leurs gardiens de ne pas les séparer, mais les hommes les tiraient, indifférents à ses prières.

Une fois devant la maison de Jack, Andrew lui ouvrit la portière pour qu'il descende. Jack, appuyé sur ses béquilles, le remercia de son aide.

— C'est à ça que servent les amis, non ? dit Andrew. (Il remonta dans la voiture et ferma la portière. Avant qu'elle ne parte il baissa la vitre.) Ah ! Jack, une dernière chose. J'ai communiqué au comité du logement ton intention de quitter le village et ils ont demandé que tu accélères le processus. S'il te plaît, essaie d'enlever toutes tes affaires avant cette nuit. Demain, je veux la réassigner.

Conscient des problèmes qui se rapprochaient, Jack se renversa sur son divan en cuir et resta là, abattu, essayant de comprendre pourquoi il perdait son temps à organiser un déménagement stupide au lieu de planifier une fuite de plus en plus inéluctable. Pour n'importe quel Américain, rester en Union soviétique devenait aussi dangereux que marcher pieds nus sur un nid de vipères. Et Sergueï était sans doute la plus venimeuse.

Dans sa tête résonnèrent les lamentations qui chaque nuit secouaient le village américain quand les hommes de Loban faisaient irruption, tels des chacals, pour arrêter les travailleurs et les emmener. Les supplications de clémence des femmes se mêlaient aux sanglots des enfants, qui ne s'éteignaient que lorsque les voitures démarraient et s'éloignaient avec leur butin humain. Il haïssait ce Russe. Non content d'attenter à sa vie, il avait eu l'insolence de lui proposer d'espionner ses compatriotes dans l'intention d'obtenir les preuves qui lui permettraient de justifier l'arrestation de Wilbur Hewitt. Et tout cela, selon l'ingénieur américain, afin d'économiser les sommes faramineuses dont les Soviétiques étaient redevables pour la construction de l'usine.

Il se sentait comme une lavette sale d'avoir refusé son aide à Hewitt. Il aurait dû accepter sa proposition et se joindre à lui pour organiser ensemble leur fuite, mais tant que la blessure de sa hanche l'obligeait à se déplacer avec des béquilles, toute tentative serait une chimère. Même une fois remis sur pied, s'échapper de Gorki exigerait une planification soigneuse et beaucoup d'argent. Pendant sa détention à l'Ispravdom, plusieurs prisonniers lui avaient assuré que la ville ukrainienne d'Odessa était la meilleure voie pour quitter le pays, parce que de nombreux navires y levaient l'ancre en direction de l'Europe. Le problème était d'arriver jusque-là. D'après ce qu'il savait, les trains étaient étroitement surveillés et, en hiver, la neige interrompait le transport par la route.

Quoi qu'il en soit, toute tentative nécessiterait la collaboration d'Ivan Zarko. Lui pourrait certainement leur procurer de faux passeports. Ce qu'il ignorait, c'était leur coût, et le temps qu'il lui faudrait pour les établir.

En attendant de trouver le moment adéquat pour lui faire part de ses intentions, il décida de constituer une liste d'alliés et de la confronter à celle de ses ennemis.

D'abord, il situa Andrew. Bien qu'il soit son ami, il ne savait plus que penser de lui : il se sentait redevable de l'aide qu'il lui avait apportée pour fuir les États-Unis, mais sa fidélité de plus en plus inconditionnelle au régime soviétique l'inquiétait. C'était pareil pour Sue.

Il les laissa de côté pour s'intéresser à Joe Brown.

Bien qu'il ne parlât jamais de rentrer en Amérique, le vieux Joe était un homme auquel on pouvait faire confiance ; sa discrétion semblait obéir à une stratégie défensive plus qu'à la crainte. Il avait le même sentiment à l'égard des Daniels. Harry contrôlait ses fils d'une main de fer en leur interdisant d'ouvrir la bouche, mais il lui avait un jour confié lui-même qu'il se laisserait couper un bras pour pouvoir rentrer au pays. En cherchant parmi ses connaissances, il eut l'idée de considérer Miquel Agramunt. Malgré ses origines libertaires, son fournisseur de côtelettes n'avait pas hésité à lui proposer une activité illégale pour améliorer sa situation économique précaire, ce qui le plaçait directement comme candidat à une fuite éventuelle. Il pensa qu'il pourrait sonder ses intentions en lui proposant de faire partie de l'équipe dont il allait avoir besoin pour gérer le nouvel économat.

Celui dont il ne doutait pas, c'était Ivan Zarko. Tant qu'il aurait suffisamment de dollars, il pourrait compter sur son aide.

En tant que membre de la Guépéou, Viktor Smirnov entrerait directement dans la catégorie des ennemis, mais à plusieurs reprises il avait manifesté son aversion vis-à-vis de Sergueï, ce qui pourrait le placer en position d'allié le moment venu. De plus, son penchant pour le luxe et l'argent le rapprochait davantage des idéaux capitalistes que de ceux du communisme, aussi pourrait-il peut-être tirer parti de son amitié de convenance.

Enfin, il y avait Sergueï et sa fille. Du premier, il s'était fait une image définitive qu'il préférait oublier. Quant à Natasha, elle le déconcertait. Il pensait souvent à elle, et même si tout ce qu'il pouvait en dire pour le moment était que ses soins avaient été bénéfiques, quelque chose en lui le poussait à penser que c'était une femme digne de confiance.

Il inspira profondément tandis qu'il relisait sa liste. Ses ennemis étaient puissants et, paradoxalement, la seule personne en mesure de les affronter était celui que tous montraient du doigt comme le pire des Américains : Wilbur Hewitt et sa montagne de dollars.

Il arriva à la conclusion qu'il n'avait pas le choix. Il avouerait à Hewitt les sinistres plans de Sergueï et accepterait son offre de fuite. Ensuite, il négocierait avec Ivan Zarko et, pendant qu'il se remettrait de sa claudication, il attendrait caché, en dirigeant l'économat comme le lui avait ordonné Sergueï, mais avec une différence subtile : au lieu d'espionner ses compagnons, il se renseignerait davantage sur le responsable de la Guépéou, même s'il devait pour cela utiliser sa propre fille.

28

Un magnifique bouquet de roses et de violettes à la main, Jack attendait avec impatience que Natasha sorte de sa consultation. Pour passer le temps, il observait la façade de l'hôpital, vernissée d'or par les rayons languissants du soleil tentant vainement de prolonger l'automne qui déjà s'effaçait. La prodigalité de leur chaleur s'harmonisait mal avec la préméditation de son stratagème. Il n'en était pas fier, mais n'avait pas trouvé de meilleur moyen, pour en apprendre davantage sur Sergueï, que d'inviter sa fille et la sonder au sujet de son père.

Lorsque enfin apparut Natasha Lobanova, vêtue de son uniforme blanc et la tête couverte d'un foulard bleu, Jack ne put éviter le léger emballement de son cœur, qu'il refréna en lui tendant précipitamment les fleurs. Elle sourit, étonnée, et accepta le présent. Lorsqu'elle lui demanda à quoi elle devait cette attention, Jack lui rendit son sourire. En réalité, à l'instant où il l'avait vue, il avait oublié Sergueï et toutes ses aversions.

— Ton appel a été une surprise. Qu'avais-tu de si important à me dire ? le tutoya-t-elle en constatant qu'il restait muet.

— Tu ne te rappelles pas ? Nous avions un dîner en attente.

Jack crut percevoir une légère rougeur colorer le visage de Natasha.

— Ah ! Je pensais que ça avait un rapport avec ta blessure. Et tu veux que je mange ce bouquet ?

Ils rirent tous deux. Elle déclina l'invitation, car elle devait récupérer de nouveaux instruments au bureau de poste, mais Jack ne s'avoua pas vaincu, il fit allusion à la conversation qu'ils avaient eue sur la Révolution française, lui assurant qu'elle n'aurait pas de meilleure occasion de gagner un futur adepte.

— Tu ne peux pas m'abandonner comme ça. Et en plus, boiteux, sourit-il en simulant une grimace de douleur.

Elle le regarda assez longtemps pour que les yeux clairs de Jack la fassent hésiter. Puis elle jeta un coup d'œil à sa petite montre et se mordit les lèvres, comme si elle estimait commettre une espièglerie. Enfin elle accepta, mais à une condition.

— C'est moi qui choisis l'endroit, dit-elle.

Suivant les indications de Natasha, Jack conduisit la Ford A sur plusieurs routes et sentiers, jusqu'à ce qu'ils arrivent à une ferme délabrée à plusieurs kilomètres au nord de Gorki. Lorsqu'ils s'arrêtèrent, elle s'empressa de descendre de la voiture pour saluer le fermier, qui avait cessé de biner en voyant arriver des étrangers.

— Natasha ! Mais c'est toi !

L'homme lâcha la houe et embrassa la jeune femme avec la même joie que s'il accueillait sa fille.

— Entrez, entrez dans la maison ! Qui est ton ami ?

Natasha garda le sourire tandis que l'homme s'inclinait plusieurs fois devant elle, comme s'il lui devait la vie. Lorsqu'il eut terminé ses démonstrations d'amitié, la jeune femme lui présenta Jack. Le fermier le salua et les guida jusqu'à l'intérieur de la petite maison dans laquelle une femme entourée de tout jeunes enfants s'efforçait de déplacer une marmite dans la cheminée. Lorsque la femme vit entrer Natasha, elle enleva la marmite du feu et courut l'embrasser.

— Tiens, elles sont pour toi, dit la jeune femme, et elle tendit le bouquet de fleurs à la fermière, qui remercia comme si on lui offrait un trésor. Je regrette, Jack, mais c'est le prix de notre dîner, lui murmura-t-elle dans un sourire.

Tous deux s'assirent à la table, au milieu des cris des enfants excités par les bonbons que Natasha avait sortis de ses poches. Pendant qu'ils savouraient une assiette de soupe chaude, Jack entendit maintes fois les compliments que le couple adressait à la jeune femme. Il apprit ainsi que, lors d'une épidémie de varicelle, Natasha avait sauvé la vie des plus petits.

— C'est un ange ! répétaient les fermiers entre deux cuillerées.

Jack sourit. Ces gens paraissaient sincères et, en plus, heureux. Les quatre enfants ne restaient pas tranquilles, jouant entre eux tandis que leurs parents les encourageaient de leurs rires et que Natasha les prenait sur ses genoux et leur faisait des chatouilles. Quand le repas fut terminé, le fermier voulut absolument ouvrir une bouteille de vodka et, bien que Natasha ait refusé, il fut impossible de l'en empêcher. Ils trinquèrent à l'avenir, à la famille, et aux enfants. Natasha rit quand la vodka lui réchauffa l'estomac. Puis, tandis que la femme cherchait quelques sucreries, elle s'occupa de vérifier si les enfants avaient des poux.

— Vous voilà tout propres ! Comme j'aime ! dit-elle fièrement.

La fermière revint avec trois biscuits en s'excusant de ne pas en avoir plus. Presque tout ce qu'on récoltait dans le kolkhoze était destiné à Autozavod.

— À la coopérative, il ne nous reste presque rien, se lamenta le fermier, mais au lieu de s'étendre davantage sur sa plainte, il se leva et prit une vieille balalaïka. Ton ami sait danser ?

Sans attendre la réponse de Jack, le fermier attaqua une mélodie entraînante : les enfants formèrent une ronde et improvisèrent une danse qui consistait à tourner de plus en plus vite.

— Allons Jack ! Nous ne pouvons permettre que ces bambins nous donnent des leçons ! Montrons-leur de quoi nous sommes capables ! dit Natasha, et elle saisit les mains de Jack pour qu'il fasse quelques pas.

Jack ne sentit presque pas la douleur. Il n'avait d'yeux que pour le sourire de Natasha, qui semblait prendre autant de plaisir à la musique qu'à sa présence. Il la serra contre lui et elle se laissa emporter. Ils dansèrent et rirent jusqu'à ce qu'un élancement dans la hanche oblige Jack à s'arrêter. Lorsqu'elle s'en aperçut, elle s'écarta.

— Tu vas bien ? J'ai été folle. Je…

— Ta folie me ravit, dit-il sans la lâcher.

— Et moi je suis ravie de voir qu'il en faut si peu pour te rendre heureux.

— Qui dit que c'est peu ?

Natasha rougit, mais tout de suite après se laissa entraîner par les enfants qui tiraient sur son uniforme pour qu'elle danse encore et elle adressa à Jack un sourire d'excuse. Jack s'assit et continua à profiter du spectacle tandis que la nuit tombait.

Quand les enfants s'écroulèrent, épuisés, Natasha revint auprès de Jack, qui l'accueillit en lui offrant un morceau de biscuit. Le visage rouge et la respiration haletante, elle le mordilla et but de l'eau dans son verre. Le souffle lui manquait, mais elle riait, enthousiaste. Jack crut découvrir sur son visage un bien-être que lui-même n'avait jamais connu. Il allait le lui dire lorsque la fermière, s'approchant de son mari, le supplia d'interpréter la *Danse des demoiselles*. Il remarqua que la femme croisait les mains sur sa poitrine et attendait, absorbée.

— Écoute bien, murmura Natasha à l'oreille de Jack. C'est une musique merveilleuse.

Le paysan resta silencieux, tandis qu'il accordait soigneusement la balalaïka, ôtait sa casquette et caressait les cordes avec un léger tremblement. Alors, accompagné par le crépitement des flammes, il commença à égrener un torrent de notes qui glissèrent les unes sur les autres pour entonner la mélodie la plus mélancolique et la plus émouvante que Jack eût jamais entendue. Pendant un long moment, la musique inonda la pièce de tristesse et de nostalgie, comme si chaque accord s'imprégnait du parfum des souvenirs. Lorsque le fermier conclut l'interprétation, il chercha de ses yeux humides ceux de son épouse, qui essuyait les siens avec un mouchoir.

— Joli, mais triste, murmura Jack à Natasha.

— Ce n'est pas triste. C'est une chanson d'amour. Peut-être mélancolique, mais pleine d'espoir.

— C'est ce que disent les paroles ?

— Il n'y a pas de paroles. L'espoir s'entend avec le cœur.

Jack contempla la misère qui l'entourait. Bien que ce couple s'aimât aussi immensément que les plaines enneigées qui les entouraient, il ne concevait pas que ces gens puissent éprouver un quelconque espoir. Lorsqu'il le fit remarquer à Natasha, elle eut une grimace de compassion.

— C'est ainsi qu'on s'aime en Russie, Jack. Quand on est vraiment amoureux, on ne perd jamais espoir.

Ils se quittèrent après avoir porté un nouveau toast. Les fermiers burent à la santé de la famille ; Natasha, à l'avenir de l'Union soviétique ; et Jack, à la santé de Natasha.

De retour à Gorki, il suivit les indications de sa compagne pour trouver la rue centrale des Coopératives.

— C'est ici que tu habites ?

— Oui. C'est une maison un peu vieillotte, mais jolie, dit-elle en montrant la façade d'un immeuble du XIXᵉ siècle, à un seul étage.

Jack acquiesça et demeura quelques instants à la contempler en silence, sans savoir quoi dire. Plus il regardait la jeune femme, plus elle le captivait. Elle attendit sur le siège, mais le temps s'écoulait. Finalement, elle fit mine d'ouvrir la portière et Jack, s'en apercevant, sortit et se précipita pour l'aider.

Tandis qu'elle cherchait ses clés, Jack lui demanda quand il la reverrait. Natasha sourit. Elle lui répondit que ce serait bientôt et lui donna un baiser sur la joue.

Ses lèvres le brûlèrent. Il les chercha à nouveau et pendant quelques secondes les savoura comme si c'étaient les premières auxquelles il goûtait. Puis ils se séparèrent, effrayés, muets.

De retour chez lui, toujours dans le village américain, Jack fut surpris par son comportement. Il avait oublié de lui poser des questions sur son père, mais avait passé l'une des plus belles soirées de sa vie.

Sous prétexte de lui remettre une pièce de la Buick, Jack se présenta à la datcha de Viktor Smirnov. Il savait qu'Elisabeth se réfugiait chez lui et il voulait lui révéler les intrigues que Sergueï tramait contre son oncle, trompant ainsi la surveillance de la Guépéou. Lorsqu'il mit pied à terre devant la magnifique maison, il pria pour que son plan fonctionne.

Viktor, vêtu d'un uniforme marron fraîchement amidonné, se réjouit de la visite de Jack, bien qu'il prêtât plus d'attention au distributeur reluisant de sa Buick qu'à l'Américain clopinant qui, appuyé sur des béquilles, tentait de monter les marches qui donnaient accès à la demeure. Comme d'habitude, il lui offrit un verre de vodka tout en s'intéressant aux résultats de la réparation. Jack, installé dans un fauteuil de style Empire, lui détailla les difficultés qu'il avait rencontrées, afin de l'obliger à remplir les verres. Il devait retenir l'attention de Viktor pour donner à Elisabeth l'occasion d'apparaître, aussi fit-il diversion en lançant la conversation sur les armes. Mais Viktor semblait n'avoir de langue que pour parler de ses voitures… Ce n'est qu'après le cinquième verre que l'officier soviétique renonça à sa posture fanfaronne ; il prit place sur le sofa et posa ses pieds sur la table basse. Ensuite, il oublia les voitures et resta à contempler Jack en silence, le regard perdu, comme si son cerveau s'était brusquement paralysé. Jack imagina que c'était l'effet de l'alcool et de la chaleur suffocante que dégageait l'imposant poêle qui trônait au centre de la salle. Il comprit que Viktor pouvait conclure la réunion à tout moment, aussi s'empressa-t-il de louer son goût excellent en montrant les tapis magnifiques qui décoraient les murs.

— Il est de plus en plus compliqué d'en trouver, se réveilla Viktor, en même temps que sa vanité. Les bourgeois ont tout perdu. Tout, sauf leur diabolique habileté à cacher leurs richesses.

Il éclata d'un rire bruyant.

— Je le crois aisément. Et à propos de bourgeois : j'ai entendu dire qu'un véritable joyau bourgeois a emménagé chez toi…

Il lui fit un clin d'œil complice. Jack pria pour que l'alcool ait suffisamment amolli le discernement de Viktor.

— Tu l'as donc appris… Son oncle l'a envoyée ici afin que je la protège. Tu t'imagines ? Un fermier envoyant sa plus belle poule dans la caverne du renard ! Belle, oui, mais froide comme un glaçon. Pour te dire la vérité, je n'échangerais pas cette fille contre le plus beau joyau de ma maison.

Il montra avec orgueil le splendide poêle de fabrication allemande.

— L'âge fait divaguer le vieux. Il ne pense qu'à travailler au lieu de profiter de la vie. (Jack rit, et il servit à Viktor un autre verre de vodka que celui-ci vida avant que Jack l'ait complètement rempli.) Sais-tu que demain, justement, il fête ses quarante ans de travail dans la compagnie ?

— Tant que ça ? Si je l'avais su, j'aurais suggéré à Elisabeth de lui acheter quelque chose. Ou de le faire entrer dans un asile, rit-il.

— D'après ce que j'ai compris, Hewitt n'est pas très enclin aux reconnaissances. (Il accompagna Viktor dans les rires). C'est pourquoi les jeunes du village américain avaient pensé lui organiser une fête d'hommage. Alors j'ai pensé qu'Elisabeth pourrait peut-être nous aider à lui faire la surprise.

— Je trouve que c'est une excellente idée ! Maintenant elle se repose, mais je le lui dirai quand elle se lèvera.

Jack sentit battre son cœur. Si Viktor parlait avec Elisabeth en son absence, il s'apercevrait que tout cela n'était qu'une farce.

— À la vérité, je ne sais pas ce que les jeunes sont capables de me faire si je reviens les mains vides. Ils sont tout excités à l'idée de cette célébration et si nous retardons les préparatifs, ça va être un désastre.

— Bon, puisque tu insistes, je vais demander qu'on l'avertisse.

Jack laissa échapper un soupir de soulagement. La première partie de son plan avait fonctionné, mais il lui fallait parler avec la jeune femme avant que Viktor ne découvre que l'anniversaire de Hewitt n'était qu'une ruse.

Lorsque Elisabeth apparut dans l'escalier qui communiquait avec l'étage supérieur, Jack la trouva aussi belle que le jour où il l'avait vue en train de faire des emplettes au marché des salaisons. Elle arborait une robe de chambre bordeaux qui collait à ses hanches et dansait au rythme de ses genoux. Jack ne put éviter de se souvenir de la nuit où ils avaient fait l'amour. Pourtant, à cet instant, la nièce de Wilbur Hewitt lui apparut comme un jouet coûteux entre les mains d'un enfant capricieux, qui tôt ou tard serait abandonné pour un autre dans un plus bel emballage. Avant que Viktor puisse la saluer, Jack laissa ses béquilles et s'approcha d'elle aussi vite que sa hanche le lui permettait.

— Si tu veux que ton oncle Wilbur vive, joue mon jeu, lui murmura-t-il à l'oreille.

Elisabeth tressaillit. S'en étant aperçu, Viktor retira ses pieds de la table basse et s'approcha du couple.

— Elisabeth te plaît-elle au point d'être capable de guérir ta boiterie ? (Il rit et, lui enlaçant la taille, enleva Elisabeth à Jack pour la conduire jusqu'au sofa et l'asseoir près de lui.) Tu ne m'avais rien dit à propos de l'anniversaire de ton oncle.

Elisabeth regarda Jack, tentant de trouver une réponse dans ses yeux.

— J'ai oublié, réussit-elle à dire dans un filet de voix.

— Lorsqu'il s'agit de cadeaux, les femmes ne se souviennent que de leurs propres fêtes ! intervint Jack avec un sourire qui luttait contre la douleur produite par l'effort. Mais comment as-tu pu oublier que demain ton oncle fête quarante ans de carrière ?

— Oh ! Je ne voulais pas dire que je l'avais oublié. Je voulais dire que j'avais oublié de le dire à Viktor,

444

répondit Elisabeth avec un aplomb si convaincant que l'espace d'un instant Jack lui-même crut à sa réponse improvisée.

— Apparemment, Jack et quelques garçons du village américain veulent organiser une fête surprise et ils voudraient que tu les aides à je ne sais trop quoi, expliqua Viktor à Elisabeth. Au fait, si vous aimez la musique, je pourrais vous prêter mon vieux phonographe. (Il montra un appareil de la taille d'une machine à coudre, surmonté d'une sorte de cornet.) Il émet le son d'une bande de chats affamés, mais pourrait animer la soirée.

Jack fut intéressé par la proposition. La machine était un modèle américain Edison Records, semblable à celui qu'il avait eu en sa possession à Détroit. Sa manivelle, comprimant un ressort, faisait tourner un cylindre de cire sur lequel des sillons préalablement gravés reproduisaient différentes mélodies. Le son, capté par une aiguille, était amplifié par le cornet de façon assez rustique.

Il vérifia son état. La cire des cylindres était très délicate, raison pour laquelle les phonographes avaient fait place aux gramophones, qui utilisaient des disques d'ardoise bien plus durables. Il avait réparé plusieurs phonographes semblables au club de danse de Dearborn et, s'il en avait eu besoin, il aurait pu remettre le modèle que lui offrait Viktor en état. Le problème était qu'en réalité il n'avait aucune intention d'organiser un quelconque hommage, mais devant l'insistance de Viktor, et pour ne pas se dévoiler, il accepta l'offre de bon gré.

L'opportunité de rester seul avec Elisabeth se présenta lorsque Viktor annonça qu'il allait chercher de vieux cylindres de musique qu'il gardait à l'étage. Dès qu'il eut disparu, Jack s'empressa de murmurer à Elisabeth les plans de Sergueï concernant son oncle Wilbur. La jeune femme l'écouta bouche bée, sans perdre une miette, comme si elle n'arrivait pas à le croire.

— Je t'assure que c'est vrai. Sergueï veut incarcérer ton oncle et il m'a chargé, moi, de trouver les preuves pour justifier son emprisonnement. Et je ne peux pas parler avec lui, c'est donc à toi de l'avertir au plus vite.

— Et qu'allons-nous faire ? Ce que tu dis est terrible.

— Je ne sais pas encore. Dis à ton oncle de réunir tout l'argent qu'il peut, sans éveiller de soupçons, et qu'il continue à mener une vie normale, comme si de rien n'était, jusqu'au moment où je pourrai lui parler. Je vais prendre contact avec des amis pour voir s'ils peuvent m'obtenir des passeports.

— Et la fête dont tu parlais, qu'a-t-elle à voir ?

— C'est la seule chose qui me soit venue à l'esprit pour pouvoir te parler sans éveiller les soupçons de Viktor.

— Mais Viktor nous protège. C'est précisément pour cette raison que je loge ici.

— On ne peut faire confiance à personne. Même s'il se montre sympathique à votre égard, Viktor fait lui aussi partie de la Guépéou, dit-il à son oreille. Attention ! Il revient !

L'officier soviétique descendait, chargé d'un carton plein de cylindres de la taille d'une boîte de conserve.

— Il y a un peu de tout : des valses, du jazz… À la vérité, ça fait des années que je ne les ai pas utilisés.

— Ils serviront. Merci beaucoup, dit Jack.

— Bien. Et quant à la surprise de ton oncle, quelle idée as-tu suggérée à notre bon ami Jack, chérie ?

Elisabeth resta muette.

— Je ne lui avais pas encore posé la question, intervint Jack, mais avec le phonographe et la présence de sa nièce à la fête, je suis sûr que Hewitt s'amusera autant que s'il était dans sa chère Amérique du Nord.

— Parfait ! Alors je vais te les faire porter au village. Nous, pendant ce temps, nous nous amuserons à choisir les vêtements que nous porterons pour la célébration. Qu'en penses-tu, Elisabeth ? Demain, enfin, nous assisterons à l'une de ces fêtes américaines que tu regrettais tant.

De retour au village américain, Jack rumina la stupidité de son idée. Il avait moins de vingt-quatre heures pour organiser une farce publique au nez et à la barbe d'un officier de la police secrète.

29

Pour l'organisation de l'hommage, Jack décida de s'entourer de l'équipe à laquelle il avait pensé pour gérer l'économat. Joe Brown, Miquel Agramunt, Harry Daniels et son fils Jim acceptèrent l'offre de travail comme s'ils avaient touché le billet gagnant de la loterie. Sergueï Loban donnait l'autorisation de les relever de leurs activités professionnelles respectives sans perte de salaire, ils percevraient une petite rémunération et seraient prioritaires pour l'achat à prix réduit des produits mis en vente. Quant au motif de la fête, Jack avait inventé que c'était l'inauguration de l'économat. Il voulait être sûr qu'il y aurait suffisamment d'invités auxquels, une fois ivres, il pourrait extorquer un toast pour l'anniversaire de Wilbur Hewitt sans trop d'objections.

Joe Brown montra bientôt qu'il valait son pesant d'or au poste de responsable de magasin que Jack lui avait attribué. Dix minutes après sa nomination il avait déjà organisé une brigade de nettoyage qui mit de l'ordre dans l'ancien entrepôt de pièces de rechange dont l'inventaire attendait encore son transfert ; il installa une sorte de table faite de caisses en bois sur lesquelles il exposa les deux porcs tranchés sur toute leur longueur que Miquel Agramunt s'était procurés grâce à ses contacts. Harry Daniels, sa femme et leurs fils s'occupèrent quant à eux de préparer les chaises, le feu pour l'énorme grillade et les guirlandes confectionnées avec des bandes de carton et des bouts de sacs colorés. Malgré son coût, Jack considéra que cet événement était un bon investissement. Il avait invité Ivan Zarko et, s'il parvenait à distraire les gardes, il en profiterait pour le mettre en contact avec Wilbur Hewitt afin qu'ils négocient ensemble le prix des passeports.

Bien que la fête ait été annoncée pour dix-huit heures, une heure avant, un important groupe de curieux attendait déjà devant la porte du magasin dans les températures glaciales de novembre. À travers la fenêtre, Jack remarqua que parmi les assistants venus à l'improviste figuraient quelques-uns de ceux qui avaient voyagé avec lui sur le *S.S. Cliffwood*. En les voyant pressés les uns contre les autres pour se protéger du froid, leurs visages émaciés animés par l'espoir d'assister à une fête et de porter quelque chose de chaud à leur bouche, il se demanda combien d'entre eux rêvaient à cet instant de se retrouver en Amérique.

Il vérifia les derniers détails. Le grand feu, attisé pendant des heures sur des plaques de métal posées à même le sol, avait réchauffé l'intérieur du magasin et formait à présent des petits volcans de braises gonflés de lave. Miquel Agramunt avait fait macérer les porcs dans de l'huile aromatisée avec du poivre, du sel et du romarin, un assaisonnement de sa terre natale qu'il avait eu la chance de trouver en Ukraine et qui, d'après le Catalan, donnait au rôti une saveur exquise. Pour accompagner ces aliments, il avait préparé une boisson typique de son pays : un mélange de vin rouge, de poudre de soda, d'écorce de citron, de sucre et de cannelle, qu'il baptisa du nom étrange de *sangria*, un délice ! Pendant que les Daniels s'occupaient de placer les dernières guirlandes artisanales, Jack inspecta les cylindres musicaux que Viktor lui avait fait porter. Les plus anciens, fabriqués avec la cire solide du palmier carnauba, reproduisaient des morceaux dont la durée ne dépassait pas deux minutes, alors que les derniers, en bakélite, contenaient des succès modernes qui pouvaient durer jusqu'à quatre minutes. Il introduisit un cylindre de Bing Crosby dans le phonographe, tourna la manivelle pour entraîner le mécanisme et posa l'aiguille sur le sillon hélicoïdal qui tournait déjà à cent tours-minute. Soudain, la voix puissante du chanteur américain inonda le magasin, qui abandonna son ambiance de sévérité pour se transformer en une salle de danse de Détroit. Il ne manquait que les danseurs.

Il pensa à Natasha. Il aurait aimé partager cette fête avec elle, mais lorsqu'il l'appela pour l'inviter, elle avait déjà programmé une opération pour le soir même. Tandis qu'il écoutait la mélodie, il ne put éviter le souvenir de ses baisers fugaces, mais si intenses et vrais qu'ils l'avaient enflammé d'un aiguillon vénéneux dont il ne pouvait se libérer.

À six heures tapantes, Jack ajusta sa veste œil-de-perdrix, jeta un dernier regard au panneau gigantesque sur lequel Jim Daniels avait écrit en lettres joliment dessinées : ÉCONOMAT AMÉRICAIN, aux couleurs du drapeau national, et ouvrit la porte pour annoncer l'inauguration du magasin. Les invités qui attendaient dehors, excités par la musique joyeuse et le parfum des premières grillades, saluèrent leur hôte et entrèrent à la hâte pour prendre place près du feu.

Peu après l'ouverture, la poignée de camarades aux figures défaites qui attendaient à l'extérieur dix minutes auparavant avait rapidement fait place à une bande chantante et souriante, insouciante du lendemain. La conversation tournait sur le mal du pays. Les danses montagnardes au son du violon alternaient avec les mélodies américaines surgissant comme par magie du phonographe de Smirnov. Tandis qu'il déambulait parmi les invités, Jack se retrouva face à Andrew et Sue qui se tenaient par la main. Il les salua aussitôt avec effusion et les invita à danser, mais Sue ébaucha un semblant de sourire et Andrew évita son regard. Il eut beau insister, il ne parvint pas à les dérider.

— Tu n'as pas encore déménagé, furent les premiers mots de son ami.

Depuis qu'Andrew travaillait pour la Guépéou, c'était comme s'il le connaissait à peine. Peut-être lui gardait-il rancœur de sa réussite économique, ou n'avait-il jamais vraiment été l'ami qu'il prétendait être. Finalement, leur amitié n'était peut-être que celle de deux écoliers partageant le même pupitre dix ans auparavant. Il remarqua sur sa casaque soviétique un insigne en carton où l'on pouvait lire : « Chef de la Sécurité de Fordville ». Il ne sut qu'en penser.

Lorsqu'ils tournèrent les talons, il tenta d'oublier ces pensées. Andrew était son ami. Il l'avait sauvé à New York et ne méritait pas sa méfiance.

Une demi-heure plus tard apparurent Ivan Zarkov et son neveu qui, suivant le scénario convenu, se mêlèrent rapidement aux parents de quelques-unes des femmes soviétiques qui avaient épousé des ouvriers américains. Peu après, Wilbur Hewitt faisait son entrée, accompagné de sa nièce Elisabeth et du protecteur de cette dernière, Viktor Smirnov. Contrairement aux autres fois, c'est à peine si Elisabeth éveilla son intérêt : il attribua cela à ses sentiments pour Natasha. Quant à Hewitt, Jack constata que l'ingénieur jouait à la perfection son rôle de faux invité d'honneur et répondait aux démonstrations d'affection et aux saluts des autres convives. Après avoir prudemment laissé passer un peu de temps, Jack vint à sa rencontre, arborant un sourire de vendeur de dentifrice.

— Quarante ans de service ! J'espère pouvoir un jour en compter autant ! dit-il à Hewitt, et il lui serra la main avec force.

— C'est toujours une fierté de travailler pour l'Amérique. Mais quelle belle fête tu as organisée là !

— J'espère qu'elle vous plaira. Goûtez les plats que Miquel a préparés. Viktor, bienvenue !

Viktor Smirnov accepta le salut de Jack et avança au milieu des invités avec un rictus de dédain, comme s'il craignait que frôler l'un d'eux pût souiller son bel uniforme. Elisabeth le suivit, accrochée à son bras, fière de la belle robe bleu cobalt qui contrastait avec les tenues modestes des autres participants. Hewitt les laissa s'avancer et en profita pour s'approcher de Jack qui marchait derrière, aidé d'une béquille.

— Mais comment as-tu eu cette idée insensée ? lui murmura-t-il. Si les Soviétiques fouillent dans mon curriculum professionnel ils vont constater que je n'ai que vingt-cinq ans chez Ford.

— Je l'ai dit au hasard. C'est la seule chose qui m'est venue à l'esprit pour pouvoir vous parler seul à seul. J'ai imaginé que, s'agissant d'une fête, Serguëi vous retirerait vos gardiens et confierait votre surveillance à Viktor. De toute façon, le plus important maintenant est d'agir dès que possible.

— Ma nièce m'a averti qu'ils avaient l'intention de me mettre en prison. C'est vrai ?

— Oui, Serguëi vous accuse d'être derrière les sabotages et les morts qu'ils ont causées. Il vous accuse même de l'attentat qui a failli me coûter la vie. Il pense que soit vous travaillez pour votre propre compte en détournant des fonds de l'usine, soit, et c'est pire, que vous le faites pour le gouvernement capitaliste des États-Unis, dans l'intention de retarder au maximum l'industrialisation soviétique.

— Mais cet homme est fou ! Je suis précisément celui qui a le plus intérêt à éviter tout dommage dans l'usine ! Je suis le responsable de… !

— Je le sais. Et c'est justement pour cette raison que je me suis vu dans l'obligation de vous prévenir.

— Mais comment l'as-tu appris ?

Jack garda un instant de silence. Il regarda Hewitt et dit enfin dans un soupir :

— Parce que Serguëi m'oblige à vous espionner.

Hewitt s'arrêta net.

— Je ne comprends pas. Que veux-tu dire ?

— Je vous l'ai dit. Il exige de moi que je vérifie tout ce qu'il y a de vrai dans ses soupçons.

— Alors, tu travaillais déjà pour lui quand je t'ai demandé ton aide au champ de tir ?

— Laissons les sermons de côté maintenant ! le coupa Jack. Ce qui est vraiment important, c'est qu'Elisabeth et vous puissiez vous échapper d'ici avant que Sergueï se lasse d'attendre et invente une preuve quelconque.

— Je t'avais averti ! Ce fils de chienne veut absolument rendre quelqu'un responsable de sa propre ineptie ! Des bergers et des éleveurs devenus dirigeants !

— Des bergers ? ! Sergueï est diplômé de l'Institut technologique de Saint-Pétersbourg. Si on m'avait averti, je me serais épargné un tas de problèmes.

— Et qui lui a appris ? Quelqu'un avec un revolver, je suppose.

Jack s'aperçut de loin que Viktor les cherchait du regard et il conduisit Hewitt vers un débarras dans lequel on entreposait les pommes de terre.

— Elisabeth vous a dit pour l'argent ?

— Oui. Je dispose de dix mille dollars que j'ai tirés peu à peu de mon compte.

— C'est bien. Attendez ici. Je vais chercher un ami et je reviens tout de suite.

Jack fit la sourde oreille aux protestations de Hewitt et il l'obligea à attendre caché. Après avoir vérifié par le trou de la serrure que personne ne les surveillait, il ouvrit la porte et sortit du débarras. Peu après, il revenait accompagné d'Ivan Zarko et de son neveu Yuri, qui monta la garde de l'autre côté de la porte. Après les présentations, Jack expliqua sommairement la situation à Zarko. Ils avaient besoin de trois passeports et d'une route sûre pour fuir. Il évita de préciser la somme dont ils disposaient, bien que le Russe le lui ait demandé à plusieurs reprises.

— Oublie le prix et dis-nous si tu peux assurer notre fuite, intervint Hewitt dans un semblant de langue russe.

— Mais avec qui il croit négocier, ce sac de merde ? Avec un guichetier des chemins de fer ? grogna Zarko.

Jack s'abstint de traduire ses paroles.

— Je vous en prie, monsieur Hewitt ! Ne dites rien ! Cet homme n'est pas l'un de vos employés ! Pardonne-lui, Zarko. Il ne connaît pas la langue, excusa-t-il Hewitt. Nous paierons ce que tu considéreras juste.

— Pourquoi ? dit Zarko d'un ton peu aimable. Pourquoi je devrais être juste avec lui ? Toi, je te respecte à cause de ma vieille amitié avec Constantin. Il t'a donné un *blat*. Ton ami, je ne lui dois rien.

— Je paierai pour lui, trancha Jack.

— Mmmm… Je ne sais pas si je pourrai vous aider. Les passeports qui permettent de sortir du pays sans trop de vérifications sont les polonais, les roumains et les bulgares. S'ils vous arrêtent, la première chose qu'ils feront sera de vous interroger dans la langue du pays qui figure sur votre passeport.

— La fille et son oncle parlent allemand, moi aussi je me défends. (Jack se réjouit d'avoir pris des cours au prétexte de ses déplacements à la foire des machines de Berlin.) Ça pourrait servir ?

— Je ne sais pas, mais c'est ton argent. Trois mille dollars. Deux mille cinq cents pour les leurs et cinq cents pour le tien.

— Transport compris ?

— Non. Pour les frais comptes-en autant. Il me faudra trois semaines pour obtenir les documents. Peut-être quatre. Mais il vous sera impossible de partir avant le printemps.

— Trop de temps. Je pourrais attendre, mais eux ils ont besoin de partir tout de suite.

— Je te répète que c'est impossible. Le train est un aller direct pour le goulag. Les contrôles sont continuels. Deux et jusqu'à trois entre deux gares. Si les fugitifs étaient des citoyens anonymes ils pourraient peut-être réussir, mais des Américains dont la fuite aura été diffusée, oubliez ça. Ils vous arrêteraient dès que vous mettriez un pied dans le wagon. Quant au transport de ligne par la route, il n'y en a plus en hiver.

— Dans ce cas, trouve un véhicule privé.

— Ah ! Et comment tu feras le plein ? Avec de la vodka et de la pisse ? Tu ne trouveras pas une pompe ouverte à mille kilomètres à la ronde. Essayer serait un suicide.

Jack se souvint du couple américain qui avait été arrêté, et il secoua la tête. Il devait trouver un moyen.

— C'est bien. Toi, occupe-toi des passeports. Nous nous occuperons du reste.

Zarko acquiesça. Il prit congé de Jack avec une poignée de main et adressa un regard de mépris à Hewitt. Puis il sortit de la pièce et disparut avec son neveu. L'ingénieur attendit les nouvelles.

— Il nous obtiendra les passeports. Ça vous coûtera six mille dollars.

— Six mille ? Mais c'est du vol !

— Trois mille sont pour Zarko. D'avance. Le reste est ce qu'il calcule qu'il nous faudra pour les pots-de-vin, l'hébergement, le transport et les imprévus.

Hewitt regarda Jack comme s'il se méfiait. Mais il mit la main dans sa poche.

— Six mille ! (Il les remit au jeune homme.) J'espère que tu sais ce que tu fais.

Jack déambulait dans le magasin, rassuré par les six mille dollars qu'il avait en poche, même s'ils le compromettaient. En réalité, il n'était pas sûr d'avoir fait le bon choix. Il savait qu'il devait fuir, mais l'image de Natasha le retenait. Il se servit un verre de vodka avec l'impression que tous les invités cessaient tout à coup de danser pour fixer les yeux sur lui et le surveiller. Anxieux, il se fraya un chemin dans la foule et s'avança jusqu'au coin où Viktor et Elisabeth s'étaient installés près du phonographe pour mieux écouter la musique. Il fut surpris de ne pas trouver Hewitt avec eux. Viktor semblait avoir bu plus que de raison et avait du mal à se tenir droit. Jack remplit son verre et trinqua avec le couple pour dissimuler sa nervosité.

— À la fête américaine !

— À la fête américaine ! répétèrent-ils à l'unisson.

Viktor choqua son verre avec tant de vigueur qu'il renversa la vodka sur son uniforme et, en reculant, se cogna contre le phonographe qui tomba à terre.

Jack ramassa l'appareil et le remit en place, mais en essayant de le faire fonctionner il constata qu'il était cassé.

— Je suis désolé, je…, balbutia Viktor.

— Ne vous inquiétez pas. Que jouent les violons ! ordonna Jack aux musiciens.

— Toi aussi tu t'es sali, lui fit remarquer Elisabeth.

— Hein ? Ah, oui ! (Jack secoua son plastron.) Quel bruit de casse ! Je vais aller me changer à la maison et en même temps j'emporterai le phonographe pour essayer de le réparer.

Viktor acquiesça, sans trop s'inquiéter du sort de l'appareil, et se tourna vers Elisabeth pour l'embrasser. Ses lèvres restèrent inertes.

— Continuez à vous amuser. Je reviens tout de suite, dit Jack.

Il chargea Harry Daniels de s'occuper des invités et de leur rappeler que, dans le nouvel économat, en plus des pommes de terre et des côtes de porc ils disposeraient d'un service de réparation de chaussures, et qu'on accepterait la vente à crédit. Il en profita pour demander à Jim de l'aider à transporter le phonographe.

Lorsqu'ils arrivèrent chez lui, Jack remercia le garçon pour son aide.

— Laisse l'appareil ici et retourne à la fête. Je peux me débrouiller seul.

Il ferma la porte pour chercher un costume propre.

Dès qu'il fut seul, il sortit les six mille dollars de la poche de sa veste et sépara les billets mouillés. Pendant qu'ils séchaient à la chaleur du poêle, il se dirigea vers l'armoire pour changer de costume. Cependant, en ouvrant la porte il se souvint que Yuri l'avait rangé dans la malle de McMillan.

Il regarda en haut de l'armoire. La malle y était toujours, trop haute pour l'atteindre avec la main. Il traîna une chaise qu'il plaça contre l'armoire. Puis il posa son pied gauche sur le siège et se hissa pour attraper une poignée de la malle, mais en la tirant il perdit l'équilibre et elle tomba à terre dans un énorme fracas.

Jack blasphéma en son for intérieur. Il avait beau essayer de l'ignorer, il était furieux de constater la maladresse que lui infligeait la blessure de sa hanche. Il descendit de la chaise et actionna la serrure, mais ce faisant, il constata que, sous le choc, la partie inférieure de la malle s'était détachée et laissait apparaître ce qui semblait être un double fond. Surpris, il utilisa un cintre en guise de levier pour arracher complètement le couvercle et constata qu'à l'intérieur de la malle s'ouvrait en effet un compartiment camouflé. Il la vida rapidement et la retourna pour en extraire le contenu. Parmi les objets, il découvrit un carnet couvert de notes, divers documents comptables et des plans d'Autozavod. Mais ce ne fut pas cette trouvaille qui lui paralysa le cœur.

Il écarta fébrilement les plans et se saisit du petit carnet rouge sur lequel brillait le sceau des États-Unis.

Jack le regarda, abasourdi, pouvant à peine en croire ses yeux. Ce carnet était le passeport de George McMillan, l'ingénieur qui, d'après Wilbur Hewitt, était resté à New York, immobilisé par une crise d'appendicite. Incrédule, il l'ouvrit lentement et tourna les pages avec précaution. Lorsqu'il arriva enfin à la dernière, il le laissa tomber brusquement, et son cœur s'arrêta.

Cette dernière page affichait, tamponné à l'encre noire, un visa d'entrée en Union soviétique daté du 26 décembre 1932, une semaine avant le débarquement du *S.S. Cliffwood* à Helsinki. Et si George McMillan était entré en Union soviétique, cela signifiait que Wilbur Hewitt lui mentait depuis le premier jour.

30

Même si les preuves accablaient Hewitt, Jack voulut croire qu'il devait y avoir une explication.

La date du tampon sur le passeport confirmait certes l'entrée de McMillan en Union soviétique, mais il n'arrivait pas à comprendre pourquoi, une fois passé la frontière, McMillan avait dissimulé son passeport. Et une chose l'intriguait plus encore : où se trouvait cet homme à présent ?

Il fixa son attention sur la photo du passeport : lunettes d'intellectuel, yeux très écartés, moustache frisée…, un visage distingué qu'il était sûr, malgré la particularité de ses traits, de n'avoir jamais vu.

Les soupçons de Serguëi lui revinrent alors en mémoire. Le responsable de la Guépéou affirmait sans l'ombre d'un doute qu'étant donné la nature des sabotages, leur auteur devait forcément être un technicien expert en machines complexes. McMillan était-il l'homme que Serguëi cherchait et Wilbur Hewitt son complice ?

Un fait était certain : Hewitt lui avait menti en lui affirmant que McMillan était resté à New York. Pourtant, quelque chose ne cadrait pas : si Hewitt savait que McMillan était entré en Union soviétique, pourquoi lui avait-il permis de garder sa malle et ses affaires ? Cela n'avait aucun sens, à moins que Hewitt ne fût convaincu que McMillan ne la réclamerait jamais.

Il lui fut impossible de trouver une explication logique autre que l'évidente trahison de Hewitt. Il approcha tous ces papiers d'une lampe électrique et les examina avidement. Ses mains tremblaient tandis qu'il parcourait des yeux chaque note et chaque transaction, incapable de leur trouver un sens. Il les écarta d'un revers de main et s'apitoya sur son sort. Jusqu'à quel point sa vanité et son ambition l'avaient-elles aveuglé ? Comment avait-il eu la stupidité de croire qu'un homme comme Hewitt pourrait engager et payer une somme fabuleuse à un parfait inconnu ? À moins, et c'était clair, que pour ses plans Hewitt n'ait besoin d'un authentique imbécile.

Il avait du mal à éclaircir ses idées. Mais il lui restait encore assez d'intelligence pour comprendre que la peur de Hewitt et la raison de sa fuite obéissaient uniquement à la culpabilité. Le dilemme était qu'il ne pouvait à présent le dénoncer sans être lui-même impliqué. Il venait de révéler ses contacts à Hewitt, il allait lui procurer de faux papiers et avait reçu de l'argent pour cela. Si Hewitt tombait, il l'accuserait de complicité et lui aussi serait condamné. En plus, il y avait Elisabeth. Elle n'était en rien responsable de la corruption de son oncle.

Il ne trouva pas de meilleure solution que de laisser les choses en l'état et d'attendre de voir venir. Il convaincrait Hewitt qu'il était impossible d'entreprendre la fuite avant le printemps et, pendant ce temps, il essaierait de trouver sa propre porte de sortie.

En attendant, il allait s'occuper de lui. Il travaillerait à l'économat, se remettrait de sa blessure, gagnerait de l'argent et organiserait sa fuite. Après avoir constaté qu'il n'était entouré que de bêtes nuisibles, c'était la seule chose qui lui importait.

Le mois de décembre arriva, chargé d'autant de neige que de mauvaises nouvelles. La famine, qui semblait s'être acharnée sur l'Ukraine, le grenier de l'Union soviétique, étendait ses tentacules sur Autozavod par de tels rationnements qu'ils n'auraient pas engraissé un merle. Par chance, l'économat géré par Jack constituait un soulagement pour les Américains, non tant grâce aux rares produits que lui fournissait le magasin officiel qu'à ceux qu'Agramunt s'employait à négocier avec quelques fermiers.

Avec l'accord de Sergueï, Jack avait réussi à transformer un nid de cafards en une gargote où, en plus des pommes de terre, des légumes et du lard, on pouvait acheter les préparations savoureuses qu'élaborait Miquel et les repas que l'épouse de Harry Daniels cuisinait pour ceux qui préféraient consacrer leur temps à faire des heures supplémentaires. Harry et Jim s'occupaient de nettoyer et d'assainir les vivres qui arrivaient de l'économat général, afin de leur donner un aspect plus appétissant. Ajoutée à cela, l'idée d'acheter à crédit avait attiré des clients dès le premier jour, faisant de Joe Brown le comptable chargé de noter jusqu'au dernier rouble, et de Jack l'homme d'affaires avisé qui suscitait l'admiration de ses voisins.

Mais la personne que Jack voulait vraiment impressionner, c'était Natasha.

Dès que ses occupations lui en laissaient le temps, il allait la voir avec l'excitation d'un collégien. Le plus souvent, leur rencontre se limitait à une brève promenade aux abords de l'hôpital, mais si le travail le leur permettait ils montaient dans la Ford A et s'échappaient à Gorki pour profiter de ses monuments et avenues. Auprès d'elle, les difficultés semblaient s'évanouir comme par enchantement. Le problème était que celles-ci réapparaissaient dès qu'il refermait la porte derrière lui.

Son principal souci touchait à sa relation avec Hewitt, même si, depuis la découverte de sa traîtrise, il essayait d'y penser le moins possible.

L'autre affaire qu'il dut résoudre en décembre fut celle de son déménagement. Bien qu'Andrew se soit tenu éloigné et que la méfiance de ses compatriotes ait diminué, Jack avait trouvé une maison en ville grâce à Ivan Zarkov, et il ne voulait pas remettre son installation à plus tard.

Il se demandait quels meubles garder quand des coups insistants frappés à la porte l'arrachèrent à ses pensées. Lorsqu'il ouvrit, il se trouva face au neveu d'Ivan Zarko. Il le fit entrer et lui indiqua les affaires à mettre dans la voiture tirée par des chevaux qui effectuerait le transport. Tandis que le garçon commençait à charger la charrette, il rangea ses dernières possessions dans la malle de McMillan et pria pour que le palais que lui avait promis Zarko soit vraiment à son goût.

Mais lorsqu'il découvrit la horde de chauves-souris qui s'envolait par les trous du toit de sa nouvelle maison, il se demanda si Zarko connaissait la différence entre un *palais* et une *porcherie*. Yuri lui avait assuré qu'il changerait d'avis après un bon nettoyage, mais il en douta. Quand le Russe eut terminé de décharger, Jack se dirigea en boitant vers le petit balcon du premier étage qui donnait sur la rue Aleksejewskaya, près du Kremlin de Gorki. Depuis son poste de guet, il pouvait apercevoir les tours de l'ancienne forteresse érigée par les tsars. Son aspect majestueux, moins imposant que celui de son homologue moscovite, rendait pourtant évident le pouvoir dont ceux-ci avaient joui.

Il tourna le regard vers les maisons voisines. D'apparence semblable à celle qu'il venait d'occuper, elles s'élevaient aussi sur un étage. D'après Yuri, la majorité d'entre elles avaient appartenu à des membres de la bourgeoisie avant que la révolution ne les transforme en magasins et en ateliers. Au dire de Zarko, celle qu'il avait louée avait été une menuiserie, mais vu son état, Jack imagina qu'à un moment ou un autre on avait dû l'utiliser comme dépôt d'ordures. Il ferma le balcon et retourna à l'intérieur saluer Yuri qui partait. Une fois seul, il s'assit sur une chaise et déboucha une bouteille de vodka dont il but une bonne gorgée. La chaleur de l'alcool le rasséréna. À la troisième lampée il commença à voir l'habitation sous un autre angle. Peut-être, pour éviter les soupçons en cas de visite, devrait-il enlever le mélange de sciure et de copeaux qui empêchait de distinguer le carrelage, et même passer une couche de peinture sur les murs.

Ainsi aurait-elle l'apparence d'un foyer traditionnel, dont on ne pourrait imaginer que le locataire avait l'intention de prendre la fuite.

Malheureusement, ce qu'il n'allait pas pouvoir changer, c'était la raideur de l'escalier qui reliait le rez-de-chaussée à l'étage, et dont l'ascension avait déjà arraché quelques plaintes à sa hanche.

Il appliqua sur la cicatrice la crème à la lanoline que Natasha lui avait donnée lors de leur dernière rencontre et fléchit la jambe. Puis il tenta de lever le genou jusqu'à la hauteur du nombril, mais avant d'y parvenir il eut l'impression qu'un coup de couteau lui traversait le ventre.

Il prit une grande inspiration avant d'avaler une nouvelle gorgée de vodka. Hewitt, un traître. Sergueï, un fanatique. McMillan, disparu. Anatoli Orlov, mort… Tout tournait autour de lui. Il décida de dormir en attendant que le jour se lève.

Une douleur atroce à la hanche le réveilla, qu'il attribua en partie au froid terrible qui, à la mi-décembre, sévissait avec virulence. Pourtant, il faisait étrangement chaud dans la pièce. Lorsqu'il se redressa, il vit Yuri déambuler dans la salle. Apparemment, le garçon disposait d'une autre clé et il était venu de bonne heure pour nettoyer la maison, utilisant les copeaux et de vieilles planches pour alimenter le feu dans la cheminée. Jack enfila un peignoir, se lava le visage avec l'eau d'une bassine et regarda autour de lui. Yuri, qui semblait dévorer quelque chose, le salua entre ses dents et lui offrit une espèce de saucisse grillée serrée entre deux morceaux de pain noir. Jack la prit et l'engloutit sans protester. Il avait tellement faim qu'il aurait mangé les chauves-souris qui continuaient à voleter dans la toiture.

— Un bain ? dit Yuri, et sans détourner les yeux de sa saucisse il lui indiqua un baquet rempli d'eau fumante.

— Vous les Russes, vous savez comment affronter l'hiver.

Son sourire dura le temps qu'il mit à sentir les effets de sa gueule de bois.

Il regarda la baignoire et hésita. Il avait envie de s'immerger dans l'eau chaude et d'oublier un moment ses problèmes, mais il n'était pas sûr que sa blessure l'en remercierait. Depuis l'attentat il ne s'était pas mouillé à cet endroit, mais la cicatrice semblait capable de supporter l'épreuve.

Il vit que Yuri se préparait à descendre l'escalier.

— Tu t'en vas ?

— J'ai laissé des affaires à toi dans un entrepôt de mon oncle. Je vais les rapporter, il a besoin de l'espace.

— D'accord, mais ne tarde pas. Il faudra que tu m'aides à descendre. Hier, je me suis fait horriblement mal.

Jack regretta d'avoir décidé de passer la nuit à l'étage.

Lorsqu'il fut seul, il ôta son linge de corps et le bandage qu'il utilisait à nouveau depuis sa rechute. Puis, lentement, et malgré les douleurs que provoquaient les mouvements, il entra dans l'eau. Bien que sa blessure le gênât, la chaleur le revigora. Il chercha à s'installer confortablement dans le baquet et ferma les yeux. Pendant un moment, le temps que son corps s'assoupisse, son esprit vola vers Détroit et il se revit en Amérique du Nord. Une baignoire avec de l'eau chaude... un travail qui lui plaisait..., l'absence de problèmes... et Natasha. Il s'étonna du peu de choses qui pourraient le rendre heureux.

Il était sur le point de se rendormir lorsqu'il entendit quelqu'un frapper à la porte du rez-de-chaussée. La volupté se dissipa, faisant place au qui-vive. Ce ne pouvait être Yuri puisqu'il avait la clé. Il cria pour demander qui était là, sans obtenir de réponse. Il tenta de se redresser, mais une douleur intense secoua sa colonne vertébrale. S'accrochant au bord de la baignoire, il plia les jambes et se balança sur le côté. Soudain, il entendit le bruit de pas qui montaient l'escalier.

— Yuri ?

Les pas continuèrent. Ce fut la seule réponse.

Il tenta de se lever. Malgré la douleur, il parvint à changer de position pour se mettre à genoux. Puis il pencha le dos en arrière pour s'accroupir, et enfin commença à se relever. Il était sur le point d'y arriver lorsqu'une silhouette le surprit. Jack bredouilla en constatant que la personne qui le regardait, nu, dans l'eau jusqu'aux mollets, était Natasha. Alors, très lentement, sans cesser de jurer, il replongea dans le baquet.

— Non ! dit-elle, et elle courut pour l'en empêcher.

Avec l'aide de la jeune femme, Jack sortit de la baignoire et tenta de se couvrir de son peignoir, mais elle l'obligea à s'étendre sur le lit et palpa la cicatrice, l'air inquiet.

— Je t'avais dit de ne pas faire ça. Mais comment as-tu pu avoir l'idée de la mouiller ?

— Et toi, que fais-tu ici ? dit-il, effrayé, en tirant une couverture sur lui. C'est ton père qui t'a envoyée ?

— Mon père ? Bien sûr que non ! C'est vrai qu'il a mentionné ta rechute, mais c'est moi qui ai eu l'idée de venir… J'ai demandé ton adresse à l'économat. Le verrou de la porte n'était pas tiré, j'ai appelé, et comme tu ne répondais pas, j'ai pensé que tu pouvais avoir besoin d'aide.

Jack supposa que Yuri avait oublié de fermer à clé. Encore étourdi, il regarda Natasha, dont le visage était plus beau avec les tresses lâchées qu'avec les cheveux relevés.

— Tu es venue exprès depuis l'usine ?

— Ce n'était pas nécessaire. Je vis à trois pâtés de maisons d'ici. Tu ne te rappelles pas ?

— Pas très bien à vrai dire. Je me souviens que la fois où je t'ai raccompagnée je me suis arrêté devant un vieil immeuble, mais j'avais bu plus que mon compte. J'ignore encore comment j'ai pu rentrer au village après t'avoir laissée à la porte de ta maison.

— Une maison, moi ? Allons donc ! Seulement une chambre avec accès à la salle de bains et à la cuisine communes, comme toute fille célibataire.

— Eh bien, je ne comprends pas. Pour quelqu'un dans ta position, vivre dans une maison partagée doit être un peu étouffant, non ?

— Pourquoi ? Je n'ai pas besoin de plus d'espace que les autres.

— Non, mais tu es un chirurgien important. Tu devrais avoir droit à...

— À une maison comme celle-ci ? (Elle regarda autour d'elle.) Elle est vraiment grande. Et même, une fois bien nettoyée, elle pourrait être belle, mais elle le serait bien davantage si deux familles qui en ont besoin pouvaient y vivre, tu ne crois pas ?

Jack s'étonna de l'enthousiasme avec lequel Natasha semblait accepter des conditions de vie qui ne correspondaient pas aux responsabilités qui étaient les siennes. Il ne savait trop quoi dire, aussi préféra-t-il se taire et laisser la jeune femme prendre soin de lui. Elle était sur le point de terminer de lui coller le pansement qu'elle avait sorti de sa mallette, lorsque Jack se lança.

— Tu es... Je ne sais pas. Différente...

— Voyez-moi ça ! C'est un compliment ou un reproche ?

— Non. Je veux dire... Je ne sais pas. C'est que te voir comme ça, sans ton uniforme...

— Il me va si mal ?

Natasha se leva en riant et tourna à la manière d'un mannequin.

— Non. Il te va très bien, dit Jack. C'est simplement que... Tu as l'air d'une jeune femme normale aujourd'hui !

— Comment dis-tu ?... (Elle fit mine de se fâcher.) Mais alors, de quoi j'avais l'air avant ?

— Eh bien... tu avais l'air d'un docteur russe ! répondit-il, comme si cela la situait dans une supposée catégorie de phénomènes de foire. Non ! Ce n'est pas ce que je voulais dire ! Mais c'est la première fois que je te vois exercer ton métier sans ta blouse.

Il comprit immédiatement son erreur.

— Moi je crois que c'est exactement ce que tu voulais dire.

— Vraiment, je regrette. C'est… Tu veux bien te retourner ?

Il fit signe qu'il voulait se vêtir.

Natasha obéit sans cesser de sourire pendant que Jack enfilait son pantalon.

— Que penses-tu de ma blessure ?

— Eh bien le docteur russe pense que te tremper dans ce baquet n'était pas la meilleure idée. Par chance, la cicatrice a à peine molli. Je crois que d'ici à deux semaines tu pourras marcher sans aide.

— La douleur est toujours là.

— L'esquille a touché le nerf. Tu devras peut-être t'y habituer peu à peu. Au fait, qu'est-ce que ça sent ici ?

Elle se tourna vers l'endroit où Yuri avait laissé une assiette contenant des restes de saucisses.

— Le petit déjeuner. Tu veux m'accompagner ?

— J'adorerais ! Il y a longtemps que je n'ai pas mangé ce genre de chose, mais je ne sais pas si j'ai le temps…

— Allons, aide-moi ! Je ne pourrai pas me les préparer tout seul.

Il fit mine d'avoir mal.

Natasha ne put refuser et elle l'aida dans ses tâches de cuisinier. Ils firent griller deux saucisses du paquet qu'avait laissé Yuri et deux tranches de pain noir. L'odeur se répandit dans toute la maison, mêlée à la chaleur des braises. Puis ils s'assirent près du feu et se régalèrent.

— Tu es plus mince sans ton uniforme. (Il la scruta du regard, et constata qu'en réalité la jeune femme était très mince.)

— Je ne me trouve pas si maigre. C'est à cause du rationnement, répondit-elle avec un rictus de honte. Et à cause du travail ! s'empressa-t-elle de justifier.

— Et qu'en pense ton fiancé ? plaisanta Jack.

— Mon fiancé ? Et qu'est-ce qui te fait croire que j'en ai un ? dit-elle en jouant son jeu.

— Je ne sais pas. Je trouve juste étrange qu'une si jolie fille, et dans ta situation, enfin… que tu vives dans un appartement partagé et ne penses qu'à ton travail…

— Oui. Je suis peut-être une fille étrange. Mais je t'assure que si j'avais un fiancé, il m'embrasserait même si j'étais la fille la plus maigre de la terre. (Elle rit et se laissa embrasser par Jack lorsqu'il la prit dans ses bras, hilare.) Et toi ? Tu n'as pas eu de fiancée… à part ta fausse épouse.

— Bien sûr. Viens, que je te la présente.

Et il l'approcha d'un miroir afin qu'elle s'y voie.

— Non. Je veux parler d'une fiancée américaine. (Son visage se fit plus sérieux.) Mon père m'a dit que tu avais fréquenté la nièce de Wilbur Hewitt.

— Il t'a dit ça ? Eh bien tu n'as pas de raison de t'inquiéter. Cette jeune femme, c'est du passé.

— Mais alors, c'est vrai ?

— Qu'est-ce que ça peut faire ? Écoute, à quoi riment ces questions ? Serais-tu jalouse ?

— Moi ? Allons donc ! Oh ! Tu as même un phonographe. (Elle interrompit l'interrogatoire et se dirigea joyeusement vers l'appareil. Mais en l'observant de près, son expression se mua en une moue de stupeur.) Où ?… Où l'as-tu trouvé ?

— Il te plaît ? C'est un Edison Records de…

— Je sais ce que c'est ! Je te demande où tu as trouvé ce vieil appareil.

Jack remarqua la dureté de son ton.

— Un officier me l'a confié pour que je le lui répare, dit Jack, comme s'il se sentait soudain accusé d'un délit inconnu.

— Un officier ?

— Oui. Viktor Smirnov, un officier de la Guépéou aux ordres de ton père. Qu'y a-t-il ?

— Non… C'est seulement que… Que tu ferais bien de t'éloigner de cet homme.

Sa voix tremblait.

— De Viktor ? Mais il n'a fait que m'aider depuis mon arrivée.

— Viktor ne sait aider que lui-même.

— D'où le connais-tu ?

— Je regrette, mais je préfère ne pas en parler. Nous n'aurions pas dû en discuter.

Jack dut faire un effort pour ravaler sa curiosité. Il ne sut quoi dire. Tout ce qui lui vint à l'esprit fut de demander des nouvelles de ceux qui avaient été blessés pendant les troubles. En l'écoutant, Natasha parut alors retrouver son calme.

— C'était terrible, dit la jeune femme. Il y avait des dizaines de blessés : des jeunes, des vieux, des femmes… Je ne comprends pas comment la police a pu agir avec autant de violence.

— Il se peut qu'ils aient des raisons de le faire. Je veux dire que ces jeunes, ces vieux et ces femmes étaient peut-être si désespérés qu'ils n'ont pas eu peur des possibles représailles. Ou ça, ou…

— Ou ?

— Ou, simplement, la police a fait du zèle.

— Toi et tes préjugés contre l'Union soviétique ! Ces blessés sont des contre-révolutionnaires qui veulent détruire tout ce que les Soviets ont construit. De plus, mon père n'autoriserait jamais…

— Allez ! Allez ! Je ne sais pas pourquoi, mais cette accusation sur les contre-révolutionnaires m'a l'air d'un refrain que vous répétez comme si on vous l'avait inculqué dès l'école maternelle. Je l'entends de toi, de Sergueï, de Viktor, de la police, des fonctionnaires, des ouvriers… et de cette radio exaspérante qui émet jour et nuit chez Autozavod, où que tu te réfugies !

— Je dois partir. Merci pour la saucisse, dit Natasha.

— Attends ! Je ne voulais pas te fâcher. C'est juste que…

— Quoi ?

— Que lorsque ce ne sont pas des contre-révolutionnaires, ce sont les capitalistes et, sinon, les impérialistes. Vous voyez des ennemis partout et… Bon sang, nous sommes venus vous aider !

— Ah ! Jack, ce fut un plaisir de te sortir de cette baignoire.

Elle lui donna un baiser fugace.

— Attends, tu vas me laisser comme ça ? lui cria-t-il en la voyant descendre les premières marches de l'escalier.

— Non. Les Soviétiques, nous ne sommes pas aussi mauvais que tu le penses. Tu peux passer à l'hôpital quand tu veux.

Elle se tourna à nouveau pour quitter définitivement la maison.

31

Jack employa la semaine qui suivit à arranger sa maison. Petit à petit, il l'avait nettoyée et mise en ordre, et les travaux de réparation réalisés par Yuri avaient fini par donner à l'ancienne menuiserie l'apparence d'un vrai foyer. Mais il passait la plus grande partie de son temps à gérer l'économat qui, à l'approche des fêtes, était en pleine effervescence.

La veille de Noël 1933, Joe Brown ferma la caisse et montra les bénéfices à Jack. Après avoir vérifié la somme des roubles, Jack hocha la tête.

— Pourquoi ce peu d'enthousiasme, monsieur Beilis ? C'est bien plus que ce qu'on aurait pu imaginer.

Jack mit du temps à répondre. Il se souvenait de son père. Il y avait juste un an qu'il était mort.

— Ce n'est pas ça, Joe. Et je t'ai déjà dit de ne pas me vouvoyer.

— Encore ? Si c'est à cause des gens à qui nous vendons, permettez-moi de vous dire que s'il n'y avait pas cet économat, ils souffriraient encore plus de la faim. Et n'insistez pas sur le tutoiement. Vous êtes mon patron maintenant, et tant que vous le serez, vous devrez en prendre votre parti.

— D'accord. Tiens. (Il lui remit la partie de la gratification hebdomadaire qu'il avait décidé de partager entre ses employés.) Mais Mme Newman n'a pas de quoi nourrir ses enfants malades, Burton a attrapé le typhus et…

— Et vous avez regardé ailleurs quand vous avez surpris son fils aîné en train de voler quatre morceaux de viande. Vous croyez que je n'ai rien vu ?

— Ils auraient pourri de toute façon.

— Moi, je connais des gens qui auraient tué pour cette viande « pourrie ».

Jack considéra que la conversation était close et il continua à empiler les caisses vides. L'exercice fortifiait sa hanche et, comme l'avait prévu Natasha, il pouvait maintenant se déplacer sans béquilles. Mais ses souvenirs, eux, étaient toujours couverts de blessures.

Il aurait aimé voir Natasha sans restriction. Après l'épisode du baquet, ils s'étaient revus mais, même si la jeune femme se montrait aimable, ces rendez-vous, pour une raison étrange, avaient tout l'air de rencontres clandestines. Pour se promener, Natasha choisissait systématiquement des parcs solitaires où, emmitouflés l'un contre l'autre pour se protéger du froid, ils échangeaient des baisers et des caresses lorsque personne ne pouvait les voir, mais elle refusait de venir dans sa nouvelle maison, sous des prétextes qu'il ne comprenait pas. Pourtant, la jeune femme le pria de lui faire confiance, ce qu'il fit.

C'est pourquoi il fut étonné lorsque ce soir-là, juste avant la fermeture de l'économat, Natasha se présenta à la porte, couverte d'un manteau et d'une *ouchanka* qui n'empêchait pas ses tresses blondes de tomber sur ses épaules.

— Bonjour ! dit-il, surpris.

Elle attendit quelques instants sous la neige qui tombait, jusqu'à ce qu'il réagisse et l'invite à entrer.

— J'ai cru que j'allais mourir de froid ! dit-elle en souriant. Comment ça va ?

— Bien, bien. Entre et assieds-toi près du feu. Nous venons de l'éteindre, mais il est encore chaud. (Il lui montra le petit four en terre cuite que Miquel et Joe Brown avaient construit dans un coin.) Pour une surprise, c'est une surprise. Qu'est-ce qui t'amène par ici ?

Lorsqu'elle enleva l'*ouchanka*, Jack admira dans sa plénitude le visage clair et affable de la jeune femme.

— Demain c'est le 25. Ici, c'est un jour comme un autre, mais j'ai imaginé que pour toi ce serait différent, que tu regretterais ta famille, les cadeaux et tout le reste. (Elle sortit de sa mallette un paquet enveloppé dans du papier journal et le lui tendit.) J'ai pensé que ça te ferait plaisir.

Jack défit le paquet avec curiosité, sans lui avouer que lui non plus n'avait pas l'habitude de fêter Noël parce que, même s'il ne pratiquait pas, il était juif. Lorsqu'il déchira le dernier papier, il découvrit la belle couverture d'un exemplaire de *Gatsby le Magnifique*, de F. Scott Fitzgerald.

— Ça alors ! Merci beaucoup. Mais comment… ?

— Je me suis souvenue qu'à l'hôpital tu passais beaucoup de temps à lire. Il y a quelques années, un patient américain m'a offert ce roman dans l'espoir que sa lecture m'aiderait à aimer son pays, mais je n'ai jamais trouvé le temps de le lire. De plus, je comprends à peine l'anglais. (Elle rit.) Il m'a expliqué que c'était une belle histoire qui se passait à New York, et j'ai pensé que tu aimerais t'y replonger. Et peut-être la partager avec moi.

— Oui, merci. J'ai été surpris de te voir ici, au milieu du village. Dernièrement, avec cette manie de nous cacher, je m'étais habitué à avoir une fiancée clandestine.

Elle sourit en entendant la manière dont Jack qualifiait leur relation. Elle rit et lui planta un baiser sur la joue, puis s'assit à côté de lui, sur le vieux sofa qu'il avait installé là.

— Alors, tu me le liras ?

— Je ferai beaucoup mieux. (Il laissa le livre de côté et lui rendit son baiser.) Je t'emmènerai à New York, il faut que tu connaisses cette ville.

Natasha s'égaya comme une petite fille.

— Je ne sais pas si je devrais. On dit que là-bas vous mangez des choses aussi dégoûtantes que les hot-dogs.

— Bah ! Tu ne devrais pas croire la propagande communiste. De plus, après avoir goûté les saucisses le jour où tu m'as surpris chez moi, je crois que plus rien ne peut t'effrayer… Cela dit, je t'avoue que je n'avais jamais mangé de saucisses aussi horribles.

— Je ne te l'ai pas dit, mais moi non plus !

Jack ne la laissa pas terminer. Il s'approcha d'elle et l'embrassa. Tandis que leurs lèvres se frôlaient, Jack commença à la déshabiller, comme s'il ouvrait un cadeau délicat enveloppé de soie. Un autre bouton suivit le premier, puis un autre. Et à chaque boutonnière qu'il ouvrait il l'embrassait, et chaque baiser entraînait une caresse plus avide. Lorsqu'il écarta la blouse et effleura sa poitrine, il s'arrêta, comme s'il s'apercevait soudain qu'il allait commettre un acte interdit. Mais les yeux de Natasha restaient clos, et sa bouche entrouverte l'attendait. De nouveau Jack l'embrassa et il ferma aussi les yeux. Son cœur tremblait, et des centaines de baisers suivirent celui-ci, perdus dans son cou et sa poitrine. Il savoura le bout de ses seins, qui lui répondirent en se soulevant et en s'offrant à sa langue de plus en plus audacieuse. Jack chercha ses recoins, il les goûta comme si c'étaient les premiers et les derniers, il l'enlaça avec frénésie pour se fondre en elle. Leurs langues se joignirent entre étreintes et gémissements de plus en plus impatients, de plus en plus intrépides, et lorsqu'il perçut sa respiration, agitée et rauque, lorsque son corps doux s'enchâssa dans le sien, Jack s'abandonna pour s'y répandre, pour oublier tout ce qu'il savait et se perdre dans la profondeur de ce regard émeraude, dans la flamme de ces joues dont il pensa, l'espace d'un instant, qu'elles lui appartenaient.

Jack dormait encore lorsque, à l'aube, elle se réveilla. Natasha le regarda avec tendresse. Elle observa la médaille qui reposait sur sa puissante poitrine et la prit entre ses doigts, souriant en se souvenant que, pendant qu'il lui faisait l'amour, la médaille lui avait plusieurs fois effleuré le menton. Lorsqu'elle la posa de nouveau sur sa poitrine, Jack se réveilla.

— Tu ne l'enlèves jamais ? demanda-t-elle.

— Je mourrais plutôt.

— Elle a une curieuse gravure. Que signifie-t-elle ?

— Je ne sais pas. Ma mère me l'a offerte quand j'étais enfant. Je me souviens que le soir, en me bordant, elle la caressait sur mon cou et me disait…

— Que te disait-elle ?

— Rien. Oublie ça. C'est une bêtise.

— Allons, Jack ! Je suis sûre que non ! Que te disait-elle ?

Jack garda le silence tandis qu'il regardait Natasha dans les yeux.

— Eh bien elle me disait… elle me disait que, sans amour, il ne valait pas la peine de vivre. Et tu vois, c'est peut-être pour ça qu'elle est morte. Parce que je n'étais pas auprès d'elle pour l'aimer.

— Ne dis pas ça.

— « Sans amour, vivre ne vaut pas la peine… » Je t'ai dit que c'était une bêtise.

— Non, ça ne l'est pas.

— Bien sûr que si.

— Pardon. Je n'aurais pas dû te poser la question.

— Pardonne-moi, toi. C'est une histoire triste. J'ai pensé bien des fois que si je me défaisais de cette médaille, je perdrais la seule chose qui ait de la valeur dans ma vie.

— Je suis vraiment désolée. Je…

— Non. Ne t'inquiète pas. Sauf me demander de l'enlever, tu peux faire de moi ce que tu veux.

Jack eut le plaisir de constater qu'il existait en Union soviétique d'autres manières de s'amuser que boire de la vodka, et il fut ravi que ce soit Natasha qui les lui fasse découvrir. Chaque soir, lorsqu'elle avait terminé ses consultations, la jeune femme venait en tramway jusqu'à l'économat de la ville américaine, et bien qu'à cette heure il fasse déjà nuit, c'était pour Jack le lever du jour. Chaque minute passée auprès d'elle comptait pour des mois de bonheur. Ils bavardaient, riaient, faisaient la cuisine ou s'embrassaient. Ils jouaient, se laissant emporter dans un torrent de caresses nourries de sentiments aussi intenses qu'inconnus, et leurs corps se mêlaient, pris l'un dans l'autre. Oubliant le froid et la solitude d'Autozavod, ils n'existaient plus que l'un pour l'autre. Ils désiraient que cela dure toujours, ravivaient la chaleur de leur peau l'une contre l'autre, la respiration haletante d'épuisement et de trouble, accélérée et confuse. Et lorsqu'ils s'arrêtaient, ils restaient ensemble, dans les bras l'un de l'autre, étrangers au sommeil et à la fatigue, tandis que les heures avançaient vers les confins du jour naissant. Et entre-temps, les rires interrompaient leurs baisers, et leurs baisers, les rires. Ainsi, jusqu'au moment où la sérénité s'achevait parce que Jack devait raccompagner Natasha. Ensuite, lorsqu'il rentrait chez lui, il se demandait pourquoi elle n'acceptait jamais de rester, et dans ces moments la rancœur le tourmentait.

Souvent, Jack commandait à Miquel un dîner spécial pour lui en faire la surprise, et ils passaient la soirée à l'économat, devant la chaleur des braises, dégustant les mets délicieux tandis qu'elle prenait plaisir à se remémorer l'époque où elle était membre du Komsomol, l'organisation de la jeunesse du Parti communiste au sein de laquelle elle avait découvert sa vocation pour la médecine, ou à lui raconter les insomnies de son père Sergueï qui, devenu veuf, s'était obstiné à faire d'elle une bonne Soviétique.

Durant l'une de ces nuits, Jack s'intéressa à son goût pour le tir.

— Est-ce que tous les Russes s'adonnent au tir pendant leurs loisirs ? lui demanda-t-il.

— Aussi sûr que les Américains ne mangent que des hamburgers, contre-attaqua-t-elle avec malice. Non. Mais c'était une activité ordinaire chez les jeunes du Komsomol. En fait, je suis un tireur d'élite ! crâna-t-elle.

Jack pensa l'éblouir en lui parlant de New York. Il lui décrivit les masses d'acier et de béton qui à cette époque devaient briller comme de gigantesques arbres de Noël, illuminant la foule bruyante qui grouillait sur les boulevards de Broadway en quête des dernières nouveautés, achetant des hot-dogs ou des beignets dans les baraques, écoutant des chants de Noël et jouissant des illuminations qui embellissaient toutes les vitrines décorées de guirlandes et de cadeaux de Noël.

Natasha décela dans les paroles de Jack plus la nostalgie d'un émigré qu'une présomptueuse vanité.

— Si tu le regrettes tellement, pourquoi ne retournes-tu pas dans ton pays ?

À cet instant, Jack se souvint de ses parents et son visage s'attrista. Il serra les lèvres avant de soupirer.

— Pour la même raison que je suis venu, je suppose. Personne n'abandonne sa terre par plaisir. (Il évita de lui révéler le véritable motif de sa fuite.) Mais tu sais, j'aimerais vraiment que tu connaisses l'Amérique. Finalement, nous avons plus de choses en commun que tu ne l'imagines. N'as-tu pas entendu parler des frères Marx ? Vous, vous avez Karl et nous, Groucho.

Il la regarda dans les yeux, comme s'il y cherchait quelque chose de plus qu'une réponse.

— Je dois rentrer chez moi.

Elle rit sans bien comprendre le jeu de mots, et se leva pour prendre congé.

— Attends ! Et que dis-tu de ma hanche ? Tu as promis d'y jeter un coup d'œil.

— Elle te fait mal maintenant ?

Elle l'embrassa légèrement sur les lèvres.

De nouveau Jack regarda le visage pur de Natasha.

— La vérité, c'est que tes baisers sont le meilleur baume. (Et il éteignit la lumière pour s'immerger dans la chaleur de ses lèvres et la danse de ses hanches.)

À la fin du mois de février 1934, les bonnes ventes de l'économat du village américain et la consolidation de sa relation avec Natasha commencèrent à semer chez Jack le doute sur ses plans de fuite. Pour la première fois de sa vie, il avait le sentiment de posséder tout ce qu'un homme pouvait désirer : un travail qui lui rapportait assez pour se permettre des caprices ; une femme qu'il aimait, mais aussi qu'il admirait ; et même si cela pouvait paraître paradoxal, une impression de sécurité, qui provenait sans doute d'un Sergueï Loban résigné aux désirs de sa fille. Et pourtant, plus il se persuadait qu'il y avait pour lui un avenir en Union soviétique, plus grand était son désir de retourner en Amérique. Il regrettait de petites choses comme se lever alors que le soleil brillait dans le ciel, se promener dans des avenues bondées de passants affairés, pouvoir dépenser quelques centimes dans une baraque de hot-dogs, regarder une vitrine débordant de marchandises, et aller voir le dernier film de la Metro-Goldwyn-Mayer. Peut-être sa nostalgie répondait-elle à des motifs irrationnels mais, lorsqu'il se souvenait des États-Unis dans les nuits glacées de Gorki, une chaleur vivifiante l'envahissait et son bonheur semblait ne jamais s'épuiser.

Son pays lui manquait. Le pays de la liberté.

L'Amérique du Nord n'était peut-être pas un pays parfait. La crise provoquée par un système financier insatiable avait anéanti les espoirs de millions de familles, mais il continuait à croire à la terre qui l'avait vu naître.

Cela ne l'empêchait pas d'apprécier les bonnes choses de la Russie. Parmi les premières, Jack reconnaissait la rapidité avec laquelle ses gouvernants tiraient le peuple de la misère. Après avoir passé toute une année entouré de travailleurs soviétiques, il avait appris que la révolution entreprise par ses dirigeants avait transformé un pays médiéval scindé entre noblesse et plèbe en une nation puissante dans laquelle tout homme, quelles que soient sa race, sa religion et son origine, avait droit à un travail, à une maison et à de la nourriture. Cependant, ces mêmes dirigeants, capables de donner des terres et du travail aux déshérités, étaient aussi des fanatiques qui faisaient de l'Union soviétique un endroit dangereux pour celui qui osait être en désaccord avec leurs idéaux.

Le simple citoyen russe était un travailleur infatigable, une personne réservée, noble, impliquée et sincère. C'est du moins ainsi qu'était Natasha Lobanova, la citoyenne soviétique qu'il connaissait le mieux. La femme qu'il aimait… Et pourtant, bien qu'il l'aimât profondément, le souvenir d'Elisabeth venait parfois le troubler.

Il ne comprenait pas pourquoi cela lui arrivait. De temps en temps, son image sophistiquée ébranlait son esprit comme une gifle. Pour une raison inexplicable, on aurait dit qu'elle l'attirait toujours, non pour sa beauté à laquelle il avait déjà goûté, ni pour son caractère frivole et changeant qu'il désapprouvait, mais pour tout ce qui l'entourait. Il enviait sa position, ses amitiés, son éducation – y compris ses manières ridicules et ses expressions affectées – qui le séduisaient autant qu'elles lui étaient inaccessibles. Il savait que c'était idiot, et précisément parce qu'il en était conscient il ne pouvait éviter d'en être tourmenté.

Il n'avait pas revu Elisabeth depuis le soir où il avait découvert le passeport de McMillan. Il savait qu'elle vivait toujours avec Viktor Smirnov et avait plusieurs fois suggéré à Natasha de leur rendre visite, mais celle-ci avait refusé. Il n'arrivait toujours pas à comprendre le motif de son rejet : chaque fois qu'elle entendait le nom de Viktor, son regard se teintait de haine. En revanche, il fréquentait à nouveau Andrew, qui semblait avoir retrouvé son ancienne affection pour Jack depuis qu'il avait appris qu'il sortait avec la fille du patron de la Guépéou.

Un soir où son ami effectuait une ronde dans le village, il était entré à l'économat pour leur proposer de dîner chez lui.

— Il faut que vous goûtiez la cuisine de Sue. Vous n'imaginez pas les progrès qu'elle a faits.

Jack voulut s'excuser, mais Natasha, qui à ce moment aidait Jack à fermer la caisse, le devança.

— Dis à Sue que nous irons avec plaisir.

Lorsque Andrew fut parti, Jack reprocha à Natasha d'avoir accepté.

— Je n'aime pas que tu décides pour moi, lui dit-il sur un ton qui surprit la jeune femme.

— Je voulais seulement être aimable ! Tu t'es plaint bien des fois d'avoir la nostalgie de ta vie en Amérique. Nous sommes toujours seuls et j'ai pensé que tu aimerais que nos deux couples partagent une soirée. En plus, j'ai envie de rencontrer celle qui a été ton *épouse*, maintenant que je sais que ce mariage n'a été qu'une parodie.

Jack protesta entre ses dents tandis qu'il posait le cadenas à la porte de l'économat. Il ne pouvait lui expliquer que, bien qu'il ait fait les démarches nécessaires pour obtenir le divorce, la présence de Sue l'incommodait.

— Je regrette. C'est seulement parce que c'est toujours toi qui sembles décider qui nous fréquentons. Je me souviens encore comment tu t'es fâchée quand je t'ai proposé de rencontrer Viktor Smirnov…, dit-il pour évacuer sa mauvaise humeur. Cet homme pourrait m'aider dans l'avenir. Il a des relations et…

— Non ! Je t'ai déjà donné plusieurs fois mon opinion à ce sujet. Tu n'as aucunement besoin de l'aide de cet homme. Si tu veux quelque chose, mon père…

— Ton père !… Et qu'arrivera-t-il si un jour ton père change d'avis et décide de me retirer l'économat, ou s'il est muté dans une autre usine, ou s'il se fâche pour n'importe quelle broutille et m'enferme à nouveau dans l'Ispravdom ? Il ne sait même pas que je couche avec sa fille !

— Mais tu ne te rends pas compte ? Viktor est incapable de regarder plus loin que son nombril !

— Et comment peux-tu en être si sûre ? Grâce à lui, j'ai pu avoir une maison alors que mes compagnons s'entassaient dans des porcheries. Et cette voiture avec laquelle je t'emmène et te ramène si agréablement, elle est à lui. Tu devrais lui en être reconnaissante.

— Oui ? Eh bien regarde ce que je fais de ta voiture ! (Elle descendit du véhicule et claqua la portière avec violence.) Profites-en, mais ne compte pas sur moi pour lui rendre visite.

Et elle partit à pied en direction du tramway.

Cette nuit-là, Jack dormit à peine. Il était contrarié de s'être disputé avec Natasha, mais plus perturbé encore de devoir céder à ses désirs sans connaître les raisons de son irritation. Pour se calmer, il se servit un peu de vodka. La chaleur de l'alcool lui brûla la gorge, mais ensuite elle l'apaisa. Tandis qu'il remplissait son verre, il se demanda pourquoi les femmes étaient si compliquées. Il avait parfois voulu comprendre leurs comportements, en les examinant de près comme s'il s'agissait des pièces d'un mécanisme complexe, mais il avait eu beau s'efforcer de les démonter et de les engrener, il n'arrivait jamais à faire fonctionner la machine.

Il détourna son attention vers Wilbur Hewitt qui, deux jours plus tôt, mettant à profit une inattention de ses gardiens, s'était présenté à l'économat pour demander où en était la gestion des passeports.

Jack avait fait traîner les choses. Il ignorait encore quelle responsabilité avait réellement Hewitt dans les sabotages, mais il semblait complètement absurde qu'il l'ait engagé pour enquêter sur les délits dont on le soupçonnait. À moins, c'était clair, qu'il n'ait eu besoin d'une tête de Turc pour se couvrir.

Il termina le verre de vodka, rangea la bouteille et s'écroula sur le sofa devant la cheminée pour observer les petites braises qui flottaient dans l'air comme d'étranges lutins ardents. Arriver à une conclusion aussi simple, à laquelle il n'avait jamais pensé auparavant, le préoccupait. Une tête de Turc… Et McMillan… Où était-il ? Et quel rapport pouvait-il avoir avec les sabotages ? Pendant un moment il pensa réexaminer les documents qu'il avait trouvés dans la malle, mais il avait mal à la tête. La vodka et les disputes ne faisaient pas bon ménage. Lentement, il ferma les yeux et se laissa emporter par l'anxiété de ne pas connaître la direction que prendrait sa vie.

Un bruit insistant de coups frappés à la porte le réveilla, comme si on lui transperçait la tête. Jack se redressa et regarda sa montre. Elle indiquait cinq heures du matin. Ses tempes palpitaient encore, mais les coups continuaient, impitoyables. Il enfila un peignoir et descendit l'escalier aussi vite qu'il put, pour éviter qu'on démolisse la porte. Il n'avait aucune idée de qui ça pouvait être, et encore moins à une heure où même les loups ne s'aventuraient pas hors de leur tanière. Lorsqu'il ouvrit il trouva devant lui Elisabeth Hewitt, trempée, le teint pâle, les yeux rougis par les larmes. Avant qu'il puisse lui demander ce qu'il se passait, la jeune femme franchit le seuil sans donner d'explication, se jeta dans ses bras et éclata en sanglots, inconsolable. Jack tenta de la calmer, lui mit une couverture sur les épaules. Lorsque la jeune femme put enfin parler, elle dit à Jack qu'on avait arrêté son oncle.

— On dormait quand le téléphone nous a réveillés. Viktor a décroché et il s'est levé tout de suite. Il n'a pas voulu m'inquiéter, mais son visage le trahissait. J'ai insisté pour qu'il m'avoue ce qu'il se passait et il a fini par me le dire. Oh, Jack ! C'est ce Serguéï ! Il a envoyé mon oncle à Ispravdom, en l'accusant d'actes contre-révolutionnaires. Je… Viktor n'a pas voulu m'en dire plus. Mon Dieu ! Je crains qu'il ne lui soit arrivé quelque chose de grave.

— Calme-toi ! Mais pourquoi es-tu venue ici ? Viktor pourra sûrement…

— Viktor m'a jetée dehors.

— Quoi ?

— Il m'a dit que je devais partir, qu'il ne pouvait pas accueillir chez lui la nièce d'un traître capitaliste.

— Et il t'a mise dehors en pleine nuit ?

— Pas tout à fait, c'est moi qui suis partie. Je l'ai traité de tous les noms. Je ne savais pas chez qui aller et je suis venue ici. Je ne connais personne d'autre. Tu dois m'aider, Jack ! Toi, tu peux parler à Serguéï.

— Moi ? Mais je m'occupe seulement de la gestion d'un économat. Je ne sais pas pourquoi tu penses que je pourrais…

— Jack, je t'en supplie ! Tu sors avec sa fille, il t'écoutera.

Jack prit peur.

— Tu oublies de qui tu parles ? Sur les questions d'État, Serguéï Loban n'écouterait même pas sa propre mère. De plus… s'ils l'ont arrêté, ils ont sûrement leurs raisons…

Elisabeth s'écarta de Jack comme si elle avait soudain entendu le diable.

— Pourquoi… ? Pourquoi dis-tu ça ? bredouilla-t-elle.

Il tenta de la calmer, mais de nouveau elle recula.

— Je t'en prie, calme-toi. Comme tu le sais, il y a déjà un certain temps que Serguéï enquête sur ton oncle, et s'il a finalement décidé de l'accuser, c'est sans doute qu'il a des preuves de sa culpabilité. De plus… de plus il y a certaines choses que tu ignores, se contenta-t-il de dire.

— Je t'en prie, Jack ! Qu'est-ce que je vais faire toute seule ?

— Je te comprends, mais je ne vois pas comment…

— Je t'en prie. Si tu ne veux pas te compromettre, aide-moi au moins à trouver un avocat. Je parle à peine le russe, et je ne sais pas à qui m'adresser.

— Le problème n'est pas là. C'est simplement que je…

— Que se passe-t-il, Jack ? Tu m'as si vite oubliée ? Qu'est-ce que tu veux ? Tu m'aimes ? Je ferai ce que tu voudras, tu m'entends ? Ce que tu voudras, dit-elle avec détermination.

Jack eut la conviction qu'elle le ferait vraiment. Il resta muet quelques secondes, tandis qu'il réfléchissait à la décision à prendre. Accueillir Elisabeth chez lui le mettrait dans une situation délicate vis-à-vis de Sergueï. Quant à Natasha… Natasha savait qu'il avait fréquenté Elisabeth et ne l'approuverait pas non plus. Il ne pouvait pourtant pas la laisser à la rue.

— D'accord. Ce matin, j'irai voir Loban. Tu peux prendre ma chambre jusqu'à ce que tu trouves à te loger. Moi je dormirai ici.

Il montra le sofa devant la cheminée.

Elisabeth acquiesça, sans cesser de soupirer. Jack la regarda en silence. Bien que toujours aussi belle, elle avait l'air d'une poupée brisée. Il lui prépara une infusion de valériane et de mélisse comme celle qu'il prenait pour soulager la douleur, puis il l'accompagna à l'étage. Elisabeth s'assit sur le lit, et but l'infusion tel un automate. Jack lui prit la tasse des mains et l'aida à se coucher. Puis il la borda et éteignit la lumière. Alors qu'il se retirait, il entendit Elisabeth lui dire :

— S'il te plaît, Jack ! Ramène-nous en Amérique.

Peu avant le lever du jour, Jack patientait déjà dans la salle d'attente du bureau du directeur des Opérations. Il n'avait pas pu dormir. S'ils étaient capables d'emprisonner Hewitt, aucun Américain ne pouvait se considérer à l'abri. Lorsqu'il vit apparaître Sergueï, il termina son café en dissimulant sa nervosité. Le Russe le salua sans montrer de surprise, ouvrit son bureau et le fit entrer. Tandis que Jack prenait place, le chef de la Guépéou posa sur la table une chemise contenant des rapports, puis ôta sa vieille casquette. Son visage semblait plus sérieux que d'habitude, comme accablé par une peine dont il ne pouvait se défaire. Il s'assit et scruta longuement Jack.

— Alors ?

— Monsieur, merci de me recevoir sans rendez-vous. Je sais que vous êtes très occupé, mais comme je l'ai dit à votre secrétaire, le motif est urgent.

— Je t'écoute.

Jack se racla la gorge. Sergueï imaginait sans doute la raison de sa visite.

— De bonne heure ce matin, Elisabeth Hewitt a débarqué chez moi. Elle affirme que cette nuit des canailles se sont présentées chez son oncle et l'ont emmené sans autre explication.

— Je suppose que ces canailles obéissaient à des ordres.

— Je le suppose aussi. Et je vous serais reconnaissant de me dire qui les a donnés et de quoi on l'accuse.

— Je ne vois pas d'inconvénients à satisfaire ta curiosité. (Il cessa de regarder le rapport qu'il avait sorti de la chemise.) Cet ordre, c'est moi qui l'ai donné.

Jack leva les sourcils. Il pensa un instant répliquer, mais il se retint. En réalité, il ne savait même pas ce qu'il faisait là, à demander des comptes au chef de la police secrète d'Autozavod, et encore moins au sujet de Hewitt, l'homme qui l'avait trompé. Contrarier Sergueï ne pouvait que lui nuire ; il allait donc essayer de savoir où se trouvait l'ingénieur et laisserait à Elisabeth le soin de poser les autres questions.

— Comprenez ma position. Mon intention n'est certes pas de contester votre décision, mais je me sens en quelque sorte responsable vis-à-vis de cette famille. La nièce de Hewitt est désespérée. Je vous demande seulement de me dire la situation de son oncle, la raison de sa détention et s'il est possible de lui rendre visite. En fin de compte, c'est lui qui m'a engagé, tenta-t-il de se justifier.

— C'est lui qui t'a engagé ? Ah ! (Il se leva en donnant un coup sur la table.) Mais quel rêveur tu fais ! Tu crois vraiment que nous, les Soviétiques, aurions permis qu'un nouveau venu comme toi, aussi compétent soit-il, mette son nez dans nos affaires ? Ou que Hewitt lui-même paie un inconnu pour un poste aussi important ?

— Je ne… je ne comprends pas, balbutia Jack.

— Hewitt n'a rien eu à voir avec ton embauche. C'est moi qui le lui ai ordonné à Moscou, quand j'ai découvert que McMillan avait disparu.

— Disparu ? Mais n'était-il pas hospitalisé aux États-Unis ?

— C'est ce que t'a raconté Hewitt ? Écoute, Jack. Bien que tu sois américain, je te tiens pour un type honnête. Autrement, je t'assure que tu n'aurais pas approché ma fille à moins de dix kilomètres. Et pour cette raison même, je crois te devoir une explication. (Il aspira une bouffée de son cigare, comme s'il soupesait ce qu'il pouvait lui révéler.) J'ai commencé à soupçonner Wilbur Hewitt peu après son affectation dans cette usine. Je te parle de ça il y a trois ans, quand ont commencé les travaux d'Autozavod et qu'il a été choisi pour les mener à bien. Hewitt a entrepris la construction avec un grand enthousiasme, je ne vais pas le nier. Son équipe travaillait jour et nuit, et en quelques mois ils ont transformé un terrain vague en l'impressionnant complexe qui fait aujourd'hui la fierté du peuple soviétique. Mais les problèmes ont commencé quand les premières machines ont été mises en marche. (Il aspira une autre bouffée.) Au début, Hewitt a imputé les incidents au peu de préparation des ouvriers russes et, pour les régler, un groupe de techniciens soviétiques est parti pour Détroit afin d'y recevoir une formation, en même temps qu'avait lieu un transfert d'ouvriers américains à l'Autozavod. Mais au lieu de diminuer, les problèmes n'ont fait qu'augmenter sous forme de sabotages. La Guépéou et la Ford ont décidé conjointement de nommer deux superviseurs spéciaux dont la mission était de débusquer les criminels. Du côté soviétique, on a désigné Anatoli Orlov et, du côté américain, George McMillan. Tous deux travailleraient au coude à coude et leurs découvertes devaient m'être directement communiquées.

« McMillan était un type étrange, un rat de bibliothèque qui passait des mois entiers entre bilans et rapports. Il se méfiait de tout le monde, c'est à peine s'il parlait à Orlov et gardait ses découvertes pour lui. J'imagine qu'à un moment ou un autre, il a constaté que Hewitt était impliqué dans les sabotages et qu'il a été dépassé. Pendant un temps, il a dû taire l'information, mais se trouvant à Moscou, peu avant votre arrivée dans la capitale, il m'a appelé pour m'avouer qu'il avait trouvé les preuves qu'il cherchait.

— Et il vient de vous les remettre.

— Pas exactement.

— Que voulez-vous dire ?

Pour toute réponse, Sergueï Loban ouvrit un tiroir et en sortit une chemise rouge qu'il jeta sur la table. Jack la saisit et l'ouvrit lentement. À l'intérieur, il découvrit une coupure du journal *La Pravda,* datée du 6 janvier 1933, le jour où Wilbur Hewitt lui avait offert le poste de superviseur. Son titre indiquait en caractères gras :

Un inconnu se suicide en se jetant dans la Moskova

Et sous le texte, la photographie d'un cadavre dont le visage coïncidait exactement avec celui que Jack avait vu sur le passeport de George McMillan.

32

Lorsque Jack rapporta à Elisabeth le résultat de son entretien, la jeune femme recula et alla buter contre le fauteuil sur lequel elle se laissa tomber, telle une marionnette dont on aurait coupé les fils. Jack hésita avant de s'agenouiller pour prendre ses mains et la consoler. Lorsqu'il lui releva le menton, il ne vit dans ses yeux rougis que le pâle reflet de la beauté qui l'avait séduit. Il ne vit qu'un regard perdu.

Il prépara du thé pour tous les deux. Pendant qu'il faisait chauffer l'eau, il s'apitoya sur elle autant que sur lui-même. Sans doute Elisabeth se sentait-elle désemparée, mais Wilbur Hewitt l'avait lui aussi abandonné à son sort. Il attendit que la jeune femme ait absorbé deux ou trois gorgées avant de lui annoncer que Serguéï les autorisait à rendre visite à son oncle. En l'entendant, Elisabeth parut revenir à la vie.

— Je n'y crois pas. Je ne crois pas ces sales menteurs de Soviétiques. Où est-il détenu ?

— Il m'a dit qu'on l'avait emmené à l'Ispravdom. Ne t'inquiète pas. Moi aussi ils m'y ont enfermé, c'est un endroit sûr. (Il mentait pour ne pas l'alarmer.) Couvre-toi. C'est dans les faubourgs.

Tandis qu'il conduisait en direction du camp de travail, Jack réfléchissait à la machination macabre tramée par Wilbur Hewitt, et à la tentative d'assassinat dans le train de lavage que, selon Serguëi, le dirigeant américain avait perpétré contre lui. Plus il y pensait, plus les accusations de Serguëi prenaient un sens. En fait, à cet instant, en accompagnant Elisabeth, il n'obéissait pas tant à un acte charitable qu'à son désir d'affronter l'ingénieur face à face. Il accéléra brusquement, et la Ford fit une embardée sur la route gelée avant de prendre le dernier virage qui débouchait sur la sinistre clôture de barbelés qui entourait l'Ispravdom.

Dès qu'il eut exhibé l'autorisation rédigée par Serguëi, la sentinelle dégagea le passage et les conduisit dans une petite salle nue, sans autre meuble qu'une table métallique vissée au sol et quatre chaises disposées tout autour. Pendant qu'ils attendaient, des cris déchirants firent sursauter Elisabeth.

Dix minutes plus tard, un verrou fut tiré et à la porte située au fond de la pièce apparut une sentinelle puis, derrière elle, une loque qui avançait en traînant la jambe. En voyant qu'il s'agissait de Hewitt, Elisabeth se précipita pour lui venir en aide, mais le garde l'empêcha à grands cris d'approcher.

— Qu'est-ce qu'il dit ? demanda-t-elle.

— Il dit que nous devons nous asseoir et rester sur les chaises. Obéis.

— Vous avez cinq minutes, ordonna le garde en anglais, et il se plaça d'un côté de la table.

Les yeux écarquillés, Elisabeth regarda son oncle comme si, au lieu de Wilbur Hewitt, elle voyait un inconnu.

— Oncle Wilbur ? Mais que t'ont fait ces sau-
vages ?

Wilbur Hewitt serra les lèvres et leva la tête, tentant
d'avoir l'air digne. Il regarda le gardien de travers,
comme s'il le rendait responsable des nombreuses
blessures qu'il portait au visage, puis il tourna les yeux
vers sa nièce.

— Ne t'inquiète pas. Ces fils de pute soviétiques…

— Silence ! cria le gardien en anglais. Sa voix
résonna aussi menaçante que s'il les visait avec un
revolver.

Hewitt regarda à nouveau le gardien et cracha par
terre.

— Toutes mes excuses… Je voulais dire que ces
aimables amphitryons me traitent très bien, débita-t-il
d'un ton ironique. Écoutez-moi avec attention. J'ai
demandé à parler avec l'ambassadeur, sans succès. Ils
disent que les téléphones ne fonctionnent pas, mais ils
m'ont permis de vous remettre cette lettre. Vous devez
la lui faire parvenir. (Il sortit une feuille manuscrite
froissée de l'une de ses poches et la remit à Jack.)

Jack la prit sans se donner la peine de la lire et la
tendit à Elisabeth.

— Oncle Wilbur, Jack dit qu'on t'accuse de conspiration, de sabotages, de malversation de fonds…

— Oui, oui… et de la mort de mes compatriotes.
Rien ne ferait plus plaisir à ces salauds (il profita de ce
que le gardien discutait avec un compagnon). Je suis
innocent ! Je vous jure que…

— Monsieur Hewitt, intervint Jack, Sergueï Loban
affirme avoir des preuves.

— Sergueï est un menteur détraqué qui a inventé n'importe quelle histoire. Écoute, mon fils…

— Je ne suis pas votre fils, monsieur, le coupa Jack.

Elisabeth le regarda, surprise.

— Silence ! les interrompit le garde, qui de nouveau prêtait attention. Si le détenu continue à diffamer nos autorités, la visite est terminée.

Malgré le rejet que soulevait en lui l'hypocrisie de Hewitt, Jack se leva pour montrer au fonctionnaire l'ordre remis par Sergueï qui autorisait une conversation privée. L'officier y jeta un bref regard du coin de l'œil.

— Et moi j'ai l'ordre de contrôler vos conversations, répondit-il sans se troubler.

Après un instant d'hésitation, Jack fit un signe d'assentiment et revint s'asseoir.

— C'est bien, monsieur Hewitt. Apparemment nous ne pouvons éviter que cet homme nous interrompe chaque fois qu'il comprend que nous critiquons ses supérieurs. Cependant…

— Oui ? s'enquit l'ingénieur.

— Cependant rien n'interdit que nous poursuivions la conversation en allemand, dit Jack dans cette langue. Je doute que le garde la comprenne. Ne vous arrêtez pas et répondez à mes questions.

— Bien sûr, répondit Hewitt également en allemand, presque aussi étonné que sa nièce.

— Bien. Pourquoi m'avez-vous menti ?

— Moi ? Je ne sais pas de quoi tu veux parler. Je n'ai…

— Monsieur Hewitt, je n'ai pas le temps de jouer. Pourquoi m'avez-vous menti en me disant que McMillan était resté aux États-Unis ?

— Mais, mon garçon, cela n'a rien à voir avec…

— *Niet !* cria le garde. La conversation est terminée !

— Pas si vite ! Le commissaire directeur en personne, le camarade Sergueï Loban, précise que nous pouvons parler dix minutes, dix, mais il ne spécifie pas dans quelle langue nous devons le faire, et vous m'en avez déjà fait perdre deux. Si vous croyez pouvoir démontrer que nous critiquons le régime, allez-y, interrompez notre conversation. Mais si vous ne comprenez pas l'allemand, je vous conseille de vous abstenir ou d'aller chercher quelqu'un qui connaisse cette langue. Faites ce que vous voulez, avant de contrevenir à l'ordre du responsable de la Guépéou.

Jack espéra que l'habitude soviétique d'obéir au pied de la lettre à tout ordre reçu d'un supérieur jouerait en sa faveur.

Le gardien rougit. Jack, voyant qu'il hésitait, lui évita de répondre.

— Merci, lui dit-il. J'oublierai de signaler la perte de ces deux minutes au camarade Loban.

— Je t'en prie, Jack ! Veux-tu m'expliquer pourquoi tu t'attaques à mon oncle ? demanda Elisabeth.

Reprenant en allemand, Jack s'adressa à Hewitt, sans prêter attention à Elisabeth.

— Monsieur Hewitt, ce gardien appelle au téléphone. Dans moins de cinq minutes, par cette porte apparaîtra un Russe qui comprend l'allemand et il mettra fin à toute opportunité, alors écoutez-moi bien : je sais que McMillan est entré en Union soviétique le 26 décembre 1932, une semaine avant que le *S.S. Cliffwood* accoste à Helsinki. Pourquoi m'avez-vous menti ?

Hewitt baissa la tête.

— Hewitt ! insista Jack.

— Ce n'est pas moi, diable ! C'est Sergueï qui a imaginé ce plan. McMillan a embarqué sur le *S.S. Leviathan* une semaine plus tôt pour arriver en Russie avant nous. Il avait du travail à Moscou, mais il a mystérieusement disparu. Comme il ne réapparaissait pas, Sergueï m'a suggéré de t'engager pour le remplacer.

— Mais pourquoi m'avez-vous trompé ? Pourquoi m'avez-vous caché la disparition de McMillan ?

— C'était aussi une idée de Sergueï. Ce Russe est un vieux renard. Il a assuré que si je te disais la vérité, si je te parlais de la mystérieuse disparition de McMillan, tu prendrais peur et refuserais le poste. Il n'aurait jamais permis qu'un inconnu rôde dans son entreprise et j'étais pieds et poings liés. Écoute... Tu te rappelles quand, à bord du *S.S. Cliffwood*, je t'ai présenté Sergueï comme un officier de liaison ? Eh bien je t'ai menti. Sergueï n'a jamais été un officier d'escorte. C'était sa couverture pendant sa tournée aux États-Unis, en réalité il a toujours fait partie de la Guépéou. C'est la raison pour laquelle il m'a obligé à te tromper. Pour que tu acceptes le poste. C'est pour ça qu'au Metropol je t'ai dit qu'il venait d'être nommé responsable de sécurité chez Autozavod.

Cette fois, c'est Jack qui garda le silence. Un instant il se demanda qui le trompait.

— Non ! C'est vous qui m'avez menti ! Vous n'avez pas arrêté de me mentir depuis que vous me connaissez !

— Jack ! Et quelle option me restait-il, d'après toi ? Ici, les gens font ce que dictent les Soviétiques. Toi, moi, le garde, tous ! Tu dois me croire, Jack, tu dois me croire !

Jack le regarda dans les yeux. Le vieil ingénieur tremblait, incapable de soutenir son regard.

— Bon… Et, d'après vous, pour quelle raison Sergueï voulait-il m'embaucher ?

— Qu'est-ce que j'en sais, moi ? Sergueï est un paranoïaque. Il voit des ennemis partout. Moi, les Américains, les contre-révolutionnaires… Il a peut-être pensé que j'étais le responsable des sabotages, ou peut-être pas, qui peut savoir ? Peut-être cherchait-il un remplaçant en attendant que McMillan réapparaisse ! Maudit McMillan ! Je ne sais pas ce qui a bien pu lui arriver.

— Eh bien il est étrange que vous ne le sachiez pas, parce que Sergueï assure que c'est vous qui l'avez tué.

— Qu'est-ce que tu racontes ? McMillan est mort ? balbutia-t-il.

— Allons, Hewitt. Ne faites pas l'étonné.

— McMillan, mort… Mon Dieu ! Que le Seigneur l'accueille en son sein…

Son monocle tomba sur sa poitrine.

— Ça suffit ! Rien de ce que vous dites n'a de sens, et encore moins cette excuse que Sergueï vous a obligé à m'engager. McMillan mort, pourquoi aurait-il voulu un remplaçant ?

— McMillan, mort… Maintenant je comprends.

— Qu'est-ce que vous comprenez ?

Jack se leva, exaspéré.

— Tout, Jack. Pourquoi il t'a embauché, pourquoi il n'a pas voulu que je te parle de la disparition de McMillan, et ton accident à l'Autozavod.

— Oui ? Eh bien alors dites-le-moi.

Il haussa la voix.

Wilbur Hewitt rangea son monocle et resta quelques secondes silencieux. Puis il regarda Jack, les yeux grands ouverts. Il allait répondre lorsqu'un officier fit irruption dans la salle et, avec de grands gestes, ordonna au gardien de mettre fin à l'entretien sur-le-champ.

— Pourquoi Serguéï m'a-t-il engagé ? Pourquoi ? cria Jack, toujours en allemand.

Le nouveau venu attrapa Hewitt par un bras et l'obligea à se lever. Alors l'ingénieur sortit de sa stupeur.

— Tu ne comprends pas ? Il se fichait de ce que tu découvrirais. Il t'a engagé pour t'utiliser. Si, comme tu le dis, McMillan est mort, tu étais l'appât grâce auquel il attraperait son assassin. Tu étais son leurre.

De retour en ville, Jack essaya de rassurer Elisabeth, lui affirmant que son oncle serait sauf jusqu'au procès.

— Je suppose qu'ils veulent faire de ce procès un autodafé qui légitimera la rupture du contrat avec Ford et économisera le paiement de millions de dollars.

— Et qu'allons-nous faire pour l'en empêcher ?

— Eh bien je ne saurais te dire. Si, comme l'affirme Serguéï, ils disposent de preuves irréfutables qui démontrent la culpabilité de ton oncle, je ne crois pas que nous puissions faire grand-chose. Moi, à ta place, je partirais tout de suite pour Moscou remettre la lettre de ton oncle à l'ambassadeur.

— Et le laisser seul ?

— Écoute, Elisabeth. En restant près de lui tu ne parviendras qu'à te mettre en danger. Va à Moscou, laisse l'ambassade s'occuper de ça et ne reviens à Gorki que lorsque tout sera résolu.

— Ce n'est pas ce que je vais faire. Ensemble, je suis sûre que nous trouverons la manière de... Que se passe-t-il, Jack ? Pourquoi baisses-tu la tête ?

Jack ne répondit pas. Il sortit une cigarette, l'alluma, et en aspira une bouffée. Il demeurait silencieux, mais la jeune femme insista.

— Que se passe-t-il ? Tu ne vas pas m'aider ?

— C'est ce que j'ai fait, non ?

— Je n'ai personne d'autre ! Tu sais qu'il est innocent, n'est-ce pas ?

Jack tira une autre bouffée. Puis il éteignit la cigarette et serra les dents.

— Je regrette, Elisabeth. Toi, fais ce que tu as à faire. Moi j'ai déjà fait tout ce que je pouvais.

Jack empila de nouveau les quatre sacs de pommes de terre congelées avant de se rendre à l'évidence et d'accepter que répéter inlassablement la même tâche ne résoudrait pas ses problèmes. Il jeta un coup d'œil aux quelques marchandises qui restaient sur les étagères. Au mois de janvier, les livraisons s'étaient pratiquement interrompues et l'économat survivait à présent grâce aux rares ventes des chaussures que Jim Daniels, Joe Brown et Miquel Agramunt confectionnaient dans des morceaux de cuir et des pneus usés, comme il le leur avait appris. Quelle malchance ! Avec Hewitt emprisonné et la famine qui s'aggravait, son avenir devenait de plus en plus sombre. Que Sergueï le congédie n'était qu'une question de temps.

Il jeta l'un des sacs à terre et s'assit dessus, se demandant quelle conduite adopter. Il était désolé pour Elisabeth, mais ne pouvait éviter de se sentir manipulé par les uns et les autres : Sergueï, Hewitt… et même Elisabeth n'étaient venus vers lui que lorsqu'ils en avaient eu besoin. Il ne savait pas quoi faire. S'il tentait d'aider Hewitt, Sergueï interpréterait cela comme une prise de position contre le régime soviétique et userait de représailles mais, d'autre part, s'il refusait d'accéder aux demandes d'Elisabeth, tôt ou tard Hewitt dévoilerait son implication dans l'acquisition de faux passeports et dans l'organisation de leur fuite.

Il sortit pour jouir de la paix qui régnait sur l'esplanade, à l'entrée du village. Il s'emmitoufla dans son manteau et s'emplit les poumons en espérant que le vent glacé lui éclaircirait les idées. Natasha lui manquait, mais il avait décidé d'interrompre leurs rendez-vous jusqu'à ce que les choses s'arrangent. En ce moment, il n'avait pas envie de partager ses soucis avec elle, sachant qu'un jour ou l'autre il devrait affronter Sergueï ou Elisabeth. Il monta dans la vieille Ford, tourna la clé de contact et le moteur toussota. Il enclencha la première, appuya sur l'accélérateur et la voiture glissa sur la surface enneigée en direction de chez lui. Pour le moment, satisfaire Elisabeth lui laisserait le temps de réfléchir, même si cela signifiait rester momentanément éloigné de Natasha.

Il retrouva la jeune Américaine collée contre la cheminée du salon ; elle semblait ne pas avoir quitté son siège de toute la matinée. Des traces de rimmel enlaidissaient son visage, telles des coulées d'eau sale sur un mur blanchi à la chaux. Jack posa sur ses genoux un morceau de papier journal contenant une portion de pain noir qu'elle regarda avec le même intérêt que s'il s'agissait d'une pierre. Finalement, elle se tourna vers lui. Ses yeux humides brillaient sous le crépitement des flammes.

— Que vais-je faire, Jack ?

Il ne répondit pas. En fait, il ne savait même pas comment aborder ses propres problèmes. Il s'assit près d'elle et regarda le feu dévorer les bûches et les réduire en cendres, mais il n'y vit que l'illustration de ce que l'Union soviétique était en train de faire de leurs vies.

— J'ai pensé demander à un ami de faire parvenir le message à l'ambassade. Il travaille pour la Guépéou, mais il est américain. Je suppose qu'il saura trouver le moyen.

— Quel ami ? Celui à qui tu as parlé à la fête de l'économat ?

— Oui. Andrew.

— C'est une bonne idée, dit-elle sans conviction.

Jack la regarda. Elle ressemblait à un jouet brisé. Il vérifia que sa montre indiquait huit heures du soir.

— Viens ! Lave-toi le visage et couvre-toi. Nous allons profiter de l'obscurité pour nous approcher de la maison de ton oncle. Peut-être y trouverons-nous quelque chose qui nous aidera.

— Les Soviétiques l'ont sans doute déjà fouillée.

— Certainement, mais on ne perd rien à essayer.

Et il l'aida à se décider en la prenant par le bras.

Un quart d'heure plus tard, Jack arrêtait la voiture à un pâté de maisons de la demeure assignée à Hewitt et il couvrait à pied la distance restante. Après avoir constaté que personne ne surveillait la maison, il se dissimula sous un drap pour se camoufler dans la neige, courut vers la porte et fit signe à Elisabeth de le rejoindre. La jeune femme s'empressa de lui obéir, mais elle glissa sur la chaussée verglacée et poussa un cri en tombant à terre. Aussitôt, une lumière éclaira une fenêtre voisine. Aussi vite qu'il put, Jack se jeta sur Elisabeth pour la cacher.

— Je suis désolée, murmura-t-elle, blottie sous le drap. Ils nous ont découverts ?

— Chut ! Ils ont éteint. Allons-y !

Ils coururent jusqu'au seuil de la maison. Jack demanda à Elisabeth de respirer calmement, sinon la buée de son haleine dénoncerait sa présence.

— La clé !

Elle la sortit, ouvrit, et ils entrèrent. À tâtons, Jack vérifia que les volets des fenêtres étaient totalement fermés. Même ainsi, il tira les rideaux avant d'allumer la torche.

— Mon Dieu ! s'exclama-t-elle.

Jack resta silencieux et continua d'éclairer.

— Les hyènes n'ont pas laissé un os, dit-il.

La pièce ressemblait davantage à un champ de bataille qu'à un salon. Jack repoussa les chaises renversées et avança entre les divans et fauteuils éventrés. Après une inspection des chambres de l'étage, il en vint à la conclusion que si Hewitt avait conservé un document de valeur, Serguei l'avait déjà entre les mains. Il descendit rejoindre Elisabeth au rez-de-chaussée.

— Au moins, nous aurons essayé, murmura-t-il, et il éteignit la torche.

— Attends ! Éclaire là.

Elle prit le poignet de Jack et dirigea de nouveau le faisceau lumineux vers un coin près de la cheminée.

— Ce sont seulement de vieux journaux.

— Ce sont les journaux de mon oncle Wilbur ! alléga-t-elle, comme s'il avait proféré une injure.

— Comme tu voudras. Mais il faut partir maintenant.

— On les emporte. Ça réconfortera mon oncle d'en lire un la prochaine fois que nous lui rendrons visite.

— Tu es folle ? Il nous faudrait une brouette pour transporter ce tas. Si tu veux, prends-en quelques-uns et sortons d'ici.

— Nous pouvons tous les prendre. On les mettra sur le drap et on les traînera jusqu'à la voiture.

Jack comprit à ses froncements de sourcils qu'Elisabeth ne renoncerait pas. La dernière chose dont il avait besoin, c'était d'une discussion à l'intérieur de la maison. Il lâcha un juron et braqua de nouveau la torche sur le tas de journaux. Il n'y en avait pas autant qu'il le pensait. « Butin de merde ! » se dit-il.

— D'accord. Prenons-les.

À eux deux ils firent un ballot avec le drap et le traînèrent jusqu'à la porte. Jack ouvrit prudemment. Dehors il n'y avait personne. À son signal, ils coururent, recroquevillés, tirant le ballot jusqu'à la voiture. Elle démarra à la seconde tentative.

Jack se leva de bonne heure pour prendre le funiculaire qui montait jusqu'au bureau que la Guépéou avait aménagé à l'entrée du Kremlin où, d'après ce qu'on lui avait dit, était maintenant installé Andrew. Il trouva son ami dans une baraque provisoire, serré dans un uniforme marron et absorbé dans une pile de rapports. Il imagina qu'Andrew serait heureux de respirer un peu mais, lorsqu'il le salua, au lieu de se réjouir, celui-ci enleva ses lunettes et se leva comme s'il avait vu le diable. Sans lui donner le temps de dire un mot, il saisit Jack par le bras et le sortit de la baraque, à la stupeur de l'employé soviétique avec qui il partageait le lieu.

— Mais qu'est-ce qui te prend de venir ici sans prévenir ? lui décocha-t-il une fois dans la cour.

— Excuse-moi. Je ne savais pas qu'il fallait demander audience pour rendre visite à un ami. Quelle élégance !

— Comprends-moi bien, Jack, ici ce n'est pas l'Autozavod. Je regrette d'avoir à te le dire, mais en ce moment tu n'es pas en odeur de sainteté, lui dit-il en jetant des coups d'œil à droite et à gauche.

— De quoi tu parles ?

— De ta relation avec Hewitt. La Guépéou pense que tu pourrais être lié à ses activités contre-révolutionnaires.

— Mais par chance, tu n'es pas comme ceux de la Guépéou, n'est-ce pas ? sourit Jack.

Andrew garda sa mine circonspecte.

— D'accord ! Qu'est-ce que tu veux ? J'ai beaucoup de travail.

— C'est au sujet de Hewitt. Hier, je suis allé lui rendre visite avec sa nièce et il nous a demandé de faire parvenir cette lettre au nouvel ambassadeur américain.

— Range ça ! dit Andrew en voyant s'approcher un officier. Viens. Suis-moi.

Andrew le conduisit à travers un interminable couloir vert, équipé de deux bancs de bois. Il ouvrit une porte branlante et le pressa d'entrer dans un bureau, comme si on les poursuivait. Une fois à l'intérieur du cagibi, il ajusta ses lunettes et demanda la missive à Jack.

— Il ne dit rien de particulier (Jack tenta de l'influencer). Il ne fait qu'affirmer son innocence et demander qu'on envoie un avocat pour l'assister lors de son procès.

— Rien de particulier ? Il taxe ceux qui l'accusent d'affabulateurs ! Et tu veux que j'envoie ça ? Tu as sûrement perdu la tête !

— C'est précisément pour cela que je te l'ai apportée. Si tu y vois à redire, imagine ce que ceux de la Guépéou feraient de la lettre.

— Et pourquoi tu ne l'envoies pas, toi ?

— Tu viens toi-même de le dire. Je ne suis pas en odeur de sainteté.

Il imagina qu'Andrew comprendrait les dangers d'une situation aussi peu confortable.

— Et tout ce qui te vient à l'esprit, c'est que moi, j'assume le risque.

— Non, Andrew. Je te demande seulement d'aider un compatriote à avoir une défense équitable.

— Mais je ne comprends pas ton obsession pour cet homme. T'impliquer ne te vaudra que des ennuis, je t'assure.

— Écoute. Si tu ne veux pas le faire pour Hewitt, fais-le pour Elisabeth. Sa nièce n'a rien à voir avec lui.

— Vraiment ? Eh bien, à en juger par les bijoux qu'elle porte, elle a bien profité de tout ce que son oncle a volé.

— Tu devrais essayer d'être plus impartial. On ne l'a pas encore jugé que tu le condamnes déjà.

Andrew souffla. Il relut la lettre et regarda Jack, qui soutint son regard. Finalement, Andrew mit la lettre dans sa poche.

— Je ne peux rien te garantir. Dans les postes soviétiques on enregistre toute lettre suspecte. Et lorsqu'ils verront que sa destination est l'ambassade, ils l'intercepteront, et si je la renvoie à une autre personne pour qu'à son tour elle l'expédie à l'ambassade, ils l'ouvriront au moment de sa distribution. (Il s'arrêta pour réfléchir.) La seule option serait de l'envoyer à Dimitri, mon contact à Moscou, et de lui demander comme une faveur spéciale de la remettre entre les mains d'un membre du personnel américain au moment où il sortira de l'ambassade.

— Merci, Andrew. Je...

— Ne me remercie pas ! Je te prie juste de ne pas revenir me demander d'autres faveurs.

Et sans lui donner le temps de répondre, il sortit du cagibi, laissant Jack planté à l'intérieur.

33

La nouvelle de la détention de Hewitt s'enflamma comme une traînée de poudre à travers le village américain, provoquant une panique qui fit chuter les ventes de l'économat. Mais Jack se fichait de la baisse des recettes. Son seul souci était d'obtenir les passeports qu'il avait demandé à Ivan Zarko et qui, bien que payés d'avance, prenaient du retard. D'après le Russe, la Guépéou avait intensifié les contrôles et son pourvoyeur disait se sentir surveillé. N'ayant d'autre choix que d'attendre, Jack comptait les jours avec autant d'inquiétude que lors de son séjour à l'Ispravdom. Il tuait le temps comme il pouvait derrière le comptoir de l'économat : il étudiait le Code pénal soviétique que Sue lui avait remis depuis un certain temps ; il nettoyait encore et encore les étagères de plus en plus vides, essayant d'éviter que Natasha ne se présente chez lui sans prévenir et découvre que la nièce de Wilbur Hewitt dormait sous son toit.

— Et pourquoi ne veux-tu pas que nous y allions ? Avant tu m'invitais tout le temps chez toi, et maintenant que c'est moi qui te le propose, tu refuses, lui demanda Natasha après avoir reçu une nouvelle excuse.

Jack éluda comme il put. Jusque-là il était parvenu à calmer sa méfiance en prétextant le début des travaux qui avaient transformé la maison en une porcherie, mais Natasha insistait en disant que ça n'avait pas d'importance.

— La maison est en ruine, maintenant. Qu'y a-t-il de mal à vouloir te recevoir dignement ? répliqua Jack.

— Et ce taudis, il est digne ? demanda-t-elle en montrant l'intérieur du magasin où Jack avait installé le matelas sur lequel ils étaient allongés.

Jack fronça les sourcils et se redressa pour attiser le poêle qui commençait à défaillir. C'est sûr, on pouvait qualifier l'économat du village américain de n'importe quoi, sauf de romantique. Il tenta de la faire taire par un baiser, mais elle détourna les lèvres.

— Non, Jack. La semaine dernière tu m'as promis que cette semaine nous pourrions aller chez toi, et…

— Et ?

Natasha éclata en sanglots. Jack rougit. C'était la première fois qu'il voyait couler des larmes sur ses joues. Il essaya de la consoler, mais elle le repoussa.

— Non ! J'ai voulu penser que c'était faux, que ce n'étaient que des rumeurs, que tout m'était égal, ou que sais-je…

Les sanglots la suffoquèrent.

— Mais je ne sais pas de quoi tu parles, balbutia-t-il.

— Tu le sais parfaitement ! (Elle se leva et commença à s'habiller.) Je parle de cette garce d'Américaine, celle que tu caches chez toi ! La nièce du capitaliste corrompu !

— Je ne cache pas…

— Non ? (Elle prit le pantalon de Jack et le lui jeta au visage.) Eh bien alors, allons-y maintenant ! Allons-y et voyons si j'ai raison ou pas !

Jack l'observa, incrédule. De nouveau il balbutia.

— Tu ne comprends pas…, réussit-il enfin à articuler.

— C'est vrai… hein ? C'est vrai, espèce de salaud ! dit-elle dans un sanglot.

— Cesse de te comporter comme une hystérique ! Elisabeth dort chez moi, oui, mais ce n'est pas pour la raison que tu imagines. Je…

Il voulut la saisir par le bras pour l'empêcher de partir.

— Lâche-moi ! Je me demande ce que j'ai bien pu te trouver… Quelle idiote j'ai été !

— Mais veux-tu me faire le plaisir de te calmer ? cria Jack. J'ai hébergé cette femme parce qu'elle n'avait nulle part où aller. Ils ont arrêté son oncle. Elle est arrivée chez moi au milieu de la nuit, désespérée, et je n'ai pas eu le courage de la laisser à la rue.

— Et c'est pour ça que tu ne m'as rien dit ? Pour cette raison que tu m'as menti en me disant que la maison était en travaux ?

— Et que voulais-tu que je fasse ? Te dire que je protégeais chez moi la nièce de l'homme que ton père considère comme Lucifer ? Merde ! Vous êtes tous fous ! Ton père, toi, Hewitt, Elisabeth… Dis-moi : qu'est-ce que tu voulais que je fasse ?

— Ce que je voulais ? Que tu me fasses confiance ! C'était si difficile ?

— Voyez-vous ça ! La parfaite Soviétique amante de l'honnêteté, mais capable de tromper son père parce qu'elle a honte de lui avouer qu'elle couche avec un Américain…

Une gifle l'interrompit. Jack en resta coi. Il ne se serait jamais attendu à une telle réaction de la part de Natasha.

— Fiche-moi le camp d'ici ! dit-il.

Natasha ne répondit pas. Elle finit de s'habiller, prit sa mallette et sortit du magasin en claquant la porte, si fort qu'elle fit trembler toutes les étagères.

Dans l'attente des passeports que devait lui procurer Zarko, Jack employa les soirées suivantes à relire les documents trouvés dans la malle de McMillan.

D'un côté il y avait des rapports sur les ouvriers les plus qualifiés, dans lesquels figuraient en détail les études suivies, l'expérience et la spécialisation de chacun. La liste comprenait environ cent cinquante noms de citoyens américains, plus ceux d'une vingtaine de ressortissants russes qui avaient suivi des stages de formation aux États-Unis. Il étudia un à un les noms américains et les compara à ses propres rapports. Ils concordaient avec ses conclusions préliminaires, qui semblaient exclure tout lien avec les sabotages. En ce qui concernait les Soviétiques, bien que tous les noms lui soient inconnus, un petit point sur l'un d'eux attira son attention, si peu visible qu'il crut que c'était une poussière, mais lorsqu'il essaya en vain de l'enlever, il comprit qu'il s'agissait en réalité d'une marque au crayon. Il lut le nom signalé : Vladimir Mamayev. Sans doute avait-il une signification particulière, mais il lui serait impossible de le vérifier sans la collaboration de Sergueï Loban.

D'autre part, il y avait les documents comptables dans lesquels étaient consignés des virements d'argent effectués par les Soviétiques, correspondant à des pièces de machines importées de Berlin et de Détroit. Il ne remarqua qu'un seul règlement discordant. Hormis celui-ci, les autres semblaient procéder d'un unique organisme.

Il cacha les notes et se laissa tomber sur le canapé.

« Vladimir Mamayev… »

Pourquoi McMillan l'avait-il signalé par un point presque imperceptible ? Il ne le saurait sans doute jamais, et peu lui importait. D'après Andrew, le procès de Hewitt se tiendrait fin mai, et à cette date il aurait déjà fui en Angleterre, la destination qu'il s'était fixée.

Elisabeth l'importunait à peine. Elle restait enfermée dans la chambre, en attente de nouvelles, tuant le temps à sélectionner parmi les vieux journaux américains ceux qui, d'après elle, feraient plaisir à son oncle. D'ici la fuite, il feindrait de s'intéresser au cas de l'ingénieur et essaierait de tenir à l'abri les gains qu'il avait accumulés jusqu'à présent.

Cette nuit-là il rêva de Natasha. Il se réveilla au petit matin, regrettant son absence. Il se sentait coupable de lui avoir caché la présence d'Elisabeth. Il essaya de se rendormir, mais ce fut impossible.

Le bruit assourdissant des véhicules qui traversaient le centre de Gorki à toute allure précipita Jack à la fenêtre et il eut l'impression d'assister à l'invasion d'une armée. Elisabeth descendit les escaliers en chemise de nuit, les yeux exorbités. Ils n'étaient pas les seuls inquiets. Tous les voisins avaient fait de même.

— Que se passe-t-il ? demanda-t-elle.

Elle observa le trafic incessant de camions remplis de soldats. Jack n'avait jamais vu un tel rassemblement d'hommes armés.

— Je ne sais pas, mais à en juger par la taille du cortège, sûrement rien de bon. Habille-toi et tiens-toi prête ! Je vais voir Andrew au Kremlin pour le lui demander.

Une heure plus tard, et bien qu'il se soit présenté comme un ami d'Andrew Scott, on lui interdit l'accès des bureaux de la Guépéou ; il dut attendre dehors, jusqu'à ce qu'il puisse convaincre un soldat de lui transmettre le message. Peu après son ami apparaissait, l'air préoccupé.

— Que se passe-t-il, Andrew ? Les gens racontent que des renforts sont arrivés pour contenir les troubles et tout le monde court d'un côté et de l'autre, affolé.

— Désolé, Jack. Nous sommes très occupés et je ne peux pas te recevoir maintenant.

— Moi aussi je le suis. Ça te coûte tellement de me dire ce qu'il se passe ?

Andrew ne soutint pas le regard exigeant de Jack.

— Écoute, je ne peux pas te donner de détails, mais je vais te confier une chose. (Il baissa la voix pour que personne ne l'entende.) Le procès de Hewitt a été avancé et je doute que la lettre que j'ai envoyée à l'ambassade serve à quelque chose.

— Avancé ? Pour quand ?

— Je n'en suis pas sûr. Pour demain ou après-demain.

— Mais tu m'avais dit qu'il aurait lieu en mai.

— C'est ce qui était prévu. Mais ça, c'était avant que Staline se présente à l'improviste pour régler personnellement l'affaire des sabotages. Tu n'imagines pas la crainte qu'inspire cet homme, Jack. Dans le bureau, tous vont de côté et d'autre comme des lapins apeurés.

— Mais vous êtes sa police !

— Staline garde son entière indépendance, surtout vis-à-vis des traîtres. La dernière fois qu'il est venu à Gorki, il a décrété l'exécution de cent contre-révolutionnaires, parmi lesquels dix membres de la Guépéou, accusés par leurs propres collègues. Regarde. On nous a remis un tract pour ne pas l'oublier. (Il sortit de sa veste une coupure de journal sur laquelle apparaissaient les photographies des policiers condamnés et la lui montra.) Dans tous les troupeaux il y a des brebis galeuses. Enfin… Si tu as besoin d'autre chose, je serai au bureau de l'Autozavod.

Dès qu'il eut connaissance de la nouvelle, Jack essaya d'être reçu par Sergueï Loban, sans succès. D'après ce que lui confirma un subordonné, le responsable de la police secrète était en réunion avec Staline et il resterait auprès de lui tant que le président du Soviet suprême resterait à Gorki, à ses ordres.

Jack rentra chez lui pour relater à Elisabeth ce qu'il avait appris. Il la trouva derrière la porte, la respiration agitée, le visage pâle. Lorsque la jeune femme sut qu'en raison de l'avance du procès aucun avocat américain ne viendrait défendre son oncle, elle baissa la tête et éclata en sanglots, comme si elle comprenait enfin que personne ne sauverait Wilbur Hewitt.

— Ne t'inquiète pas, je vais parler à Natasha. Peut-être obtiendra-t-elle que son père me reçoive, dit Jack dans un mouvement d'inconscience, sachant avec certitude que rien de ce qu'il tenterait n'aiderait l'oncle d'Elisabeth.

Il n'osa pas la laisser seule. Il chercha les notes en anglais qu'il avait extraites du Code pénal soviétique et les lui remit pour qu'elle les regarde, lui indiquant les paragraphes qui pourraient lui être utiles. Elle le repoussa d'un geste et se remit à pleurer.

— Lis-le, insista-t-il. Ils vont probablement t'appeler à témoigner. Ça ne servira peut-être pas à le libérer, mais cela pourrait au moins éviter qu'on t'implique.

Cela ne parut pas intéresser Elisabeth.

— Et toi, que vas-tu faire ?

— Il faut que j'aille à l'économat pour faire des provisions de nourriture. À la vérité, je ne crois pas que les soldats de la Guépéou passent par là-bas, mais vu les circonstances, toute précaution n'est pas superflue. En plus, j'ai oublié de demander où se tiendrait le procès, j'en profiterai pour me renseigner sur le fonctionnement du jury et de la défense. Je reviendrai dès que j'aurai terminé. D'ici là, n'ouvre à personne.

La jeune femme accepta, sans trop de conviction.

Jack se couvrit avec soin avant de se diriger vers le domicile d'Ivan Zarko pour lui demander de cacher la Ford A dans un endroit sûr. Il en aurait peut-être besoin à un moment ou un autre, mais avec la légion de policiers avides d'arrestations qui grouillaient dans la ville, un Américain circulant dans un véhicule privé ne pouvait que s'attirer des ennuis.

— Ce sera seulement jusqu'à ce que les choses se tassent, précisa-t-il à Zarko.

Le vieux lâcha un chapelet d'injures avant d'accepter d'enfermer la voiture dans un atelier abandonné, mais il avertit Jack que si la Guépéou la localisait, avant qu'ils l'interrogent, il donnerait le nom du propriétaire. Jack ne prit pas la peine de discuter. Il acquiesça, prit congé, et attrapa un tramway, inhabituellement bondé de civils endimanchés, en direction d'Autozavod.

Andrew ne s'y trouvait pas, aussi se dirigea-t-il vers l'hôpital ; à sa porte, deux policiers exigeaient les papiers d'identité de tous ceux qui entraient où sortaient. Jack laissa quelques visiteurs passer devant lui, tandis qu'il réfléchissait à la façon d'éviter des questions gênantes. Il imagina que s'il demandait directement le Dr Lobanova il risquait d'attendre, ou que Natasha refuse de le recevoir. Ayant remarqué le petit attroupement formé par les familles qui voulaient rendre visite à leurs parents malades, il demanda de l'aide à l'un de ceux qui occupaient les dernières places, simulant son ancienne claudication.

— Vous voulez une cigarette ? offrit Jack au gaillard qui avait accepté qu'il s'appuie sur son épaule pour soulager la douleur de sa jambe. Ce maudit froid se fiche dans ma hanche comme un couteau !

L'inconnu accepta l'offre comme s'il venait de trouver un trésor et planta la *papirosa* entre ses dents, la déplaçant avec sa langue. Jack en profita pour s'accrocher à lui comme s'il en avait vraiment besoin, et il avança en boitant vers les policiers tandis qu'il entamait la conversation avec une telle familiarité que quelqu'un, en les voyant, aurait juré qu'ils étaient des parents proches ou des amis de longue date. Une fois devant les policiers, tous deux montrèrent leurs laissez-passer. Le costaud allait rendre visite à son fils et on le laissa entrer sans problèmes. Mais en entendant l'accent étranger de Jack, l'un des gardes lui ordonna de s'arrêter.

— Américain ? demanda-t-il en lisant son nom sur la vieille ordonnance médicale que Jack avait montrée en guise de preuve.

— De naissance, par malheur, répondit Jack dans un russe parfait. Par chance j'ai pu revenir dans la mère patrie.

Et il leva un bras au ciel, comme s'il montrait à la sentinelle les merveilles de cette terre.

— Ceci n'est qu'une ordonnance, dit le garde soviétique. Ses yeux restaient cachés dans l'ombre de sa visière.

— Oui, j'ai oublié le laissez-passer chez moi. Avec ma claudication…

Il s'aperçut que l'homme sur lequel il s'appuyait essayait d'entrer dans l'hôpital et il le retint pour qu'il attende.

— Eh bien je regrette, mais votre nom n'apparaît pas sur cette liste de patients, dit le jeune homme.

— Écoutez, je suis mort de froid et je peux à peine marcher. La vérité, c'est que je devais venir la semaine prochaine, mais la douleur…

— Je vous ai dit que vous n'êtes pas sur la liste. Il faudra revenir un autre jour.

De nouveau le gaillard fit mine de vouloir avancer, mais Jack le retint avec une fermeté qui n'était pas celle d'un convalescent.

— Attendez un instant ! dit-il au gaillard. Écoutez (il s'adressa au garde), je ne sais pas si vous avez bien lu l'en-tête de la personne qui a signé cette ordonnance, mais Natasha Lobanova n'est pas seulement la directrice de cet hôpital. C'est aussi la fille de Sergueï Loban, le responsable de la Guépéou à cent kilomètres à la ronde. Et je peux vous assurer que si vous ne me laissez pas entrer, le Dr Lobanova sera enchantée de recommander à son père de vous faire patrouiller jour et nuit sur ces cent kilomètres, pour le tort que vous causez à ma jambe.

Le jeune garde perdit son air assuré et il regarda son camarade en quête d'une réponse. Ne la trouvant pas, il se tourna vers Jack.

— D'accord. Mais dépêchez-vous.

Et continuant son travail, il prit le document du suivant dans la file.

Dès qu'il eut perdu de vue les sentinelles, Jack salua son samaritain occasionnel pour se perdre dans l'un des couloirs qui conduisaient au bureau du Dr Lobanova. Il se préparait à entrer sans frapper lorsque lui parvinrent les échos d'une âpre discussion à l'intérieur. Il reconnut la voix de Natasha, qui haussait le ton pour répondre aux paroles furieuses de son interlocuteur, aussi attendit-il à l'extérieur sans discerner le motif de la dispute, quand le fracas d'un verre se brisant en mille morceaux accéléra son cœur. Au même instant, il s'aperçut que la poignée de la porte tournait et il s'empressa de se cacher derrière un paravent proche. À travers une fente, il vit sortir du bureau un officier soviétique en uniforme. Il ne put voir son visage, le militaire lui tournait le dos. À ce moment, il sentit quelqu'un lui toucher l'épaule et il se retourna, le cœur battant, pour se trouver nez à nez avec une vieille dame qui lui demandait où était la salle de rééducation. Il la lui indiqua par gestes et regarda à nouveau à travers la fente ; il put alors identifier l'officier qui, le poing levé, paraissait menacer Natasha. Il n'en crut pas ses yeux. C'était Viktor Smirnov, dont le visage évoquait celui d'un fauve traqué.

Il attendit derrière son paravent jusqu'à ce qu'il soit certain qu'il n'allait pas revenir. Puis il abandonna sa cachette et entra sans frapper dans le bureau de Natasha. Il la trouva accroupie, en train de ramasser les débris de plusieurs ballons et éprouvettes.

— Je t'ai dit de partir ! cria-t-elle avant de voir qui c'était. Oh ! Que fais-tu ici ?

Elle tenta de se recomposer un visage.

— Je regrette de me présenter sans prévenir. Que s'est-il passé ?

— Hein ? Non…, rien. J'ai buté contre le chariot des analyses. Que viens-tu faire ?

Elle finit de nettoyer le sol et s'assit dans son fauteuil, comme si de rien n'était.

Jack fut peiné qu'elle lui mente. Il s'assit en face d'elle, se demandant s'il devait l'interroger sur ce qui était arrivé, mais il préféra se montrer prudent.

— Je voulais te voir. (Il s'était promis de ne pas parler de ses sentiments, mais ce fut impossible.) Comment vas-tu ?

— Occupée, comme tout le monde à Autozavod.

— Oui, j'ai appris la venue de Staline, mais à part le dérangement, je ne sais pas… Comment te sens-tu ?

— Tu veux dire par rapport à nous ?

Elle sortit une cigarette et l'alluma. Jack en fut étonné, Natasha ne fumait que lorsqu'elle était très préoccupée.

— Oui.

— À vrai dire, Jack : mal. (Elle aspira une bouffée qui consuma la moitié de la *papirosa*.) Mais avec tous ces gens malades autour de moi, perdre des forces à m'occuper de mon mal-être est un luxe que je ne peux pas me permettre. Et toi ?

Elle tambourina de ses doigts sur le bras du fauteuil.

— Pareil, je suppose. Tu me manques.

Il n'imaginait pas combien son malaise était profond, jusqu'au moment où il l'avait revue.

— Tu t'habitueras, comme moi. J'ai mon travail et toi, ta petite amie.

— Je t'en prie, Natasha ! Oublions ça ! Je t'ai dit qu'Elisabeth n'avait nulle part où aller. Quand l'affaire de son oncle sera réglée, elle retournera chez lui.

— Et alors, moi, je reviendrai avec toi ?

— Écoute, cette discussion est stupide. Que crois-tu que je devrais faire ? Dis-le-moi, toi ! Laisse-moi voir ta fameuse solidarité et je suivrai ton conseil au pied de la lettre.

Natasha se tut. Elle aspira une bouffée qui finit de consumer la cigarette, et se leva pour consulter des radiographies accrochées sur le cadre lumineux.

— Autre chose ? Je suis très occupée, dit-elle pour mettre fin à la conversation.

Jack se leva aussi.

— À ce propos, j'aurais besoin que tu m'informes sur les procédures habituelles dans les poursuites contre-révolutionnaires : durées, défenses, recours…

— Pourquoi ? Tu as peur qu'on t'arrête ?

— Ce n'est pas pour moi. C'est pour Wilbur Hewitt. Un ami m'a affirmé que son procès allait s'ouvrir tout de suite.

— Je regrette, Jack, mais je ne suis pas au courant.

— Ton père ne t'a rien dit ? À Autozavod on ne parle que du procès du dirigeant américain.

— Eh bien non. Le procès de cet Américain est le dernier de mes soucis. Seule m'intéresse la santé de mes patients.

— Saurais-tu qui pourrait me renseigner ? S'il te plaît…

— Dis-moi une chose, Jack. Pourquoi devrais-je aider cet Américain ?

— La seule réponse qui me vient à l'esprit est : parce que je te le demande.

Natasha le regarda. Elle s'approcha de lui et posa doucement ses lèvres sur les siennes, d'une manière que Jack interpréta comme un dernier adieu. Ensuite elle écrivit sur un papier le nom et l'adresse d'un avocat du Parti, le lui remit et, les yeux humides, lui demanda de quitter son bureau.

Lorsqu'il sortit, il ne put éviter de se demander pourquoi Viktor Smirnov avait menacé Natasha, et pour quelle raison elle le lui avait caché.

34

Il hésita entre cacher les marchandises de l'économat ou les transporter chez lui. Finalement, il ne fit ni l'un ni l'autre. Il prit l'indispensable, laissa quelques provisions sur les étagères et répartit le reste entre Joe Brown, Miquel et la famille Daniels, leur conseillant, pour sauver les apparences, de continuer à venir au magasin, bien que celui-ci ne fût plus approvisionné.

Une semaine. C'était le temps que le juriste conseillé par Natasha avait estimé que durerait le procès. D'après l'avocat, il ne pouvait se prolonger beaucoup plus, Staline devait rentrer à Moscou pour raison d'État.

Le même homme de loi l'avait prévenu sur les singularités qui entoureraient le procès de Wilbur Hewitt.

— En général, les délinquants de droit commun sont jugés par un comité citoyen constitué de douze hommes élus en assemblée populaire, mais les crimes contre-révolutionnaires sont réglés en privé par les autorités locales de la Guépéou. En principe, une affaire de malversation devrait être résolue directement par la Guépéou, mais s'agissant d'un accusé aussi important, j'imagine que Staline présidera en personne le procès et qu'il lui donnera un caractère public pour servir d'exemple.

C'est ce que Jack transmit à Elisabeth.

— Un avocat d'office, appartenant au Parti ? Une personne qui a tout son bon sens peut-elle croire que ce communiste appointé va prendre position en faveur d'un Américain, et cela en présence de Staline et de la moitié des autorités du Soviet suprême ?

Jack haussa les épaules. C'était ce qu'il avait constamment essayé de lui faire comprendre.

— L'autre possibilité est que Wilbur récuse son avocat d'office et choisisse le défenseur qu'il estime opportun. Mais je doute que quelqu'un soit disposé à prendre ce risque, voilà le problème.

— Eh bien, faisons-le nous-mêmes !

— Quoi ?

— Nous ! Défendons-le, Jack ! Chargeons-nous-en !

Jack secoua lentement la tête. Elisabeth avait vraiment perdu la raison.

— Tu parles sérieusement ? Tu signerais sa condamnation et la nôtre. Nous ne savons pas...

— Tu viens de dire que personne ne voudra le défendre ! Tu as étudié leur Code pénal. Nous paierons cet avocat qui t'a aidé pour qu'il nous conseille dans l'ombre. Avec les six mille dollars que t'a donnés mon oncle, nous pourrions...

— Je ne crois pas que ce soit une bonne idée. En plus, cet argent était pour les passeports.

— Qui s'intéresse aux passeports ? On ne les a même pas vus, et pour le moment nous n'en avons pas besoin.

— Elisabeth, nous n'avons plus cet argent. Je l'ai remis en acompte. Je ne peux pas me présenter maintenant devant mon fournisseur et exiger qu'il me rende ce qu'il a déjà réparti. Quant à cet avocat, il a accepté de nous aider parce que Natasha le lui a demandé. C'est la seule raison. Même pour tout l'or du monde il n'irait pas plus loin. Tu ne comprends pas que celui qui le fera sera marqué à jamais ?

— Donne-moi son nom.

— De qui ?

— De ton fournisseur. Je vais lui parler. Ou je parlerai à ton ami Andrew. Jack, je te jure que même si je dois remuer ciel et terre, je récupérerai cet argent.

Jack serra les poings. Il comprit que s'il n'aidait pas Elisabeth, son entêtement finirait par les faire tous plonger. Le problème était qu'il ignorait comment défendre un homme que, dans son for intérieur, il croyait coupable. Il poussa un gros soupir avant de lui demander d'apporter le Code pénal qu'il avait laissé à l'étage. Lorsque Elisabeth revint, Jack avait déjà sorti les documents de McMillan de leur cachette. Il observa son visage qui l'implorait, plein d'espoir.

— Je ne te promets rien, dit-il.

— Eh bien moi je te promets une chose. Si tu m'aides à sauver mon oncle, je te donnerai ce que tu voudras. Tu comprends bien ? Ce que tu voudras.

Ni les prières, ni les larmes d'Elisabeth ne parvinrent à émouvoir le fonctionnaire qui montait la garde dans les bureaux de la Guépéou. L'homme, une espèce de bûcheron vêtu d'une vareuse déteinte, allégua que même si le diable en personne lui en donnait l'ordre, il ne dérangerait pas Sergueï Loban, mais lorsque Jack laissa tomber à terre une enveloppe contenant cinq cents roubles et que l'officier, après avoir vérifié son contenu, la glissa dans sa vareuse, il sut qu'il n'y aurait pas de problèmes. Le fonctionnaire téléphona à son supérieur et lui transmit la demande d'Elisabeth. Après une brève conversation, il raccrocha.

— Il faut attendre que le camarade Loban ait terminé certaines démarches, fut tout ce qu'il dit.

Jack et Elisabeth attendirent, plongés dans leurs pensées. Elle soupirant pour son oncle Wilbur, Jack priant pour que l'officier à l'aspect de bûcheron ne les ait pas dénoncés pour subornation. Enfin, le téléphone émit une sonnerie stridente. Le fonctionnaire décrocha et écouta l'appel. Lorsqu'il raccrocha, il s'adressa à eux.

— Le camarade Loban autorise que la nièce de Wilbur Hewitt assume personnellement la défense de son oncle et que Jack Beilis exerce les fonctions de traducteur. Il me demande de vous communiquer que le procès s'ouvrira cet après-midi, à trois heures exactement, au palais de justice des Soviets de Gorki. Si vous le désirez, je peux avertir l'Ispravdom pour qu'on vous permette de rendre visite au détenu avant qu'il comparaisse devant la commission.

Et sans attendre leur réponse, il palpa la poche de l'uniforme dans laquelle il avait rangé l'enveloppe contenant l'argent.

Il n'eut pas besoin d'ajouter d'autres explications. Jack sortit cinq cents roubles de plus de sa sacoche et les lui remit.

35

À deux heures et demie, deux surveillants procédèrent à l'ouverture de la salle d'audience du palais de justice. Jack et Elisabeth durent attendre que la délégation soviétique ait pris place, dirigée par Sergueï Loban, qui en qualité de chef de la Guépéou allait conduire l'accusation. À sa suite venaient un groupe important de membres éminents de la police secrète tout juste arrivés de Moscou, une représentation du Komsomol, ainsi que les représentants syndicaux et membres locaux du Parti qui avaient eu la chance d'obtenir une accréditation pour partager l'enceinte du président suprême des Soviets, Joseph Staline en personne. Derrière eux, Jack remarqua la présence de Viktor Smirnov. Une fois qu'ils furent installés dans les rangées de chaises qui semblaient avoir été disposées pour l'occasion, un officier de la Guépéou les accompagna tous deux jusqu'à un pupitre situé à la droite de l'estrade, juste en face de Sergueï Loban.

De son siège, Jack observait la sobriété de la salle d'audience, dont le principal ornement consistait en un gigantesque portrait de l'omniprésent Staline, qui couvrait tout le mur situé derrière l'estrade. L'organe délibérant, composé d'une importante représentation de commissaires de la Guépéou et de membres du Comité du Parti communiste, occupait deux groupes de chaises placées de part et d'autre d'un fauteuil central vide, destiné à Staline. Jack chercha Natasha du regard, dans l'espoir de la reconnaître parmi l'assistance, mais il ne constata que la présence d'Andrew au fond de la salle.

Quelques instants plus tard, un soldat de l'Armée rouge conduisit l'entrepreneur américain jusqu'à une chaise située à mi-chemin entre le pupitre de la défense et celui attribué à l'accusation. D'un geste, Jack salua Hewitt, avec qui il avait pu s'entretenir peu avant son transfert de l'Ispravdom. Le manque de temps l'avait toutefois empêché de trouver un avocat soviétique de confiance qui puisse les conseiller pour la défense. Enfin, un porte-parole en uniforme s'approcha de l'estrade et d'une voix forte annonça l'arrivée de Joseph Staline, le Président de toutes les Russies, qui fut reçu par des applaudissements assourdissants.

Jack ne put s'empêcher d'être impressionné par la prestance de l'homme qui, au dire de tous ceux qui le connaissaient, serait capable de brûler vive sa propre famille pour faire triompher la révolution. Il était vêtu d'une vareuse marron à épaulettes rouges, son regard avait la détermination d'un fauve, et ses gestes résolus confirmaient que seul un fou ou un insensé s'aviserait de ne pas le craindre. Quand les applaudissements cessèrent, le porte-parole enchaîna avec la présentation des autres membres du jury, mais Joseph Staline l'interrompit et fit signe à Sergueï Loban de commencer la lecture des charges qui pesaient sur l'accusé.

Sergueï se leva, remercia Staline d'un geste et s'adressa à l'auditoire.

— Camarade Staline… (Une nouvelle salve d'applaudissements interrompit le début de son allocution.) Camarade Staline, camarades du Directoire politique unifié de l'État, camarades commissaires membres du Soviet, représentants du Komsomol, membres éminents de la Guépéou, assesseurs populaires…

Les applaudissements reprirent.

— Avant de commencer mon intervention, je dois préciser que l'accusé de nationalité nord-américaine, Wilbur Hewitt, a renoncé volontairement et par écrit au droit d'être jugé dans sa propre langue. Il a également renoncé à l'avocat d'office qui lui avait été assigné et, à sa place, a désigné sa nièce Elisabeth Hewitt pour le défendre ; celle-ci sera assistée dans sa fonction par M. Jack Beilis en qualité de traducteur. Je précise en outre que, dans ce procès, seul l'ingénieur Wilbur Hewitt est mis en accusation et qu'en est donc exclue toute estimation des responsabilités dérivées de son éventuelle culpabilité. Si de telles responsabilités existent, elles seront jugées lors d'un procès civil ultérieur et, par conséquent, n'affecteront d'aucune façon le résultat du procès qui nous occupe.

Entendant cela, Jack laissa échapper un juron. Le principal argument de sa défense se fondait justement sur la démonstration d'une machination imaginée par la direction d'Autozavod pour résilier le contrat signé avec Henry Ford, annuler le paiement des millions restant dus et éviter une pénalisation.

Tandis que Sergueï énumérait la liste des délits pour lesquels Hewitt allait être jugé, Jack révisa ses notes afin d'élaborer une nouvelle stratégie.

— Comme le savent toutes les personnes ici présentes, continua Sergueï, la poursuite, la capture, le jugement et la condamnation de tous les éléments antisoviétiques qui menacent le triomphe de la dictature du prolétariat sont les principales missions qui incombent à la police de l'État. Toutefois, considérant la nature particulière du cas qui nous occupe, sa possible répercussion internationale et, surtout, la présence de notre leader et président, le camarade Joseph Staline, il a été décidé de donner à ce procès un caractère public extraordinaire. (Il fit une pause pour obtenir l'assentiment de Staline.) Mais, vu le nombre de ses délits et l'étendue des dommages occasionnés, cette décision n'empêche pas d'accuser l'inculpé de machination contre-révolutionnaire et, par conséquent, de solliciter son exécution immédiate.

Jack comprit que, après une telle qualification, Staline n'admettrait jamais une réduction de la condamnation. Il se racla la gorge et fit signe à Elisabeth d'exposer les arguments de sa défense. La jeune femme suivit les instructions définies avec Jack et se leva pour que tous puissent voir son visage contrit, sans trace de maquillage, les cheveux rassemblés en un chignon de style soviétique.

— Chers messieurs. Monsieur le Président… Je… Je ne sais pas m'exprimer avec la même facilité que vous. (Jack traduisit chaque mot, laissant suffisamment de temps pour que les hommes et les femmes qui remplissaient la salle puissent se rendre compte de la fragilité d'Elisabeth.) Mon oncle, monsieur Wilbur Hewitt, est venu en Union soviétique dans l'intention de mener à bien son travail. Peut-être ne voulait-il pas vous aider ou aider votre révolution, cela je l'ignore. Mais je vous assure qu'il était prêt à tout faire pour que cette usine soit l'orgueil de l'Union soviétique. Je ne comprends rien aux lois, mais Jack Beilis les a étudiées et il m'a assurée qu'à la différence d'autres systèmes légaux, le plus important pour cette nation, au-delà de ce que dictent les lois, est que triomphe la vérité. (Elle attendit que Jack ait traduit.) Selon le vœu de mon oncle, j'ai demandé à M. Beilis d'argumenter sa défense sans nécessité de traduire chacune de mes paroles. Je vous prie néanmoins de considérer tout ce qu'il dira comme sorti de ma bouche. Rien d'autre. Merci de votre attention… Merci, dit-elle d'une voix tremblante.

Staline accepta la requête, sans laisser paraître la moindre trace d'attendrissement ; il feuilleta le rapport que venait de lui remettre l'un de ses assistants et ordonna d'appeler le premier témoin. Il s'agissait d'un ouvrier soviétique qui affirmait avoir souffert dans sa chair l'un des sabotages. Lorsque Serguéï lui demanda de montrer à l'auditoire le moignon qu'était devenu son bras, un murmure parcourut toute la salle.

Au témoin manchot succédèrent seize autres témoignages de blessés qui s'exprimèrent dans des termes semblables. Jack savait que leurs déclarations n'avaient aucune valeur de preuves à charge, mais Serguéï édifiait contre Hewitt une animosité qui, s'il ne la contrecarrait pas rapidement, imprégnerait l'atmosphère. Lorsque le dernier témoin eut terminé, il demanda la parole, mais Sergueï l'interrompit pour solliciter un ajournement en raison de l'heure avancée de l'après-midi.

— Permission accordée, répondit Staline d'un ton agacé. Le procès reprendra demain matin à dix heures.

Lorsque Jack quitta la salle, irrité, il s'adressa à Elisabeth.

— Ce salaud a prolongé les témoignages pour éviter que nous fassions des allégations et Staline a accepté.

— Tu pourras les présenter demain.

— Oui. Lorsque cette flopée de Soviétiques aura ruminé toute la nuit que ton oncle Wilbur est un mutilateur en série.

Une fois hors du Kremlin, Jack dit à Elisabeth de rentrer seule à la maison. Il avait besoin de s'entretenir avec l'expert en lois qu'Ivan Zarko lui avait recommandé et, selon ses exigences, il devait y aller seul.

Il lui fallut une heure pour trouver l'immeuble d'appartements à moitié en ruine, près de Monastyrka, au sud de la ville. Lorsqu'il constata que l'adresse correspondait à une chambre sans porte dans laquelle ne vivrait pas un lépreux, il pensa s'être trompé, mais une voix pâteuse provenant d'une masse enveloppée dans des couvertures lui ordonna d'entrer.

— Tu es l'Américain ? demanda la voix.

De dessous les couvertures, Jack vit émerger le corps de ce qui ressemblait à un vieillard. Il empestait l'alcool et l'urine. Jack acquiesça. Lorsque l'homme lui dit de s'asseoir sur un tas de haillons sales, il déclina l'invitation.

— Tu es venu seul ?

— Oui. Vous êtes Valeri Pouchkine ?

— Silence ! hurla-t-il. Personne ne t'a demandé de prononcer mon nom.

Pendant un instant, Jack pensa qu'Ivan Zarkov s'était trompé. Il sortit la note pour vérifier de nouveau l'adresse, mais le vieux lui arracha le papier de la main.

— Oui, c'est moi. À quoi t'attendais-tu ? À un avocaillon gominé ? (Il enleva le bonnet de laine qui le couvrait jusqu'aux sourcils et laissa apparaître un visage bardé de cicatrices.) Ivan Zarko m'a envoyé un message disant que tu paierais mes conseils.

— Oui, c'est exact, mais… (Jack se tut. Il pensa que ce vieux furibond serait incapable de se défendre lui-même.)

— Il t'a dit combien ?

— Non.

— Mille roubles. Mille roubles et une bouteille de vodka, de la bonne, pas de cette merde qu'ils vendent en banlieue.

Et il donna un coup de pied dans une bouteille vide qui roula pour aller s'arrêter à côté d'une autre douzaine de vieux contenants.

— Tenez. (Jack sortit les mille roubles.) Et encore cent pour la vodka.

— Parfait. (Il les glissa dans sa braguette et sourit comme s'il venait de réaliser l'affaire du siècle.) Zarko m'a déjà mis au courant de l'affaire. (Il fouilla dans la porcherie à la recherche d'un peu de vodka restée au fond de l'une des bouteilles vides.) Cet Américain puissant va être jugé et tu veux le défendre pour baiser sa nièce, c'est ça ?

Il trouva un fond de vodka et l'avala d'un trait.

— Non. Ce n'est pas ça.

Jack se demanda s'il valait la peine de perdre une seconde de plus avec ce type défiguré.

— Bon. De toute façon ça revient au même. (À nouveau il leva la bouteille vide en espérant qu'il en coulerait une goutte oubliée.) Tu veux défendre un Américain qui est condamné d'avance. (Il rit comme un idiot.) Dis-moi une chose, mon garçon, et réfléchis bien, parce que de ta réponse dépend peut-être ton avenir : qu'est-ce que tu cherches exactement ?

— Je ne comprends pas.

— Ces Américains !... (Il secoua la tête en guise de désapprobation.) Tu as de la chance que ce soit le vieux Zarko qui t'a recommandé. Écoute, mon garçon : quel que soit ton but, tu as deux options, et aucune des deux n'est réjouissante, et je dis *tu as*, car que le capitaliste s'en tire ou non, on ne peut pas espérer la même chose pour toi. Si tu obtiens qu'ils le déclarent innocent, tu gagneras l'inimitié de toute la Guépéou. Peut-être qu'ils te respecteront pendant un certain temps, mais quand l'affaire sera oubliée, ils te pourchasseront comme si tu étais leur pire ennemi. Ces gens ne pardonnent pas une défaite, j'en sais quelque chose.

— Et s'ils le condamnent ?

— S'ils le condamnent, lui ils le fusilleront et toi ils te mettront une balle.

— Que voulez-vous dire ?

— Que tôt ou tard, à moins que tu ne quittes le pays, tu connaîtras le même sort. Défendre un coupable devant Staline en personne n'est pas bien vu.

— Écoutez, je ne sais pas pourquoi je perds mon temps à vous écouter, mais…

— Silence ! brama-t-il. Je n'ai pas terminé. Je t'ai dit que le vieux Zarko m'a demandé de t'aider et c'est ce que je vais faire, alors écoute avec attention parce qu'il y a plusieurs choses que tu dois savoir pour traiter avec ces crétins. Je sais très bien ce que tu penses… Tu crois qu'un vieil ivrogne aussi dégoûtant que moi ne présente aucun intérêt, mais en mon temps j'ai été l'un des avocats les plus enviés de Saint-Pétersbourg. Une triste histoire dont ce n'est pas le moment de parler. Tu as un rapport ? Des documents qui pourraient nous être utiles ?

Jack se demanda s'il fallait lui parler des papiers de McMillan, mais la prudence le retint. Cependant, il l'assura qu'il tenterait de lui procurer tout ce dont il aurait besoin.

— Bien. Alors pour le moment, ce que tu dois faire, c'est retarder au maximum le moment du verdict. La police secrète voudra sûrement clore le procès en présence de Staline et remporter une victoire, mais Staline ne restera pas longtemps à Gorki. Cet homme est un démon, je te jure. Il apparaît au milieu de la nuit, il attaque ses ennemis à coups de dents et rentre dans sa tanière de Moscou pour y tramer d'autres complots. Pour le trouver, il te suffirait de suivre les traces des cadavres qu'il laisse sur son chemin. Pour prolonger le procès, demande des témoins difficiles à localiser, interpelle des impliqués déjà interrogés, sollicite des preuves écrites, réclame, proteste, abrite-toi derrière la langue, tout ce que tu veux, mais fais en sorte que les obligations réclament Staline et qu'il quitte la ville avant le verdict. Sinon, tu verras ton ami Wilbur criblé de balles, et toi tu subiras le même sort.

Subitement, comme par enchantement, l'opinion de Jack sur l'ivrogne changea.

— D'accord. Autre chose ?

— Oui. Les communistes sont les rois de la propagande. *La Pravda*, *Izvestia*, Radio Moscou, les pamphlets, les tracts, les meetings, les réunions syndicales. S'ils utilisaient leur habileté pour la vente par correspondance, ils seraient les plus grands commerçants au monde. Et toi, si tu veux avoir une chance, tu devras faire pareil.

— Moi ? Comment ? En collant des panneaux sur les murs du Kremlin ?

— Ne sois pas sarcastique, cracha-t-il. Un procès soviétique est différent de tous ceux auxquels tu as pu assister. Oublie les garanties, les lois et les preuves : elles ne te serviront à rien. Ils feront ce qu'ils voudront et comme ils voudront. Essaie de contacter tes compatriotes à Moscou. Peut-être que cela t'aidera.

— C'est la première chose que j'ai faite. J'ai envoyé une lettre à l'ambassade pour…

— Mais qui parle de l'ambassade ? Ils viennent à peine de l'ouvrir, les diplomates ne lèveront pas le petit doigt pour ne pas contrarier Staline. Appelle les journalistes. Ces gens-là sont faits d'une autre pâte. Arrange-toi pour que les journalistes américains en poste à Moscou s'intéressent à l'affaire ; s'ils la publient aux États-Unis, l'ambassade décidera peut-être d'intervenir.

Jack en resta éberlué. Il ne comprenait pas comment un homme doté d'un tel bon sens pouvait vivre comme un mendiant. Il supposa que la vodka devait être responsable de sa déchéance et que sa lucidité passagère venait de ce qu'il n'en avait plus. Il se souvint des derniers jours de son père et de ce que l'alcool avait fait de sa vie.

Cependant, il ignorait comment mettre ses conseils en pratique. Il tentait de lui expliquer la difficulté lorsque, brusquement, il se souvint du petit homme au nœud papillon.

— Un moment ! J'ai connu un certain Louis Thomson dans le bateau qui nous a amenés à Helsinki et je l'ai rencontré plus tard en Russie. Je sais qu'il travaille pour le *New York Times* à Moscou, mais je ne saurais comment le localiser. Peut-être pourriez-vous m'aider.

— Désolé, mon garçon. Si la Guépéou apprend que je suis retombé dans les mêmes erreurs… (Il lui montra les cicatrices de son visage), ce qu'ils m'ont fait à l'époque serait aujourd'hui un jeu d'enfants.

Jack sortit cinq cents autres roubles et les lui montra. L'avocat se pourlécha en les voyant. Lorsque enfin il les accepta, le jeune homme sut que ce seraient les cinq cents roubles les mieux employés de son séjour à Autozavod.

De retour chez lui, pendant le dîner, Jack se mit d'accord avec Elisabeth sur la stratégie qu'ils suivraient pour son oncle Wilbur. Lorsqu'elle se retira pour dormir, il resta éveillé, pensant à Natasha, regrettant ses caresses et se maudissant d'être tombé amoureux de la fille de son pire ennemi.

36

La deuxième séance débuta selon le même protocole que la veille. Impassible, Jack endura le défilé des dirigeants, les saluts et les vivats qui accueillirent le Président suprême des Soviets et le silence funeste qui s'étendit sur la salle à l'instant où Staline ordonna que la séance reprenne. À côté de lui, le siège d'Elisabeth restait vide. Jack profita de ce que Serguéï s'interrogeait sur l'absence de la défense pour solliciter un report.

— Honorables représentants du peuple soviétique. J'ai le regret de vous informer que Mlle Elisabeth Hewitt est tombée brusquement malade, en proie à une crise de nerfs causée par l'accusation inattendue de son oncle et sa difficulté à le défendre. Elle est aujourd'hui prostrée dans son lit, incapable de prononcer un mot, raison pour laquelle je sollicite de ce tribunal un report jusqu'à son plein rétablissement.

Serguéï ne laissa paraître aucun trouble. Il lissa sa barbe grise parfaitement taillée et regarda Staline, qui refusait de la tête.

— Monsieur Beilis, je comprends les raisons qui vous poussent à une telle requête, mais les faits revêtent une telle gravité que tout retard dans leur résolution dénoterait une faiblesse que le peuple soviétique ne saurait tolérer.

— Monsieur Loban, je vous rappelle que l'un des principes de votre Code pénal est d'assurer la défense de tout accusé quel qu'il soit.

— Et moi je vous rappelle que le principe de la défense d'un accusé est soumis et subordonné au principe de défense nationale.

— Vous voulez dire que la séance devrait se poursuive, bien que M. Wilbur Hewitt se trouve absolument privé de défense ?

Jack souhaitait que sa présomption fasse réfléchir Sergueï. Mais ce fut Joseph Staline que cela perturba ; il se leva de son fauteuil, le visage rouge de colère.

— Monsieur Beilis ! hurla-t-il. Vous êtes peut-être habitué au système judiciaire nord-américain, qui considère les garanties individuelles comme primordiales, mais vous vous trouvez aujourd'hui dans la grande Union soviétique. Ici, le collectif prévaut sur l'individuel, l'intérêt social sur le particulier, et le droit national sur les exécrables aspirations contre-révolutionnaires. Hier, ici même, Mlle Hewitt a affirmé qu'elle avait décidé de prendre la défense de son oncle avec vous, et que c'est vous qui auriez la charge de nous transmettre ses intérêts sans que soit nécessaire une traduction directe ; je ne vois donc pas pourquoi il n'en serait pas ainsi à présent. De plus, je vous avertis que j'interpréterai toute manœuvre dilatoire comme un obstacle aux intérêts de l'État, et si vous vous obstinez dans votre conduite j'ordonnerai qu'on vous arrête.

Jack regarda Wilbur Hewitt assis sur sa chaise, étranger aux menaces que venait de proférer Staline. Tout devenait de plus en plus compliqué. Il imagina que sa seule parade était de discréditer Sergueï. Il mit de l'ordre dans ses papiers et s'adressa à lui.

— Monsieur Loban, Wilbur Hewitt est un citoyen nord-américain. Le principe d'extraterritorialité garantit à certains citoyens d'être jugés dans leur pays d'origine, même si le délit dont ils sont accusés a été commis en territoire soviétique. Wilbur Hewitt…

— Monsieur Beilis ! Wilbur Hewitt n'est pas un diplomate, et le principe que vous mentionnez ne s'applique donc pas. À l'inverse, notre Code pénal, dans son article quatre, établit très clairement l'application de notre juridiction.

— En effet, il n'est pas diplomate, mais quand des relations commerciales ont débuté entre la Ford Motor Company et l'Union soviétique il n'existait pas encore de relations diplomatiques entre nos pays ; en vertu du principe d'analogie, étant donné sa position et ses fonctions professionnelles et commerciales, le statut de Wilbur Hewitt pourrait parfaitement, par ses compétences, être assimilé à celui d'un véritable diplomate.

Sergueï sourit, marquant sa satisfaction devant le manque de formation juridique de Jack.

— Permettez-moi de rire de votre ignorance. Le principe d'analogie n'est pas applicable ici, vu qu'il fait référence aux délits et non à la juridiction. Vous devriez peut-être cesser de formuler des requêtes incohérentes et avancer dans votre travail ; dans le cas contraire, nous nous verrons obligés de clore votre intervention.

Jack soupira. Il sortit une cigarette et l'alluma. Il regarda ses notes pleines d'idées stupides.

— C'est bien. J'appelle à la barre Stanislav Prior.

En entendant ce nom, Wilbur Hewitt ne put retenir une grimace de surprise. Stanislav Prior était le témoin mutilé qui, la veille, avait inauguré la litanie des témoignages. Sa seule présence ne pouvait que lui être préjudiciable. Mais Jack le rassura d'un signe.

Quand Stanislav Prior fut sur l'estrade, Jack l'obligea à relater avec un maximum de détails chacun des événements qui avaient précédé son accident. Cela prit quinze minutes. Lorsque le témoin eut terminé, Sergueï anticipa.

— Ne nous faites pas perdre notre temps avec des déclarations que nous avons déjà entendues. Si vous voulez les revoir, vous pouvez demander les actes du procès, le prévint-il.

— Monsieur Loban, j'ai besoin que le jury ait tous les détails frais à l'esprit, afin qu'il comprenne leur rapport avec l'accusé. (Et sans lui laisser le temps de répliquer, il s'adressa de nouveau à Prior.) Vous dites que la presse qui vous a mutilé, un modèle américain acheté par Autozavod à la Ford Motor Company, vous a frappé de manière inattendue, vous sectionnant le bras droit. Est-ce exact ?

— Je viens de le dire, répondit l'homme.

— D'après M. Loban, cette machine faisait partie d'un lot qui, en principe, aurait dû être livré depuis Détroit, mais qui a finalement été remplacé par un autre provenant de l'usine démantelée que la Ford possédait à Berlin, et il attribue la faute qui a causé votre terrible accident à l'avarie de la machine. Dites-moi, saviez-vous que ce remplacement a été effectué pour économiser les coûts, et cela avec l'assentiment des dirigeants soviétiques d'Autozavod ?

— Non. Je me contente de travailler sur les machines. Enfin, plus maintenant…

Et il lui montra son moignon.

— Bien. Et dites-moi, cette presse qui vous a sectionné le bras ne dispose-t-elle pas d'un mécanisme de sécurité qui oblige à actionner simultanément deux poussoirs distants l'un de l'autre, de sorte que lorsque vient le coup, les mains sont éloignées de la zone d'impact ?

— Oui, c'est vrai.

— Dans ce cas, comment se fait-il qu'elle vous ait attrapé ?

— Je l'ai déjà dit. Le mécanisme n'a pas fonctionné.

— Oui. Mais qu'est-ce qui n'a pas fonctionné ? Je connais cette presse et, si on suit le protocole de sécurité, il est impossible qu'un tel accident se produise. Il est indispensable d'actionner les deux poussoirs…

— Non, monsieur.

— Que voulez-vous dire ? Je vous assure que cette machine…

— Cette machine avait deux poussoirs au début. Ensuite, il n'y en a eu qu'un seul.

— Un unique poussoir ? Je ne comprends pas… Permettez que je revoie mes notes. D'après le rapport que m'a fourni l'accusation, nous parlons d'un modèle Cleveland Z25.

— Je ne sais pas. Je n'entends rien aux modèles de presses.

— Mais n'avez-vous pas rédigé vous-même ce rapport d'avarie ?

Il l'approcha de lui pour qu'il le lise. Jack l'avait trouvé parmi les documents que lui-même avait élaborés pendant ses inspections en tant que superviseur.

— Je ne m'en souviens pas.

— Il est écrit ici : Stanislav Prior. Ma connaissance de l'alphabet cyrillique est limitée, mais on lit nettement « PRIOR ». Dans ce rapport, vous informez vos supérieurs de la rupture du mécanisme de sécurité, à une date antérieure à votre accident. Une semaine avant, si je ne fais pas erreur.

L'ouvrier manchot regarda Serguei, mais Jack lui ordonna de répondre.

— Oui. Mais la machine a été réparée, dit l'ouvrier.

— Ah ! Parfait. Et en quoi a consisté la réparation ?

L'homme regarda de nouveau Serguei.

— Je vous en prie, répondez, insista Jack.

L'ouvrier se racla la gorge.

— On a ponté le poussoir cassé pour supprimer sa fonction, de façon que la presse marche avec un seul poussoir.

— Et pourquoi n'a-t-on pas remplacé le vieux par un neuf ?

— Parce qu'il n'y avait pas de pièce de rechange.

— Et savez-vous qui était chargé de fournir les pièces de rechange ?

— Non, je l'ignore.

Et il regarda Serguei, dont le visage était soudain livide.

— Monsieur Loban, savez-vous qui était chargé de fournir les pièces ? Savez-vous si c'était M. Wilbur Hewitt ?

Sergueï rougit. Il regarda Jack, avec le mépris de celui qui contemple un moustique indésirable.

— Le responsable était un haut fonctionnaire soviétique qui a été dûment renvoyé. Mais si c'est là toute votre argumentation, je vous recommande d'explorer d'autres voies. Celui-ci n'est que l'un des nombreux témoins qui ont accrédité la détérioration des machines fournies par Wilbur Hewitt.

— Je comprends. Mais si on avait changé le poussoir cassé au lieu de faire du rafistolage, rien de cela ne serait arrivé.

Sergueï réfléchit bien avant de répondre. Il regarda Jack d'un air de défi et désigna l'accusé.

— Et si, au lieu de s'enrichir, Wilbur Hewitt avait fourni un matériel en état de marche, ce poussoir ne se serait jamais cassé et Stanislas Prior pourrait aujourd'hui porter son fils avec ses deux bras, rugit Sergueï avant de récolter un tonnerre d'applaudissements.

Sachant le risque qu'il courait, Jack tenta d'étirer sa stratégie autant qu'il le put, mais alors qu'on se préparait à appeler le quatrième témoin, Sergueï explosa.

— Ça suffit ! Je demande au président d'empêcher toute déclaration qui ne fait que ralentir le développement du procès sans apporter de nouveaux éléments.

— Messieurs les représentants du peuple soviétique, répliqua Jack, hier M. Loban n'a pas été empêché de nous ennuyer avec des témoignages qui n'ont fait que démontrer la multitude d'accidents malheureux sans prouver à aucun moment un lien avec l'accusé, au-delà d'une généralisation tendancieuse et persistante. C'est précisément la situation que je veux clarifier, et pour cela je sollicite…

— Monsieur Beilis ! (La salle se tut en voyant Staline lui-même éteindre son cigare et se lever.) Je ne vais pas passer la journée à écouter des témoignages déjà transcrits dans les actes, alors concluez votre intervention ou j'ordonnerai qu'on vous fasse taire par d'autres moyens.

Jack comprit que s'il tirait trop sur la corde, Staline clôturerait le procès. Cependant, il n'avait pas d'autre solution que de risquer le tout pour le tout. Sans doute les soupçons de l'avocat étaient-ils fondés. Si on lui permettait de prendre la défense dc Wilbur Hewitt, c'était parce que Staline voulait légitimer ce simulacre de procès, mais dès que celui-ci prendrait fin, ils le liquideraient d'une balle dans la tête. Il laissa de côté la liste des témoins et s'excusa.

— Monsieur le Président, je vous assure que mon seul but est de défendre la vérité, contrairement à M. Loban, qui s'acharne à imputer les responsabilités et les accidents à M. Wilbur Hewitt, sans avoir apporté à un moment ou un autre une seule preuve qui le démontre. Des machines cassées qui provoquent des accidents, des interruptions ou des incidents dans la production. Des machines cassées, oui (il brandit ses rapports), non par la faute de l'accusé, mais à cause d'une inexcusable absence de maintenance, d'un maniement négligent ou d'une totale méconnaissance des avertissements de sécurité dont la responsabilité incombe, d'après le contrat, à Autozavod. (Il sortit

un volume d'une mallette et s'adressa à Serguei.)
Vous accusez M. Wilbur Hewitt d'attitude contre-
révolutionnaire, d'enrichissement frauduleux, et même
de blesser délibérément des ouvriers qu'il n'a jamais
vus. Bien. Connaissez-vous cet appendice ?

Il lui montra le volume marron sur la couverture
duquel figurait en anglais le titre : *Réglementation sur
la maintenance et les procédés de sécurité des travailleurs dans les usines Ford Motor & Co.*

— Évidemment.

— Évidemment. Et vous le connaissez parce que
Wilbur Hewitt l'a personnellement remis aux directeurs soviétiques, n'est-ce pas ?

— C'est exact. En effet.

— Bien. Où est sa traduction ?

— Comment ?

— Où est sa traduction en russe ? Cet exemplaire
est un original américain et je ne crois pas que les
ouvriers d'Autozavod soient capables de le lire.

— Il y a eu quelques problèmes avec la compréhension de certains termes, mais la traduction est en
cours. Quoi qu'il en soit, son contenu n'affecte en rien
les faits qui sont jugés.

— Ah non ? Savez-vous ce qu'est ceci ? (Il sortit de
sa mallette un autre exemplaire semblable, mais à couverture verte.) Il s'agit du *Verordnung über Wartung
und Sicherheitsmaßnahmen für die Arbeiter in den
Ford-Fabriken,* la traduction de ce même appendice
en allemand, que le gouvernement allemand a mis à
la disposition de tous ses ouvriers en mai 1928, trois
mois avant que ne débute la production de la Ford A
à Berlin.

— Ce fait n'est pas pertinent.

— Pas pertinent ? Vous considérez non pertinent que, dans le cas allemand, en conséquence du respect des échéances et des tâches de maintenance ainsi que des autres mesures de sécurité exposées dans ce manuel, au cours des quatre années qu'a duré la production à Berlin, il n'y ait eu que trois accidents graves, c'est-à-dire presque autant que ceux qui se sont produits ici chaque semaine ? Vous considérez non pertinent que ces accidents auraient pu être évités ?

Serguéï fronça les sourcils, mais plus par étonnement qu'en signe de préoccupation.

— Vous nous accusez de quelque chose, monsieur Beilis ?

— Je n'ai fait que poser une question. Si quelque chose pouvait vous accuser, ce serait votre réponse.

— Camarade Loban (le commissaire chargé de la répartition du temps prit la parole), voulez-vous faire une pause ? Peut-être devriez-vous consulter…

— Serguéï n'a besoin de rien consulter, l'interrompit Staline. Ces Américains tout-puissants…, murmura-t-il. C'est bien, monsieur Beilis, puisque vous insistez, c'est moi qui vais répondre à votre question. Nous, les Soviétiques, nous avons construit une immense usine à partir de rien. Nous avons investi des sommes colossales pour transformer une plaine glacée en un centre technologique et impulser le réveil prolétaire. Nous avons arraché des milliers de paysans à leurs champs stériles, à leur pauvreté, à leur destin funeste, et nous les avons amenés ici, à un endroit où ils peuvent bâtir leur propre futur. Là où n'existaient autrefois que le désespoir, l'exploitation et la mort surgissent aujourd'hui des villes, des usines, des salaires, des hôpitaux, des écoles… Tout cela exige quelques sacrifices. Et vous voilà, vous, un émigré qui a abandonné son pays parce qu'il y mourait de faim ; un émigré que notre gouvernement a accueilli à bras ouverts ; à qui nous avons donné du travail et une maison, et vous osez remettre nos méthodes en question ?

Jack avala sa salive. Très habilement, Staline personnalisait l'affrontement, le faisant apparaître comme un ennemi des réussites sociales du communisme. S'il ne contrecarrait pas sa tactique, ses exposés ultérieurs auraient autant de poids qu'un brin de poussière dans le vent.

— Dans ce cas, je suppose que tous ces mutilés faisaient partie des sacrifices prévus.

Staline lui jeta un regard assassin. Ce jeune Américain se révélait un adversaire plein de ressources.

— Monsieur Beilis… Vos plaidoyers sont pathétiques. Vous comparez l'Allemagne à l'Union soviétique en ayant recours à la traduction soignée d'un manuel et au respect des échéances de maintenance. Cependant, vous vous efforcez de cacher les autres arguments.

— Quels arguments ?

— Ceux qui démontrent toute l'imposture de votre défense. Vous qui maniez tant de données, vous évitez de mentionner les différences entre les usines de Gorki et de Berlin, mais moi, je les connais parce que j'ai personnellement signé tous les contrats. Vous oubliez de dire que la Ford A qui a été construite à Berlin n'était pas le premier véhicule que la Ford fabriquait en Allemagne. Vous oubliez de préciser que la première délégation commerciale a été établie à Hambourg en 1912, que depuis 1924 on vendait des tracteurs Ford à Berlin, et que cette même année une usine Westhafen a été mise en marche pour monter le modèle T. Vous oubliez de signaler que ce modèle T a été monté dans cette usine berlinoise jusqu'à ce que sa production soit remplacée, en 1928, par celle du modèle A. Et vous évitez, exprès, de révéler à cet auditoire que ces nouvelles machines, si parfaitement entretenues, sont celles qui, après avoir fonctionné sans répit pendant quatre ans, ont été démontées pour être envoyées à l'Autozavod de Gorki. Alors, ne venez pas me parler de maintenance allemande, de traduction allemande ou de travailleurs allemands. Là-bas, ils avaient des années d'expérience, avec des machines neuves et des manuels hérités d'anciens modèles. N'exigez pas de nous ce que vous exigez d'un pays capitaliste, quand celui que vous défendez, Wilbur Hewitt, nous a vendu de la ferraille au prix de l'acier.

37

Jack profita de la pause pour se rendre à l'économat du village américain. Il y trouva Joe Brown et Miquel Agramunt, effrayés comme des lapins. Ni Harry Daniels ni son fils aîné n'étaient venus travailler.

— On pense qu'ils font partie des détenus, l'informa Miquel. Les corbeaux sont apparus ce matin et ils ont emmené une douzaine d'Américains.

Jack envoya un coup de pied dans un sac à moitié vide qui roula sur le sol, laissant échapper les quelques pommes de terre qu'il contenait encore. Qu'on ne l'ait pas arrêté, lui, venait seulement confirmer que tout cela faisait partie d'un complot, pour donner une apparence de légitimité au procès. Quoi qu'il en soit, tout commençait à s'écrouler. Il conseilla à Joe et à Miquel de rester chez eux jusqu'à ce que les choses se calment, puis il se précipita chez le vieux Ivan Zarko. Il devenait évident que sa seule chance était de fuir l'Union soviétique avant que le verdict soit prononcé.

Il le trouva en train de déjeuner en compagnie de son neveu Yuri, dans un entrepôt voisin de l'atelier où ils avaient caché sa vieille voiture. En le voyant, Ivan fit la grimace, comme s'il venait de tomber sur un os.

Il invita pourtant Jack à se joindre à eux et s'intéressa au développement du procès.

— Les choses se compliquent, lui répondit Jack. Merci pour l'adresse de cet avocat. Dommage qu'il soit alcoolique…

— Alcoolique ? Même bourré, ce vieux truand en remontrerait à n'importe lequel des avocats qui convoitent un siège au Parti et qui grouillent comme des poux. Et puis, en Union soviétique, boire de la vodka n'est pas un malheur. C'est une aubaine ! (Et il se servit un verre.) Dis-moi, Jack, qu'est-ce que je peux faire d'autre pour toi ?

— J'ai besoin des passeports. Je ne sais pas combien de jours va encore durer le procès, mais il est possible que les choses s'accélèrent.

— J'allais justement t'envoyer Yuri pour t'en parler…

— Oui ?

— C'est par rapport au prix. Les passeports sont presque prêts, mais mon fournisseur dit qu'il a dû faire face à des frais imprévus.

— Quelle sorte de frais ?

Ivan Zarko regarda son neveu Yuri, comme s'il avait encore à faire le calcul.

— Je ne sais pas… Mille…, peut-être deux mille.

Jack se racla la gorge. Il fouilla dans sa veste et sortit mille cinq cents roubles.

— Tiens ! C'est tout ce que j'ai sur moi. Demain je te donne le reste.

Ivan Zarko éclata de rire. Yuri le regarda sans comprendre et aussitôt l'imita, riant à gorge déployée, encore plus fort. Jack pensa que tous les deux avaient un grain.

— Pas des roubles. Deux mille dollars, mon garçon, précisa Ivan, et son sourire s'effaça. Il vida un autre verre.

Jack serra les dents. Il n'avait pas d'autre solution que de faire confiance à Zarko. Il accepta de lui donner ce qu'il demandait.

— Quel jour auras-tu les passeports ?

— Dans une semaine, répondit Ivan. Et l'argent ?

— Dans une semaine. Quand j'aurai les passeports.

Il se préparait à quitter l'entrepôt, quand il s'arrêta soudain pour réfléchir à ce qu'il allait faire. Enfin, il se retourna vers Zarko et le regarda fixement dans les yeux.

— Peu importe ce que ça coûtera, mais prépares-en un autre pour une femme russe de vingt-cinq ans. Je te fournirai les renseignements.

Le procès reprit sans la présence d'Elisabeth. Elle avait insisté pour venir, mais Jack lui avait fait remarquer qu'un si prompt rétablissement ôterait toute crédibilité à son indisposition, ainsi qu'au reste de ses arguments. Mais la véritable raison était qu'il ne voulait pas qu'elle assiste au lynchage organisé autour de Hewitt. Elisabeth avait fini par accepter et elle était restée chez Jack, à classer les journaux qu'elle avait récupérés dans la maison de son oncle.

La séance débuta avec l'inévitable avalanche de vivats au passage de Staline et de ses compagnons. Lorsqu'ils furent assis, Jack rendit son salut à Viktor

Smirnov lorsque celui-ci s'approcha pour s'intéresser à son rôle de défenseur de Wilbur Hewitt.

— J'ignorais que tu possédais ces talents d'avocat, lui dit l'officier soviétique, moins tiré à quatre épingles que d'habitude pour ne pas détonner au milieu de ses compagnons.

— Moi aussi. Je le fais seulement pour aider Elisabeth.

— Je te comprends. Un morceau de choix..., mais prends garde à ce qu'il ne te reste pas en travers du gosier.

Quand Jack voulut préparer ses notes, Sergueï était déjà monté sur l'estrade et mettait de l'ordre dans les siennes. Le responsable de la Guépéou sollicita l'autorisation du président Staline et entama sa harangue. Jack lui prêta à peine attention, encore préoccupé par le sort des Daniels. Mais son inquiétude se mua en stupeur lorsqu'il s'aperçut que la séance avait commencé et que Wilbur Hewitt n'était toujours pas sur son siège.

— Estimés camarades, s'exclama Sergueï comme s'il faisait un meeting. Je me suis permis d'abuser de votre patience dans la mesure où j'ai laissé la défense révéler elle-même son absence d'arguments. M. Beilis a tenté de rendre les Soviétiques, nous-mêmes, responsables des abus commis par ses patrons américains. Nous qui sommes ses clients et ses hôtes, il nous a accusés d'imprévoyance, de négligence, d'abandon et de mille autres choses, sachant, je répète, *sachant* que la plus grande partie des sabotages a forcément été commise par un personnel hautement qualifié, comme lui-même l'a reconnu et signé dans ce rapport. (Il montra un document sur lequel on pouvait voir le paraphe de Jack Beilis.) Curieusement, il nous reproche d'être des inutiles et des négligents, mais il n'hésite pas à nous accuser ensuite d'actions dignes d'experts américains comme ceux que forme et dirige Wilbur Hewitt.

« Camarades. Le moment est venu de démontrer tous les crimes commis par l'accusé, afin qu'il n'y ait pas le moindre doute sur sa culpabilité totale et absolue, ce que je vais faire en commençant par le plus grave d'entre eux : celui de conspiration dans le but de profiter des ressources publiques de l'Union soviétique. Ressources que vos enfants ont dû payer de tant d'efforts et de sang.

Une salve d'applaudissements obligea Serguei à faire une pause, qu'il mit à profit pour boire un verre d'eau.

— Wilbur Hewitt (il montra le siège vide de l'ingénieur, et son doigt ne trembla pas) a conçu un plan machiavélique dans lequel il a associé quelques-uns de ses compatriotes, qui à cette heure ont déjà été arrêtés. Wilbur Hewitt a conspiré, menti et soudoyé pour remplacer un lot de machines provenant de Détroit, payé comme neuf, par un autre d'aspect similaire, usé, détérioré et dangereux, provenant du démantèlement de l'usine de Berlin dans laquelle il avait travaillé auparavant, et dont il nous a assuré qu'il était en parfait état. La différence de prix, des millions de roubles soviétiques, est arrivée dans sa poche et dans celles des traîtres qui l'ont appuyé.

À cet instant, Jack se souvint à nouveau des Daniels. Il voulut croire que la folie de Serguei ne les avait pas atteints eux aussi. Le fonctionnaire de la Guépéou sortit une note et poursuivit.

— Pour le démontrer, je vais procéder à la lecture de la transcription d'une conversation téléphonique que j'ai eue moi-même avec M. McMillan, alors superviseur et ingénieur en chef de Wilbur Hewitt, mais payé à son insu par la Guépéou pour enquêter sur l'étrange comportement de son supérieur dès l'instant où celui-ci a été détecté. La transcription correspond à un appel effectué depuis l'hôtel Metropol de Moscou, le 5 janvier 1933, il y a un peu plus d'un an, et reçu dans mon bureau du siège central de la Guépéou au Kremlin. Comme mes camarades le savent déjà et comme il est habituel dans ces cas-là, la conversation a été enregistrée en sténographie par l'équipe officielle d'intervention des communications.

Il lut à haute voix :

« Bonjour. Je vous prie de me mettre en communication avec le bureau de Sergueï Loban.

— Qui l'appelle ?

— George McMillan. C'est urgent.

— Un moment, monsieur. Je vérifie et je vous le passe…

— Sergueï Loban à l'appareil. Je vous écoute.

— Monsieur Loban. Je suis George McMillan. J'ai trouvé les preuves que vous cherchiez concernant le détournement de fonds.

— Vous les avez ?

— Oui, la totalité. Le relevé des transferts, les quantités, tout…

— Très bien. Où êtes-vous maintenant ?

— Dans ma chambre du Metropol.

— Bien. Laissez ce que vous êtes en train de faire et descendez à la réception. J'envoie tout de suite une voiture vous chercher. »

— Comme vous le voyez, la conversation inculpe de façon évidente Wilbur Hewitt, sur lequel il enquêtait. Comme son défenseur sera peut-être tenté de nous démontrer le contraire, pour éviter de perdre plus de temps, je vais lui céder la parole au cas où il voudrait ajouter quelque chose.

Jack se leva. Il regarda la chaise vide qui était celle de l'accusé, puis tourna les yeux vers Serguéï.

— Merci beaucoup, monsieur Loban. Oui. Je veux bien sûr faire remarquer une chose que beaucoup d'entre vous ont certainement déjà remarquée. Pourquoi monsieur Hewitt n'est-il pas ici ?

— L'accusé est indisposé. Ce doit être de famille, ajouta Serguéï avec une certaine ironie.

— Et ne pensez-vous pas l'interroger ?

— Pour l'instant ce n'est pas nécessaire. L'accusé a déjà fait sa déclaration par écrit.

— Pardonnez mon ignorance, mais si l'accusé souhaitait se rétracter ?

— Monsieur Beilis, intervint Staline, s'il rétractait sa déclaration précédente, cela signifierait que dans l'une des deux déclarations il aurait menti, ce qui invaliderait tous vos témoignages.

— Et si je souhaitais, moi, l'interroger ?

— Nous en tiendrions compte. Mais poursuivez avec vos questions. Au vu des preuves, peut-être n'estimerez-vous pas cela nécessaire.

— Bien, monsieur le Président. Dans ce cas je suivrai votre conseil. (Il consulta ses dernières notes et se tourna pour s'adresser au chef de la Guépéou.) Monsieur Loban, j'ai écouté avec attention le récit de ce que vous qualifiez de « preuve », mais la lecture de cette conversation téléphonique que vous assurez avoir eue n'induit en rien l'implication de Wilbur Hewitt : son nom n'apparaît à aucun moment. Comment pouvez-vous affirmer qu'il s'agit bien de lui ?

Serguéï sourit, comme s'il avait la bonne carte dans sa manche.

— Pour deux raisons. La première, c'est que les transferts auxquels George McMillan faisait référence dans son appel avaient pour destination le compte personnel de Wilbur Hewitt : cinquante mille dollars détournés des coffres de l'Union soviétique. (Il montra une copie des relevés comptables.) Et la seconde et plus importante : parce qu'un témoin a vu de ses propres yeux, l'après-midi même de l'appel, Wilbur Hewitt assassiner McMillan et jeter son corps depuis le Grand Pont de Pierre de la Moskova.

Jack laissa échapper un soupir d'accablement.

— Et peut-on savoir qui est ce témoin ? balbutia-t-il.

— Évidemment ; vous l'avez à six sièges de vous sur votre droite. C'est l'officier Viktor Smirnov.

Jack pouvait à peine contenir sa stupeur. Alors qu'il rassemblait ses notes à la fin de la séance, il comprit que le destin de Hewitt était scellé. En fait, toutes les preuves l'incriminaient : l'appel téléphonique de

McMillan, les relevés comptables et, surtout, le témoignage inattendu de Smirnov. Il avait encore du mal à croire que cet oisif fortuné, dont le principal intérêt consistait à s'exhiber à bord de sa Buick Master Six, ait assisté à l'assassinat de McMillan. Mais tel avait été son témoignage. Cependant si, comme l'affirmait Viktor, Serguéï disposait des preuves incriminantes depuis déjà un an, pourquoi avait-il attendu si longtemps avant d'arrêter Wilbur ? Pour préparer la résiliation du contrat signé avec la Ford ? Ça n'avait pas de sens. La seule explication possible était qu'il souhaitait trouver les complices soviétiques de l'ingénieur. En fin de compte, telle était la raison que Wilbur Hewitt avait fait valoir lorsqu'il l'avait engagé pour remplacer McMillan, sous les auspices de Serguéï lui-même, dans l'intention cachée de l'utiliser comme appât.

Peu à peu, la salle d'audience se vida, comme s'il s'agissait de la sortie d'une veillée funèbre. Jack rassembla les copies des actes et les rangea dans sa mallette. Il se demandait ce qu'il allait raconter à Elisabeth. Sa seule certitude était que l'autorisation qu'on lui avait donnée de défendre Hewitt n'avait été qu'une mascarade, mise en scène par le régime soviétique pour légitimer un procès dont la sentence semblait dictée d'avance. La même sorte de mascarade que celle jouée par le rusé Viktor Smirnov dans son rôle d'inutile et de frivole.

Il imaginait qu'Elisabeth refuserait d'admettre que, dans le meilleur des cas, son oncle Wilbur finirait ses jours enfermé dans un camp de travail et que, si elle s'obstinait à rester à Gorki, tôt ou tard elle aussi serait arrêtée. Il n'y avait pas trente-six solutions. Soit

Elisabeth l'accompagnait dans sa fuite, soit il partirait sans elle. Il avait encore une chance, bien que lointaine, de recommencer une nouvelle vie avec Natasha.

Il se disposait à aller retrouver Elisabeth lorsqu'il aperçut Andrew qui marchait sur le trottoir d'en face, en pleine discussion avec un Soviétique. Jack l'appela à haute voix. En le voyant, Andrew prit rapidement congé de son compagnon et s'approcha de lui.

— Je te prie de ne pas me compromettre !

Il n'accepta même pas la main que Jack lui tendait pour le saluer.

— Pardon, je voulais seulement te demander, pour la lettre…

Andrew poussa un soupir d'ennui. Il regarda autour de lui.

— C'est bien. Entrons dans ce vestibule. Mais juste un instant.

Avant de parler, Andrew vérifia que personne ne pouvait les entendre. Puis il assura à Jack qu'il avait envoyé le message de Hewitt, mais que Dimitri ne lui avait pas encore confirmé l'avoir remis à l'ambassade.

— Mais le procès va bientôt se terminer, et ils vont le condamner. Peut-être que si tu téléphonais aux journalistes américains en poste à Moscou, ils pourraient…

— Je ne peux pas faire plus. Je t'ai déjà trop aidé.

— Et qu'en est-il de la solidarité ? De tes principes ? Si capitaliste soit-il, Wilbur Hewitt est innocent.

— Mais tu ne te rends pas compte ? Ce qui est ici en jeu, c'est bien plus que la simple vie d'un citoyen. Ce qui est en jeu, c'est la réussite de l'Union soviétique. Le succès de notre lutte et de notre révolution dépend de notre force. Si nous tergiversons, les pays impérialistes nous tomberont dessus et nous dévoreront.

— Je… je ne te comprends pas, balbutia-t-il.

— Écoute, Jack. Je ne sais pas pourquoi tu insistes sur son innocence. Oublie Hewitt, ou tu finiras comme lui. C'est un conseil d'ami.

Andrew ne laissa pas à Jack le temps de répliquer. Il ouvrit la porte du vestibule et partit sans le saluer.

De retour chez lui, Jack trouva Elisabeth assise à côté de la cheminée, en train de feuilleter l'un des vieux exemplaires du *New York Times*. Dès qu'elle le vit, la jeune femme laissa le journal sur la pile de ceux qu'elle avait déjà passés en revue et demanda des nouvelles de son oncle. Lorsque Jack fit référence à son absence dans la salle, son visage s'assombrit.

— En plus, ils ont présenté des preuves accablantes. Ils l'accusent de délits très graves, tenta-t-il de lui expliquer en douceur.

C'est à peine si elle lui prêta attention. Elle semblait avoir l'esprit ailleurs.

— Le procès se terminera probablement demain, ajouta-t-il. Je suppose qu'ils amèneront ton oncle pour qu'il prête serment. Tu devrais venir.

— Oui… Bien sûr…

— Et être préparée. Avant de venir j'ai parlé avec Ivan Zarko. Les passeports ne sont pas encore prêts, mais il a proposé de nous prêter un appartement clandestin jusqu'à ce qu'il les ait. Nous pourrions y rester cachés et ensuite tenter d'atteindre Odessa.

— Tu as organisé tout ça sans tenir compte de mon oncle ? Sans attendre de connaître le verdict ?

— Elisabeth, tu ne m'as donc pas entendu ? Je n'ai fait que respecter la volonté de ton oncle. S'ils le déclarent innocent, il n'y aura aucun problème, mais dans le cas contraire… (Il secoua la tête.) Il sait que s'ils le condamnent il ne pourra rien faire pour t'aider.

Elisabeth l'interrompit.

— Je ne te comprends pas, Jack. Tu penses vraiment que je vais l'abandonner ?

— Non, bien sûr que non. Andrew a envoyé la lettre à l'ambassade. Ils pourront certainement adoucir sa peine…

— Mon Dieu ! Tu parles comme si on l'avait déjà condamné ! Et ces nouvelles preuves, qu'est-ce que c'est ?

Jack se tut. Il aspira et chercha une cigarette qu'il ne trouva pas. Il préféra ne pas lui révéler qu'ils l'accusaient d'assassinat.

— Des choses techniques. Je vais revoir mes rapports une fois de plus, dit-il. J'ai peut-être laissé passer un détail. En attendant, nous pourrions manger quelque chose.

Elisabeth se leva et se dirigea vers la petite cuisine pour remuer le bouillon préparé avec les restes de nourriture qu'elle avait trouvés. Elle servit une assiette à Jack tandis qu'il sortait les actes du procès de sa mallette. Il vit qu'au milieu du bouillon flottait à peine un petit morceau de pomme de terre.

— Tu as oublié d'apporter des provisions de l'économat, s'excusa-t-elle. Moi, je n'ai pas faim.

— Ce n'est pas que j'ai oublié, c'est qu'il ne reste presque rien, murmura-t-il, et il étala les actes qu'on lui avait fournis pour y chercher les mouvements comptables. Il les regarda entre deux cuillerées et prit des notes en marge. Lorsqu'il eut terminé, il demanda à Elisabeth de monter dans sa chambre.

— Je n'ai pas sommeil, dit-elle.

— Je t'en prie, j'ai besoin d'être seul.

Elisabeth obéit à contrecœur. Lorsque enfin elle disparut, Jack s'approcha de la cheminée et étouffa le feu avec une couverture humide. Puis il écarta les braises à l'aide d'un tisonnier ; sur les cendres, il posa une large planche en bois, s'allongea dessus et, dans cette position, fouilla l'intérieur de la cheminée. Lentement, il écarta quelques briques réfractaires et accéda au trou qu'il avait creusé en guise de coffre-fort. Il sortit les rapports, et replaça les briques. Ensuite il s'épousseta comme il put, écarta la planche et ranima les braises. Lorsque le feu reprit, il le contempla avec satisfaction. Personne ne pourrait se douter que les briques réfractaires, qui étaient restées de la construction du four de l'économat, protégeaient son argent dans cette cachette.

Il chauffa un peu de thé et le but en même temps que la soupe. La boisson le fit se sentir mieux, non pas en raison de sa saveur, mais parce que sa chaleur lui rappela celle que lui procurait le sourire de Natasha.

Il aurait voulu la tenir à nouveau dans ses bras. Chaque fois qu'il avait une seconde de tranquillité il évoquait ses baisers, ses regards, ses caresses. Cela faisait longtemps qu'il y pensait. Dès qu'il la verrait il la supplierait de s'enfuir avec lui. C'était la seule chose qui lui importait vraiment.

Lorsqu'il eut fini son thé, il révisa les documents de McMillan. En relisant la liste des ingénieurs soviétiques qui avaient fait le voyage à Détroit, il s'arrêta sur le nom qui avait tout de suite attiré son attention.

« Vladimir Mamayev »

Le fait que Vladimir Mamayev soit le seul ingénieur dont il n'avait aucune trace dans ses rapports préalables n'aurait été qu'anecdotique si, d'après ces mêmes rapports, les autres techniciens figurant sur la liste ne s'étaient trouvés à Moscou, dans un stage de formation, aux dates où s'étaient produits les sabotages les plus importants.

Il se resservit du thé tout en méditant sur ce fait.

Il laissa les noms de côté et mit les relevés comptables de McMillan à côté de ceux notés sur l'acte judiciaire qu'on lui avait remis. Lorsqu'il les compara, il haussa les sourcils, étonné.

Les deux rapports coïncidaient en tous points, et cela confirmait que les preuves de Sergueï étaient avérées. Toutefois, les numéros correspondant à celui qui avait donné l'ordre de transférer les cinquante mille dollars américains sur le compte privé de Wilbur Hewitt différaient d'un chiffre. Curieusement, il s'agissait du même relevé que McMillan avait signalé par une légère marque au crayon. Jack chercha l'identité du donneur d'ordre sur l'acte judiciaire, mais il ne trouva que le mot *confidentiel* sur la case correspondante.

Il vida sa tasse. Quelque chose clochait, et c'était peut-être plus simple qu'il n'y paraissait. Cinquante mille dollars… Pourquoi un homme aussi riche que Wilbur Hewitt aurait-il risqué sa position pour une somme qui, selon ses critères, représentait une broutille ?

Il lut à nouveau les relevés. Hewitt avait certes tiré de l'argent de son compte, mais dessus figuraient des entrées et des dépenses correspondant à des demandes de fournitures formalisées à Autozavod, ce qui indiquait qu'en réalité ce n'était pas un compte privé, mais un compte d'entreprise. Étant donné le volume des mouvements, il aurait très bien pu ne pas se rendre compte d'une entrée étrangère.

Il prit note du numéro et pointa le nom de Vladimir Mamayev, se disant que Wilbur Hewitt méritait peut-être une dernière chance. Non pour lui-même, mais pour sa nièce Elisabeth.

Pour ne pas avoir à éteindre une nouvelle fois le feu, il cacha les rapports sous une armoire. Ensuite il se couvrit autant qu'il put. Il devait parler dès que possible à la seule personne de confiance qu'il connaissait ayant accès à la documentation de la Guépéou, et cette personne était Andrew Scott.

Jack boutonna son manteau tandis que le froid glacé pénétrait dans ses poumons comme un couteau dans de la gélatine. La douleur le fit tousser. Il vérifia que personne ne surveillait l'extérieur de la maison et se mit en route, muni d'un vieux parapluie pour tromper la bourrasque de neige. De nouveau il consulta sa montre : six heures du soir ; à cette heure, Andrew devait être chez lui. Il résidait à Sotsgorod, un quartier ouvrier constitué de rangées de blocs de béton disposés à la manière de briques géantes.

Il frappa à la porte et attendit qu'on lui ouvre. Apparut Sue, qui sursauta en le reconnaissant.

— Jack ! Ça fait un bout de temps ! Mais... ne reste pas planté là, tu vas geler sur place ! Entre, entre donc.

Jack constata que l'appartement consistait en une seule pièce qui servait à la fois de salon et de chambre. Sue s'empressa de tirer le rideau qui divisait la pièce pour cacher un lit défait. Elle avait mauvaise mine, mais Jack n'en dit rien. Lorsqu'il demanda Andrew, elle lui répondit qu'il allait arriver.

— Un endroit confortable, mentit-il.

— Un peu petit, mais nous sommes contents. (Elle eut un sourire forcé tandis qu'elle retenait ses cheveux avec une épingle.) Tu te souviens quand nous avons quitté New York ? On pensait qu'en Russie on nous donnerait une maison avec un jardin. (Elle rit.) C'était le bon temps ! Tiens, assieds-toi. (Elle lui offrit une chaise branlante.) Excuse-moi de ne pas te proposer de vodka, mais avec la famine, nous ne pouvons pas nous permettre certains luxes. Au travail, ils donnent une bouteille par semaine à Andrew, mais il l'échange au marché contre des œufs et quelques os pour faire un bouillon. Veux-tu un thé en l'attendant ? Ça, je peux te l'offrir.

Jack accepta. Il n'avait pas vu Sue depuis l'inauguration de l'économat. À cette occasion il n'avait pas prêté attention, mais sous la lumière blafarde de l'ampoule, son visage était flétri, sillonné de fines rides.

— Et toi, comment vas-tu ? Andrew m'a dit que tu étais devenu avocat, attaché à la défense du capitaliste que tu as sauvé sur le bateau.

— Oui. Un engagement. (Il ne voulut pas donner plus de détails.) Et vous ? Comment allez-vous ?

— Bien, bien… Prends. Fais attention, le thé est brûlant.

Ils restèrent un moment silencieux, tandis que Jack buvait à petites gorgées.

— Sais-tu s'il va beaucoup tarder ?

— Non, non… Ces temps-ci il est un peu plus occupé. Avec Staline, tout le monde l'est, mais il va arriver. Tiens ! (On entendit une clé dans la serrure.) Le voilà.

Et elle se leva pour l'accueillir. Jack l'imita.

Andrew ouvrit la porte et se débarrassa de son *ouchanka* en laine, saupoudrant le sol de la neige qui s'était accumulée dessus. Il se secouait encore lorsqu'il remarqua la présence de Jack et s'arrêta comme s'il venait de voir une apparition.

— Ça alors ! Quelle surprise ! Qu'est-ce qui t'amène par ici ?

Andrew regarda la tasse de thé posée à côté de Jack et adressa une moue de reproche à Sue. Jack le remarqua.

— Ne t'inquiète pas. Je ne reste pas. Je ne voudrais pas te compromettre. C'est seulement que j'ai certains renseignements. Des renseignements étranges…

— Sue, s'il te plaît, va chez la voisine, voir si elle peut te donner une pomme de terre.

— Mais, Andrew. Tu sais bien qu'ils n'ont même pas...

— Va chercher une putain de pomme de terre ! cria-t-il.

Sue courut se couvrir et sortit de la pièce. Tout de suite, Andrew s'assit en face de Jack, l'air peu aimable.

— Et alors ? Quels sont ces renseignements ?

Jack ouvrit sa mallette et sortit les actes qu'on lui avait remis au procès. Il lui expliqua de quoi il s'agissait et pourquoi il les avait en sa possession.

— Oui, oui, je suis au courant. J'ai assisté à la séance dans le public.

— Oui ? Dans le tumulte je ne t'ai pas vu. Bien, tu sais donc qu'avant de mourir ce McMillan a établi une liste des transferts. La voici. C'est celui de cinquante mille dollars qu'ils attribuent à Wilbur Hewitt.

Il le lui montra.

— Oui. Aujourd'hui, au bureau, ils ont dit qu'ils avaient vérifié le rapport des transferts, et que non seulement ils ont constaté que le destinataire des cinquante mille dollars était Wilbur Hewitt, mais qu'en plus celui-ci avait sorti une partie des fonds.

— Mince ! Et ils ne s'en étaient pas rendu compte avant ? C'est incroyable ! L'argent qui entre dans une banque soviétique est tellement contrôlé qu'il est ensuite impossible de l'en retirer sans que le balayeur lui-même soit au courant.

— Dans la majorité des transactions, oui. Mais le compte de Hewitt sur lequel l'argent a été viré avait une autorisation dans une banque allemande. Il était ouvert pour des histoires de paiements de contrats et de fournitures.

— Eh bien, Andrew, tu en sais des choses !

— Les Soviétiques ne le croient pas, mais mon russe s'est bien amélioré. Ces derniers jours, à la Guépéou, on ne parle pas d'autre chose. Il suffit d'ouvrir ses oreilles.

— Mais ce n'est pas pour ça que je suis venu te voir. Regarde. (Il lui montra le numéro de compte du donneur d'ordre.) J'aurais besoin de savoir à qui correspond cette référence. Qui a ordonné le transfert.

Andrew lut à contrecœur le document.

— C'est écrit là : CONFIDENTIEL. Cette information est secrète.

— Oui, mais je ne te demande pas le chiffre indiqué sur l'acte. Je veux parler de celui que j'ai souligné au crayon rouge.

Andrew ôta ses lunettes pour lire avec attention.

— D'où l'as-tu sorti ?

Il fronçait les sourcils, apparemment très surpris.

— Je préfère ne pas t'impliquer.

— Tu l'as déjà fait en venant ici. Si quelqu'un t'a suivi, tout le monde m'associera au défenseur d'un assassin.

— Réfléchis bien à ce que tu dis. Tu ne trouves pas étrange qu'à la moitié du procès apparaisse le témoin d'un crime qui a eu lieu il y a un an ? Si depuis tout ce temps ils disposaient de cette preuve, pourquoi n'ont-ils pas arrêté Hewitt avant ? Et en plus, pas n'importe quel témoin. Quelqu'un qui a un nom. Viktor Smirnov… Mais comment un type qui ne s'intéresse qu'à ses voitures, à ses costumes et au luxe peut-il se prêter à ce jeu ? Je ne sais pas. Tout ce qui me vient à l'esprit, c'est qu'on le menace de lui retirer ses privilèges. Maudit cynique !

— Eh bien puisque tu me demandes ce que j'en pense, tu pourrais aussi te dire que, quel que soit le motif de son témoignage, cela n'implique pas que Hewitt soit innocent. McMillan est mort, l'argent a disparu et il y a les enregistrements.

— Bon sang, Andrew ! Hewitt n'a rien de l'assassin qui précipite ses employés d'un pont. Et s'ils ont menti là-dessus, il se pourrait qu'ils mentent sur tout.

— D'après ce raisonnement, tu n'aurais pas non plus tué Kowalski. Vraiment, Jack ! Qu'il est facile de détourner le regard quand il s'agit de défendre celui qui t'a procuré toutes sortes de luxes !

Jack fut peiné qu'Andrew lui rappelle la mort de son propriétaire, mais il perçut l'aiguillon de l'envie planté dans son estomac. Au nom de leur vieille amitié, il voulut temporiser.

— Je comprends que tu puisses te sentir offensé, mais il n'est pas juste que tu me le reproches. Ce que j'ai, je l'ai obtenu par mon travail, et ton propre chef, Serguëi Loban, l'a autorisé. De plus, j'ignorais que Sue et toi vous trouviez dans une situation si précaire. Merde, Andrew ! Si vous aviez besoin d'aide, un prêt, je ne sais pas… Quoi que ce soit, vous n'aviez qu'à me le dire et je…

— Te voilà prêteur sur gages maintenant. Ce que tu détestais le plus chez ton oncle le banquier.

— S'il te plaît ! Ne prends pas mes paroles au pied de la lettre. J'essayais seulement… Enfin, c'est que je n'avais aucune idée des conditions dans lesquelles vous viviez. Quand vous avez quitté le village américain, j'ai pensé que vous déménagiez pour un meilleur endroit.

— Oui… Pour une demeure comme celle de Wilbur Hewitt.

— Arrête, Andrew ! Je suis vraiment désolé. Tiens. Ce n'est pas beaucoup mais…

Il allait sortir quelques billets de son portefeuille, mais Andrew l'en empêcha.

— Je n'ai pas besoin d'aumône, Jack. C'est toi, au contraire, qui sembles avoir besoin de mon aide, sinon tu ne serais pas ici à cette heure, dans la maison de ton ami le raté, en train de le supplier. Enfin, laissons ça. Tu vas me dire d'où tu as sorti ces numéros ?

Jack inspira fortement et regarda le visage affligé d'Andrew. Il hésita et son cœur battit plus vite. Il s'agissait d'Andrew. Son ami Andrew.

— Je les ai trouvés dans une malle qui a appartenu à McMillan, dit-il enfin. Hewitt m'a cédé ses bagages, sans savoir que des dizaines de rapports étaient cachés à l'intérieur, avec des données sur l'Autozavod. Parmi eux, les mouvements comptables qui ont été présentés au procès pour accuser Hewitt. Ceux du procès coïncident en tous points avec les rapports de McMillan, à l'exception du numéro de compte du donneur d'ordre qui, comme tu le vois, est différent. Et ceux de McMillan ne sont pas n'importe quels papiers. Je te parle d'un bilan officiel, portant le sceau de la Vesenkha, le Conseil suprême de l'Économie nationale de l'Union soviétique.

— Et tout ça, dans une malle ?

— Elle avait un double fond. Écoute, Andrew, je suis convaincu que le document que j'ai trouvé est celui que McMillan voulait remettre à Sergueï quand il l'a appelé au téléphone. Et je ne comprends pas pourquoi Sergueï a ensuite modifié le numéro du donneur d'ordre.

— Oui, c'est vraiment étrange. (Andrew se leva et passa la main sur ses rares cheveux.) Jack, j'ignore vraiment l'importance que peut avoir ta découverte. Je ne sais même pas si je pourrais vérifier quelque chose. Où est l'original ?

— Caché chez moi.

— Bien. Apporte-le-moi et demain et je verrai ce que je peux faire.

— Demain, il sera trop tard. J'ai besoin de connaître l'identité du donneur d'ordre avant la reprise du procès.

— Je comprends. Le problème, c'est qu'il faudrait que je sorte maintenant, que je trouve quelqu'un au bureau qui accepte de me recevoir ; et tout ce que j'ai à lui montrer, c'est un numéro écrit au crayon rouge. Si encore tu m'avais apporté les originaux…

— Écoute, s'il est vrai que Sergueï a modifié les numéros, ce rapport est la seule preuve qui pourrait le démontrer, et je ne suis pas assez bête pour le remettre à ces chacals. J'avais l'intention de le présenter au procès, devant Staline, mais avant je dois savoir pourquoi on a modifié les numéros.

— Tu as raison. Mais… (Il secoua la tête, comme s'il ne trouvait pas de solution.) Mais je ne crois pas pouvoir t'aider. Peut-être devrais-tu en parler à quelqu'un qui a plus de pouvoir à la Guépéou. En fin de compte, je ne suis qu'un *seksot*, un informateur…

même si Sue s'obstine à croire le contraire. Je suis un moins que rien.

Jack ne sut trop quoi dire. Il termina le thé en pensant aux paroles d'Andrew. Finalement, il se leva pour prendre congé de son ami.

— Autre chose. Le nom de Vladimir Mamayev, ça te dit quelque chose ?

— Non. C'est la première fois que je l'entends. Pourquoi ?

— Pour rien. Bon, merci quand même. Excuse-moi auprès de Sue. J'ai une dette envers toi.

— Alors, que vas-tu faire ?

Jack ferma son manteau et enfonça l'*ouchanka* sur sa tête.

— Parler à Viktor Smirnov. Je ne sais pas si ça va servir à quelque chose, mais le moment est venu de le vérifier.

38

Depuis qu'il avait quitté l'humble appartement d'Andrew, Jack n'avait pas cessé de s'interroger sur le rôle de Smirnov dans toute cette histoire. Avant le procès, son indolence à l'égard de tout ce qui ne touchait pas à son bon plaisir l'avait écarté de ses soupçons. Mais sa soudaine apparition en tant que témoin le mettait directement en cause.

Lorsque Jack frappa à la porte d'entrée de la datcha de Viktor Smirnov, il ne put réprimer un frisson. Tandis qu'il attendait, il admira le groupe imposant de voitures stationnées devant la maison, surveillées par la sentinelle qui l'avait fouillé un instant plus tôt avant de le laisser passer. On entendait jusque dans le jardin les éclats de rire et la musique provenant de l'intérieur : on s'amusait visiblement beaucoup. Il frappa de nouveau avec insistance et attendit.

Viktor Smirnov en personne, vêtu d'une veste d'intérieur froissée et une coupe de champagne à la main, ouvrit la porte. Se trouvant nez à nez avec ce visiteur inattendu, il perdit son sourire comme sous l'effet d'une gifle. Jack le salua froidement, avec le sentiment de pénétrer dans l'antre du diable.

— Jack ! Que fais-tu ici ?

Il jeta un coup d'œil de droite à gauche, comme s'il ne pouvait concevoir qu'il soit venu seul.

— Excuse-moi de me présenter à cette heure sans prévenir, mais j'avais besoin de te consulter pour une affaire grave.

— Je vois. Eh bien, à vrai dire, le moment est mal choisi. Je fête mes retrouvailles avec des amis de Moscou et nous nous apprêtions à porter un toast.

On entendit des bruits de talons et des rires de femmes.

— J'en ai pour un instant…

— De quoi s'agit-il ?

D'un geste il rassura la sentinelle en faction pour lui indiquer que tout allait bien, et il rajusta sa veste.

— C'est à propos de la déclaration de Sergueï. Il y a quelque chose qui cloche et j'ai pensé que je devais t'avertir.

— Oui ? D'accord. Dans ce cas, montons. Nous serons plus tranquilles.

Pendant qu'ils traversaient le vestibule pour gagner le premier étage, Jack prêta attention aux femmes qui, légèrement vêtues, riaient et dansaient en bécotant des officiers qu'il ne connaissait pas. L'une des jeunes femmes apparut en titubant, la poitrine dénudée. Elle appela Viktor pour qu'il descende. Elle avait du mal à parler, mais elle insista.

— Tout de suite ! répondit-il à la fille. De vieilles amies, se justifia-t-il auprès de Jack, comme s'il voulait cacher qu'il s'agissait de prostituées. Bien. Je t'écoute.

Il ferma la porte de son bureau et prit place dans un magnifique fauteuil de cuir.

— Assieds-toi, dit-il.

Jack accepta l'invitation de Viktor et l'imita. Il ne savait par où commencer. Il enleva son *ouchanka* et laissa son regard parcourir la pièce. La musique du gramophone le rendait nerveux.

— Belle fête. Je suis désolé de l'avoir interrompue.

— Et moi donc ! (Viktor se servit du champagne de la bouteille qu'il avait prise en passant dans le vestibule. Une vitrine à proximité comptait plusieurs coupes, mais il n'en offrit pas à Jack.) Et alors, qu'avais-tu de si important à me dire ?

— Je crois… Je crois que Sergueï ment.

— Oui ? Et sur quoi te fondes-tu pour l'affirmer ?

Il savoura une gorgée de champagne très lentement, sans cesser de regarder Jack.

Jack hésita. Quelque chose en lui refusait de lui révéler la vérité.

— Je ne sais pas. C'est peut-être stupide. Je…

— Allons, Jack. Tu ne serais pas venu jusqu'ici au milieu de la nuit juste pour gâcher notre fête.

— Non, bien sûr. Je… Est-ce que le nom de Vladimir Mamayev te dit quelque chose ? dit-il enfin, et Viktor toussa comme si le champagne avait envahi ses poumons.

Ce qu'il en restait au fond de la coupe se répandit sur son bureau. Jack s'empressa de l'aider. Mais tandis qu'il nettoyait le liquide renversé avec son propre *ouchanka*, il aperçut un porte-photo qui lui glaça le cœur.

— Pardon, s'excusa Viktor. J'ai trop bu cette nuit. Non. Je ne connais aucun Mamayev. Pourquoi ? Quelque chose ne va pas ?

— Non. Bien sûr que non.

Jack garda le silence, absorbé par la photographie sur laquelle une jeune femme étreignait Viktor Smirnov en lui faisant les yeux doux. Il ne sut dissimuler sa stupéfaction. C'était Natasha, la fille de Sergueï Loban, arborant à son doigt une énorme bague de fiançailles.

Une brusque douleur à la hanche, aussi intense que simulée, lui avait offert l'excuse parfaite pour couper court à sa rencontre avec Smirnov. Il marchait maintenant d'un pas trébuchant dans les avenues vides de Gorki, tel un somnambule ; la neige lui fouettait le visage, le couvrant peu à peu d'un suaire de glace.

Il imagina Natasha et Smirnov, complotant tous deux avec Sergueï. Ils l'avaient tous trompé. Tous, y compris Hewitt. Bande de salauds !

En chemin, il se demanda pourquoi Natasha lui avait caché sa relation avec Smirnov. Bien qu'il se soit éloigné d'elle ces derniers jours, il lui était impossible de ne pas se sentir trahi. Accepter que son agréable visage sans trace de duplicité et ce regard clair qui reflétait l'honnêteté soient le masque d'un horrible mensonge le mortifiait. Il ne pouvait admettre que ses baisers, ses étreintes et ses soupirs n'aient été que la vérité d'une brève rencontre. Mais alors, pourquoi l'avait-il surprise en train de se disputer avec Smirnov dans son bureau ?

Sa tête était vide, incapable de penser. Et cela avait-il vraiment de l'importance ? L'idée de se trouver à une croisée des chemins où, quel que soit celui qu'il choisirait, il irait droit à l'abîme le torturait. Il les maudit tous avec rage et pressa le pas. Si la colère ne l'en avait empêché, peut-être se serait-il apitoyé sur son sort. Seule la fuite pouvait maintenant le sauver. Le moment était venu de se mettre en route, ou de mourir dans cette tentative.

Il se trouvait à proximité de son domicile lorsqu'il remarqua un groupe d'hommes qui couraient dans les rues, allant d'une maison à l'autre et détruisant tout sur leur passage. Il voulut demander à un passant ce qu'il en était, mais celui-ci l'évita et courut se réfugier sous un porche voisin. Lorsqu'il se retourna pour en interroger un autre, une détonation sèche résonna. Jack s'arrêta. On entendit quelques hurlements, puis le bruit d'un véhicule démarrant à toute vitesse, suivi d'un crissement de freins. D'autres cris se firent entendre, suivis de nouveaux coups de feu.

Jack courut jusque chez lui. À peine entré, il cria à Elisabeth de descendre au salon. Pendant qu'elle s'habillait, il rassembla les seuls objets dont il allait avoir besoin dans sa fuite : des vêtements chauds, ses économies, les rapports compromettants et le passeport de McMillan. Lorsqu'elle descendit, elle lui demanda ce qu'il se passait.

— Nous n'avons pas le temps de discuter. Prends tes affaires. Juste l'indispensable. Et vois ce que tu peux trouver dans la cuisine. Tout ce qu'on peut se mettre sous la dent : des pommes de terre, des biscuits, n'importe quoi.

— Maintenant ? Où allons-nous ?

— Je ne sais pas. Je demanderai à Zarkov qu'il nous cache dans un endroit sûr.

— Mais pourquoi ? Et qu'est-ce que c'est que ces explosions ?

— On dirait des coups de feu. Un voisin vient de me dire que les hommes de la Guépéou font une rafle au hasard.

— As-tu appris quelque chose au sujet de mon oncle ?

— Pour le moment, nous ne pouvons rien faire pour lui. Prends ton manteau et fais ce que je te dis. Vite, nous penserons à ton oncle plus tard.

— Je ne vais pas m'enfuir comme une voleuse, en laissant ici ma seule famille. Mon oncle Wilbur n'a commis aucun délit et…

— Non ? Et comment en es-tu si sûre ? Sais-tu d'où il a sorti l'argent pour les passeports ? Que peux-tu bien savoir ? Wilbur Hewitt m'a menti. C'est lui qui m'a fourré dans ce guêpier. Il a tué George McMillan, celui que j'ai remplacé à l'Autozavod et…

— Quoi ?

Elisabeth fit une grimace de stupeur.

— Ce que tu entends. Je ne te l'ai pas raconté pour t'épargner ce chagrin, mais puisque tu insistes, un témoin a vu ton oncle tuer George McMillan.

— George ? Ça n'a aucun sens ! Mon oncle serait incapable de tuer une mouche. Je ne sais pas comment tu peux croire à cette histoire.

Des coups de feu tout proches les firent sursauter.

— Eh bien je le crois parce qu'un témoin a décrit comment, quelques jours après être arrivé à Moscou, ton oncle a étranglé cet homme de ses propres mains sur le Grand Pont de Pierre et jeté son cadavre dans le fleuve.

Elisabeth resta stupéfaite, contemplant Jack avec la même incrédulité que s'il était une apparition.

— Mais, Jack, tu ne te souviens pas ?

— Je ne me souviens pas de quoi ?

— Des terribles blessures que mon oncle a subies sur le *S.S. Cliffwood*. Comment un invalide qui pouvait à peine tenir une tasse dans sa main aurait-il étranglé un homme costaud de vingt ans son cadet et jeté son cadavre par-dessus le parapet ?

Jack se maudit avant de frapper d'un coup de poing le mur le plus proche. Mais comment avait-il été assez bête pour ne pas y avoir pensé plus tôt ? Ce que disait Elisabeth était si évident que même un enfant l'aurait compris. De nouveau il se maudit. Sans doute Smirnov avait-il fait un faux témoignage à la demande de Sergueï pour inculper Hewitt d'un délit si infâme qu'il diluerait le moindre soupçon d'innocence. Il ne sut que répondre à Elisabeth, mais de toute façon, à cet instant, sa découverte n'avait aucune importance, pas plus que n'en avaient les bilans comptables de McMillan et le nom de Vladimir Mamayev. Aucun rapport secret n'arrêterait ceux qui avaient menti pour tramer cette gigantesque conspiration. Rien ne les empêcherait de les éliminer eux aussi. Lorsqu'il tenta de l'expliquer à Elisabeth, elle se retourna vivement.

— De quel rapport secret parles-tu ?

— Je te répète que ça n'a pas d'importance. Ton oncle est condamné. Nous devons fuir.

— Fuir ? C'est tout ce qui te vient à l'esprit ?

— Et que veux-tu que nous fassions ? Que nous débarquions chez Staline pour exiger de lui la garantie d'un procès équitable ? Ne te fais pas d'illusion. Partons !

Il lui saisit le poignet pour l'obliger à l'accompagner dans sa fuite.

— Lâche-moi !

— Mais on peut savoir ce qui t'arrive ? Si nous ne partons pas maintenant…

— Tu ne sais que fuir. Oui. Comme tu as fui New York pour qu'on ne te condamne pas pour la fusillade…

— Quoi ?

Jack pâlit. Il n'arrivait pas à croire ce qu'Elisabeth venait de dire.

— Tu pensais vraiment que personne ne le saurait ? Tu imaginais que personne ne saurait que tu étais un fugitif ?

— Mais comment… ?

Jack crut qu'Andrew lui avait révélé tous les détails de l'homicide de son propriétaire.

— Tout est ici. (Elle s'approcha de lui, sortit de son peignoir un vieil exemplaire du *New York Times* et le lui montra.) Dans la page des faits divers… datée de la veille du jour où le *S.S. Cliffwood* a quitté le port.

Jack resta silencieux, percevant le rythme délirant du sang qui battait dans ses tempes.

— C'était… C'était un accident…, parvint-il à balbutier.

— Ah oui ? Eh bien ici, il est dit qu'un certain Kowalski t'a dénoncé pour lui avoir tiré dessus et fui avec son argent.

— Qu'est-ce que tu dis ? Qui m'a dénoncé ? (Jack ne comprenait pas. Comment un mort pouvait-il le dénoncer ?) Fais voir !

Il lui arracha le journal des mains et lut tout l'article avec attention. Lorsqu'il eut terminé, il s'écroula dans un fauteuil, le souffle coupé. Ce n'était pas possible. Le dernier paragraphe de l'article disait que Kowalski n'avait qu'une légère blessure, et que la plainte qu'il avait déposée contre lui était une plainte pour vol.

Des coups de feu tirés en rafales parvinrent à le tirer de sa stupéfaction. Il n'était pas un assassin ! S'il avait su que Kowalski était vivant, il serait resté aux États-Unis pour prouver son innocence, prouver qu'il n'avait pas volé son propriétaire, et encore moins tiré exprès sur lui. Et s'il ne l'avait pas tué, pourquoi Andrew lui avait-il menti ? Pourquoi lui avait-il assuré que Kowalski était mort ?…

Jack laissa échapper un hurlement qui retentit dans toute la maison. S'il avait eu Andrew face à lui, il l'aurait tué à coups de poing. Il le maudit lui et toute sa famille. Ce type qu'il considérait comme son ami, celui qui avait proposé de fuir avec lui en Union soviétique pour le sauver de la chambre à gaz, ce scélérat avait été capable de le tromper et de lui faire croire qu'il était un assassin juste pour qu'il l'accompagne dans son aventure insensée, pour se servir de sa connaissance du russe, et l'utiliser sans se soucier qu'il ruinait sa vie.

Jamais il n'avait haï quelqu'un avec autant de force et de froideur. Jamais il ne s'était senti à ce point trahi. Il fourra l'article dans son manteau et se remit à rugir de rage, tandis qu'Élisabeth, abasourdie, assistait à la transformation de Jack, un homme effrayé quelques instants plus tôt mué en bête assoiffée de vengeance.

Des coups à la porte le firent revenir à lui. Aussitôt il se leva et courut vers une fenêtre pour voir qui appelait. C'était un inconnu qui implorait de l'aide. Il n'eut pas le temps de réagir. Une voiture pila à côté de lui, quelqu'un en sortit et lui tira à bout portant une balle dans la tête. Le coup de feu résonna dans la maison comme si la balle avait traversé la pièce. Jack ferma la fenêtre et se retourna vers Elisabeth qui hurlait comme une hystérique.

— Nous devons partir !

— Non ! Je ne partirai pas sans mon oncle, dit-elle, terrifiée.

Jack comprit qu'il devrait la faire sortir de force, mais il pensa qu'il valait mieux attendre qu'elle se calme.

— C'est bien. Je vais aller chercher la voiture, je passerai par l'économat pour récupérer ce qu'il reste et je reviendrai te chercher. Toi, tu attends ici. Nous verrons ce que nous pouvons faire pour ton oncle, lui dit-il pour la tranquilliser. Tiens, garde la clé. Quand je serai sorti, ferme la porte, cache-toi en haut et n'ouvre à personne. Tu m'as compris ? Tu m'as compris ? ! lui cria-t-il.

Elle fit signe que oui, les yeux emplis de larmes. Jack la serra dans ses bras. Il lui assura que tout irait bien, lui répéta de rester cachée, et quitta la maison en direction de l'atelier abandonné d'Ivan Zarko.

Malgré le gel, le moteur de la Ford rugit avec force. Jack attendit que Yuri ouvre le portail de la remise, puis il fit lentement rouler la voiture jusqu'aux pavés de la rue.

— Nous nous retrouvons plus tard chez moi. Là, je te paierai le reste, lui dit Jack.

Yuri acquiesça et il accéléra. Il conduisit à travers la nuit à toute vitesse, phares éteints, suivant la faible lueur d'une lune qui semblait être le seul témoin digne du respect de la Guépéou. Les coups de feu et les cris se succédaient, comme si tout Gorki était le théâtre d'un massacre. Comme il s'approchait du village américain, il perçut la lueur de brasiers. Il pensa faire demi-tour mais il avait besoin de provisions, sinon Elisabeth et lui mourraient comme des rats. Finalement, il fit le tour du village et se dirigea vers l'entrée de derrière, qui donnait sur l'entrepôt de l'économat. Il gara la voiture et entra. À l'extérieur, les coups de feu continuaient, lui rappelant qu'un faux pas pouvait lui coûter la vie. Pourtant, un désir d'une force surnaturelle l'entraînait. Se venger d'Andrew, lui faire payer. C'était la dernière chose qu'il se promettait de faire avant de fuir l'Union soviétique.

Il pénétra dans le magasin et alluma la torche qu'il avait prise dans le véhicule. Le faisceau de lumière éclaira les murs nus. On était passé par là avant lui : sur les étagères, il ne restait rien. Il se préparait à partir lorsque soudain il aperçut devant lui une forme accroupie.

— Qui est là ?

Il sentit son cœur s'emballer.

N'obtenant pas de réponse, il dirigea la lumière vers l'endroit d'où provenait un balbutiement. Il s'apprêtait à reculer lorsque des bras puissants le saisirent brusquement par-derrière et l'enserrèrent à l'étouffer. Jack se débattit. Il tenta de se libérer, mais celui qui l'emprisonnait avait la force d'un ours. Il pouvait à peine respirer. Il se servit de la torche en guise de masse et frappa de toutes ses forces vers l'arrière, mais ses mouvements désordonnés ne trouvèrent pas de cible. Il sentait la vie l'abandonner. Dans un dernier sursaut, de ses deux poings il assena un coup désespéré à son agresseur qu'il atteignit à la tête. Étourdi, l'homme lâcha prise et tomba sur le sol. Alors Jack se jeta sur lui dans l'intention de lui défoncer la tête avec la torche et s'assit à califourchon sur sa poitrine. Avant de le frapper il l'éclaira.

— Joe ?

Incrédule, il suspendit le coup mortel.

Aussitôt il éclaira tout autour et découvrit Miquel et la famille Daniels, blottis dans un coin tels des chiots apeurés.

Tous à la fois, ils expliquèrent à Jack qu'ils avaient décidé de se cacher là lorsque les agents de la Guépéou avaient fait irruption dans le village en tirant dans tous les sens.

— Je regrette, monsieur Beilis, s'excusa Joe Brown. Je vous ai pris pour l'un d'eux.

— Mais que se passe-t-il ? demanda Jack.

— C'est Smirnov, répondit Harry Daniels. Ce matin, nous l'avons vu cribler de balles les Petersen qui tentaient de fuir. Il a tiré sur eux sans hésitation, il les a abattus comme des chiens ! C'est une folie ! Nous avons couru avec ce que nous avions sur le dos et nous nous sommes cachés dans le bois.

— Qu'allons-nous faire, Jack ? lui demanda la femme de Harry Daniels en pleurs. Elle serrait son plus jeune fils dans ses bras, l'étouffant presque.

— Je ne sais pas. Vous allez devoir fuir. Ici, personne n'est à l'abri.

— Mais comment ? Où ?

— Je ne sais pas. Tenez. (Il sortit cinq mille roubles de sa veste et les leur donna.) C'est tout ce que je peux faire pour vous.

— Jack ! Nous n'avons nulle part où aller.

Il regarda leurs visages effarés et comprit que leurs vies étaient entre ses mains. La malchance le poursuivait.

— D'accord ! Vous avez de quoi manger ?

— Un sac de harengs fumés, quelques biscuits, des pommes de terre et des navets, dit Miquel. Ce qui restait.

— Bien, alors prenez le strict nécessaire et suivez-moi. Qu'est-ce que vous portez là ?

Jack montra le panier d'osier que Mme Daniels essayait de charger dans la voiture.

— C'est la vaisselle de mon trousseau. J'en ai besoin pour...

— J'ai dit le strict nécessaire. (Il jeta le panier à l'extérieur. Ensuite il chargea la voiture avec les provisions que Miquel avait pu sauver, les vêtements chauds, des couvertures, un bidon d'essence, deux couteaux, et laissa par terre le reste de leurs affaires.) Allez ! Montez !

Sans allumer les phares, Jack conduisit la Ford vers le sud avec son chargement humain. Pendant le trajet, les fusillades firent place à des explosions. L'attention de Jack fut distraite lorsqu'il aperçut au loin l'un des bâtiments d'assemblage en flammes. En reportant son regard sur la route, il découvrit avec horreur une barricade surgie du néant. Il donna un brusque coup de volant qui le fit sortir de la route, mais par chance ne heurta aucun arbre. Une rafale de coups de feu siffla autour de la voiture.

— Baissez-vous !

Il n'eut pas besoin de le répéter. Comme il put, il reprit le contrôle de la voiture et accéléra jusqu'au sentier dans lequel il venait se perdre avec Natasha ; il le prit en dérapant et s'enfonça dans la forêt. Au bout de quelques kilomètres, il réduisit la vitesse.

— Par ici, tout près, il y a une cabane abandonnée. Descendez avec vos affaires et attendez mon retour. Ne faites pas de lumière. Je dois retourner à Gorki chercher Elisabeth.

— Je t'accompagne, proposa Miquel.

— Non. C'est trop dangereux. Et tu es le seul à parler russe et à connaître les alentours. S'il t'arrivait quelque chose, ils seraient perdus.

Miquel acquiesça, mais Joe Brown offrit de le remplacer et Jack le remercia de son offre.

— Rappelez-vous, dit-il. Pas un bruit. Si à midi nous ne sommes pas revenus…

Il ne termina pas sa phrase. Si à midi ils n'étaient pas revenus, tous sauraient ce que cela voudrait dire.

Jack arrêta la voiture près de sa maison. Il n'avait pas le temps de prendre plus de précautions. Il demanda à Joe de l'attendre en laissant le moteur tourner.

— Si tu vois quelqu'un approcher, accélère à fond.

Joe acquiesça, prit la place du conducteur et lui souhaita bonne chance.

Jack courut vers son domicile en espérant qu'Elisabeth se montrerait plus docile. La rue était déserte. Une fois devant la porte, il sortit le double de la clé et l'introduisit dans la serrure. Mais la poignée céda sans qu'il ait besoin de la tourner.

Sur le qui-vive, Jack prit un couteau dans une main, la torche éteinte dans l'autre, et il avança dans la pénombre du salon. La seule lumière provenait des braises qui grésillaient encore dans la cheminée. Il fut tenté d'appeler Elisabeth, mais se retint. Tout à coup il buta contre une chaise renversée au milieu de la salle et, perdant l'équilibre, laissa tomber la torche. Il s'accroupit pour la chercher à l'aveuglette, se déplaçant tant bien que mal à quatre pattes. Enfin il la trouva et décida de l'allumer. Il entendit un bruit derrière lui et se retourna pour voir ce que c'était. Le faisceau de lumière éclaira des figures déformées. Il les identifia. C'étaient Andrew et Elisabeth. Lui la retenait par l'épaule et appuyait un revolver sur sa nuque.

— Andrew ?

— Où sont-ils, Jack ?

— Mais que fais-tu ? Lâche-la !

— Du calme, sinon je la tue ! Les rapports ! Où les caches-tu ?

Jack regretta d'avoir laissé Elisabeth seule et s'en voulut de n'avoir pas découvert avant le vrai visage d'Andrew.

— Fils de chienne ! Mais qu'est-ce que tu veux ? Ça ne t'a pas suffi de me faire croire que j'étais un assassin ?

— Ah ! quand même ! Alors tu l'as enfin appris. (Il sourit.) Pauvre idiot. Toi qui t'es toujours cru si malin. Au point d'éblouir Sue avec ton allure distinguée, ta haute taille et ton argent…

— Je ne me suis jamais cru meilleur que toi !

— Bien sûr que si. Tu te souviens du coup de poing que tu m'as donné au café, le jour où nous nous sommes retrouvés ? Ah ! Ce que j'ai jubilé quand tu as avalé l'histoire de la mort de Kowalski et la perte de ton passeport ! Tu t'es fait avoir comme un crétin.

— Pourquoi as-tu fait ça, Andrew ? Tu aurais pu embarquer seul.

— Tu te trompes. Quand nous sommes allés à Amtorg, je savais qu'ils n'acceptaient que des techniciens spécialisés. Saul Bron laissait traîner les choses. C'est pour ça que je t'ai donné ce tract. Si à ce moment-là tu n'étais pas intervenu, j'aurais dit que tu étais un technicien. J'avais besoin de toi, Jack. Sans toi, je n'aurais jamais réalisé mon rêve.

— Tu as perdu l'esprit ! Mais comment tu as pu ?… Pourquoi tu nous as fait ça, Andrew ? Et Sue, que va-t-elle penser de toi ?

— Je t'interdis de prononcer son nom !

Il le visa à la tête.

— Que vas-tu lui dire, Andrew ? Que quelqu'un nous a tiré dessus ? Tu inventeras un autre mensonge, comme celui de Kowalski ?

— Je t'ai dit de la fermer ! hurla-t-il. Tu crois peut-être que tu as de l'importance pour elle ? Elle se fiche de toi, Jack. Elle s'en fiche complètement.

— Pas sûr. Elle m'a aidé quand…

— Quand elle est allée te voir à la prison ? C'est ça que tu allais me dire ? Parce que si c'est ça, il faut que tu saches que c'est moi qui l'ai envoyée pour sonder ce que tu savais.

Jack garda le silence. La situation devenait insoutenable. Il regarda son adversaire dans les yeux.

— Combien ils te paient ? Qu'est-ce qu'ils t'ont promis ?

— Tu veux vraiment le savoir ? Ici personne ne rit de mes idées. Ici on a de la considération pour moi. Je ne suis plus le pauvre idéaliste, le syndicaliste dont on se moquait dans son pays à cause de ses opinions. Je ne suis plus un moins que rien, invisible et méprisé…

S'il n'avait pas craint qu'il tire sur Elisabeth, Jack se serait jeté sur Andrew pour le mettre en pièces de ses propres mains. Andrew tremblait comme un rat affolé. Il essaya de gagner du temps.

— Au nom de ce qui t'est le plus cher ! Tu crois vraiment que tu es important pour eux ? Tu penses peut-être que tu occuperas une place dans les livres d'histoire ? Allons, Andrew. Lâche-la ! Lâche-la et…

— Je te le dis pour la dernière fois. Donne-moi les rapports ! hurla-t-il en armant le revolver. Tu crois que je plaisante ? Je la tuerai, et ensuite je te tuerai toi.

Jack comprit qu'il exécuterait sa menace. Il baissa la lumière de la torche, des grimaces grotesques tordaient le visage d'Andrew, on aurait dit un possédé.

— D'accord ! Tiens ! Je les ai ici !

Il sortit les rapports de l'armoire et les lui montra.

— Pose-les là, par terre, et recule.

Jack fit ce qu'Andrew exigeait.

— Ce n'est pas comme ça que tu bâtiras un monde meilleur, Andrew.

— Non ? Et qui tu es, toi, pour l'affirmer ? Recule ! Et toi, ramasse-les, ordonna-t-il à Elisabeth.

Elle obéit et les lui remit. Jack perçut son regard terrorisé.

— Voilà, tu les as. Maintenant laisse-la partir !

— Du calme, Jack. Voyons ce qu'il y a là.

Il examina les papiers pour vérifier que c'était ce qu'il cherchait. Puis il se dirigea vers la cheminée, entraînant Elisabeth avec lui.

— Je te dis de la lâcher ! cria Jack.

— Bien sûr... Je m'en m'occupe tout de suite.

Et sur ces mots, il jeta les rapports sur les braises. Les papiers s'enflammèrent brusquement, se consumant en quelques instants. Lorsqu'il ne resta que des cendres, Andrew recula.

— Maintenant que tu as obtenu ce que tu voulais, lâche-la.

— Pas si vite, Jack. Deux choses encore.

Il visa les têtes de Jack et d'Elisabeth.

— Attends ! (Jack mit la main dans son manteau et sortit une liasse de billets verts.) Regarde ! Des milliers de dollars. Sue et toi pourrez acheter ce que vous voulez... Prends-les. Prends-les. Ils sont à toi.

Andrew tituba, comme s'il se trouvait soudain face à un choix qu'il n'avait jamais envisagé.

— Je n'ai pas besoin d'argent capitaliste, balbutia-t-il.

— Andrew, personne ne le saura. Sue et toi, vous le méritez après tant d'années de souffrance… Allons ! Si tu ne le prends pas, c'est un autre qui le prendra.

Il menaça de jeter les billets dans les braises. La torche tremblait dans les mains de Jack. Ses options s'épuisaient.

— Bien. Pose l'argent par terre ! Et pas de blague.

— Bien sûr. Mais d'abord lâche-la.

Il se déplaça lentement vers la cheminée.

— Je t'ai dit de le laisser par terre ! brama-t-il.

— Et moi je t'ai dit de la lâcher.

Il fit deux pas pour se trouver près des braises, qu'il raviva en y jetant quelques planches.

Un coup de feu éclata dans la pièce. Jack sentit à travers son pantalon les éclats des dalles fendues par la balle à ses pieds. L'odeur le prit à la gorge. Il dut tousser avant de s'adresser de nouveau à Andrew.

— Ou tu la lâches, ou je brûle l'argent. Même si tu me tires dessus, je te jure que je le brûlerai.

Il l'agita au-dessus des braises.

— Démon de capitaliste ! C'est bien. Je vais la lâcher ! (Il visa la tête de Jack.) Je vais la lâcher ! répéta-t-il en laissant Elisabeth s'avancer lentement vers Jack. Non, pas vers lui ! Sur le côté, là où je peux vous voir. Et maintenant donne-moi l'argent.

— D'accord, Andrew. Il est à toi. Tiens.

Il le lui lança en pleine poitrine.

Juste au moment où il lui jetait la liasse de billets, il éteignit la torche et la lança aussi sur lui. Andrew tira deux fois.

— Fils de pute ! Je vais en finir avec vous.

Il tira à nouveau. Plusieurs coups de feu illuminèrent le salon.

Soudain, ce fut le silence.

Jack attendit, couché dans l'obscurité, son corps protégeant celui d'Elisabeth, tandis que son cœur battait à tout rompre. Il ne savait pas ce qu'il s'était passé, mais Elisabeth restait immobile. Il allait se relever quand la lumière de la torche l'éclaira. Jack crut que son heure était venue.

— Vous allez bien ?

Jack ne put identifier la voix qui surgissait derrière l'aveuglant faisceau de lumière. Il se redressa lentement et aida Elisabeth à se relever. Puis la lumière changea de direction et éclaira le corps sans vie d'Andrew. En s'approchant de l'inconnu, Jack constata qu'il s'agissait de Yuri.

— On avait un accord. Tu te rappelles ? À cause de ce salaud, tu allais brûler mon argent, marmotta le neveu d'Ivan. J'ai rencontré Joe Brown dehors. On vous attendait, mais vous tardiez beaucoup, alors j'ai décidé de venir jeter un coup d'œil. Allons. Il faut sortir d'ici avant que les tchékistes de la Guépéou arrivent.

Comme ils se dirigeaient vers la voiture, Jack s'intéressa à l'origine de l'explosion de violence qui secouait Autozavod. Yuri oublia sa hargne.

— C'était une question de temps. La famine décime les familles. Les gens sont désespérés et la présence de Staline a été la goutte d'eau qui a fait déborder leur colère. Des groupes de saboteurs armés se sont retranchés dans l'usine et ils ont brûlé plusieurs bâtiments, l'armée va bientôt intervenir.

Ils arrivèrent à la voiture et s'y installèrent. Joe Brown réveilla la Ford et il roula à toute vitesse sur les pavés de Gorki en direction de la cabane où s'étaient réfugiés Miquel et les Daniels. Lorsqu'elle s'aperçut qu'ils quittaient la ville, Elisabeth protesta.

— Nous ne pouvons pas partir !

— Rester en ville serait un suicide, lui assura Yuri.

Une explosion au loin confirma cet avis. L'automobile poursuivit sa route.

Peu après, ils tournèrent dans un chemin dissimulé qui conduisait à la cabane. Ils arrêtèrent la voiture à proximité. Tout était silencieux. Ils descendirent prudemment et frappèrent à la porte : trois coups rapides et deux autres plus espacés. La porte s'ouvrit et ils se hâtèrent d'entrer. Une fois assis, dans l'obscurité, Jack raconta à ses compagnons tout ce qui était arrivé.

— Sergueï Loban ! C'est à cause de ce tyran que nous sommes dans cette situation, le maudit Elisabeth.

— Sergueï ? Je doute qu'il ait quelque chose à voir avec ce qu'il s'est passé cette nuit, déclara Yuri.

— Mais pourquoi le défends-tu ? Cet homme est un vrai démon.

Yuri haussa un sourcil, comme si l'opinion de la jeune femme l'étonnait.

— Elisabeth a raison. Sergueï est la cause de toute cette destruction, intervint Jack.

Yuri se tourna vers lui. Il se gratta la tête et cracha sur le côté.

— Je crois que vous ne savez pas de quoi vous parlez. Il est possible que Sergueï soit un homme rude, mais ici nous pensons qu'il est juste. Tout le monde te dira la même chose. S'il n'était pas là, les pires hommes de la Guépéou camperaient à leur aise dans Gorki.

— Et c'est pour cette raison qu'il dirige cette tuerie, hein ?

— Je te répète qu'il n'a rien à y voir.

— Et pourquoi en es-tu si sûr ?

— Je vois que tu ne le sais pas encore, dit Yuri avec un soupir. Sergueï Loban a été arrêté en début de soirée, accusé de haute trahison. Ils l'ont destitué de sa charge et emmené à l'Ispravdom. Viktor Smirnov est le seul responsable de ce massacre. C'est lui, maintenant, le chef de la Guépéou.

39

Jack décida de retourner à Gorki dès l'instant où il comprit que Natasha Lobanova courait un grave danger. La photo où elle apparaissait avec Smirnov l'avait sans doute égaré, mais au fond de lui quelque chose le poussait à croire en elle. Yuri tenta de lui montrer la folie qu'il était sur le point de commettre, mais Jack ne céda pas d'un pouce. Pour la première fois de sa vie, ce qui pouvait lui arriver lui était égal.

— Dans ce cas, je t'accompagne.

Une fois à l'extérieur de la cabane, Yuri arrêta Jack.

— Je n'ai pas voulu te le demander devant eux, mais qu'as-tu l'intention de faire de tous ces gens ? Tu n'as demandé que trois passeports, plus celui de cette demoiselle russe.

Jack ne répondit pas. En fait, il n'y avait pas pensé. À cet instant, sa seule préoccupation était Natasha.

— Nous trouverons une solution.

Il fit démarrer la voiture.

Grâce aux indications de Yuri, ils atteignirent les abords du domicile de Natasha sans être interceptés. Au cours du trajet, ils avaient décidé que Jack attendrait dans la voiture pendant que Yuri chercherait à savoir où elle se trouvait. D'après le jeune Russe, si

Natasha était encore en liberté, elle avait dû se réfugier dans une maison voisine. Il connaissait presque tous les habitants du quartier et, s'il posait des questions, on le renseignerait sans difficultés.

Jack vit partir Yuri dans l'obscurité. Lorsque enfin il disparut, il resta caché, essayant de remettre de l'ordre dans son esprit épuisé par les événements.

Il ignorait encore le rôle exact que Sergueï et Hewitt avaient joué dans ce réseau de corruption, mais une vérité irréfutable en ressortait : la ruse criminelle de Viktor Smirnov. Son faux témoignage impliquant Hewitt dans l'assassinat de McMillan n'était que la pointe de l'iceberg d'une machination sournoisement conçue, dans laquelle Andrew entrait comme un gant.

Il le maudit mille fois. Lorsqu'il était allé chez Andrew pour lui demander de l'aide, Sergueï avait déjà été arrêté, si bien que dès le début, celui qu'il croyait être son ami travaillait aux ordres de Smirnov. Cela seul pouvait expliquer qu'après avoir avoué à Andrew l'existence des rapports secrets, celui-ci ait fait irruption chez lui pour s'en emparer.

Il pensa à Natasha et à Smirnov. Il avait du mal à imaginer la relation qui les unissait et la raison pour laquelle Viktor gardait une photo d'eux sur son bureau, mais ce qui était certain c'était que Natasha l'avait mis en garde contre Viktor et qu'il n'en avait pas tenu compte.

Il voulut croire qu'elle avait toujours à son égard les mêmes sentiments ; et qu'il pourrait à nouveau jouir de sa peau et de ses baisers, de ce contagieux regard baigné d'idéaux. Il ne comprenait pas quel étrange sortilège le faisait se sentir captif d'une femme si différente de toutes celles dont il avait toujours rêvé. Natasha n'était pas outrageusement belle, elle n'aimait pas le luxe, elle ne rêvait pas d'une situation en vue dans la société ; les maisons somptueuses ne l'intéressaient pas plus que les apparences ou l'argent. Elle accueillait au contraire le quotidien sans ambitions mondaines, elle semblait heureuse d'accomplir son travail avec honnêteté et recevait la gratitude de ses patients comme la plus belle des récompenses. Pourtant, lorsqu'il l'avait près de lui, son sourire l'envoûtait, ses reparties spontanées le saisissaient, ses soupirs l'émouvaient et ses plaisanteries le désarmaient. Il savait qu'il l'aimait parce que sa seule présence le transformait en quelqu'un de meilleur, quelqu'un de différent ; et parce que, en son absence, l'ancien Jack Beilis revenait toujours à la surface, avec ses ambitions et ses frustrations.

Il pria pour que Yuri la trouve. Mais lorsque la silhouette du Russe apparut solitaire au bout de la rue, il sentit ses entrailles se retourner. Il était à peine installé sur son siège que Jack, craignant le pire, lui demanda des nouvelles de la jeune femme. Yuri ferma la portière et lui indiqua un endroit où cacher la voiture.

— Vite ! Elle est saine et sauve chez des voisins.

Jack poussa un soupir de soulagement.

Aux premières lueurs de l'aube, les deux hommes traversèrent des immeubles de construction récente attendant toujours une couche de peinture, et ils y pénétrèrent par un escalier sombre aux murs écaillés. Tandis qu'ils montaient, ils croisèrent un couple chargé de paquets qui abandonnait son domicile. Yuri pressa Jack de continuer à monter. Au cinquième étage, il s'approcha d'une porte dont la serrure avait été forcée et frappa avec insistance. On entendit des murmures. Yuri s'identifia et le frottement d'un meuble lourd qu'on déplaçait indiqua qu'on libérait l'entrée. Enfin la porte grinça sur ses gonds et s'ouvrit très lentement, laissant entrevoir le visage ensanglanté de Natasha. Jack n'attendit pas qu'elle l'invite à entrer. Angoissé, il l'embrassa et elle lui rendit son baiser. Puis il s'écarta et constata que le sang qui couvrait son visage et ses mains ne provenait d'aucune blessure. Aussitôt il entra dans l'appartement et se retrouva face à plusieurs familles entassées au fond de la pièce. Sans rien dire, Natasha le guida rapidement jusqu'à une petite cuisine, où Jack resta saisi par la scène qu'il avait devant les yeux. Sur une table en bois, une petite fille avec une horrible blessure agonisait, tandis qu'une femme, sans doute sa mère, essayait de la sauver à l'aide de compresses.

— Qu'est-ce que tout cela ? Que se passe-t-il ?

Natasha le regarda à peine. Elle écarta la femme qui sanglotait et tenta à nouveau d'arrêter l'hémorragie. La petite, les yeux écarquillés par l'effroi, tremblait et ouvrait la bouche comme un poisson qui cherche de l'air. Le sol était une flaque de sang. Natasha travaillait avec résolution.

— Il y a eu une explosion et ces gens sont venus me chercher. C'est une folie, Jack, dit-elle en pleurs. Tout ce pour quoi nous avons lutté semble s'écrouler. Je t'en supplie, aide-moi !

Jack saisit la petite pour contenir ses spasmes tandis que les mains de Natasha disparaissaient dans le remous du liquide rouge qui jaillissait du ventre de l'enfant. Soudain, la fillette se mit à grelotter comme si elle avait très froid, elle appela sa mère et saisit sa main avec force. Une seconde plus tard, elle cessa de bouger et, sans vie, tourna lentement la tête. Un silence qui sembla éternel s'abattit sur la pièce, bientôt interrompu par le hurlement déchirant de la mère. Natasha parut ne pas l'admettre, et elle continua à bander le petit corps exsangue. Jack comprit que, bien que consciente du désastre, elle refusait d'accepter le destin de la petite.

— Laisse-la, elle est morte, lui murmura-t-il, et doucement il l'écarta.

Natasha éclata en sanglots. Jack la serra contre lui, jusqu'à ce qu'elle s'en sépare lentement, comme si elle avait tout à coup retrouvé ses esprits.

— Sortons, lui dit-elle.

Jack la suivit. Ils quittèrent l'appartement et se dirigèrent vers le couloir. Natasha, les yeux rougis, regardait à travers une petite fenêtre les colonnes de fumée qui montaient de l'Autozavod.

— Mon père…

— Oui, Yuri m'a dit qu'ils l'ont arrêté. Je suis désolé. Je…

— Il est mort, Jack. Mon père est mort.

Et, inconsolable, elle éclata en sanglots.

Jack sentit son sang se glacer dans ses veines. Yuri lui avait seulement dit qu'ils l'avaient incarcéré. Il pensa qu'il s'agissait d'une erreur. Mais quand Natasha se tourna vers lui, plus désemparée que jamais, il comprit que c'était vrai.

— Que… Que s'est-il passé ?

— Un collègue de l'hôpital me l'a dit. Il est venu chez moi pour m'annoncer qu'il s'était suicidé. Que mon père avait avoué son implication et qu'il s'était tiré une balle, à l'Ispravdom. Bande de salauds ! Ils l'ont tué, Jack ! Ils l'ont assassiné…

Jack la serra de nouveau dans ses bras. Lorsqu'il sentit ses sanglots s'apaiser, il prit ses mains dans les siennes et lui demanda de le suivre.

— Viens avec moi en Amérique.

Elle le regarda comme s'il lui était impossible de comprendre ses paroles.

— Avec toi ?

— Fuyons d'ici et commençons une nouvelle vie. J'ai demandé un passeport pour toi. J'ai seulement besoin d'une photo de toi et…

— Et les abandonner ? (Elle montra la pièce où elle s'était occupée de la fillette.) Abandonner toutes les choses pour lesquelles mon père a tant lutté ?

— Ici tu es en danger. Yuri affirme qu'ils vont venir te chercher.

— Non, Jack. Je ne permettrai pas à ces gens de souiller le nom de mon père. Je veux savoir ce qu'il s'est passé. Je trouverai les preuves et les coupables paieront pour leurs crimes.

— Mais tu ne te rends pas compte ? Rien de ce que tu tenteras ne les empêchera de parvenir à leurs fins.

— Ça m'est égal ! (Elle se libéra de Jack.) Je chercherai jusque sous les pierres. Je les maudis, Jack ! Je les maudis !

Jack aspira l'air qui lui manquait. Il aperçut la silhouette de Yuri qui attendait, nerveux, sur le palier, et il lui fit signe de patienter.

— Cela ne servira peut-être à rien, mais j'ai trouvé des documents, dit-il enfin. Des rapports qui donnaient le détail des transactions entre le supposé traître et Hewitt.

— Les transactions dont ils accusent mon père ? Ce sont les mensonges qu'ils ont présentés pour l'arrêter. Ils ont dit que c'est lui qui avait transféré les fonds à Hewitt pour qu'ensuite ils se les partagent. Mais c'est faux, Jack ! Je connaissais mon père. Toute petite, je l'ai vu se priver pour distribuer les rations à ses hommes. J'ai vu ses cicatrices, produites par une explosion alors qu'il protégeait un soldat adolescent. Il s'est consacré corps et âme à la révolution. Il rêvait du bien-être commun, d'un monde meilleur. Ce sont les valeurs qu'il m'a inculquées. Mon père était… (Elle éclata en sanglots.) C'était un grand homme, Jack… Un grand homme.

Jack ne répondit pas. Il regarda de nouveau Yuri, qui secouait la tête en signe de désapprobation.

— Bon… Les rapports dont je te parle, les documents auxquels j'ai eu accès, étaient des récépissés officiels. De la Vesenkha. Mais avec un détail majeur : les numéros de comptes ne coïncidaient pas avec ceux qui ont été présentés au procès.

— Que veux-tu dire ?

— Qu'ils démontraient que le donneur d'ordre n'était pas ton père. Je ne sais pas qui, mais à l'évidence ils provenaient d'un compte différent.

— Et où sont ces rapports ?

Une lueur d'espoir passait dans ses yeux. Jack secoua la tête.

— Ils me les ont pris et les ont brûlés.

Il omit de lui parler des copies qu'il avait faites. Les lui donner ne servirait qu'à faire d'elle une cible.

— Mon Dieu !

Elle se laissa tomber, abattue.

— Natasha, maintenant que tu sais que ton père est innocent, plus rien ne te retient. Je peux te sortir d'ici. Fuyons tant qu'il est encore temps !

— Mais tu ne comprends pas, Jack ? Avant je n'avais que des soupçons, maintenant il y a des preuves. Nous pouvons démontrer que…

— Nous ne pouvons rien démontrer ! Je te dis que ces rapports ont brûlé ! Qui va te croire ?

— Mais tu pourrais déclarer ce que tu viens de me dire.

— Si je le faisais, tout ce que j'obtiendrais c'est qu'ils nous tuent.

— Mais comment peux-tu être aussi lâche ! Tu ne peux pas rester caché maintenant !

— Me cacher, moi ? Et toi, qu'as-tu fait tout ce temps ? Te cacher et avoir honte de moi. Me cacher aux yeux de tous, aux yeux de tes amis, de ton propre père. Et maintenant tu me demandes de sortir et de m'immoler pour défendre l'honneur de l'homme à qui tu n'as jamais parlé de nous ? Pourquoi n'as-tu rien dit ? Pourquoi ?

Natasha regarda Jack comme si c'était un inconnu.

— Je… Je n'ai jamais eu honte de toi, Jack.

— Ça, c'est ce que tu dis maintenant… (Il eut une grimace d'amertume.) Sais-tu ? À certains moments, j'ai rêvé que je pourrais être heureux auprès de toi. Il t'aurait suffi d'avoir confiance en moi, au lieu de cacher tes sentiments, comme si j'étais un pestiféré.

— Ce n'est pas vrai, Jack… Tu ne sais pas…

— Oui, il y a des tas de choses que j'ignore…

Il se souvint de la photo sur laquelle elle était avec Viktor Smirnov et portait une bague de fiançailles.

— Jack ! les interrompit Yuri. Nous devons partir ! Des soldats arrivent !

— Écoute, tout ça a été une erreur. J'ai cru te connaître, mais en réalité tu as toujours été un étranger.

— Oui, c'est ce que j'ai été.

Les larmes embuèrent les yeux de Jack.

— Nous devons partir ! les pressa Yuri.

Jack acquiesça. Il se disposait à accompagner Yuri lorsque soudain il se souvint de quelque chose et s'arrêta.

— Au fait. J'avais oublié un détail. (Il la regarda.) Un ingénieur soviétique a séjourné aux États-Unis pour y suivre une formation, c'est l'auteur de la plupart des sabotages. Je n'ai pas pu le localiser. Mais si cela peut te servir, il s'appelle Mamayev.

— Mamayev ?… Vladimir Mamayev ?

— Oui. Ce nom te dit quelque chose ?

Natasha rentra la tête dans les épaules et elle resta ainsi, tandis qu'un sanglot déchirant secouait son corps. Lorsqu'elle se redressa, son visage était tordu de douleur.

— J'ai eu une relation avec cet homme et Dieu sait combien je m'en repens. Vladimir Mamayev était le surnom qu'utilisait Viktor Smirnov pour que mon père ne le reconnaisse pas lorsqu'il m'appelait au téléphone. Si je n'ai pas rendu publique notre relation, c'était pour te protéger.

— Jack, ils sont dans l'escalier !

— Merde ! J'arrive ! cria Jack. Pour ce que tu as de plus cher au monde, viens avec moi, Natasha. Ensemble une vie nous attend.

— Je regrette, Jack. Je ne peux pas.

— Tu es folle ! Enfin, ne vois-tu pas qu'en restant ici tu scelles ton destin ?

— Non, Jack. C'est toi qui oublies que même quand le destin nous pousse vers l'abîme, il y a toujours une lueur d'espoir.

Un coup de feu claqua sur le palier de l'étage inférieur.

— Natasha !...

— Va-t'en. Va-t'en et sauve-toi. Maintenant tu ne le comprends pas, mais quand tu seras loin et que ma voix s'éteindra, ferme les yeux et écoute ton cœur.

40

Jack avait conduit à toute vitesse en prenant les rac-
courcis que Yuri lui avait indiqués. Le jeune Russe
était descendu à proximité de la maison de son oncle
Ivan pour voir si celui-ci pourrait lui procurer des faux
passeports supplémentaires, et ils étaient convenus de
se retrouver à la tombée de la nuit au refuge où ils se
cachaient.

Lorsque Jack arriva à la cabane, il gara la voiture dans
la grange et frappa à la porte selon le code convenu.
À l'intérieur, tous attendaient, effrayés : Elisabeth,
les quatre membres de la famille Daniels, Miquel
Agramunt et Joe Brown. Avec lui, huit personnes. Neuf
si Natasha venait. Ils seraient trop nombreux.

Il les mit au courant de la situation. Ils allaient
devoir attendre cachés dans la cabane jusqu'à ce que
Yuri revienne avec des nouvelles, et ils resteraient là
jusqu'à ce qu'on leur remette les passeports. Ils ne lui
posèrent pas la question, aussi Jack évita-t-il d'évoquer
la difficulté de les obtenir et le coût des documents. Ils
firent l'inventaire des provisions et se répartirent un
paquet de biscuits rances. Quatre biscuits chacun. Ils
les mangèrent sans appétit et s'assirent pour attendre,

blottis les uns contre les autres. À l'extérieur, le vent du matin rugissait.

L'aventure soviétique s'achevait ; le dernier paradis. Jack sourit avec amertume. Il se souvint des gros titres du *New York Times* qui clamaient les bontés nées d'une révolution, par-delà les océans. Ces mêmes titres qui avaient séduit Andrew et des milliers de désespérés. Ces titres qui avaient eu raison de sa vie et de celle de tant d'autres.

Il voulut croire que cet enfer prendrait fin. Il s'imagina un instant de retour en Amérique, ne craignant pas la justice, se promenant dans New York dans sa voiture neuve, vêtu d'un costume à cent dollars et assistant au dernier spectacle. De nouveau danser, s'amuser et sourire. C'était au moins ce à quoi il pouvait aspirer grâce à tout l'argent qu'il avait économisé. Il palpa les liasses de billets qu'il avait réparties sous son manteau, quelques-unes près de son cœur. Faisant cela, il perçut un vide à cet endroit, celui que devait occuper Natasha Lobanova, la femme dont il était amoureux.

Il pria pour que la jeune femme retrouve ses esprits. Pour qu'elle comprenne que rester à Gorki n'avait aucun sens, et qu'elle vienne avec Yuri à la cabane. Il l'imagina radieuse ; tous deux se promèneraient en se tenant par la main dans Central Park, ils monteraient tout en haut des gigantesques gratte-ciel pour regarder l'horizon et jouiraient de la vie.

À ce moment, le procès avait dû reprendre. Viktor Smirnov devait conclure sa représentation, applaudi par les mêmes acolytes qui, sans doute, l'avaient poussé à provoquer la chute de Sergueï. Ils condamneraient sa vilenie, celle de Hewitt, celle de sa nièce et même celle du traducteur qui s'étaient enfuis. Une preuve de plus de leur culpabilité, ajoutée à toutes celles qu'ils avaient eux-mêmes fabriquées.

Il regarda les Daniels. Ils avaient l'air de morts-vivants : sans passeport, sans économies, sans rien à manger... Joe Brown grelottait sous une couverture élimée. L'homme s'était imaginé débarquer dans un monde heureux, et maintenant, gelé et affamé mais avide d'espoir, il attendait de retourner dans le pays où on l'avait traité de « nègre » chaque jour de sa vie. Miquel fredonnait une chanson que Jack imagina venue de sa terre natale ; il caressait son bonnet rouge comme si c'était son bien le plus précieux. Elisabeth soupirait. Elle n'avait pas cessé de soupirer un seul instant. Sans doute son oncle Wilbur était-il mort lui aussi. Jack eut pitié d'eux, mais c'était sur lui qu'il s'apitoyait le plus. Il laissa son dos glisser le long du mur de bardeaux pour poser ses fesses par terre. Natasha lui manquait. Il n'espérait qu'une chose, que Yuri la ramène.

Ils restèrent silencieux pendant des heures, effrayés par les détonations au loin. À la nuit tombée, un bruit de pas les mit en alerte. Jack prit un couteau et se posta près de la porte. Joe Brown l'imita. Ils attendirent, retenant leur souffle, tandis que les pas approchaient.

Jack fit signe à Joe Brown de se tenir prêt. Joe se signa. Des coups frappèrent la porte. Au bout de quelques secondes, on entendit la voix de Yuri. Jack crut que Natasha l'accompagnait, mais lorsqu'il ouvrit, il se trouva nez à nez avec son vieil oncle, Ivan Zarko. Ils entrèrent dans la cabane comme si le diable les poursuivait. Yuri apportait un sac de pain noir. Il l'ouvrit et répartit les miches sous les regards attentifs d'Agramunt et des Américains.

— Avez-vous eu des nouvelles du procès ? interrogea Elisabeth.

Bien que Jack imaginât la réponse, il traduisit sa question à Ivan Zarkov.

— Ils l'ont condamné. Apparemment, Staline va rester à Gorki jusqu'à ce que Smirnov ait écrasé la révolte, ce qui complique votre fuite. Et maintenant, si vous n'y voyez pas d'inconvénient, j'aurais besoin de discuter de quelques détails avec Jack, dehors, s'excusa Zarko.

Après avoir traduit, Jack se couvrit de son *ouchanka* et accompagna Ivan et son neveu. Dès qu'ils furent sortis, il prit des nouvelles de Natasha. Yuri secoua la tête.

— J'ai essayé de la convaincre, mais j'aurais aussi bien pu supplier une pierre. L'hôpital était rempli de blessés : des ouvriers criblés de balles, des hommes et des femmes torturés, brûlés… Elle m'a reçu pendant qu'elle aidait une femme à moitié morte à accoucher.

— Je vais aller la chercher.

— C'est inutile. Ils ont lancé un ordre d'arrestation contre toi et ils la surveillent de près. Si tu y vas, tu nous feras tous tuer.

Jack accepta, résigné. Il s'était attendu à cette réponse de Natasha, mais avait voulu en espérer une autre. Il interrogea Ivan Zarko au sujet des passeports. Le vieux hocha la tête.

— Tu as dit quatre ! Un pour toi, un pour le capitaliste, un pour sa nièce, plus celui de la fille de dernière heure.

— Combien coûteraient six autres ?

— Ce n'est pas une question d'argent, Jack. Les vôtres sont prêts, mais en obtenir d'autres me paraît impossible. Il faudrait des photos d'identité, des passeports vierges, de nouvelles signatures… Avec Smirnov à la tête de la Guépéou, toute faute conduit à la tombe.

— Combien, Ivan ?

— Beaucoup trop.

Jack tourna les yeux vers la cabane où se trouvaient six âmes qui n'avaient aucune idée de ce qui les attendait.

— Tu pourrais trouver un appareil photo ?

— Je suppose que oui, mais le problème, c'est moins les photos que le support des passeports. Les vôtres sont allemands, mais pour eux on aurait besoin de cinq américains et d'un espagnol. Il faudrait les demander à Moscou, obtenir les signatures officielles…

— Toi, trouve cet appareil photo. On pourra peut-être obtenir les passeports plus tard, ailleurs.

Ivan Zarko secoua la tête, comme pour laisser entendre que tenter de fuir sans passeport était de la folie. Pourtant, il accepta la requête de Jack.

— En ce qui concerne l'itinéraire de sortie, tu as parlé d'un train de marchandises…

— Il faut oublier le rail. Ils ont bloqué l'accès à la gare et renforcé la surveillance avec des meutes de chiens dressés. Tous les trains qui quittent Gorki sont fouillés de fond en comble.

— Nous avons la voiture. Bien serrés nous pourrions…

— Vous ne feriez pas cent kilomètres. Ils ont établi des contrôles sur les routes et les voies secondaires restent impraticables. Et où trouver de l'essence ? La seule possibilité serait de suivre le cours de la Volga. Les quais de Gorki sont blindés, mais en aval vous pourriez obtenir un passage sur un cargo qui vous conduirait à Stalingrad. Là-bas, nous avons des amis qui vous cacheraient jusqu'à ce que vous puissiez à nouveau embarquer pour la mer d'Azov. Mais…

— Oui ?

— Vous êtes trop nombreux. Ce serait un voyage risqué… (Il laissa entrevoir à Jack que les possibilités de succès étaient minces.) Et ça va vous coûter cher. Très cher.

— Je paierai ! Oublie l'argent !

— Comme tu voudras. Je trouverai cet appareil photo.

— Une chose encore. (Il arrêta Yuri alors que celui-ci s'en allait. Il ôta son *ouchanka* et détacha de son cou la médaille que sa mère lui avait offerte. Lorsqu'il donna le pendentif à Yuri, il eut la sensation de se défaire d'une partie de sa vie.) Tiens. C'est la dernière faveur que je te demande. Remets-la à Natasha. Dis-lui que sans amour la vie ne vaut pas d'être vécue.

Il dit à ses amis de ne pas s'inquiéter, qu'Ivan et Yuri allaient résoudre leurs problèmes et les conduire vers la liberté. Elisabeth le crut. Les autres imaginèrent ce qui les attendait.

Jack s'assit et resta silencieux, le regard perdu. Jusqu'à la dernière seconde il avait espéré que Natasha l'accompagnerait, mais elle avait choisi de lutter pour ses idéaux, en restant là où l'on avait besoin d'elle. Il maudit son intégrité, sa générosité insensée et les principes de solidarité auxquels elle ne pouvait renoncer. Il les maudit du plus profond de son âme. Pourtant, il ne pouvait les lui reprocher. Son honnêteté n'avait pas de limites, et lui, au fond, n'était qu'un pauvre diable.

Il mâchonna le morceau de pain noir qui allait constituer son dîner en essayant de la chasser de ses pensées. Il devait l'oublier une fois pour toutes et se faire à l'idée qu'il retournait aux États-Unis pour vivre la vie dont il avait toujours rêvé, aux côtés d'une jeune héritière. Les heures d'isolement semblaient avoir changé Elisabeth ; non seulement elle acceptait à présent le sort de son oncle, mais en plus, dans un moment de faiblesse, elle lui avait suggéré des projets d'avenir.

Il sourit amèrement. N'importe quel homme l'envierait. En Amérique l'attendait une vie merveilleuse, confortable et pleine de divertissements, auprès d'une femme riche et séduisante. Une vie merveilleuse. Vide.

La journée entière s'écoula sans que ni Yuri ni Zarko donnent signe de vie. Pendant cette attente, Elisabeth resta pelotonnée contre Jack. Elle parlait à peine, mais elle l'entourait de ses bras, comme si elle savait qu'il était sa seule chance. De temps en temps, elle lui demandait s'ils seraient heureux en Amérique et il acquiesçait sans conviction, dans un murmure. Les heures s'écoulaient, lentes et froides, à se regarder les uns les autres en quête d'une lueur d'espoir. Au milieu de l'après-midi, ils abandonnèrent les tours de garde. Dehors, on n'entendait que le hurlement du blizzard.

Le troisième jour, Ivan revint avec son neveu. Ils se présentèrent à l'aube, presque sans bruit. Jack, incapable de dormir, était réveillé depuis des heures. Lorsqu'il perçut leur présence, il se sépara d'Elisabeth et courut ouvrir la porte qu'il avait bloquée à l'aide d'un bâton. Les deux Russes entrèrent rapidement et alertèrent les autres. Ils devaient fuir au plus vite : des pelotons de la Guépéou patrouillaient dans le bois à la recherche de fugitifs. Tous se hâtèrent. Ils rassemblèrent leurs affaires et sortirent de la cabane pour se diriger vers l'appentis où la Ford A était toujours cachée.

Tandis que les autres chargeaient la voiture, Jack resta en arrière pour mettre au point les détails de la fuite. Ivan Zarko lui remit l'appareil photo, un plan avec les indications nécessaires pour atteindre le port fluvial de Lyskovo, l'adresse et le nom du contact qui les cacherait.

— C'est lui qui s'occupera des billets. À Stalingrad, Oleg, un vieil ami, vous attendra. Il se fera connaître et vous cachera jusqu'au moment d'embarquer sur le bateau suivant.

— Merci pour tout. Yuri et toi vous êtes comportés comme deux amis.

— Tu nous as bien payés pour ça. Tiens. Les trois passeports.

Jack le serra dans ses bras. Il savait que le bandit prenait des risques qu'il ne pourrait jamais lui rembourser. En se séparant, il glissa la main dans son manteau.

— L'argent convenu pour l'appareil photo et tout le reste. (Il lui remit quatre liasses de billets.) Quant aux six autres passeports…

Ivan Zarkov fit non de la tête.

— D'accord, nous nous débrouillerons, répondit Jack.

Il comprit que ceux qui n'avaient pas de passeport n'y arriveraient pas.

Il prit place au volant. Yuri ouvrit la porte de l'appentis. L'air pensif, Jack regarda le sentier, dans l'espoir qu'au dernier moment apparaisse Natasha. Quelques secondes s'écoulèrent. Le temps passait et Elisabeth le pressa de démarrer. Jack parut sortir de sa torpeur. Il actionna le bouton du tableau de bord et le moteur rugit. Il se préparait à accélérer lorsque Ivan s'approcha pour lui dire adieu. Alors que Jack baissait la vitre, Yuri plongea sa grosse main dans une poche, en sortit la médaille que Jack lui avait donnée pour qu'il la remette à Natasha, et la lui rendit.

— Je regrette, s'excusa Yuri. Elle avait décidé de venir.

— Quoi ?

— Natasha. Elle m'a dit que tu ne devais pas te défaire de cette médaille parce qu'elle avait décidé de t'accompagner en Amérique.

— Mais alors, où est-elle ?

Il arrêta le moteur.

Yuri baissa les yeux.

— On l'a attendue, mais elle n'est pas venue.

— Comment ça, elle n'est pas venue ? Je ne comprends pas. Elle était d'accord pour vous retrouver et elle n'est pas venue ? Tu vas m'expliquer ce qu'il s'est passé ?

Il descendit de la voiture.

Yuri évita de regarder Jack.

— Je te demande ce qu'il s'est passé !

Il attrapa le Russe par le devant de son manteau tandis que le garçon cherchait un regard d'approbation dans les yeux d'Ivan Zarko.

À cet instant, le vieux bandit s'approcha de Jack et l'obligea à lâcher Yuri.

— Je t'avais averti de ne pas lui dire, reprocha-t-il à son neveu. (Il cracha à terre, comme si c'était sa faute. Puis, se mordant les lèvres, il se tourna vers Jack.) Ils l'ont arrêtée au moment où elle sortait de chez elle. C'est Smirnov. Ils vont l'envoyer en Sibérie.

Jack ne réfléchit pas. Il se dirigea vers Joe Brown, lui remit les clés de la voiture et lui demanda de prendre sa place au volant. Joe ne comprenait pas. Lorsqu'il les pressa de partir sans lui, aucun de ses compagnons ne voulut le croire. Mais Jack resta inflexible. Ses yeux brillaient de détermination.

Ni les supplications des Daniels, ni les pleurs d'Elisabeth ne purent le faire changer d'avis. Jack resta hors de la voiture et chargea Miquel Agramunt de s'occuper de ses amis.

— Toi seul peux les sauver. Ne trahis pas ma confiance.

Et il le serra dans ses bras comme s'il faisait ses adieux au frère qu'il n'avait jamais eu.

Agramunt le lui promit.

Il lui remit les trois passeports, les indications pour utiliser l'appareil photo et une liasse de billets. Des aboiements résonnèrent, plus proches. On pouvait presque sentir l'odeur des chiens. Jack s'écarta pour leur dire adieu. La voiture allait partir quand Elisabeth ouvrit la portière et en descendit.

— Je reste avec toi, dit-elle en essayant de cacher ses larmes.

Jack secoua la tête.

— Ce serait dangereux. Tu dois partir maintenant avec eux. Je vous rejoindrai plus tard.

— Tu ne pourras pas. Tu crois que je ne t'ai pas vu donner les passeports à Miquel ?

— Ne sois pas bête. (Il sortit le passeport de Georges McMillan de son manteau et le lui montra.) Tu croyais vraiment que j'allais rester dans ce pays immonde ?

Elisabeth regarda le document du coin de l'œil. Quelque chose lui dit de se méfier.

— Jack, je t'en supplie, monte dans la voiture. Nous serons heureux…

Ses paupières gonflées et rougies cachaient la beauté de ses yeux.

— Je ne peux pas.

— Bien sûr que tu peux ! Tu crois que je ne t'ai pas vu ? C'est pour cette femme, hein ? Pour cette… Pour cette Russe miséreuse.

— Je dois essayer.

— Et que vas-tu faire ? Crier aux quatre vents qu'elle est innocente ? Mais tu ne comprends donc pas ? Dès que tu apparaîtras Viktor te tuera.

— Je suis désolé, Elisabeth. Je ne peux pas la laisser.

— Mais réfléchis un peu ! Quand je t'ai demandé d'aider mon oncle, tu m'as toi-même affirmé que c'était une entreprise inutile, l'implora-t-elle. Les Soviétiques ne te croiront pas. Ils ne le feraient pas même si Viktor avouait haut et fort ses propres crimes.

Jack garda le silence. Il savait qu'Elisabeth avait raison, mais au fond de lui quelque chose de plus puissant que la raison le poussait à rester. Il obligea la jeune femme à monter dans la voiture, lui baisa la main et ferma la portière.

— Vite ! Démarrez !

Joe Brown obéit comme si on l'avait fouetté. Il écrasa l'accélérateur et le véhicule dérapa avant de se redresser pour s'engager sur le sentier glacé. Tandis qu'il s'éloignait, Jack le contempla comme s'il venait de déchirer de ses propres mains le dernier billet du transatlantique qui allait les ramener en Amérique. Lorsque la voiture ne fut plus qu'une tache au loin, il se tourna vers Ivan Zarko, cherchant sa compréhension, mais le bandit ronchonnait comme une vieille.

— Qu'est-ce que tu veux ? Tu sais que ce passeport ne vaut rien, lui dit-il.

— Je le sais.

Il le déchira en morceaux avant de le jeter dans le fossé.

— Et qu'as-tu l'intention de faire ?

Jack laissa le vent fouetter son visage.

— D'abord, m'assurer que tu obtiennes que ces gens arrivent sains et saufs à Odessa. Passeports… billets… tout ce qu'il faut. (Il sortit toutes ses économies de son manteau et les remit à Ivan Zarko.) J'espère que ce sera suffisant.

Ivan compta les billets d'un air un peu honteux. Il n'imaginait pas que Jack avait pu réunir autant d'argent et, encore moins, qu'il le lui confierait. Il le rangea dans sa pelisse et acquiesça.

— Bien sûr, il servira. Et après ?

Jack contempla les ornières qu'avait laissées la voiture en se perdant dans la neige. Il remplit ses poumons de l'air des bourrasques et exhala une bouffée de buée avant d'offrir à Ivan un regard empreint de tristesse.

— Après, j'aurai besoin de ton aide, pour la dernière fois.

41

Chez lui, Jack attendit dans un coin, près de la cheminée. Malgré la chaleur qui montait des braises, il tremblait comme un enfant effrayé. Pourtant, il n'avait pas peur. Ce frémissement n'était que de la nervosité. Il savait que son voyage touchait à sa fin. La fin d'un voyage maudit. Il ferma les yeux, essayant d'imaginer Natasha. Peu à peu son visage se matérialisa. D'abord imprécis, pâle et languissant. Puis ses yeux prirent vie, ses lèvres charnues ébauchèrent un sourire et ses mains pâles caressèrent délicatement son visage, comme elle le faisait toujours. Il crut que son amour était là. Il sourit.

Il se frotta les yeux pour combattre la fatigue. Il avait travaillé toute la nuit pour que tout soit prêt. Il regarda l'horloge. Dix heures du matin. Bientôt, Smirnov apparaîtrait. Il se servit un verre de vodka qu'il avala d'un trait et attendit patiemment, tandis que le temps s'écoulait. Dix minutes plus tard, Smirnov frappait à la porte.

Jack ouvrit. Devant lui, le nouveau chef de la Guépéou, vêtu de son uniforme impeccable, le regarda de l'extérieur, l'air méprisant. Sur son ordre, deux de ses hommes armés de fusils entrèrent dans la maison.

— Alors comme ça, cette porcherie est ton refuge ? J'imaginais que tu avais meilleur goût.

Il eut un sourire cynique et l'écarta pour entrer.

Jack le suivit, sans un mot.

— Eh bien ? poursuivit Smirnov. La note que tu m'as fait parvenir parlait de rapports et d'un numéro de compte courant. Où sont-ils ?

— En sécurité, mentit Jack.

— En sécurité, bien sûr. Et puis-je savoir ce que tu comptes en faire ?

— Rien de spécial, si tu libères Natasha et confesses tes crimes.

— Ah ! Mes crimes… Trop d'insolence pour un pauvre étranger sur le point d'aller au cimetière.

— Je vois que tu hais toujours autant les pauvres. C'est pour cette raison que tu t'es débarrassé de Serguei ? Pour pouvoir t'enrichir aux dépens d'Autozavod ? Pour voler l'argent des ouvriers ?

— Attendez dehors ! (Il s'adressa à ses acolytes, dégaina son revolver et attendit qu'ils obéissent. Lorsqu'ils furent sortis, il afficha à nouveau son rictus de hyène.) Allons, Jack ! Tu oublies que Serguei a avoué. C'est lui qui a détourné une fortune sur le compte de Hewitt, lui qui a permis que les sabotages ruinent la production. Par chance, je l'ai démasqué.

— Je suppose que tu fais référence à la même sorte de chance qui t'a conduit aux États-Unis sous le nom de Vladimir Mamayev… Le pseudonyme que tu utilisais étant jeune, et celui que tu as employé pour cacher ta formation américaine. C'est curieux, Viktor : tu étais le seul homme d'Autozavod à avoir assez de connaissances pour endommager les machines sans risquer d'être suspecté. Cet inutile de Smirnov, qui ne savait même pas serrer un boulon.

— Quelle imagination ! Ça m'enchante, Jack ! Je n'aurais jamais imaginé que ton habileté dans la mécanique fasse de toi un si merveilleux fabulateur.

— Tu peux me traiter de fabulateur, je ne t'en fais pas le reproche. Mais dans ce cas, pourquoi es-tu venu chez moi accompagné de deux hommes armés ? Staline est à Gorki. Tu n'as rien de mieux à faire ? Attends ! Peut-être puis-je te suggérer quelque chose. Peut-être devrais-tu être en train d'effacer toutes traces du compte 660598865. Celui qui t'identifie comme le véritable donneur d'ordre des transferts qui t'ont permis d'accuser Sergueï Loban et Wilbur Hewitt de tes propres crimes. À moins, bien sûr, que ce ne soit précisément ce que tu es venu chercher ici.

— Bien. Jack, cessons de jouer. (Il le visa à la tête.) Où sont les rapports ?

— Dis-moi, Viktor… Quand as-tu commencé à tramer ce plan ? Est-ce quand George McMillan a découvert tes projets ? C'est pour ça que tu l'as assassiné ?

— Je perds patience !

— Sais-tu ? Au procès, quand Sergueï a présenté l'appel téléphonique de McMillan, j'ai été étonné, à la fin, que George McMillan raccroche sans dire au revoir. J'ai pensé que cela venait d'une coupure de la transcription, mais d'après ce que j'ai pu vérifier, ces transcriptions indiquent les pauses, les éternuements… et même le dernier soupir. Si Sergueï n'a pas lu d'au revoir, c'est parce que la personne qui espionnait McMillan à cet instant l'a éliminé avant qu'il puisse le dénoncer. La même personne qui au procès a témoigné pour accuser de son propre crime Wilbur Hewitt, un invalide à qui il aurait été impossible de porter sa mallette et que cependant tu as affirmé avoir vu soulever à bout de bras un homme de plus de cent kilos.

— Jack… Jack… oublies-tu que c'est Sergueï qui a présenté ces preuves ?

— Oui. Celles que tu lui as fournies, au moment où tu as appris que Staline allait venir à Gorki. Je ne sais pas comment tu t'y es pris pour qu'il te croie, mais la situation était idéale, n'est-ce pas ? Le moment idéal pour que Sergueï, incapable de découvrir le traître qu'il cherchait depuis des mois, reçoive des preuves dont il n'avait pas eu connaissance jusqu'à cet instant. Et le moment idéal pour, un peu plus tard, révéler devant Staline qu'en réalité Sergueï, le chef de la Guépéou dont tu ambitionnais le poste, était un corrompu qu'il fallait démasquer. Le moment idéal pour te présenter comme le véritable rédempteur des Soviets. C'est comme ça que tu t'y es pris ? C'est comme ça que tu as de nouveau modifié les comptes ? C'est comme ça que tu as tout planifié pour l'assassiner et tout garder pour toi ?

— Et alors, qu'importe si je l'ai fait ? hurla-t-il. Sergueï a mordu à l'hameçon quand je lui ai dit que j'avais repoussé mon témoignage sur les ordres de Moscou, et il s'est tu quand je l'ai menacé de tuer sa fille. Ce bon à rien était un pauvre idéaliste, un justicier qui croyait à l'égalité pour tous. Quel idiot ! À l'égalité pour qui ? Pour ces rustres de paysans qui prendraient une vessie pour une lanterne ? En plus, à quoi servent le pouvoir et la richesse si on ne peut en jouir ?

— Et qu'est-ce que cela a à voir avec le massacre d'innocents, Viktor ? Tu avais besoin d'exterminer de pauvres diables pour atteindre tes objectifs ?

— Bah ! Ces contre-révolutionnaires, c'était de la racaille. De la racaille sans âme ! Imagine leur tête s'ils avaient su que c'était moi qui finançais leurs sabotages ?

— Toi ?

— Allons, Jack, je te croyais plus malin. Quelle meilleure façon de discréditer le travail de Sergueï ?

— Pourtant, Sergueï a agi d'une main de fer en déportant les saboteurs. C'est pour ça que tu as décidé de l'impliquer dans le détournement d'argent. Pour te débarrasser de lui et de Hewitt. J'imagine qu'en tant que commissaire des finances il t'a été facile de détourner des fonds d'Autozavod et d'inventer une entreprise fantôme au nom de Mamayev pour transférer l'argent à Hewitt et accuser Sergueï. Et une fois ces deux-là éliminés, tu dirigerais à ta guise Autozavod et les millions de roubles de ses comptes.

— Bien, bien… Il semble que l'approche de la mort aiguise ton intelligence. C'est dommage que…

Soudain, ses yeux perçurent quelque chose. Sans cesser de braquer son arme sur Jack, il fit un léger détour et se dirigea lentement vers la cheminée pour écarter les braises avec sa botte.

— Eh bien, Jack… Mais qu'avons-nous ici ? (Il se baissa et saisit le morceau de papier roussi qu'il venait de découvrir parmi les cendres, pour l'examiner sous le rayon de lumière qui entrait par la fenêtre.) Mais ce sont les restes du rapport que je cherchais ! Finalement, cet inutile d'Andrew a rempli sa mission.

Il rit, et sa phrase à peine terminée, il assena à Jack un coup de crosse.

Jack tituba. Cependant, malgré la douleur, il tint bon, stoïque, tandis qu'un filet de sang coulait à la commissure de ses lèvres.

— Maudit Américain ! J'aurais dû te faire tuer quand tu as échappé au train de minerai fondu, comme je l'ai fait avec Orlov.

Jack cracha du sang. Jusqu'à cet instant il croyait que c'était Orlov qui avait mis le train en marche.

— Et qu'est-ce qui t'en a empêché ?

— Ton ami Andrew. Il m'a convaincu que tu me serais plus utile vivant, et la vérité c'est qu'il avait raison, parce qu'il m'a tenu informé de toutes tes confidences. (De nouveau il lui donna un coup de crosse et Jack plia les genoux.) Idiot prétentieux… Tu t'es cru le génie de la farce quand tu as pensé que je mangeais dans ta main parce que tu réparais ma Buick, mais j'ai très vite découvert ton jeu. Oui. Le garçon de la fête du Metropol que j'ai feint de ne pas reconnaître et qui a eu l'audace de se présenter chez moi avec un beau costume œil-de-perdrix. Un costume que j'aurais reconnu entre mille, parce que c'était moi qui l'avais offert à McMillan. Malheureusement, mes cadeaux n'ont pas eu assez d'effet sur lui et je n'ai pas eu d'autre solution que de le tuer. Dis-moi, Jack… Tu pensais sérieusement que parce que tu avais un grossier document tu allais pouvoir m'inquiéter ? Ha ! Un million de rapports n'auraient pas servi à convaincre Staline. Ce crétin ne me condamnerait jamais parce qu'il croira toujours dur comme fer à ce que lui dit un parent. Pauvre diable… Tu es aussi arrogant que Sergueï et Natasha.

— Laisse Natasha tranquille. Elle n'a rien à voir là-dedans.

— Oh, que si elle a à voir ! Elle et son père me méprisaient. Savais-tu que Natasha m'a quitté ? Moi ! Viktor Smirnov ! Putain d'orgueilleuse… Mais comment a-t-elle pu me répudier ? cria-t-il comme si Natasha pouvait l'entendre.

Jack ouvrit de grands yeux et recula.

— C'est pour ça qu'elle ne voulait pas que tu sois au courant de notre relation, non ? C'était ça, la raison. Natasha ne me cachait pas à son père. C'était de ta colère qu'elle voulait me protéger.

— Tu sais quoi ? Je crois que nous devrions poursuivre cette conversation dans un endroit où tu pourras nous donner les noms de ceux qui t'ont aidé. (Il arma le revolver). Quelle ironie, Jack ! Tu es venu en Russie chercher le paradis et c'est moi qui vais faire de ton rêve une réalité. Et pas seulement ça. Pour que tu voies à quel point je t'apprécie, je vais faire en sorte que Natasha t'accompagne.

— Maudit salaud ! Elle est innocente !

— Sans doute… (Il eut un rire cynique.) Mais je ne peux pas me permettre de laisser en liberté la fille d'un Loban qui pensera jour et nuit à la manière de venger la mort de son père. Hé ! vous autres ! Emmenez-le ! cria-t-il à ses hommes.

Jack sentit la colère lui opprimer les poumons et l'asphyxier. Il pensa à Natasha et son souvenir le porta. Profitant de l'instant de distraction provoqué par l'entrée des acolytes, il se jeta sur Viktor et lui donna un coup de tête qui le fit tomber comme un pantin. Étourdi à terre, Smirnov cria à ses sbires de retenir l'homme qui l'attaquait. L'un d'eux ceintura Jack pour l'écarter, mais celui-ci se retourna et l'abattit d'un coup de poing. Il allait se lancer sur Smirnov lorsqu'il sentit une profonde douleur dans la poitrine qui le brûlait jusqu'à la gorge. Alors ses jambes fléchirent, son corps s'affaissa et il tomba à genoux. Incrédule, il regarda le poignard que l'un des nervis venait de lui planter dans la poitrine et, en levant les yeux, il vit le visage stupéfait de Viktor…

Tandis que les ténèbres l'assaillaient, il entendit le chef de la Guépéou reprocher à ses hommes le coup de poignard. Puis il se souvint des baisers de Natasha. Ils étaient doux, ils avaient un goût de miel. Ensuite, lentement, la douceur disparut pour devenir aussi amère que le vinaigre et il s'écroula en avant, exsangue, sur le sol.

42

Deux jours plus tard, la rébellion étant étouffée et les fauteurs de troubles arrêtés, la salle d'audience du palais de justice fut rouverte pour accueillir le procès public du peuple soviétique contre Natasha Lobanova. Les accusateurs étaient le nouveau commissaire en chef de la Guépéou, Viktor Smirnov, et le président, Staline lui-même, qui avait décidé de rester à Gorki jusqu'à la fin du procès. Après avoir entendu le tissu de mensonges élaboré par Smirnov et sa requête de peine capitale, Natasha resta debout, impassible, attendant que le président prononce le verdict.

Toute la salle se tut en voyant Joseph Staline se lever. Son visage était celui d'un sanglier sur le point de foncer sur ses ennemis. Smirnov l'imita, avec une moue de satisfaction.

— Natasha Lobanova : tu es accusée de conspiration contre-révolutionnaire, de conjuration familiale et de haute trahison, tous délits passibles de la peine de mort. As-tu quelque chose à ajouter ? demanda le président.

Pendant les interrogatoires, Natasha avait dit tout ce qu'elle avait à dire. Elle fixa Staline, hautaine et fière, sachant que rien de ce qu'elle dirait ne modifierait la sentence. En d'autres circonstances, elle se serait défendue, mais depuis que Yuri lui avait appris que Smirnov avait tué Jack et qu'il avait emporté son corps, plus rien n'avait de sens. Sans Jack, tout lui était égal.

— Bien. Dans ce cas, en tant que président de ce tribunal… (Il fit une pause pour regarder Natasha.) Je déclare l'accusée, Natasha Lobanova, coupable des crimes pour lesquels elle a été jugée, et la condamne à la peine de mort. La détenue sera exécutée dès que…

— Un moment !

On entendit une voix tremblante qui venait du fond de la salle.

Abasourdi, tout le public se retourna pour voir un vieil homme au visage sillonné de cicatrices faire son entrée par le couloir, accompagné d'un autre homme portant un nœud papillon et qui tenait dans ses bras une caisse d'acajou verni.

— Arrêtez ces hommes ! ordonna Smirnov.

— Monsieur le Président, je me présente devant vous pour éviter qu'un grave préjudice soit porté à l'Union soviétique !

Le vieillard et celui qui l'accompagnait continuèrent à avancer jusqu'à la hauteur de Natasha.

— Silence ! Qui êtes-vous ? questionna Staline.

— Monsieur le Président, avec tout le respect que je vous dois, je demande l'autorisation de parler. (Il fit un semblant de courbette.) Mon nom est Valeri Pouchkine, avocat retraité, et la personne qui m'accompagne est Louis Thomson, correspondant du *New York Times* à Moscou. Nous possédons une information de la plus haute importance liée à cette affaire et…

— Retirez-vous. Toutes les plaidoiries ont déjà été entendues et l'accusée a été déclarée coupable.

— Bien… mais, monsieur le Président, si vous me permettez cette réserve, vous n'avez pas terminé de prononcer la sentence, et comme le stipule notre Code pénal au paragraphe deux de son article dix-huit, tout citoyen soviétique a l'obligation, oui, oui…, *l'obligation* de dénoncer tout délit parmi ceux énoncés dans l'article cinquante-huit. C'est écrit ici. (Il ouvrit le Code pénal qu'il avait dans une poche et le brandit.) Le Code pénal approuvé par vous-même.

— L'article cinquante-huit fait référence à des délits contre-révolutionnaires, et ceux-ci ont été jugés par ce tribunal, rugit Staline.

— Bien. Cependant, le délit auquel je me réfère, bien qu'en relation avec le cas de Natasha Lobanova, est différent. S'il vous plaît, je vous prie de me permettre…

— Mais c'est de l'insubordination ! l'interrompit Smirnov. Arrêtez-le !

— Monsieur le Président (le vieil avocat mit un genou à terre dans un geste théâtral savamment étudié), dans son article premier, notre Code pénal signale très précisément que la législation pénale de la République fédérale socialiste soviétique de Russie aura comme objectif la défense de l'État socialiste des travailleurs et des paysans. Si vous ne m'écoutez pas, vous prenez le risque qu'Autozavod tombe aux mains de criminels. (Il vit Smirnov, le revolver à la main, quitter l'estrade et se diriger vers lui.) Je vous en prie, camarade président. Ne laissez pas passer cette occasion de montrer aux Américains, par la voix de leurs reporters, qu'en Union soviétique règne vraiment la justice.

Staline rougit. L'espace d'un instant, il sembla qu'il allait dégainer son propre revolver pour abattre lui-même les nouveaux venus. Mais il serra les poings et fit signe à Smirnov de s'arrêter.

— C'est bien, Viktor. Laisse-le, dit Staline. Vous avez dit vous appeler Valeri ?...

— Valeri. Mon nom est Valeri Pouchkine.

— Bien, camarade Pouchkine. Montrez-nous ce que vous avez à nous montrer et finissons-en une fois pour toutes.

Viktor Smirnov rengaina son arme, mais avant cela il visa le vieil avocat, comme s'il allait lui tirer dessus. Valeri avala sa salive. Puis il ouvrit la caisse d'acajou et, avec l'aide de Louis Thomson, en sortit un étrange appareil.

— Il me faudrait une prise de courant. Ah ! J'en vois une, là...

Smirnov pâlit.

— Camarade Staline ! Vous allez permettre qu'un vieux fou se moque de nous avec cette mascarade ? hurla Smirnov.

— Laissons-le. Je suis curieux. Quel est cet appareil ?

— Une invention américaine, monsieur le Président. Je crois qu'on l'appelle un phonographe.

L'avocat brancha l'appareil et appuya sur le bouton de mise en marche.

— Vous allez nous faire entendre une marche russe ?

— Hein ? Non. La vérité, c'est que ces appareils sont anciens, mais très intéressants. À la différence des gramophones modernes, qui ne servent qu'à reproduire des disques commerciaux, ce genre de matériel grave également des conversations… Je vais vous le démontrer.

Sur un signe, Louis Thomson sortit de la caisse une boîte qui ressemblait à un pot de confiture, l'ouvrit et en tira un cylindre creux, en cire. Il le plaça sur l'axe du phonographe, posa la pointe du saphir à la surface et mit le moteur en marche. Le cylindre de cire commença à tourner sur lui-même, et soudain le délicieux refrain des *Danses polovtsiennes du prince Igor* emplit la salle. Avant que Staline se remette de sa surprise, l'avocat retira l'aiguille et sortit un couteau.

— Maintenant, observez, dit Pouchkine.

Sans arrêter le cylindre, il appliqua la lame du couteau à la surface du rouleau pour raboter la couche de cire extérieure sur laquelle était gravé le sillon de la mélodie, jusqu'à ce que le cylindre soit complètement lisse. Ensuite il replaça l'aiguille sur la surface de cire, actionna un levier et resta silencieux.

— Camarade Staline ! Je vous ai dit que cet homme était fou ! cria Smirnov, et il descendit de l'estrade pour arrêter personnellement l'avocat.

Pas le moins du monde effrayé, Valeri Pouchkine arrêta l'appareil, changea le levier de position et remit en marche. Avant que Smirnov n'arrive à sa hauteur, une voix métallique provenant du pavillon du phonographe résonna dans la salle d'audience.

« *Camarade Staline ! Je vous ai dit que cet homme était fou !*

Camarade Staline ! Je vous ai dit que cet homme était fou ! »

En entendant sa propre voix sortir de l'appareil, Viktor Smirnov s'arrêta net. Alors, profitant du désarroi de Smirnov, Valeri Pouchkine sortit une autre boîte de la caisse en acajou et remplaça le cylindre de cire. Puis il remit le phonographe en marche et la voix de Smirnov résonna de nouveau dans le cornet acoustique. Mais ses paroles, maintenant accompagnées de celles de Jack, étaient éclairantes. Staline se leva, incrédule.

« *Alors comme ça, cette porcherie est ton refuge ? J'imaginais que tu avais meilleur goût. Eh bien ? La note que tu m'as fait parvenir parlait de rapports et d'un numéro de compte courant. Où sont-ils ?*

— En sécurité.

— En sécurité, bien sûr. Et puis-je savoir ce que tu comptes en faire ? »

Le phonographe continua à égrener la confession de Viktor Smirnov, à la stupeur de toute l'assistance. Horrifié, Viktor tenta d'interrompre la diffusion mais, sur un geste de Staline, plusieurs hommes se jetèrent sur lui et l'arrêtèrent.

— Camarade Staline ! Tout cela est un complot ! implora Smirnov tandis qu'on le saisissait.

À cet instant, dans le silence sépulcral de la salle, le phonographe reproduisit son dernier passage.

« *Dis-moi, Jack... Tu pensais sérieusement que parce que tu avais un grossier document tu allais pouvoir m'inquiéter ? Ha ! Un million de rapports n'auraient pas servi à convaincre Staline. Ce crétin ne me condamnerait jamais, parce qu'il croira toujours dur comme fer à ce que lui dit un parent.* »

Tandis que Valeri Pouchkine s'approchait de l'estrade pour montrer à Staline la copie du document de la Vesenkha que Jack avait remise à Yuri, on put encore entendre les dernières paroles de Viktor Smirnov.

— C'est un complot ! Soyez tous maudits ! Sois maudit, Jack Beilis.

43

— Docteur Natasha ! Il y a dehors un monsieur qui souhaite vous voir.

— Dites-lui d'attendre un instant je vous prie.

Natasha Lobanova termina de bander la petite jambe du bébé qu'elle venait d'opérer et elle le confia à sa mère. La femme, une paysanne coiffée d'un vieux fichu, tenait un autre petit par la main, mais de son bras libre elle étreignit le bébé comme son plus grand trésor. Natasha sourit. Elle se lava les mains, et sortit de la salle de soins. Dehors attendait Wilbur Hewitt. L'homme ôta son chapeau et posa sa mallette sur le sol.

— Je ne voulais pas partir sans vous dire au revoir, dit Hewitt.

— Je regrette de ne pas vous avoir rendu visite avant. J'ai appris votre acquittement, mais il y a tant de travail à l'hôpital que je n'ai pas eu l'occasion de…

— Non. Vous n'avez pas à vous excuser.

— On m'a dit que votre nièce était arrivée en Amérique.

— Oui. C'est exact. Ils ont pu embarquer à Odessa. (Il resta silencieux et ajusta son monocle.) Je… Je suis vraiment désolé de ce qui est arrivé à Jack. Je ne savais pas que vous et lui…

— Oui. (Elle se mordit les lèvres. Ses yeux s'embuèrent.) Presque personne ne le savait.

— Bon. Je me réjouis que vous ayez retrouvé votre poste. Ces gens ont besoin de vous. Enfin… l'ambassadeur m'attend. Je dois partir ou nous raterons le train pour Moscou. Merci pour tout et bonne chance.

— Bonne chance à vous également.

Wilbur Hewitt prit sa mallette et fit demi-tour. À l'extérieur, entourés de valises, attendaient Louis Thomson et une Sue qui semblait soucieuse.

Natasha les regarda partir. Lorsque la voiture disparut, elle retourna dans son bureau, vérifia la liste des patients, puis enleva sa blouse. La nuit tombait. Avec l'arrivée du printemps, les nuits étaient plus courtes. Elle prit congé de ses assistants et quitta le cabinet.

Elle vivait toujours rue des Coopératives, avec le strict nécessaire : une pièce dont les seuls meubles étaient un lit, une table, une chaise, une petite armoire et une étagère remplie de livres.

Lorsqu'elle eut refermé la porte, elle s'avança lentement vers l'ancien phonographe que Jack avait voulu qu'elle garde. Elle se réjouit que Valeri Pouchkine le lui ait laissé avant de partir pour Leningrad avec Ivan Zarko et sa famille. Elle caressa la caisse d'acajou qui le protégeait et la tira avec précaution. Comme s'il s'agissait d'un rituel, elle ouvrit le couvercle en métal, sortit le cylindre de cire qui reposait à l'intérieur, le plaça sur l'axe du phonographe et nettoya sa surface avec un mouchoir de soie. Quand le cylindre commença à tourner, la voix chaude de Jack Beilis flotta de nouveau dans la pièce. Natasha, comme toujours, ferma les yeux pour le voir et goûter le murmure de ses douces paroles.

« *Chère Natasha. J'ignore ce qu'il se passera demain, mais quoi qu'il arrive, ne verse pas de larmes sur moi. Au contraire, souris. Jusqu'à ce jour, j'ai erré dans ce monde en fuyant la pauvreté comme le plus grand des malheurs, sans comprendre que la véritable misère était en moi, dans mon âme.*

Certains s'apitoieront peut-être sur mon sort, mais moi, je considère que j'ai de la chance. Peu d'hommes sont capables de découvrir que même si leur vie a été brève, elle a vraiment valu la peine. J'ai eu cette chance. La chance de te rencontrer. Celle d'apprendre que même si le destin nous pousse vers l'abîme, il existe toujours une lueur d'espoir.

Aujourd'hui, pour la première fois de ma vie, je peux être le maître de mon destin. Et pour cette raison, c'est toi que je choisis.

Promets-moi que tu ne changeras jamais. Ainsi je saurai que lorsque ma voix s'éteindra, tu continueras à m'entendre dans ton cœur. »

Quand le phonographe exhala le dernier son, Natasha sourit, heureuse. Malgré son absence, elle eut le sentiment que les paroles de Jack étaient beaucoup plus que des paroles d'encouragement. Elle le savait parce qu'elle portait son amour tellement ancré en elle que plus personne, jamais, ne pourrait le lui enlever.

Épilogue

Leonid Varzin écarta de la table les plans du moteur thermique et aspira une bouffée de sa *papirosa* comme s'il n'existait pas de plaisir plus intense. En fin de compte, fumer était l'un des deux privilèges qui le différenciaient des prisonniers de droit commun du camp correctionnel de Kharkov. L'autre consistait à rester en vie, une chose envisageable tant que lui et ses collègues assignés à résidence réussissaient les prototypes sur lesquels ils travaillaient. Tandis qu'il savourait la fumée, Leonid observa le prisonnier élancé qui martelait les ancrages d'une carcasse dans l'atelier de mécanique. L'un après l'autre, les coups se succédaient sans trêve, rageurs, comme s'il assenait chaque coup de masse sur les chaînes de sa captivité.

— Tu devrais économiser tes forces. À ce rythme tu ne tiendras pas six mois, et si j'ai demandé qu'on te garde en vie, c'est parce que nous avons besoin de tes connaissances, décocha-t-il.

Le prisonnier ne répondit pas. Il garda les yeux fixés sur l'ancrage et continua de frapper. Peut-être Leonid et ses collègues trouvaient-ils un soulagement à leur réclusion en peaufinant leurs projets, mais pour lui, depuis deux ans, sa seule raison de les aider n'obéissait qu'au désir de survivre un jour de plus.

Lorsqu'il en eut fini avec le rivet, il se redressa pour planter ses yeux bleus sur les fenêtres, au-delà des grilles. Dehors la neige tombait drue et le froid engourdissait sa poitrine à l'endroit où, des mois plus tôt, était venu se loger un poignard traître. Il en frotta la cicatrice et, machinalement, effleura la médaille qui pendait à son cou. Alors, lentement, les barreaux de sa prison s'estompèrent.

Il continua à marteler avec la même détermination qu'au premier jour. Pour lui, ce n'était qu'un jour de plus. Mais quand le soleil se coucherait, un jour de moins le séparerait de Natasha. Un jour de moins avant de jouir, enfin, du dernier paradis.

NOTE DE L'AUTEUR

C'est au cours de l'été 2011 que je me suis mis à griffonner les première pages de ce roman. À l'époque, j'habitais New York, où j'étais venu chercher le repos et l'inspiration. Chaque matin, avant de m'installer devant mon ordinateur, je me promenais dans Columbus Park, à deux rues de l'appartement où je logeais. Au cours de l'une de ces promenades, je me suis arrêté dans un petit marché pittoresque où l'on vendait des livres au poids, à un prix si dérisoire qu'on aurait pu croire qu'ils étaient offerts. Après avoir fureté un moment, j'ai été attiré par un ancien essai intitulé *Working for the Soviets*, sur le nombreux contingent américain qui, après la Grande Dépression, avait émigré en Russie. Je l'ai aussitôt acheté. Ce soir-là, après bien des années, j'ai de nouveau pensé à ma grand-mère Bienvenida.

Comme mes frères et sœurs, j'ai eu une enfance heureuse. Peut-être n'avons-nous pas eu les plus beaux jouets et ne sommes-nous pas partis en vacances chaque été, mais nous avons toujours eu à nos côtés deux adorables vieilles dames, avec leurs cheveux blancs coiffés en chou-fleur et leurs chaussons en feutre, dont elles nous menaçaient parfois lorsqu'elles en avaient assez de nos polissonneries. Elles étaient deux, et elles étaient jumelles.

Bienvenida ne s'était jamais mariée. Quand sa sœur Sara s'était retrouvée veuve, Bienvenida était venue vivre avec elle pour l'aider à élever ses jeunes enfants. Bien des années après, lorsque nous sommes nés, Sara et Bienvenida se sont occupées de nous avec cet amour et cette tendresse que savent seules donner les grand-mères.

Parmi les petits-enfants, Sara avait ses préférés, et Bienvenida les siens. J'étais celui de Bienvenida.

Plus je grandissais, plus j'étais intrigué : pourquoi ma grand-mère Bienvenida ne s'était-elle jamais mariée ? C'était une femme douce et affectueuse, au visage agréable, au cœur immense, et moi, qui avais dix ans, je ne comprenais pas qu'elle soit restée célibataire. Un soir d'hiver, tandis qu'elle frottait mes articulations avec de l'alcool pour faire baisser ma fièvre, j'ai osé le lui demander. Elle m'a seulement répondu qu'elle n'avait pas rencontré l'homme idéal. Mais son visage est devenu triste comme jamais, et sans comprendre, j'ai su qu'elle me mentait.

Je ne m'étais pas trompé. Des années plus tard, je l'ai surprise en train de pleurer alors qu'elle lisait une vieille lettre. Quand je me suis approché pour la consoler, elle a serré la lettre sur son cœur et, retenant ses larmes, elle m'a dit que si un jour je tombais amoureux, si difficiles que soient les circonstances, je devais lutter pour cet amour comme si ma vie en dépendait.

Nous n'avons plus jamais parlé de cela, Bienvenida est morte à quatre-vingt-treize ans, alors que j'en avais dix-sept, et ce fut l'un des jours les plus tristes de mon existence.

Bien plus tard, mon père m'a parlé de la brève relation qui avait marqué ma grand-mère Bienvenida. D'après ce qu'il m'a confié, elle avait connu un jeune homme dont elle était tombée éperdument amoureuse. Il était marchand de bétail et venait de rentrer d'Union soviétique. Pendant les mois où ils s'étaient fréquentés, ce garçon l'avait captivée par ses récits extraordinaires sur le pays des bolcheviks. Il lui décrivait les endroits où il avait travaillé, les immigrants d'autres pays qu'il avait connus, les merveilles qu'il avait découvertes et les terribles événements qui l'avaient obligé à fuir la Russie.

Quand la guerre civile avait éclaté en Espagne, il s'était enrôlé dans les rangs républicains et leurs chemins s'étaient séparés. C'était par une lettre venue du front de l'Ebre que Bienvenida avait eu les dernières nouvelles de lui. Son bien-aimé lui répétait plus que jamais qu'il l'aimait et se désolait de l'absurdité des guerres.

Au fil du temps, cette histoire avait pris place sur l'étagère de mes souvenirs et elle était restée là, oubliée, jusqu'au jour où je m'arrêtai dans ce pittoresque petit marché newyorkais.

Ce soir-là, dans l'appartement que je louais à Brooklyn Heights, j'ai imaginé les milliers de désespérés qui, comme ce marchand de bétail, avaient émigré en Russie en quête d'un avenir meilleur. Ceux qui avaient entrepris un voyage pour un lieu où tout homme avait droit au bonheur, sans se douter qu'ils prenaient le chemin de leur perte. La vie et la mort de tous ces gens m'ont incité à écrire cette histoire sur l'espoir et l'égoïsme, sur l'innocence et la perfidie, sur les idéaux et l'amour. Un récit sur les conséquences du fanatisme et de la pauvreté, mais aussi un hommage au sacrifice et au dépassement qu'incarnait un groupe d'êtres courageux qui, vivant au centre de l'affrontement des mondes, s'étaient battus pour reprendre définitivement en main leur destin.

Je ne voudrais pas conclure cette réflexion sans faire référence au célèbre prix Pulitzer qui assurait que chaque vie, à y regarder de près, pouvait être la source d'inspiration d'un beau roman. Je ne sais s'il disait vrai, mais ce que je peux affirmer sans crainte de me tromper, c'est qu'une très belle personne a inspiré ce roman. Ma chère grand-mère Bienvenida.

UNE HISTOIRE AUTHENTIQUE

Bien qu'il s'agisse d'un roman, la complexité du contexte historique des années trente m'a obligé à un gros travail de documentation, pour insuffler de la vraisemblance au moindre détail des vicissitudes qu'a connues cette époque aussi passionnante que déchirante. Un travail ardu et laborieux, accru du fait des renseignements contradictoires de chroniques qui variaient substantiellement selon les sources consultées.

Pour élucider l'exactitude des faits, j'ai classé les matériaux en fonction de la filiation politique de leurs auteurs, en séparant tout document qui revêtait un caractère prosélyte de l'une ou l'autre orientation. J'ai agi de la même façon avec les nombreux essais ou chroniques qui ont été publiés en Europe à cette époque, et dont le contenu correspondait à l'opinion de ceux qui voyaient dans la nouvelle Russie un exemple de liberté et d'espoir, ou à celle des auteurs pour qui elle représentait seulement une menace imminente. À part cela, il faut rendre compte des nombreux rapports, essais et analyses élaborés après l'avènement de la *glasnost* qui, d'une façon ou d'une autre, ont été un point lumineux dans ce long et ténébreux tunnel.

En ce qui concerne les milliers d'émigrés qui, malgré eux, sont devenus les protagonistes d'un film d'épouvante étranger à leurs vies, il y a lieu d'établir trois groupes bien différenciés. D'une part, les techniciens et ouvriers spécialisés qui ont prêté leurs services en échange de compensations économiques avantageuses. De l'autre, la poignée d'idéalistes qui, s'identifiant aux principes d'égalité et de solidarité qui inspiraient la nouvelle Union soviétique, ont abandonné tout ce qu'ils avaient pour engager leurs vies dans une entreprise aussi dure qu'altruiste. Et enfin, le contingent le plus nombreux, celui qui a subi avec le plus de rigueur l'évolution des événements : la légion des déshérités qui, éblouis par les promesses de prospérité annoncées par le *New York Times* lui-même, ont quitté les États-Unis pour chercher le pain et le travail qu'on leur refusait dans leur pays.

Pour ces derniers, l'aventure fut particulièrement douloureuse. La plus grande partie des Américains qui partirent pour l'Union soviétique le firent avant que les États-Unis n'établissent des relations diplomatiques avec ce pays, si bien qu'en pratique, à l'expiration de leurs visas, ils n'eurent que deux options : être expulsés du pays ou accepter la nationalité soviétique, en renonçant à leur citoyenneté. Face à cette alternative, beaucoup décidèrent de rentrer dans leur patrie, mais les autorités soviétiques les en empêchèrent. Enfin, les purges staliniennes se chargèrent de montrer leur visage le plus cruel et mirent un terme à l'aventure de travailleurs qui avaient répondu à l'appel de la prospérité et qui devinrent les boucs émissaires du totalitarisme soviétique.

Certains d'entre eux m'ont inspiré quelques-uns des protagonistes de mon roman.

Ainsi trouverons-nous l'alter ego de Wilbur Hewitt chez Charles Sorensen, alors chef de production de Ford à Détroit, et responsable du contrat qui lia l'Autostroy à Henry Ford. Pour la mise en marche d'Autozavod, Sorensen se rendit en Union soviétique afin d'étudier *in situ*, avec Staline et Mezhlauk, les détails de la construction de l'usine à Gorki. Peu après, de retour aux États-Unis, il demanda à Henry Ford l'autorisation de retourner en Union soviétique pour résoudre les problèmes qui ravageaient Autozavod, mais Henry Ford la lui refusa. Concrètement, il le fit exactement dans ces termes : « Charlie. Ne fais pas ça. Ils ont besoin d'un homme comme toi. Si tu repars là-bas, ils ne te laisseront jamais revenir. Ne leur en donne pas l'occasion. »

Pour le personnage de Sergueï Loban, je me suis inspiré de la figure de Valery Mezhlauk, ingénieur, président de la Commission de planification d'État et responsable de la signature de l'accord de construction d'Autozavod, qui eut lieu à Dearborn le 31 mars 1929, en présence du président de la compagnie nord-américaine, Henry Ford, et du directeur d'Amtorg, Saul Bron. Quelques années plus tard, Valery Mezhlauk et Saul Bron furent sommairement exécutés sous les accusations infondées d'« ennemis du peuple » pendant la terreur exercée par la police secrète.

Quant à Viktor Smirnov, il pourrait bien être une copie du sinistre chef de la police secrète Genrikh Yagoda. Personnage qualifié par ses contemporains de vaniteux, corrompu et flagorneur, aimant le luxe et les femmes, à ses débuts, en tant que membre de la Tchéka, il tissa un réseau d'espions et de sicaires qui infiltra le NKVD, la police politique, jusqu'à en prendre le contrôle. Après avoir assassiné son supérieur immédiat, Viacheslav Menzhinski, Genrikh Yagoda obtint d'être nommé commissaire du peuple aux affaires intérieures. Aussitôt après, il ordonna la mort du célèbre dirigeant bolchevik Sergueï Kirov et déclencha un carnage politique qui, sous le nom de Grande Purge, vit l'exécution de centaines de milliers de personnes. Pendant son mandat, il fonda un laboratoire secret où il expérimenta des produits chimiques, des poisons et autres instruments de torture qu'il utilisa contre ses ennemis. Avec l'argent provenant des comptes des défunts, il se fit construire une maison somptueuse avec piscine privée au centre de Moscou. Finalement, Genrikh Yogoda subit le même sort que ses adversaires et fut liquidé d'une balle dans la nuque dans la prison qui avait été le témoin de ses horribles crimes.

Enfin, Jack Beilis, bien que différent dans sa personnalité, a pris les traits de Walter Reuther, personnage réel dont la carrière débuta à la Ford Motor & Co., où il devint expert en moules et matrices. En 1932, il fut licencié au moment de la Grande Dépression et partit pour l'Union soviétique travailler comme expert dans l'usine Autozavod, à Gorki. Pendant les deux années au cours desquelles il prêta ses services, Walter Reuther connut en profondeur les bienfaits et les tracas de la machine politique soviétique. Il finit par pouvoir rentrer aux États-Unis où, après une longue période de militantisme pour la défense des travailleurs, il s'affilia au parti démocrate.

Peu après l'inauguration de l'usine soviétique, les relations commerciales avec Ford commencèrent à se détériorer, au point de se dissoudre totalement en 1935. D'après Natalia Kolesnikova, directrice du musée Gorkovsky Avtomobilny Zavod à Nijni Novgorod, si les frères Reuther, alors directeurs américains, étaient restés en URSS, il est probable qu'ils auraient été victimes des purges de Staline. En 1938, le premier directeur de l'usine Gorkovsky Avtomobilny

Zavod, Sergueï Dyakanov, fut exécuté. Chaque responsable d'atelier fut arrêté. De nombreux travailleurs étrangers, principalement américains, furent l'objet de représailles, et certains disparurent à jamais dans les camps de concentration ou goulags.

GLOSSAIRE

AMTORG : Acronyme d'*Amerikanskoe Torgovlye* (*American Trading Corporation*). Bureau new-yorkais responsable de la représentation commerciale soviétique aux États-Unis. Établi en l'absence de relations diplomatiques entre les deux pays, et sous les auspices de l'OGPU (Guépéou, les services de renseignement soviétiques), Amtorg a mené de front son activité commerciale avec celle de l'espionnage d'entreprises comme la Ford Motor & Co.

AUTOZAVOD : Terme russe dont la signification, « fabrique d'automobiles », fut amplement utilisée pour désigner la Gorkovsky Avtomobilny Zavod, l'usine d'automobiles de Gorki. Portant un vif intérêt aux méthodes de production tayloristes, Joseph Staline impulsa, à travers la corporation d'État Autostroy, la signature d'un accord avec la Ford Motor & Co. pour la construction d'une réplique de l'usine américaine à Nijni Novgorod (ultérieurement rebaptisée Gorki, fin 1932). L'accord en question envisageait, outre la livraison de l'outillage nécessaire, le déplacement du personnel technique américain pour la mise en marche de l'usine, ainsi que l'acquisition d'un stock important d'unités discontinues du modèle A, provenant des installations allemandes de Ford. La première pierre de l'usine fut posée le 10 mai 1930, mais l'absence de formation du personnel soviétique, la standardisation de processus bureaucratiques inefficaces et l'emploi de matériaux de mauvaise qualité pour diminuer les coûts entraînèrent le retard de la production ; en conséquence, la police secrète se mit en quête de responsables. L'envoi de deux cent trente techniciens soviétiques à Détroit pour y être formés se révéla infructueuse. L'apparition de sabotages sporadiques et de grèves intermittentes furent les excuses avancées par les membres de l'OGPU (Directoire politique unifié de l'État) pour accuser de négligence et d'espionnage de nombreux ouvriers et techniciens américains qui furent arrêtés, condamnés et exécutés. Le coût total de l'opération s'éleva à quarante et un millions de dollars en or. De nombreux procès et actions en justice furent nécessaires pour régler les désaccords sur l'exécution des contrats.

BLAT : Ce terme fait référence à l'usage d'accords informels, de connexions personnelles, d'échanges de services et de contacts dans la structure bureaucratique du Parti communiste d'Union soviétique (PCUS) pour obtenir au marché noir des produits, rationnés ou non, disponibles pour le grand public.

FAMINE-HOLODOMOR : La famine soviétique de 1932-1933 a affecté les plus grandes régions céréalières de l'ancienne URSS. La manifestation de cette famine de l'ancienne République soviétique socialiste d'Ukraine est connue sous le nom d'Holodomor. On estime qu'elle extermina huit millions de personnes, 80 % des victimes étant d'origine ukrainienne.

FORDVILLE OU VILLAGE AMÉRICAIN : Le village américain était le terme utilisé pour désigner le complexe de grosses baraques qui fut construit à un peu plus de trois kilomètres d'Autozavod pour y loger le contingent d'immigrants nord-américains qui travaillait dans cette usine. Les logements étaient des bâtiments préfabriqués à un étage construits en bois, contre-plaqué et glaise. La plupart des travailleurs disposaient d'une chambre individuelle, et les familles avec enfants pouvaient opter pour une chambre supplémentaire. Les toilettes et les cuisines faisaient partie des dépendances communes. En plus des baraques destinées à des habitations et des résidences individuelles réservées aux cadres supérieurs, la ville disposait d'installations sportives, d'un club social et d'un économat où les habitants pouvaient acquérir des aliments et autres marchandises. En 1937, n'ayant plus d'habitants américains, la ville fut détruite.

INTOURIST : Agence de voyage d'État de l'Union soviétique. Fondée en 1929 par Staline et dirigée par des officiers du NKVD, elle avait pour objet de contrôler l'accès, le séjour et le déplacement des citoyens étrangers en territoire soviétique. En 1933, elle fusionna avec la compagnie d'État soviétique Hotel, ajoutant à ses services des hôtels, des restaurants et des moyens de transport.

ISPRAVDOM : En russe, « maison de correction ». On désignait ainsi tous les centres de redressement, bagnes et camps de travail que les Soviétiques instaurèrent pour mettre en application les peines de réinsertion. Bien que le Code pénal soviétique considère les travaux forcés non comme un châtiment mais comme un moyen de réformer un individu, dans la pratique les camps de travail se révélèrent être des établissements d'extermination. Le camp de travail de Gorki, construit pour héberger huit cents prisonniers, en comptait 3 461 en 1932. Cette augmentation répondait en premier lieu aux longues périodes de prison préventive appliquées aux suspects ; ensuite, au fait que les condamnations étaient fixées en fonction de la nature du délit, et non de son importance – la condamnation pour un vol de centaines de roubles était la même que pour un vol de cinq roubles ; enfin, à cause de l'arrivée massive de prisonniers envoyés d'autres régions de la nation. Au fil du temps, les tentatives de stimuler la conscience civique des internés au moyen de politiques éducatives et de travail (en 1932, dans l'Ispravdom de Gorki ont été enregistrées 760 souscriptions à des journaux et 110 à des revues, une instruction à 350 analphabètes et des études pour 263 internes qui, s'étant découvert une vocation, les sollicitèrent) ont donné lieu à des déplacements massifs de prisonniers politiques dans les camps de travaux forcés dirigés par l'OGPU, connus sous le nom de goulags. Situés principalement dans la steppe sibérienne, les conditions climatiques extrêmes, le manque de nourriture, l'insalubrité et le travail exténuant ont décimé les prisonniers. Le total des décès documentés dans le système des camps de travail correctifs et les colonies pénitentiaires s'est élevé à 1 053 829 personnes entre 1934 et 1953. L'historien et prix Nobel de littérature Alexandre Soljenitsyne a estimé que les bolcheviks avaient assassiné près de 70 millions de personnes, sans compter les morts pour causes de guerre qui se sont élevées à 44 millions : un total de 110 millions de personnes entre la révolution bolchevique de 1917 et la mort de Staline en 1953. Dans la seule année 1937-1938, plus de 1 300 000 personnes furent condamnées à mort.

JOURNÉE DE TRAVAIL : En Union soviétique, entre 1929 et 1931, la durée de la semaine de travail a été modifiée, passant de cinq à sept jours. En conséquence, le dimanche, jour traditionnel du repos chrétien, fut supprimé et les travailleurs furent organisés en cinq groupes auxquels on assignait une couleur (jaune, rose, rouge, violet et vert), chaque groupe se voyant attribué un jour différent de la semaine pour se reposer. Ainsi, une année comptait 72 semaines plus une période de cinq jours de fête, soit un total de 365 jours. Le motif de ce changement obéissait à une tentative de favoriser la productivité et d'améliorer les conditions de travail pour chacun ; il y avait donc quatre jours de travail pour un de repos. En 1931 fut établie la semaine de six jours, système qui fut abandonné pour revenir à la semaine de sept jours en juin 1940. La durée de la journée de travail était de huit heures, dont une consacrée au déjeuner.

NEP : La Nouvelle Politique économique fut proposée par Vladimir Lénine, qui la qualifia de capitalisme d'État. L'État continuait à contrôler le commerce extérieur, les banques et les grandes industries, tout en permettant l'établissement de quelques entreprises privées et de commerces. Le décret de 1921 exigeait que les agriculteurs cèdent au gouvernement une quantité spécifique de matières premières agricoles, ce qui représentait un impôt en espèces. D'autres décrets perfectionnèrent cette politique et l'étendirent pour inclure certaines industries. La Nouvelle Politique économique fut abrogée et remplacée par le Premier Plan quinquennal de Staline en 1928.

SABOTAGE : En 1928 eut lieu la première grande opération de la Guépéou contre le sabotage industriel dans le bassin du Donets ; onze directeurs d'exploitation et vingt pour cent des ingénieurs et techniciens furent impliqués, et la plupart d'entre eux condamnés à mort. À partir de cette date, la police secrète porta son attention sur les membres du Parti industriel (Prompartia), qui comptait plus de deux mille membres ; ses dirigeants furent jugés en 1930 et la plupart des affiliés emprisonnés. Les travailleurs étrangers furent communément l'objet de ces accusations. En 1934, la production commença à s'en ressentir, aussi le procureur général de l'État, Andreï Vychinski, se vit-il obligé d'ordonner aux procureurs locaux de cesser de faire des ingénieurs et directeurs d'usine des boucs émissaires. Les techniciens incarcérés furent transférés dans les *charachki*, laboratoires pour prisonniers sous le strict contrôle de la police secrète, intégrés dans le Quatrième Département spécial du NKVD. D'abord nommés « Bureaux spéciaux de construction », ils accueillirent plus d'un millier de scientifiques, ingénieurs et techniciens qui y travaillèrent enchaînés à des tables à dessin.

TORGSIN : Terme russe, acronyme de *Torgovlja s inostrancami*, « Commerce avec les étrangers ». On désignait ainsi le réseau de magasins contrôlés par l'État dans lesquels les étrangers pouvaient acheter des produits interdits ou restreints pour les citoyens soviétiques. On comptait parmi ces produits des aliments et des articles de première nécessité soumis au rationnement, ainsi que des objets de luxe. Même si la presque totalité des clients de ces magasins étaient des étrangers, exceptionnellement leurs articles pouvaient aussi être achetés par des citoyens soviétiques, à condition que ces derniers paient avec des bijoux, de l'or ou des dollars, car l'objectif de ces établissements était l'obtention de devises pour l'État. Cette circonstance favorisa le développement d'un marché noir d'achat et de vente de devises, puisque celles-ci permettaient l'accès à des articles rationnés.

BIBLIOGRAPHIE

BAKER, V., *American Workers in the Soviet Union Between the Two World Wars*, Virginia West University, Morgantown, 1998.

CAHAN, A., *Yekl. A Tale of the New York Ghetto*, Dover Publications, New York, 1970.

CASTRO DELGADO, E., *Hombres made in Moscú*, Luis de Caralt, Barcelone, 1963.

CUELLO CALÓN, E., *El derecho penal de Rusia soviética. Codigo Penal ruso de 1926*, Librería Bosch, Barcelone, 1931.

DILLON, E. J., *La Rusia de hoy y la de ayer*, Editorial Juventud, Barcelone, 1931.

FILENE, P., *Americans and the Soviet Experiment, 1917-1933*, Harvard University Press, Cambridge, 1967.

FITZGERALD, F. S., *The Crack-Up*, New Directions, 1962, 2009.

HIDALGO DURÁN, D., *Un notario español en Rusia,* Editorial Cenit, Madrid, 1931.

KATAMIDZE, S., *Loyal Comrades, Ruthless Killers*, *The Secret Services of the USSR, 1917-1991*, Barnes & Noble, 2004.

KUCHERENKO, O., *Little Soldiers*, Oxford University Press, New York, 2011.

LEE, A., *Henry Ford and the Jews*, Stein and Day, New York, 1980.

MALTBY, R., *Cultura y modernidad*, Aguilar, Madrid, 1991.

MINISTRY OF DEFENSE OF THE U.S.S.R., *The Official Soviet Mosin-Nagant Sniper Rifle Manual*, Paladin Press, Colorado, 2000.

MONTERO Y GUTIÉRREZ, E., *Lo que vi en Rusia*, Imp. Luz y Vida, Madrid, 1935.

ORJIKH, B., *Como se vive y se trabaja en la Rusia soviética*, Editorial Bola, Santiago du Chili, 1933.

OROQUIETA, G., y García, C., *De Leningrado a Odesa*, Editorial Marte, Barcelone, 1973.

PRÓJOROV, A., *Bolshaya Sovietskaya Entsiklopédiya*, *BSE*, vol. 24, C.C.C.P., Moscou, 1969-1978.

RÉPIDE GALLEGOS, P. de, *La Rusia de ahora*, Renacimiento, Compañia Iberoamericana de Publicaciones, Madrid, 1930.

REUTHER, V. G., *The Brothers Reuther and the Story of the UAW : A Memoir*, Houghton Mifflin, Boston, 1976.

RIGOULOT, P. ; S. COURTOIS ; M. MALIA, *Le Livre noir du communisme : Crimes, terreur, répression*, Robert Laffont, « Bouquins », Paris, 2000.

RIO, P., *Le Soldat soviétique, 1941-1945*, Histoire & Collections, Paris, 2011.

RUKEYSER, W., *Working for the Soviets : An American Engineer in Russia*, Covici-Friede, New York, 1932.

SALISBURY, H., *American in Russia*, Harper & Brothers, New York, 1955.

SCHULTZ, K., « Building the "Soviet Detroit" : The Construction of the Nizhnii-Novgorod Automobile Factory, *1927-1932* », *Slavic Review*, 49, n° 2, Oregon, 1990.

664

SCOTT, J., *Behind the Urals : An American Worker in Russia's City of Steel*, Houghton Mifflin, Cambridge, 1942.

SHTERNSHIS, A., *Soviet and Kosher : Jewish Popular Culture in the Soviet Union, 1923-1939*, Indiana University Press, Bloomington, 2006.

TIMBRES, H. & R., *We Didn't Ask Utopia : A Quaker Family in Soviet Russia*, Prentice-Hall, New York, 1939.

TZOULIADIS, T., *Les Abandonnés*, Lattès, Paris, 2009.

VALLEJO MENDOZA, C., *Rusia en 1931. Reflexiones al pie del Kremlin,* Editorial Ulises, Madrid, 1931.

WITKIN, Z., *An American Engineer in Stalin's Russia : The Memoirs of Zara Witkin, 1932-1934*, Michael Gelb, University of California Press, Berkeley, 1991.

ZEMTSOV, I., *Encyclopedia of Soviet Life*, Transaction Publishers, Piscataway, 1991.

REMERCIEMENTS

Pendant tout le temps que j'ai consacré à cet ouvrage, de nombreuses personnes ont eu la gentillesse de partager avec moi leurs connaissances et leur amour. À toutes, je dois ma plus sincère reconnaissance, car sans leur aide désintéressée il m'aurait été impossible d'écrire ce roman.

Parmi les premières, je voudrais distinguer le professeur Boris Mikhaïlovitch Shpotov, membre de l'Institut de l'histoire du monde de l'Académie des sciences de Moscou et expert affilié au Fulbright-Kennan Institute Research du Woodrow Wilson International Center for Scholars de Washington. Le professeur Shpotov a eu l'amabilité de répondre longuement à de nombreuses questions relatives à l'existence de sabotages attribués de manière sporadique aux travailleurs étrangers dans les usines Autozavod. Je dois également remercier, pour sa collaboration généreuse, le Dr Heather D. DeHaan, professeure associée d'histoire, directrice du programme d'études sur la Russie et les pays d'Europe de l'Est, vice-présidente académique du Binghamton Chapter, UUP Binghamton, Université de New York, avec qui j'ai eu de longues conversations sur la localisation et les particularités de l'installation de la ville américaine de Gorki. Je voudrais aussi étendre ma reconnaissance au Dr Edward Jay Pershey, directeur des projets spéciaux de la Western Reserve Historical Society de Cleveland, et à Natalia Kolesnikova Vitalievna, directrice du musée d'Histoire du Gorkovsky Avtomobilny Zavod à Nijni Novgorod, pour son attention dans ses réponses à des questions similaires. Enfin, je ne voudrais pas oublier don Bernardo Tórtola, ingénieur en dessin industriel, diplômé en styling et dessin de concept de l'automobile, collectionneur passionné de véhicules historiques, qui m'a consciencieusement conseillé sur les différentes particularités de la construction de la magnifique Ford A qu'il possède.

Quant à ceux qui, jour après jour, m'ont soutenu de leur affection, je voudrais citer mes parents, dont je suis terriblement fier. Avec mes frères et sœurs, ma fille et mes petits-enfants, ils ont été le complément de bonheur qui m'a donné la stabilité nécessaire pour écrire pendant tant de temps sans jamais sombrer dans le découragement. Un bonheur qui n'existerait pas si, à mes côtés, ne se tenait mon épouse Maite, une personne exceptionnelle que j'aime profondément et que je considère comme la femme la plus merveilleuse au monde.

Le Livre de Poche s'engage pour
l'environnement en réduisant
l'empreinte carbone de ses livres.
Celle de cet exemplaire est de :
520 g éq. CO_2
Rendez-vous sur
www.livredepoche-durable.fr

PAPIER À BASE DE
FIBRES CERTIFIÉES

Composition réalisée par PCA

———————

Achevé d'imprimer en avril 2017 , en France sur Presse Offset par
Maury Imprimeur – 45330 Malesherbes
N° d'imprimeur : 217026
Dépôt légal 1ʳᵉ publication : mai 2017
LIBRAIRIE GÉNÉRALE FRANÇAISE – 21, rue du Montparnasse – 75298 Paris Cedex 06